A VIDA INTERNA

2ª Edição

A VIDA INTERNA

C.W. LEADBEATER

EDITORA TEOSÓFICA
Brasília-DF

1ª Edição em Português, 1996
2ª Edição em Português, 2019

B 554

Leadbeater, C.W.

A Vida Interna/ C.W. Leadbeater;
Tradução de Silvio Prado Frigo -
Brasília: Editora Teosófica, 2019, 2ª Ed.

Titulo do Original: The Inner Life

ISBN 85-85961-02-3

1. Teosofia
II. Títulio

CDU 141.332

CAPA
Fernando Lopes

COMPOSIÇÃO/DIAGRAMAÇÃO
João Batista Martins Da Silva e
Reginaldo Álves de Araújo

EQUIPE DE REVISÃO
Carlos C. Aveline,
Regina Vitória Ruzzante e
Zeneida Cerejo da Silva

Sumário

Capítulo Três
A Atitude Teosófica

Capítulo Quatro
Os Planos Superiores

Capítulo Cinco
O Ego e seus Veículos

Capítulo Seis
A Vida Após a Morte

Capítulo Sete

O Trabalho Astral

Capítulo Oito

O Corpo Mental e o Poder do Pensamento

Capítulo Nove

As Faculdades Psíquicas

Capítulo Dez

Devas e Espíritos da Natureza

Capítulo Onze
Reencarnação

Capítulo Doze
Karma

NOTA DA EDIÇÃO BRASILEIRA

Embora escrito com base na profunda experiência teosófica do autor, este livro não se dirige exclusivamente a membros da Sociedade Teosófica. Ao contrário, ele se destina a todos que buscam conhecer os vários aspectos da vida humana à luz da sabedoria eterna e que seguem qualquer religião e filosofia, ou nenhuma delas.

A edição original de 1911 reunia 14 capítulos em dois volumes. A presente tradução foi feita a partir da edição norte-americana de 1978, que eliminou alguns trechos sem atualidade da versão original e conta com 12 capítulos.

Traduzido pela primeira vez para o português, este trabalho constitui uma das obras mais importantes de C.W. Leadbeater. Conversando com amigos, ele aborda aqui, em tom coloquial e com grande intimidade, os mais diferentes aspectos do Caminho da Sabedoria, sempre a partir da sua longa vivência pessoal e direta. Com esta obra, o leitor tem o privilégio de conhecer o pensamento detalhado — sobre temas até hoje pouco conhecidos — de um dos maiores estudiosos da sabedoria divina no século XX.

Brasília, abril de 1996.
Os Editores.

PREFÁCIO DA EDIÇÃO INDIANA

Nossas palestras noturnas na Sede Internacional da Sociedade Teosófica em Adyar já são um costume estabelecido, e muitas informações são passadas — nesse círculo fraterno e próximo — sobre novas pesquisas feitas freqüentemente a partir de perguntas de algum estudante. Nosso Vice-Presidente, S. Subramania Iyer, encontrou tanta ajuda e esclarecimento nessas reuniões que desejou intensamente compartilhar sua satisfação com todos os irmãos do mundo, e contribuiu com certo valor em dinheiro para ajudar na sua publicação. Cordialmente apoiei sua opinião sobre o valor das informações e recomendo esta obra para um estudo sério de todos os nossos membros.

Annie Besant.

PREFÁCIO DO AUTOR À PRIMEIRA EDIÇÃO NORTE-AMERICANA

Espero poder ajudar meus leitores americanos a compreenderem sob que condições este livro foi escrito. Em nível mundial, a Sociedade Teosófica não compreende nem aprecia suficientemente o trabalho desenvolvido em sua rede internacional, e mesmo que para vocês, americanos, ela esteja longe, do outro lado da Terra, gostaria de ajudá-los para que a compreendam melhor. Os leitores do *Messenger* devem ter, ao menos, alguma idéia da aparência do local e do tipo de vida que se leva aqui em Adyar: ativa, esforçada e sob condições peculiares. Em nenhum outro lugar do mundo, no presente momento, existe um centro de influência como esse, constantemente visitado pelos Grandes Seres e, por isso, banhado por seu maravilhoso magnetismo. As vibrações são muito estimulantes, e todos nós que aqui vivemos estamos sob uma constante pressão, bastante peculiar, que desperta tudo o que estiver dentro de nós. Vibrações fortes vindas de outros planos atingem todo o tempo nossos veículos, fortalecendo, elevando e purificando qualquer parte nossa que responda a elas. Mas precisamos lembrar-nos também do outro lado desse processo. Pode ser que cada um de nós tenha em si vibrações cujo caráter esteja tão distante do nível daquelas grandes influências que não possam entrar em harmonia com elas, e, nesse caso, o resultado da intensificação tende a ser mais maléfico do que benéfico. Viver em Adyar é a mais gloriosa de todas as oportunidades para aqueles que podem aproveitá-la, mas ao mesmo tempo é perigoso para quem não consegue harmonizar-se com suas vibrações. Se o estudante puder suportar o esforço, avançará rapidamente; se não puder agüentar, é melhor que fique longe.

A maioria dos trabalhadores mora no grande prédio central, dentro da aura do santuário e da Presidente*. Os estudantes moram em outras casas a uma distância de menos de um quilômetro, todos dentro da grande área agora pertencente à Sociedade. Durante o dia, cada um cumpre com seus deveres, mas à noite todos nos reunimos sobre a laje de cobertura do edifício central, diante dos aposentos da Presidente, ocupados anteriormente pela própria Sra. Blavatsky, e ali, debaixo do

* A Sra. Annie Besant. (N.E.)

maravilhoso céu noturno da Índia, o mais brilhante que já vimos nos climas erradamente chamados temperados, sentamo-nos e ouvimos seus ensinamentos. Enquanto nossa Presidente viajava pelos Estados Unidos no último verão, estive encarregado das reuniões com os estudantes em Adyar. Naquela ocasião, fiz muitas pequenas palestras informais e respondi a centenas de perguntas. Tudo foi anotado, e esse livro é resultado dessas notas.

C.W. Leadbeater
Adyar, Madras, Índia, julho de 1910

NOTA DA EDIÇÃO NORTE-AMERICANA DE 1978

Quando decidimos reeditar esta obra clássica de forma resumida, em apenas um volume, percebemos que seria uma tarefa árdua e delicada; no entanto, era indispensável apresentar *A Vida Interna* a uma nova geração de estudantes da Sabedoria Antiga.

Felizmente foi possível contar com os vastos conhecimentos teosóficos de Shirley Nicholson, que trabalhou como editora. A revisão feita foi mínima. Passagens virtualmente complementares estavam separadas na primeira edição em dois volumes; por isso, muitos trechos foram trocados de lugar na união dos dois volumes em um só. Pouquíssimas alterações foram feitas, além da atualização de frases que não seriam bem entendidas pelos leitores de hoje. Assim, os dois volumes originais foram pouco reduzidos, com exceção de dois capítulos, que não seriam diretamente relevantes para o leitor leigo, a quem essa edição especial, condensada, é dirigida.

INTRODUÇÃO AO PONTO DE VISTA DE LEADBEATER SOBRE O MUNDO

Com a onda atual de interesse por ocultismo*, uma nova atenção está sendo dada a investigadores clarividentes como C.W. Leadbeater. Esses talentosos videntes oferecem-nos uma visão abrangente do homem e do universo, levando em conta vastas áreas que não podem ser conhecidas através dos instrumentos físicos de investigação. As perspectivas que expõem podem-nos dar pistas para a compreensão de fenômenos de interesse atual que são de outra forma inexplicáveis, como os efeitos parapsicológicos, os presságios, a cura etc.

Quanto à autenticidade das faculdades clarividentes, o próprio Leadbeater já notava em sua época que "existem evidências esmagadoras e irrefutáveis a favor da existência dessa faculdade". As evidências do século XX são ainda mais convincentes. Os parapsicólogos registram e acompanham casos espontâneos e dirigem estudos controlados em laboratório. Em casos de diagnóstico difícil, alguns médicos chegam a consultar pessoas sensitivas. Até mesmo a polícia, às vezes, recorre a elas para resolver crimes intrigantes. Mas a evidência mais convincente surge da semelhança minuciosa dos relatos feitos pelos clarividentes sobre os mundos invisíveis tanto no passado quanto nos tempos modernos. Parece que eles percebem a mesma realidade supra-sensorial, embora necessariamente através de suas interpretações individuais. Como Leadbeater coloca:

> *"O clarividente é simplesmente alguém que desenvolveu, dentro de si mesmo, o poder de responder a outra oitava da escala estupenda de vibrações possíveis, permitindo assim que perceba o mundo à sua volta numa escala maior do que aqueles de percepção mais limitada".*[1]

As palestras que formam esse livro, *A Vida Interna*, foram dadas a estudantes de Leadbeater e Annie Besant, sua companheira mais próxima e colega clarividente. Leadbeater supunha que seus ouvintes estivessem totalmente familiarizados com seu ponto de vista mais amplo sobre o mundo. Nesta nova edição, parece-nos necessário esboçar alguns dos aspectos principais desse ponto de vista, para que o livro torne-se mais compreensível.

---

* Ocultismo: A ciência que estuda os mistérios da natureza e o desenvolvimento de poderes psíquicos no homem. (N. ed. bras.)

Essa visão mais ampla do mundo não surgiu com Leadbeater, ainda que ele tenha esclarecido muitos detalhes que anteriormente estavam obscuros. Seu esquema adapta-se a uma venerável tradição que acompanha a humanidade desde tempos pré-históricos. A História mostra a semente da verdade surgindo através das idades, às vezes ensinada abertamente e dominando uma cultura, como na Grécia antiga, e, em outros tempos, sendo transmitida secretamente aos poucos que buscam. Os princípios foram denominados diferentemente e vários aspectos enfatizados em épocas diversas, mas os fundamentos permaneceram imutáveis através dos séculos. Hoje em dia, esse núcleo de conhecimento recebe os nomes de sabedoria antiga, filosofia oculta, tradição esotérica de teosofia. É chamado "oculto" porque trata daquilo que não está óbvio, que está oculto. Trata dos processos e leis da natureza, do que está por trás e além da ciência, envolvendo o estudo dos princípios metafísicos que sustentam o universo.

Traços dessa filosofia podem ser encontrados em fontes tão diversas quanto a Grécia antiga, Platão, Pitágoras, a Cabala, o Zohar, Gnosticismo cristão, Lao-Tsé, as Tradições hindu e budista, e o Sufismo, para mencionarmos apenas algumas. O fio da verdade que passa através destes ensinamentos foi identificado por H.P. Blavatsky em sua notável obra sobre filosofia oculta, *A Doutrina Secreta*. As investigações de Leadbeater foram feitas no contexto dessa antiga visão do mundo conforme apresentada nos ensinamentos de Blavatsky.

Essa filosofia apóia-se na premissa de que existe um princípio-substância divino, homogêneo e imutável, de onde surge o mundo. O mundo físico visível emerge gradualmente de sua fonte divina não material. Essa idéia é bastante aceitável dentro do contexto da física moderna. A teoria de Einstein mostra que tempo e espaço não são distintos e separados, mas, sim, inseparáveis e interdependentes. A física nuclear, a ciência das partículas subatômicas, apóia-se na noção de campos magnéticos e elétricos totalmente imateriais. Falando de campos de *quantum*, campos que podem tomar a forma de *quanta* ou partículas, Fritjof Capra diz em *O Tao da Física*:

> *"O campo de* quantum *é visto como a entidade física fundamental; um meio contínuo presente em todos os pontos do espaço. As partículas são apenas condensações locais do campo, concentrações de energia que surgem e desaparecem perdendo seu caráter individual ao se dissolverem no campo subjacente".*[2]

Assim, a matéria e os campos não materiais são vistos como uma unidade; a matéria emerge e desaparece em suas origens imateriais.

De acordo com a filosofia oculta, o mundo físico é apenas uma pequena parte do espectro total da matéria. É o mais denso e o mais concreto de uma série de mundos que se estendem desde os extremamente tênues "superfísicos" até o sólido físico. Essa idéia é encontrada nos antigos mistérios egípcios, no Hinduísmo e no Budismo e tem paralelos na noção grega dos elementos. Muitos clarividentes como Leadbeater, sensitivos a uma gama maior de estímulos, prestaram testemunhos significativos a favor da existência destes mundos mais sutis.

Essa noção pode ser facilmente compreendida numa época em que, por exemplo, a TV e o rádio demonstram a todo momento a existência de ondas supersensoriais precipitando-se à nossa volta. Outros instrumentos revelaram a existência de luz invisível, como a ultravioleta, sons inaudíveis para o alcance do ouvido humano, raios X, raios cósmicos, microondas e muito mais. Sabemos que o espaço à nossa volta está preenchido com uma variedade de energias que não podemos detectar com nossos sentidos.

A filosofia oculta afirma a existência de muitos níveis de matéria supersensorial, estruturados de maneira ordenada e significativa. De acordo com o conceito apresentado por Leadbeater, o mundo físico familiar de sólidos, líquidos e gases estende-se para outros quatro estados materiais mais sutis, coletivamente chamados de nível ou plano etérico. Essa matéria sutil interpenetra os objetos físicos, incluindo os corpos dos seres vivos onde está intimamente relacionada à vitalidade e à saúde.

Os mundos físico e etérico são interpenetrados por uma esfera radiante em movimento constante chamada de mundo ou plano astral. Leadbeater, escrevendo na primeira década do século XX, diz:

> *"...em algumas de suas experiências, nossos cientistas devem estar realmente desintegrando matéria física, jogando-a de volta ao plano astral, e, nesse caso, parece que serão forçados a admitir a existência da matéria astral, embora eles naturalmente imaginem tratar-se apenas de uma subdivisão a mais da matéria física".*[3]

Hoje os átomos são fragmentados de maneiras nunca imaginadas na época de Leadbeater. Sua afirmação sugere que talvez as numerosas e fugazes partículas que surgem nas câmaras de condensação dos físicos modernos estejam emergindo do plano astral.

O homem tem uma aura ou campo de energia no nível astral (chamado por Leadbeater de corpo astral) que é o veículo da emoção e dos desejos. Assim como a vida ou energia vital é característica do etérico, sentimentos e emoções são fenômenos que ocorrem no nível astral. O astral interpenetra e interage com o corpo físico por meio do etérico ou vital, de forma que as emoções e o corpo trabalham juntos. O nível seguinte, mais sutil, é o da mente concreta e está também intimamente relacionado com o astral, tanto na aura de uma pessoa quanto no plano da natureza que o caracteriza, chamado de plano mental inferior. Os centros com remoinhos de energia chamados *chakras* existem em todos esses níveis, ajudando a integrar as forças destes planos. Os *chakras* são centros de consciência e também focos de energia, estando assim relacionados ao despertar espiritual.

O nível mais elevado do plano mental está envolvido com o pensamento mais profundo, abstrato e filosófico. Leadbeater denomina esse nível de *manásico** ou mental superior. Acima desse, surge ainda um nível mais tênue que todos os anteriores, chamado de *búdico* em muitas obras teosóficas, que é o campo da intuição, a fonte do próprio sentido de ser do homem e a expressão mais pura de sua essência espiritual.

Cada um desses níveis existe como um estado único de matéria rarefeita por toda a natureza e também nos veículos individuais do homem, os quais são organizados com a matéria de cada plano. Leadbeater chama a matéria astral e mental de "essência elemental" e subdivide cada plano em sete subplanos, que variam do mais sutil ao mais denso naquele plano. Esses níveis de existência estão documentados na filosofia do Hinduísmo e no Budismo, que chamam os veículos do homem de *kosas* ou vestes. O Lama Anagarika Govinda, autoridade contemporânea sobre o Budismo tibetano, enfatiza a interpenetração dos diversos planos:

> *"Estas vestes não são camadas separadas, que se cristalizam uma após a outra em torno de um núcleo sólido, mas têm a natureza de energias mutuamente penetrantes, desde a consciência mais sutil, oniabrangente e radiante, até a forma mais densa de "consciência materializada" que nos aparece como nosso corpo físico visível. As vestes mais sutis penetram e, assim, incluem as mais grosseiras".*[4]

Cada nível tem sua própria característica e, tais como as notas de um acorde, todos são necessários para uma plena expressão. Arthur Osborn, em *The Expansion of Awareness,* refere-se aos planos como:

> *"...outros modos de energia, organizados em esferas vibratórias, para permitir que a consciência funcione de maneiras definidas e limitadas".*[5]

---

* Origina-se da palavra sânscrita *manas*. (N. ed. bras.)

No entanto, por trás dos veículos e modos de energia variáveis, o homem permanece sendo um ser único. Segundo Raynor Johnson:

> *"Assim, de um ponto de vista mais amplo, vemos o Homem como uma síntese de princípios ou veículos de importância crescente e poderes cada vez mais amplos, à medida que nos aproximamos de sua essência, que é una com a realidade última".*[6]

O ser interno do homem tem três aspectos segundo o ocultismo, parecendo-se com a divisão feita por Paulo em espírito, alma e corpo. Basicamente, o homem é um ponto de consciência na essência divina de onde todas as coisas emergem. Essa Realidade Una permanece eternamente sendo uma unidade, não dividida. No entanto, ela emana raios, criando o *Atman* imortal e indestrutível na terminologia sânscrita. Cada raio está destinado a envolver-se com matéria cada vez mais densa para poder se definir nos mundos de expressão material. Envolvendo-se numa camada de matéria mais sutil, ele se torna uma mônada. Revestido depois com matéria do plano mental superior, torna-se o que Leadbeater chama de ego. Essa palavra é usada por ele com uma acepção bem diferente daquela modernamente aceita. Para Leadbeater, ego é *Atma-Buddhi-Manas*, a tríade espiritual ou alma do homem que habita no plano mental superior. Essa é a entidade reencarnante que desenvolve seus poderes através das personalidades sucessivas enviadas às diversas culturas humanas.

Segundo a filosofia oculta, toda a natureza, incluindo o homem, desenvolve-se de acordo com um grande plano. Os gregos antigos apoiavam a idéia da teleologia, um objetivo propositado que controla o curso dos eventos. Até recentemente, essa noção estava desacreditada, principalmente devido às interpretações da teoria do acaso e da sobrevivência dos mais aptos, de Darwin. Contudo muitos biólogos da atualidade consideram a teoria de Darwin inadequada para explicar a evolução, que eles não conseguem conciliar com o acaso cego. Sir Alister Hardy e L. L. Whyte, entre outros, sugerem que fatores internos aos organismos — isto é, a própria vida — desempenham um papel importante na orientação da evolução. O propósito e a busca de metas estão obviamente presentes em todo o mundo da vida. Segundo Arthur Koestler:

> *"O papel desempenhado por uma mutação casual reduz-se ao efeito de um gatilho que desencadeia a ação coordenada de um sistema. Afirmar que a evolução resulta do acaso cego significa confundir a simples ação*

do gatilho, governada pelas leis da estatística, com os processos complexos e propositais que ele desencadeia.

Qualquer processo diretivo... implica uma referência ao futuro. A finalidade única dos processos de desenvolvimento — a luta da blástula para se transformar em embrião sem levar em conta os obstáculos e perigos a que se expõe — pode levar o observador imparcial a concluir que a atração do futuro é tão real quanto — e às vezes mais importante do que — a pressão do passado".[7]

E. Lester Smith e outros sugeriram algum tipo de matriz imaterial ou campo de força cuja existência orientaria o crescimento, o desenvolvimento e a evolução. Teilhard de Chardin, paleontólogo e jesuíta, propôs argumentos convincentes ao dizer que o objetivo da evolução é a intensificação da consciência através de sua expressão em formas cada vez mais refinadas. Isso está de acordo com a filosofia oculta.

Nos tempos modernos, as mudanças evolutivas do corpo humano são insignificantes. Julian Huxley foi o primeiro a sugerir que o impulso evolutivo não é físico, mas psicossocial. O homem é o agente primário da evolução à medida que passa suas conquistas e sua cultura através da linguagem. De acordo com a tradição oculta, o homem está, ainda, desenvolvendo sua habilidade para expressar seu potencial superior, oriundo de níveis sutis e mais espirituais.

Esse desenvolvimento ocorre segundo um esquema evolutivo de longo alcance, que já foi esboçado pela Sra. Blavatsky. O homem está destinado a desenvolver-se através de sete grandes estágios, chamados de raças-raízes. Esse termo não coincide com o significado atual da palavra raça. No sentido oculto, uma raça é muito mais uma qualidade de consciência do que um tipo físico. Até agora já surgiram cinco estágios de consciência ou "raças-raízes". O esquema de sete raças-raízes repete-se sete vezes em grandes ciclos chamados rondas, algumas das quais ocorreram no passado remoto, em planos superfísicos, e estamos agora na quarta ronda. Do ponto de vista oculto, a humanidade é muito mais antiga do que os dados antropológicos sugerem.

Segundo a Sra. Blavatsky, a humanidade como um todo está passando pela quinta raça-raiz, que começou seu desenvolvimento em tempos pré-históricos na Índia. Cada raça-raiz enfatiza uma determinada qualidade, associada a um dos corpos do homem. A quinta raça-raiz focaliza o desenvolvimento da mente racional, concreta. Raças-raízes são subdivididas em sub-raças, cada uma com sua própria ênfase numa qualidade secundária. No momento, a quinta sub-raça domina a América e a Europa ocidental, enfatizando assim duplamente a mente racional.

Essa é a razão do extraordinário desenvolvimento da ciência e da tecnologia no Ocidente. A sexta sub-raça, que agora começa a desenvolver-se, despertará a intuição e a percepção unitiva. Seus precursores podem ser encontrados entre alguns de nossos principais pensadores.

É impossível identificar-se a que sub-raça os indivíduos de um determinado grupo étnico pertencem. Como mostram os antropólogos, as diferenças dentro do grupo são freqüentemente maiores do que as diferenças entre os grupos. As qualidades de cada raça e sub-raça são necessárias e possuem o mesmo valor, por isso não se pode dizer que os primeiros tipos são "inferiores" aos posteriores. Do ponto de vista oculto, a evolução não se baseia meramente numa progressão linear, mas, sim, em uma expansão da consciência em profundidade, em que os poderes latentes são vitalizados e colocados sob controle consciente do indivíduo.

A filosofia oculta sustenta que um homem ou mulher reencarna como um ego ou alma muitas vezes em cada raça para desenvolver suas diversas qualidades. A reencarnação é uma idéia muito antiga nas filosofias orientais e hoje é aceita por mais da metade da população mundial. (No Ocidente, até mesmo os membros da comunidade científica estão se interessando por ela. Alguns anos atrás, o Dr. Ian Stevenson documentou casos aparentemente só explicáveis pelo conceito da reencarnação[8]). A filosofia oculta sustenta que o sentido essencial da vida é assimilado e incorporado à alma entre as encarnações.

As tradições orientais ensinam que os efeitos de ações e acontecimentos de uma vida podem ser levados para outras vidas. O ocultismo afirma que o universo é uma teia única de interconexões dinâmicas. Esse ponto de vista é corroborado pela física moderna e estudos ecológicos. Segundo o Budismo e o Hinduísmo, o equilíbrio dinâmico da vida é mantido pela lei do *karma*, que significa *ação*. Capra define *karma* como:

> *"...o princípio ativo do jogo, o universo total em ação, onde tudo está dinamicamente relacionado com tudo o mais. Nas palavras do* **Gita**, *karma é a força da criação, de onde todas as coisas têm sua vida".*[9]

O equilíbrio proporcionado pelo *karma* resulta em ordem e legitimidade, que se estendem ao campo moral e à atividade humana. A expressão bíblica "o que semeares, colherás" sintetiza a essência desta lei em ação. O resultado de nossas ações manifesta-se não só nos eventos e circunstâncias de nossas vidas mas também em nosso caráter. A respeito dos ensinamentos do Sistema Vedanta, H. Zimmer diz:

> *"...os frutos do* karma *são os incidentes e elementos de nossa biografia atual, bem como os traços e disposições da personalidade que os produz e suporta".*[10]

Lama Govinda comenta sobre este mecanismo em ação:

> *"O caráter é nada mais do que a tendência de nossa vontade, formada por repetidas ações. Cada ação deixa um traço, um caminho aberto pelo processo de caminhar, e, onde quer que exista esse caminho, uma vez trilhado, voltaremos a ele espontaneamente ao surgir uma situação similar. Essa é a lei de ação e reação, que chamamos de* karma, *a lei do movimento na direção de menor resistência... É o que comumente chamamos de 'força do hábito' ...A consciência assim formada é que constitui o núcleo ou germe da nova encarnação ao partirmos desta para uma outra vida".*[11]

Na terminologia de Leadbeater, esse núcleo é formado pelos "átomos permanentes" que persistem de uma encarnação para outra. Um átomo de matéria de cada plano inferior prende-se à mônada para guardar as experiências daquele plano através de toda a série de encarnações daquele indivíduo. A noção budista de *skandhas* é parecida com essa idéia.

Assim, o próprio homem é o autor de seu destino, parte do qual ele escreveu em um passado distante. Mas os resultados de suas ações não são apenas recompensas e punições na forma de experiências educativas para seu crescimento. Além do mais, o *karma* não implica uma predestinação fixa. Novas atitudes e maneiras de responder às circunstâncias servem como novas causas que podem alterar — mas não impedir — as conseqüências de ações precedentes. À medida que o homem aumenta seu autocontrole, passa a influir cada vez mais conscientemente no curso de sua vida.

Todas as religiões ensinam a acelerar o desenvolvimento espiritual. As práticas espirituais como *yoga*, meditação, oração e mantras visam despertar os poderes latentes. Neste livro, Leadbeater refere-se aos muitos aspectos da vida interna envolvidos no crescimento espiritual. As palestras que originaram o livro foram dirigidas a estudantes do caminho de desenvolvimento espiritual, que buscavam desenvolver-se para servir melhor.

Leadbeater cita com freqüência adeptos, Mestres e outros seres altamente desenvolvidos. A existência de tais seres é conseqüência natural da lei de evolução da vida consciente. No Oriente, a existência de pessoas espiritualmente maduras é tida como certa; a tradição guru-discípulo baseia-se nessa suposição. O Ocidente também tem reconhecido os iniciados e adeptos, particularmente no Egito antigo e nos tempos das escolas de mistério gregas. O ocultismo e a filosofia oriental postulam a existência de uma hierarquia infinita formada por seres desenvolvidos, grau após grau. Deles, alguns poucos são reconhecidos como grandes homens da história, mas a maioria trabalha silenciosamente e em retiros. Seres avançados de diversos graus são chamados de adeptos, *Chohans*, *Dhyan Chohans*, devas e assim por diante. Mesmo sendo individuais e distintos entre si, todos são centros pertencentes à Vida divina, universal e una. Leadbeater enfatiza particularmente um ser muito além do nível da humanidade, a quem chama de *Logos Solar*. Segundo ele, a vida deste ser divino permeia, sustenta e guia todo o sistema solar.

O Sr. Leadbeater foi um homem de extrema integridade. Ele usava sua visão abrangente com todo o cuidado e toda objetividade possíveis. Muitas de suas investigações foram corroboradas por outros clarividentes que trabalhavam com ele. Um pouco do clima cultural e dos modelos de pensamentos vitorianos de sua época mesclou-se, inevitavelmente, com suas interpretações. Mas pequenas distorções ou expressões um pouco obsoletas são superadas em muito pela grandeza de sua visão e por suas fascinantes observações dos reinos ocultos da natureza.

Shirley Nicholson
6 de novembro de 1977.

REFERÊNCIAS E NOTAS

1. C.W. Leadbeater, *O Homem Visível e Invisível*. Ed. Pensamento, São Paulo-SP - Brasil.
2. Fritjof Capra, *O Tao da Física*. Ed. Pensamento, São Paulo-SP - Brasil.
3. C.W. Leadbeater, *The Inner Life*, Vol. II., The Theosophical Press, 1942. p. 179, Wheaton, Ill, U.S.A.
4. Lama Anagarika Govinda, *Fundamentos do Misticismo Tibetano*. Ed. Pensamento, São Paulo-SP - Brasil.
5. Arthur W. Osborr, *The Expansion of Awareness*. The Theosophical Publishing House, 1961. p. 65. Adyar, Madras, Índia.
6. Raynor. C. Johnson, *The Imprisoned Splendour*. The Theosophical Publishing House, 1971, 1977. p. 262. Wheaton, Ill, U.S.A.
7. Arthur Koestler, *Nature*. 1965, 208, 1033.
8. Ian Stevenson, M.D., *Twenty Cases Suggestive of Reincarnation*. University Press of Virginia, Rev. 2nd ed. Charlottesville.
9. Capra, op. cit., p. 156.
10. Heinrich Zimmer, *Filosofias da Índia*. Meridian Books, 1956. p. 442, Nova Iorque, U.S.A.
11. Govinda, op. cit., p. 243.

Capítulo Um

OS GRANDES SERES E O CAMINHO QUE CONDUZ A ELES

Os Grandes Seres

Os estudantes de ocultismo — mesmo aqueles com muitos anos de estudo — parecem, às vezes, não compreender o que os Mestres são verdadeiramente. Com freqüência encontro pessoas imaginando que eles são algum tipo de anjo ou deva e que estão tão distantes de nós em sua grandeza que é quase impossível obtermos alguma ajuda deles. Sua grandeza é incontestável, e, desse ponto de vista, o abismo existente entre eles e nós bem pode parecer imenso; mas, mesmo assim, por outro lado, eles estão bem próximos a nós, de modo que sua simpatia e amparo são bem reais. Para esclarecer nossas idéias sobre o tema, vamos primeiro tentar definir exatamente o que queremos dizer com o termo "Mestre".

Com essa palavra sempre designamos alguém pertencente à Grande Fraternidade Branca, um membro em condições de aceitar discípulos. A Grande Fraternidade Branca é uma organização diferente de qualquer outra do mundo e, por essa razão, tem sido freqüentemente incompreendida. Às vezes é descrita como uma Irmandade tibetana ou himalaiana, e difundiu-se a idéia da existência de um grupo de ascetas indianos vivendo em um monastério montanhoso e inacessível. Talvez essa idéia tenha surgido porque os dois Irmãos diretamente relacionados com a fundação e o trabalho da Sociedade Teosófica estão, no momento, vivendo no Tibete, usando corpos indianos. Para uma melhor compreensão dos fatos, vamos considerá-los de outro ponto de vista.

A maioria de nossos estudantes está familiarizada com a idéia dos quatro estágios do Caminho de Santidade e já sabe que, ao passar por eles e alcançar o nível *Asekha*, o homem conquista o objetivo colocado diante da humanidade nesse período, libertando-se da necessidade da reencarnação neste ou em qualquer outro planeta. Abrem-se diante dele sete caminhos, um dos quais ele deve escolher. A maior parte deles o levam para longe desta Terra, para esferas de atividade cada vez mais amplas e provavelmente relacionadas com o sistema solar. Assim, a ampla maioria dos membros de nossa humanidade que alcançou esse nível está inteiramente fora de nosso alcance.

O limitado número de Seres que ainda trabalha diretamente para nosso benefício pode ser dividido em duas classes: os que ainda mantêm corpos físicos e os que não os têm. Estes últimos são com freqüência chamados de *Nirmanakayas*. Eles se mantêm suspensos, por assim dizer, entre esse mundo e o nirvana, devotando todo o seu tempo e energia à geração de força espiritual em benefício da humanidade. Essa força é vertida no que pode ser descrito como um reservatório, usado pelos Mestres e seus discípulos, para ajudar seu trabalho em prol da humanidade. O *Nirmanakaya* tem sido chamado de "candidato ao sofrimento" por permanecer em contato com os planos inferiores em tal grau, mas isso é enganoso. O que essa frase quer dizer é que ele não desfruta da alegria do trabalho superior ou dos níveis nirvânicos. Ele escolheu permanecer nos planos inferiores para ajudar os que ainda sofrem. É bem verdade que voltar da vida superior para esse mundo é o mesmo que sair de um ambiente iluminado pelo Sol e pleno de ar puro e entrar em masmorras escuras e mal-cheirosas; porém, aquele que entra na masmorra para ajudar alguém a sair de lá não se sente infeliz e miserável enquanto ali permanece, e, sim, pleno de alegria de poder ajudar, apesar do enorme contraste e do terrível sentimento de opressão e aprisionamento. Na verdade, recusar uma oportunidade dessas de prestar auxílio certamente provocaria muito mais sofrimento na forma de remorso. Uma vez que tenhamos realmente visto a miséria espiritual do mundo e a condição dos necessitados, nunca mais poderemos ser descuidados ou indiferentes em relação a isso, como aqueles que ainda não viram.

Felizmente, aqueles de nós que viram e compreenderam tiveram sempre à disposição os meios de prestar uma ajuda real. Ainda que nossos esforços se mostrem tímidos diante da esplêndida emanação de força dos *Nirmanakayas*, também podemos adicionar nossas pequenas gotas ao enorme nível de força daquele reservatório. Toda emanação de afeição ou devoção traz duas conseqüências: uma sobre aquele para quem enviamos e outra sobre nós mesmos. Todavia, se não houver nenhum pensamento egoísta naquele sentimento, surge um terceiro resultado. A afeição ou devoção normal, de caráter elevado ou não, move-se em uma curva fechada, por maior que seja, e o resultado retorna ao emissor. Mas a devoção ou afeição verdadeiramente altruísta segue uma curva aberta e, ainda que alguns de seus efeitos inevitavelmente retornem ao emissor, a maior e mais nobre parte de sua força ascende até o próprio *Logos* e a resposta — a magnífica resposta de bênçãos que instantaneamente emana d'Ele — desce para aquele reservatório em benefício da humanidade. Portanto, cada um de nós, mesmo o mais fraco e mais pobre, pode ajudar o mundo dessa maneira quase maravilhosa. É essa adição de energia ao reservatório de força espiritual que justifica a idéia católica das obras feitas além do necessário para que se cumpra o dever.

Os adeptos que retêm corpos físicos, em número mais limitado, permanecem ainda mais próximos de nós desempenhando certas funções e realizando certo trabalho necessário à nossa evolução; e é a estes que às vezes damos o nome de Grande Fraternidade Branca e Hierarquia Oculta. Eles são, portanto, um número muito pequeno de homens altamente avançados pertencentes ao mundo inteiro e não a uma nação específica. Não vivem juntos no plano físico, mas se mantêm em contínuo contato nos planos superiores. Como não precisam mais renascer, quando um corpo se desgasta, podem escolher outro sempre que isso for mais conveniente para o trabalho que pretendem realizar, e por este motivo não precisamos dar uma importância especial à nacionalidade do corpo que estejam usando em determinado momento. No momento, vários são indianos, um é tibetano, outro é chinês, pelo menos dois são ingleses, um é italiano, outro húngaro, um sírio e outro cipriota. Como afirmei, as nacionalidades desses corpos não são importantes, mas menciono-as para mostrar que a Hierarquia atual não pertence exclusivamente a uma raça.

A reverência impede-nos de falar muito do grande Chefe desta Hierarquia, em cujas mãos está o destino dos continentes e em cujo nome todas as iniciações são dadas. Ele é um dos poucos Senhores da Chama que ainda permanecem na Terra, os Filhos da Névoa de Fogo, grandes seres que vieram de Vênus há quase dezoito milhões de anos para ajudar e dirigir a evolução da humanidade em nossa cadeia. Estes grandes seres não tomaram corpos de nossa humanidade, muito pouco desenvolvida na época, porém fizeram para si mesmos corpos semelhantes aos nossos pela força da vontade, um tipo de materialização permanente. Naquela época, e durante muito tempo depois, nenhum membro de nossa humanidade era suficientemente desenvolvido para ocupar qualquer cargo superior nessa Hierarquia. Por isso, essa ajuda externa foi necessária. Gradualmente, à medida que a humanidade se desenvolveu, homens preparados puderam então ocupar cargos e liberar os grandes Senhores da Chama, que passaram a ajudar outras evoluções. No entanto, um deles ainda permanece, no maior cargo de todos: o REI que guia e controla toda a evolução neste planeta, não só da humanidade mas dos reinos animal, vegetal, mineral e elemental, como também dos grandes reinos não humanos dos espíritos da natureza e dos devas, alguns dos quais se elevam até muito acima de nós.

Abaixo dele existem diversos chefes de departamentos, cujo trabalho podemos compreender apenas vagamente. Ainda que os detalhes estejam além de nossa compreensão, podemos imaginar, pelo menos em parte, as múltiplas responsabilidades e atividades do *Manu** de uma raça-raiz, ou os deveres do Ministro da

* *Manu*, do sânscrito, significa o grande legislador hindu, "aquele que existe por si mesmo", e é, portanto, o *Logos* e o progenitor da humanidade, Glossário Teosófico, Ed. Ground. (N. ed. bras.)

Religião deste reino mundial, aquele que envia sucessivas religiões, cada uma adequada a um povo em particular e ao período da história mundial no qual foi semeada, às vezes designando algum subordinado para fundá-la e outras vezes encarnando, ele mesmo, com esse propósito, se julgar necessário. O Ministro da Religião é chamado no Oriente de *Bodhisattva* — aquele que está para se tornar Buda. O ocupante anterior desse elevado cargo foi aquele a quem chamamos de Senhor Gautama Buda. Alcançar o Budado não significa apenas atingir a iluminação, mas, sim, passar por uma grande e definida iniciação. Aquele que deu esse passo não pode encarnar novamente na Terra e tem de ceder seu lugar para um sucessor, depois do que, normalmente, afasta-se de qualquer contato com a Terra.

O Senhor Gautama, no entanto, ainda permanece até certo ponto ao alcance do mundo para poder ajudá-lo. Uma vez por ano ele se mostra à irmandade de adeptos e derrama sobre eles uma bênção que, através deles, espalha-se pelo mundo inteiro. Ele também pode ser contactado de certas maneiras por aqueles que sabem como fazê-lo. Em alguns de seus textos mais recentes, a Sra. Besant fala-nos de diversas encarnações do Senhor Buda como grande instrutor das primitivas sub-raças da raça ariana; como Hermes, o fundador dos Mistérios egípcios; o primeiro Zoroastro, fundador original da adoração ao Sol e ao fogo, e Orfeu, fundador dos Mistérios gregos. Estes não foram seus únicos nascimentos, é claro, e, durante nossas pesquisas do passado, nós o encontramos fundando outras religiões também.

Algumas das primeiras obras teosóficas afirmam erroneamente que ele havia renascido como Shankaracharya. Do ponto de vista oculto, os dois grandes instrutores estavam em linhas totalmente diferentes. Havia, contudo, certa razão por trás da afirmação, porque alguns dos veículos preparados por um deles também foram usados pelo outro, como a Sra. Blavatsky esclareceu no terceiro volume de *A Doutrina Secreta.*

A profunda reverência e a forte afeição dedicadas pelos orientais ao Senhor Gautama devem-se a duas razões. Uma é que ele foi o primeiro de nossa humanidade a alcançar a estupenda altura do Budado, e por isso pode ser considerado o primeiro fruto e o líder de nossa raça. (Todos os Budas anteriores pertenceram a outras humanidades amadurecidas em cadeias anteriores). A segunda razão é que, para acelerar o progresso da humanidade, ele assumiu certas tarefas adicionais de estupenda magnitude, cuja natureza nos é impossível compreender. Conta-se que chegado o momento em que se esperava que a humanidade pudesse oferecer alguém pronto a ocupar esse importante cargo, ninguém plenamente capacitado pôde ser encontrado. Poucos de nossa raça terrestre tinham alcançado os estágios mais elevados do adeptado, e os mais avançados eram dois amigos e irmãos de desenvolvimento idêntico. Esses dois eram os poderosos Egos agora conhecidos por nós como o Senhor Gautama e o Senhor Maitreya. Com seu grande amor pela humanidade, o primeiro apresentou-se voluntariamente para fazer o tremendo esforço necessário para se qualificar para o trabalho, enquanto seu amigo e irmão decidiu-se a sucedê-lo como o próximo ocupante deste cargo, milhares de anos mais tarde.

Naqueles tempos distantes, o Senhor Gautama governava o mundo da religião e educação, mas, hoje em dia, aquele elevado cargo já está ocupado pelo Senhor Maitreya, a quem os ocidentais chamam de Cristo, que assumiu o corpo do discípulo Jesus durante os seus três últimos anos de vida no plano físico. Qualquer um que tenha a mente aberta o suficiente para apreender esse magnífico conceito e a esplêndida realidade das coisas perceberá de imediato o quanto é tolo e inútil colocar uma religião em oposição a outra, tentar converter qualquer pessoa de uma para outra ou comparar depreciativamente o fundador de uma com o fundador de outra. Esse último caso é especialmente ridículo, porque os dois fundadores ou são discípulos da mesma escola ou encarnações da mesma pessoa, estando inteiramente de acordo com relação a princípios, mesmo que no momento divulguem aspectos diferentes da verdade para preencher as necessidades daqueles que os ouvem. Em essência, o ensinamento é sempre o mesmo; a apresentação é que pode variar bastante. O Senhor Maitreya passou por vários nascimentos antes de assumir o cargo que hoje detém, mas, mesmo naqueles tempos primitivos, parece que ele sempre foi instrutor ou alto-sacerdote.

Hoje se sabe que os dois Mestres mais intimamente relacionados com a fundação e o trabalho da Sociedade Teosófica assumiram os cargos de líder temporal e espiritual da nova sexta raça-raiz, que surgirá dentro de setecentos anos. O *Manu*, ou líder temporal, é na prática um monarca autocrático que governa tudo o que se relaciona com a vida da nova raça no plano físico, esforçando-se de todas as maneiras para torná-la uma expressão tão perfeita quanto possível do ideal revelado a ele pelo *Logos*. O instrutor espiritual estará encarregado de todos os aspectos da religião na nova raça, bem como da educação de seus filhos. Está claro que um dos objetivos principais da fundação da Sociedade Teosófica era reunir em torno desses dois Mestres pessoas que pudessem tornar-se colaboradores inteligentes e dispostos para esse estupendo trabalho. Aqueles que hoje são seus discípulos alcançarão o adeptado e reunir-se-ão em torno deles quando chegar a hora.

Podemos colocar então como nosso objetivo o privilégio de sermos escolhidos para servi-los nesse maravilhoso trabalho pelo mundo. Surgirão amplas oportunidades para todos os talentos possíveis, pois o trabalho terá características muito variadas. Alguns serão atraídos por um aspecto do trabalho, enquanto outros irão se dedicar a outro, de acordo com a predominância de nossa afeição por um ou outro desses grandes Líderes. Diz-se, com freqüência, que a característica de um é o poder e a do outro, amor e compaixão, o que é verdade, mas, se não entendermos corretamente essa definição, poderemos facilmente nos enganar. Um desses Mestres foi governante em muitas encarnações, bem como no começo desta, e inquestionavelmente o poder real transparece em seus gestos e em seu olhar, assim como da face de seu irmão adepto emanam constantemente compaixão e amor transbordantes. Eles pertencem a tipos ou raios diferentes e alcançaram o nível atual segundo linhas também diferentes, o que é algo evidente, mas cairíamos em triste erro se pensássemos que o primeiro não tem tanto amor e compaixão quanto seu irmão — ou que ao segundo falta algo do poder possuído pelo primeiro. Outros Mestres também se dedicarão a esse trabalho e bem pode ser que alguns de nós tenhamos criado nosso elo através de um deles.

É provável que mesmo os Mestres mais conhecidos, cujos nomes vocês já sabem, não sejam assim tão reais e evidentes para vocês como para aqueles de nós que tivemos o privilégio de encontrá-los face a face durante o nosso trabalho. Ainda assim vocês devem-se esforçar através da leitura e da introspecção para alcançar a compreensão de que eles não são vagos ideais, e, sim, homens vivos, homens tanto quanto vocês, mas muito mais avançados em todos os aspectos. São homens sem falhas e que à nossa visão aparentam ser deuses devido ao poder, amor e compaixão que irradiam. Apesar do espanto que esse tremendo poder provoca-nos é bastante significativo que, em sua presença, sintamo-nos sempre exaltados, sem o menor medo ou embaraço.

Diante de um deles só podemos sentir a mais profunda humildade devido ao enorme contraste entre nós e o Mestre. Além de humildade, sentimos também autoconfiança, pois, se o Mestre, que também é um homem, chegou a esse nível, nós também chegaremos. Em sua presença, tudo parece ser possível e fácil, fazendo-nos olhar para trás e encarar com espanto os problemas dos dias passados, incapazes de entender por que causaram tanta agitação e desânimo. Sentimos que agora, pelo menos, não existirão mais problemas, uma vez que vimos a correta proporção das coisas. Nunca mais esqueceremos que, por mais escuras que as nuvens possam ser, o Sol sempre brilha por trás delas. As vibrações dos Mestres são tão fortes que estimulam somente as qualidades que lhes são harmônicas, fazendo-nos sentir confiança e amor e desejar estar sempre em sua presença. Isso não quer dizer que nos esquecemos de nossas qualidades indesejáveis, mas, sim, que agora podemos vencê-las, e não nos importamos nem um pouco que o Mestre saiba de nossas fraquezas, porque estamos seguros de sua perfeita compreensão, e compreender é perdoar.

Talvez possamos compreender melhor o lado humano de nossos Mestres se lembrarmos que muitos deles foram conhecidas personalidades históricas de épocas comparativamente recentes. O Mestre K.H., por exemplo, apareceu na Europa como o filósofo Pitágoras. Anteriormente, ele foi o sacerdote egípcio Sarthon e, em outra ocasião, foi o sacerdote-chefe de um templo em Agade, na Ásia Menor, onde foi assassinado por uma hoste de bárbaros invasores das montanhas que massacrou os habitantes locais. Naquela ocasião, ele assumiu imediatamente o corpo de um pescador grego que havia morrido afogado tentando escapar ao massacre e, nesse corpo, o Mestre viajou para a Pérsia, onde prestou grande auxílio ao último dos Zoroastros na fundação da forma moderna da religião Masdeísta. Mais tarde foi o Flâmine* do Templo de Júpiter em Roma e, posteriormente, Nagarjuna, o grande instrutor budista. Ao pesquisarmos as vidas passadas de alguns membros de nosso grupo, nós o encontramos muitas vezes, quase sempre como sacerdote ou instrutor.

Nessas investigações do passado remoto também encontramos com freqüência o discípulo Jesus, que, na Palestina, teve o privilégio de ceder seu corpo ao Cristo. Em conseqüência desse ato, reencarnou como Apolônio de Tiana e, no século XI, apareceu na Índia como o instrutor Ramanujacharya, que reviveu o aspecto devocional do Hinduísmo e elevou-o até um alto nível.

Alguns de vocês, sem dúvida alguma, já ouviram falar muito de outros Mestres além dos dois mais diretamente relacionados com o trabalho teosófico. Um outro Mestre, por exemplo, ditou para nós as obras *Luz no Caminho* e *O Idílio do Lótus Branco*, enquanto outro assumiu boa parte do trabalho na Europa e escreveu algumas das obras mais esplêndidas de toda a literatura. Aquele que foi certa vez o discípulo Jesus está, no momento, dedicado a orientar as diversas atividades das Igrejas Cristãs. O trabalho desenvolvido aqui na Índia também recebe a atenção especial de um Mestre.

Observamos assim que a evolução do mundo não está entregue a si mesma, ao contrário do que as pessoas irrefletidamente supõem; mas está sendo dirigida. A Hierarquia de adeptos controla a evolução mundial até onde isto é possível, sem privar os seres humanos do livre-arbítrio. Os membros da Fraternidade trabalham através de seus agentes, colocando conselhos e sugestões nas mentes das pessoas importantes do mundo, esforçando-se para que avancem em direção ao grande futuro da Fraternidade Universal, quando a guerra terá sido abolida. Não podemos esquecer, contudo, que o *karma* de todas as pessoas tem de ser considerado e respeitado. Seria fácil forçar o mundo a caminhar mais rapidamente, mas isso não traria vantagens reais para as pessoas. O Mestre K.H. escreveu-me certa vez: "É claro que eu poderia facilmente lhe dizer o que fazer, e você prontamente o faria, todavia o *karma* seria meu e não seu; você obteria apenas o *karma* da pronta obediência".

* Flâmine: sacerdote da antiga Roma dedicado ao culto dos deuses. (N. ed. bras.)

Os homens têm de aprender a ser trabalhadores participantes e não se tornarem apenas servos inteligentes, porque um dia terão que realizar esse mesmo trabalho, e a preparação para as grandes responsabilidades futuras passa por assumir as pequenas responsabilidades de agora. Uma grande oportunidade ou responsabilidade de importância mundial pode surgir para um de nós talvez uma vez em muitas centenas de vidas, e podemos aceitá-la ou perdê-la, dependendo de havermos criado ou não o hábito de aceitar as pequenas oportunidades da vida diária, de modo que, se adquirirmos o hábito de fazer a coisa certa, nós a faremos automaticamente no momento decisivo. As oportunidades que temos de fazer o bem ou o mal são pequenas no contexto mundial, mas, ao aprendermos a escolher o bem automaticamente e sem hesitação diante dessas pequenas questões, a Grande Fraternidade confiará em nós em questões maiores.

Na verdade é muito bom que tentemos compreender esses Grandes Seres — não por simples curiosidade ou interesse, mas, sim, para que os vejamos como são, entendendo que são homens como nós e que, mesmo em um nível tão elevado, eles também têm diferenças entre si. Sabedoria, poder e amor são características de todos eles igualmente, contudo isso não os torna iguais. Eles são indivíduos como nós somos. Estão no topo da escada da humanidade e nós, que estamos em algum degrau inferior, um dia também alcançaremos seu nível e ocuparemos a posição que hoje ocupam.

É importante notar que o desenvolvimento deles é completo. O nosso desenvolvimento é desproporcional e desigual em certos aspectos. Alguns de nós apresentam o intelecto e o lado científico bem desenvolvidos, porém faltam a devoção e a compaixão; enquanto outros têm a alma plena de devoção, mas são deficientes intelectualmente. Um Mestre é perfeito nesses dois aspectos, como podemos ver pelo esplêndido intelecto de Pitágoras, ao lado do amor e da compaixão do Mestre K.H.

Não podemos interpretar mal o maravilhoso conhecimento que possuem. Para alcançar o nível do adeptado, eles têm de romper, entre outros, o grilhão de *avidya* ou ignorância, e diz-se que para isso é preciso alcançar o conhecimento total. Contudo sabemos, pelo contato pessoal, que isso não é verdade no sentido meramente literal. Por exemplo, há Mestres que não sabem todas as línguas, outros que não são músicos ou artistas e assim por diante. Acredito que romper o grilhão da ignorância significa alcançar o poder de conseguir, a qualquer momento, qualquer conhecimento sobre qualquer objeto desejado. Eles certamente não possuem todos os fatos guardados no cérebro físico. No entanto, podem rapidamente obter qualquer conhecimento necessário. Quanto às línguas, por exemplo, se um Mestre deseja escrever uma carta em uma língua que não conhece, com freqüência utiliza o cérebro de um discípulo conhecedor daquela língua, colocando as idéias e usando as palavras que elas despertarem em seu cérebro. Se alguém conversa com eles em uma língua desconhecida, podem instantaneamente alcançar, no plano mental, o pensamento básico por trás das palavras incompreensíveis.

Freqüentemente nos perguntam se um homem comum reconheceria um Mestre no plano físico. Não vejo por que deveria reconhecê-lo. Ele perceberia que se trata de uma pessoa nobre, serena, plena de dignidade e santidade e saberia que se encontra diante de uma pessoa notável. Todavia, para saber com certeza se é um adepto, ele teria que ver o corpo causal dele, o que evidentemente um homem comum não pode fazer. O corpo causal mostra o desenvolvimento pelo enorme tamanho e disposição especial das cores, diferente para cada um dos sete grandes tipos. Mas isso está totalmente fora do alcance do homem comum.

Os adeptos não possuem peculiaridades externas que os identifiquem, mas uma grande calma e benevolência é comum a todos eles; suas faces refletem um sereno contentamento; a paz que ultrapassa todo entendimento. Vários são homens nitidamente belos, porque seus corpos físicos são perfeitos devido a uma vida absolutamente saudável e, acima de tudo, porque nunca se preocupam com nada. Muitos de nós ainda têm muito *karma* para ser resgatado, e isso, entre outras coisas, modifica a aparência de nossos corpos físicos. No caso deles, o *karma* já se esgotou há muito tempo e, conseqüentemente, o corpo físico é a perfeita expressão no plano físico do *Augoeides** ou corpo glorificado do ego. Além disso, qualquer novo corpo que o Mestre utilizar em outra encarnação reproduzirá quase exatamente o antigo, porque não há nada para modificá-lo.

Outro fato notável é a capacidade que eles têm de preservar seus corpos físicos até uma idade muito mais avançada do que nós conseguimos, sem dúvida alguma devido à saúde perfeita e à ausência de preocupações que já mencionamos. Quase todos os Mestres que conhecemos possuem a aparência de homens que estão no auge da vitalidade, mas em muitos casos há testemunhos provando que seus corpos já devem ter ultrapassado há muito o limite de idade normal. Ouvi a Sra. Blavatsky dizer que a aparência de seu Mestre não mudou nada desde a primeira vez em que o viu, na sua adolescência, quarenta anos antes. Apenas em um único caso, o de um Mestre que alcançou o adeptado recentemente e ainda mantém o mesmo corpo, há certa aspereza facial, sem dúvida alguma resultante de *karma* passado remanescente, mas podemos ter certeza de que, ao assumir um novo corpo, essa característica desaparecerá.

Eles preservam o silêncio muito mais do que a maioria dos homens; pessoas ocupadas não têm muito tempo para conversas vagas, e eles são, além de toda

---

* *Augoeides*: Segundo o Glossário Teosófico de H.P.B. (Ed. Ground), é a radiação luminosa divina da qual o ego ou Eu Superior, quando encarnado, constitui apenas uma sombra pura. (N. ed. bras.)

comparação, as pessoas mais ocupadas da Terra. Sua discípula, Sra. Blavatsky, conversava do modo mais brilhante que já vi; porém nunca falava apenas por falar. Assim é o Mestre; jamais fala sem um objetivo definido, que é sempre o de encorajar, ajudar ou aconselhar. Ele sempre fala com bondade e gentileza, às vezes, com um agudo senso de humor, um humor agradável, nunca com a intenção de ferir, mas, sim, de esclarecer os problemas do caminho ou suavizar alguma repreensão necessária. Sem senso de humor, certamente não se progride muito nos assuntos ocultos.

O número de adeptos que mantêm corpos físicos para auxiliar a evolução do mundo é pequeno, talvez cinqüenta ou sessenta no total. Contudo devemos lembrar que a grande maioria deles não aceita discípulos, pois estão dedicados a outro trabalho. A Sra. Blavatsky empregava o termo *adepto* muito livremente, referindo-se a adeptos que tinham sido iniciados e adeptos que ainda não tinham sido. Em todos os textos posteriores, reservamos a palavra "iniciado" para aqueles que passaram pelo menos o primeiro dos quatro grandes estágios da Senda de Santidade, e restringimos a palavra adepto para aqueles que alcançaram o nível *Asekha*, que concluíram sua evolução nessa cadeia de mundos. A consciência do *Asekha* normalmente está baseada no plano *átmico* ou nirvânico enquanto o corpo está desperto. Mas de todos os que alcançaram o adeptado, somente a pequena proporção mencionada acima retém corpos físicos, permanecendo em contato com a Terra para auxiliá-la, e destes uma proporção ainda menor aceita discípulos ou aprendizes sob certas condições; é somente a estes — os de menor número — que damos o nome de Mestres. Ainda que sejam poucos, seu trabalho é de importância incalculável, pois sem sua ajuda seria impossível ao homem passar pelos portais da iniciação.

O Trabalho do Cristo

Vocês me perguntam sobre o Grande Ser a quem chamamos de Cristo, o Senhor Maitreya, e sobre Seu trabalho no passado e no futuro. O assunto é bastante amplo; entretanto, não podemos discuti-lo livremente por causa das restrições que nos impedem. Talvez seja útil para vocês a informação de que existe um "departamento do governo interno do mundo" devotado à instrução religiosa, à fundação e à inspiração de religiões etc. O Cristo está encarregado desse departamento, e, às vezes, Ele próprio surge na Terra para fundar uma grande religião. Outras vezes Ele confia esse trabalho a algum de Seus assistentes mais avançados. O Cristo exerce uma constante pressão de forma que o poder empregado flui quase que automaticamente por qualquer canal disponível em qualquer lugar. Assim, Ele trabalha simultaneamente através de todas as religiões, aproveitando de cada uma tudo que é bom no caminho da devoção e do auto-sacrifício.

É lamentável que essas religiões desperdicem energias ofendendo-se umas às outras no plano físico, mas isso não faz muita diferença, porque o lado bom de todas elas está sendo utilizado simultaneamente pelo mesmo grande Poder. Cada grama de bem existente em todos os movimentos religiosos do mundo está sendo usado como um canal de força, enquanto que o lado mau não passa de uma lamentável perda de força que poderia ter sido aproveitada caso as pessoas fossem mais sensíveis. O capítulo de *A Doutrina Secreta* chamado "O Mistério de Buda" traz muita informação sobre as relações entre os chefes desse departamento religioso e algumas sugestões úteis sobre o Cristo também. Esse assunto é do maior interesse para os membros de nossa Sociedade, pois um de nossos Mestres está relacionado especialmente com aquele departamento.

O trabalho futuro do Cristo foi decidido muitos milhares de anos atrás — parte dele aparentemente em detalhes, embora pareça haver bastante flexibilidade com relação a outros aspectos. A certeza total com que estes Grandes Seres fazem planos para muitos milhares de anos à frente é um dos aspectos mais extraordinários da estupenda obra que realizam. Algumas vezes, aqueles de nós que puderam desenvolver as faculdades dos planos superiores recebem permissão para um pequeno vislumbre de Seus poderosos planos, e uma ponta do véu que encobre o futuro afasta-se momentaneamente. Em outras ocasiões, vislumbramos Seus planos de outra forma, pois, ao observarmos os registros do passado distante, nós os encontramos fazendo profecias cujo cumprimento ocorre agora mesmo, diante de nossos olhos.

Não conheço nada mais excitante ou interessante do que um desses vislumbres. O esplendor e a colossal magnitude de Seus planos são espantosos, mas Sua calma dignidade e total certeza são ainda mais impressionantes. Os indivíduos e as nações são como peças de um jogo, porém nem um nem outro são compelidos a jogar. A oportunidade de jogar é oferecida, no entanto, se não for aproveitada, sempre há um substituto pronto para preencher a lacuna. Qualquer que seja o instrumento, o objetivo planejado será cumprido com total certeza. Para o agente importa muito quem servirá de instrumento, mas para o progresso do mundo pouco importa quem aproveitou a oportunidade. Apolônio de Tiana foi enviado pela Fraternidade no século I para uma missão, e um dos aspectos da missão era estabelecer certos centros magnéticos em vários países. Objetos parecidos com talismãs foram-lhe dados para serem enterrados nestes lugares escolhidos, com a intenção de que a força por eles irradiada preparasse os locais para grandes eventos no futuro. Alguns centros já foram utilizados, mas outros não, e estes serão usados no futuro imediato pelo trabalho do próximo Cristo. Assim, a maior parte dos detalhes de Sua obra foi planejada quase dois mil anos atrás e, até mesmo no plano físico, foram feitos arranjos preparatórios. Ao compreendermos essa certeza total, desaparecem a dúvida, a hesitação, a ansiedade e a preocupação, e alcançamos o contentamento e a paz perfeita, a confiança absoluta nos Poderes que governam o mundo.

O Trabalho dos Mestres

Podemos ver que a atividade dos Mestres deve ser enorme; mas não é fácil, para nós, entender o trabalho que Eles desenvolvem nos planos superiores. Os adeptos que ainda mantêm corpos físicos são poucos, porém, mesmo assim, suas mãos cuidam de todas as evoluções que ocorrem neste globo. No que diz respeito à humanidade, parece que Eles dividem o mundo em paróquias, mas suas paróquias são os continentes, e cada um está sob a supervisão de um adepto. A Sociedade Teosófica parece ser uma missão enviada da Sede Central, de modo que aqueles que tomam parte de suas atividades estão trabalhando para a humanidade como um todo e não para uma paróquia ou forma de religião em particular; e é sobre a humanidade, a grande massa, que os Mestres atuam principalmente. Eles possuem um departamento dedicado a influenciar as pessoas importantes do mundo na direção da paz, como reis e chefes de Estado, imprimindo idéias mais liberais em grandes oradores e instrutores e elevando as idéias dos artistas para que, através deles, o mundo todo seja um pouco melhor e mais feliz.

O trabalho de departamentos como estes é confiado a seus discípulos. Eles próprios trabalham mais com egos em seus corpos causais, devotando-se a irradiar influências espirituais sobre eles, tal como a luz do Sol sobre as flores, e promovendo seu crescimento ao despertarem neles tudo que houver de mais nobre e melhor. Muitas pessoas, às vezes, tornam-se conscientes dessas influências, mas não conseguem descobrir sua fonte. O corpo causal do homem comum quase não tem consciência de coisas externas a ele em seu próprio plano. Sua condição assemelha-se à de um pintinho dentro do ovo, inteiramente inconsciente da fonte de calor que estimula seu crescimento. Quando uma pessoa chega ao estágio em que pode quebrar sua casca e responder aos estímulos do ambiente, o processo toma uma forma diferente, e acelera-se muito. Até as almas-grupo de animais, na parte inferior do plano mental, são grandemente afetadas e auxiliadas por essa influência, pois, tal qual a luz solar, a força inunda o plano todo e afeta até certo ponto tudo que esteja dentro de seu alcance. Na irradiação dessa força, os Mestres freqüentemente aproveitam ocasiões especiais e lugares com algum forte centro magnético. Eles aproveitam o local onde viveu e morreu algum homem santo ou onde seus restos mortais ou relíquias tenham criado uma atmosfera adequada para irradiar Sua própria força por esses canais já preparados. Quando uma multidão de peregrinos se reúne em atitude receptiva, eles aproveitam a ocasião para irradiar força sobre o povo usando os canais por onde os peregrinos aprenderam a esperar auxílio e bênçãos.

É graças a esse tipo de auxílio que a humanidade progrediu até sua posição atual. Ainda estamos na quarta ronda, dedicada ao desenvolvimento do desejo e da emoção, mas já nos envolvemos também com o desabrochar do intelecto, característica especial da quinta ronda. Esse adiantamento é conseqüência do enorme estímulo dado à nossa evolução pela descida dos Senhores da Chama, vindos de Vênus, e pelo trabalho dos adeptos que preservaram para nós aquela influência e resolutamente se sacrificaram para que pudéssemos progredir de modo mais rápido.

Ao compreender a magnitude desse trabalho, e principalmente depois do privilégio de ver os Mestres em ação, ninguém pensaria nem por um momento em interrompê-los em seu trabalho altruísta para fazer qualquer pedido pessoal. A vasta importância desse trabalho torna obviamente impossível que assumam algum trabalho pessoal com indivíduos. Caso esse trabalho pessoal tenha que ser feito, ele é sempre delegado para algum discípulo ou então realizado através de elementais e espíritos da natureza. Assim, o estudante tem o dever de se preparar para assumir uma parte desse trabalho inferior, pela simples razão de que, se não o fizer, o trabalho ficará no momento por fazer, pois obviamente é impossível que os Mestres afastem-se de sua obra maior, em benefício do mundo inteiro, para cuidar de casos individuais. O trabalho dos auxiliares invisíveis no plano astral simplesmente não seria feito, caso não houvesse discípulos preparados para esse estágio, e tão logo estes se capacitem para um trabalho superior passam para o estágio seguinte.

As pessoas, vez por outra, perguntam por que os Mestres trabalham freqüentemente com instrumentos imperfeitos, e a resposta óbvia é que Eles não têm tempo para assumir o trabalho todo pessoalmente. Eles têm, assim, de usar instrumentos como esses, ou o trabalho não seria feito de forma alguma. Vejamos, por exemplo, a redação de livros para ajudar a humanidade. É óbvio que os Mestres poderiam escrever muito melhor do que qualquer discípulo, evitando erros ou imprecisões. Todavia, Eles não dispõem de tempo para isso, e, se os discípulos não o fizessem, a tarefa ficaria por fazer. Além do mais, se os Mestres fizessem isso, estariam tirando de outros também capacitados a oportunidade de gerar bom *karma*. Estes certamente não o fariam tão bem, mas ainda assim seria o bastante para o uso daqueles que sabem muito menos.

Precisamos lembrar que os Mestres têm à disposição somente uma certa quantidade de força, e que, por mais que ela nos pareça ser estupenda, ainda assim é uma quantidade limitada, e Eles devem empregá-la da melhor maneira possível em benefício da humanidade. Portanto, seria totalmente errado — se pudermos dizer isso com a devida reverência —, que gastassem aquela força em algum propósito menor, ou que usassem em casos individuais aquilo que pode ser melhor empregado em benefício de todos.

Mestres e Discípulos

Já dissemos que dos poucos adeptos que retêm corpos físicos e ocupam cargos na Grande Hierarquia que administra o mundo, aqueles que aceitam discípulos são ainda em menor número, e a estes damos o nome de Mestres. Vejamos, agora, o que significa ser discípulo de um desses Mestres; o que se espera de alguém que aspira ocupar esta posição, e qual é o trabalho que deve ser feito.

Primeiro, vamos deixar bem claro que os Mestres dedicam-se totalmente ao serviço da humanidade, encontrando-se tão absorvidos pelo trabalho que excluem qualquer outra consideração. Mencionei anteriormente que um Mestre só dispõe de certa quantidade de força para gastar, e que apesar dessa força parecer-nos incalculável, ele é extremamente cuidadoso no seu uso, aproveitando ao máximo cada porção dela. A instrução de um discípulo exige tempo e energia, e como ele considera todas as coisas do ponto de vista de sua utilidade na evolução, não gastará esse tempo e energia com nenhum homem a não ser que perceba ser um bom investimento.

Ele aceitará alguém como discípulo, ou talvez seja melhor dizer como aprendiz, se perceber que esta é a melhor maneira de usar seu tempo e energia para alcançar os melhores resultados, mas só neste caso. Por exemplo, alguém pode ter muitas qualidades úteis para um assistente, mas também uma falta grave, um obstáculo constante que anularia muito do bem que ele poderia fazer. Nenhum Mestre aceitaria um discípulo assim, contudo ele poderia dizer: "Vence tua falha, eu te farei meu assistente e te darei treinamento".

Muitos de nossos dedicados estudantes estão repletos dos sentimentos mais benéficos e altruístas e, sabendo que desse modo destacam-se da maioria da humanidade, às vezes se perguntam: "Estou tão ansioso para trabalhar pela humanidade; por que o Mestre não me aceita e instrui?"

Enfrentemos os fatos com coragem; o Mestre não aceita vocês porque ainda estão cheios de pequenas imperfeições. É verdade — como vocês percebem, sem dúvida, dentro de vocês mesmos — que o desejo sério de serem úteis, a benevolência e a bondade são qualidades muito maiores a seu favor do que todas as pequenas faltas que formam o lado desfavorável. Tentem entender que existem milhares de pessoas benevolentes e bem-intencionadas no mundo e que vocês só diferem delas porque possuem um pouco mais de conhecimento, podendo assim dirigir sua benevolência para canais mais úteis. Se as qualificações exigidas para o discipulado fossem só estas, cada Mestre teria milhares de discípulos, gastando todo o Seu tempo para modelar essas milhares de pessoas com todas as suas faltas mesquinhas no plano astral e físico, e, enquanto isso, o esplêndido trabalho do Mestre com os egos nos níveis superiores teria de ser inteiramente negligenciado.

Assim, ser discípulo significa, em primeiro lugar, ver a vida como o Mestre a vê, unicamente do ponto de vista do que é melhor para o progresso do mundo. O discípulo tem de estar preparado para esquecer-se *absolutamente* de si mesmo e eliminar *inteiramente* sua personalidade, e deve entender que isso não é mera figura poética ou de retórica, mas que o significado é literal: ele não deve ter qualquer desejo pessoal e deve estar pronto a ordenar toda sua vida de acordo com o trabalho que tiver que fazer. Quantos de nós estão inteiramente dispostos a dar mesmo este primeiro passo em direção à posição de discípulo aceito?

Pensem no que significa ser discípulo. Quando alguém se oferece ao discipulado, o Mestre decide de imediato se ele está pronto ou não para o estágio do discípulo em provação. Se o candidato mostra que está quase alcançando as qualificações necessárias, o Mestre pode aceitá-lo em provação, colocando-o durante alguns anos sob estrita observação. Normalmente essa provação dura sete anos, contudo pode ser prolongada indefinidamente se o candidato se mostrar insatisfatório, ou ser reduzida bastante se estiver se esforçando de verdade. Conheço um caso cuja provação prolongou-se por trinta anos, outro reduzido para cinco, um para três anos e outro caso excepcional cuja provação durou apenas cinco meses. Durante esse período de provação, o candidato não entra em contato direto com o Mestre de forma alguma, e é pouco provável que ouça ou veja alguma coisa d'Ele. Em geral, não são colocadas dificuldades ou testes adicionais em seu caminho; ele apenas é observado cuidadosamente em suas atitudes para com todos os pequenos problemas diários da vida. Para uma observação mais conveniente, o Mestre faz o que é chamado de "imagem viva" de cada discípulo em provação, isto é, uma duplicata exata de seus corpos astral e mental. Essa imagem é mantida em um local de fácil acesso e em sintonia magnética com o discípulo, de modo que qualquer modificação dos pensamentos e sentimentos em seus veículos é reproduzida fielmente na imagem. Essas imagens são examinadas diariamente pelo Mestre, que, dessa forma, obtém um registro perfeito dos pensamentos e sentimentos do candidato, podendo assim decidir quando admiti-lo ao relacionamento mais íntimo do segundo estágio: o de discípulo aceito.

Devemos lembrar que o Mestre é um canal de distribuição das forças do *Logos*. Não um canal inconsciente, mas, sim, um colaborador agudamente inteligente, porque Ele próprio é uma parte consciente do *Logos*. Da mesma maneira, em um nível inferior, o discípulo aceito é um canal para as forças do Mestre, porém ele também não pode ser um canal inconsciente, e, sim, um colaborador inteligente; para isso, ele tem que se tornar virtualmente parte da consciência do Mestre.

Um discípulo aceito participa profundamente da consciência de seu Mestre, de modo que este sabe tudo o que o discípulo vê ou ouve, não necessariamente ao mesmo tempo (ainda que isso às vezes aconteça), mas tudo passa a estar na memória do Mestre exatamente como na memória do discípulo. Tudo o que o discípulo sente ou pensa está dentro dos corpos astral e mental de seu Mestre. Compreendendo o que isso significa, percebemos com clareza por que é totalmente impossível para o Mestre aceitar qualquer candidato até que seus pensamentos e sentimentos sejam tais que o Mestre possa recebê-los dentro de si mesmo.

Infelizmente, vez por outra, algum pensamento inadequado surge na mente do discípulo, e tão logo o Mestre sente o problema, ele cria de imediato uma barreira para impedir a entrada daquela vibração, distraindo momentaneamente a atenção de seu trabalho e gastando energia. Uma vez mais percebemos por que é impossível para o Mestre admitir a um relacionamento tão íntimo alguém que aceite pensamentos impróprios para sua mente, desviando-O de seu trabalho para afastar pensamentos ou sentimentos indesejáveis, e criando assim uma pressão intolerável sobre o tempo e a energia do Mestre.

Não é por falta de paciência ou compaixão que o Mestre não aceita tal pessoa, mas simplesmente porque não seria um bom uso para seu tempo e energia, e usar ambos da melhor maneira possível é seu único dever. Se alguém se considera pronto para o discipulado e pergunta por que esse privilégio ainda não lhe foi dado, deveria observar-se mais atentamente, mesmo que por um único dia, e perguntar se durante esse dia teve um único pensamento ou sentimento indigno do Mestre. Não se esqueçam de que os pensamentos indignos não são apenas os maldosos ou indelicados, mas também os fúteis, irritados e críticos e, acima de tudo, os pensamentos sobre si mesmo. Quem dentre nós está pronto para isso?

Ao se relacionar dessa forma com o discípulo, o Mestre pretende harmonizar e afinar os veículos do discípulo, o mesmo resultado que um instrutor indiano tenta conseguir mantendo fisicamente seus alunos sempre por perto. Independentemente dos exercícios ou do estudo especial prescrito, o efeito principal desse relacionamento deriva da presença constante do Mestre. Os vários veículos do discípulo vibram com suas freqüências costumeiras, provavelmente cada um com diversas freqüências, devido à presença constante de emoções passageiras e pensamentos errantes de todos os tipos. A primeira e mais difícil tarefa do discípulo é transformar esse caos em ordem, eliminando os interesses menores e controlando os pensamentos fúteis através da constante pressão da vontade sobre todos os veículos, durante muitos anos.

Enquanto ainda viver no mundo, sua tarefa será cem vezes mais difícil por causa da pressão incessante das ondas perturbadoras dos pensamentos e das emoções, que não lhe dão um momento de descanso nem oportunidade para reunir forças e fazer um esforço real. Por essa razão, na Índia, aquele que busca uma vida mais elevada retira-se para a floresta, e em todas as épocas e países sempre existiram pessoas dispostas a adotar a vida contemplativa do eremita. O eremita tem pelo menos espaço para respirar e descansar do conflito interminável da sociedade e tempo para pensar coerentemente. Poucas coisas atrapalham seus esforços, e as calmas influências da natureza são-lhe, em certa medida, úteis.

A convivência com um instrutor que já está no Caminho traz vantagens ainda maiores. Um instrutor já deve ter acalmado seus veículos, acostumando-os a vibrar dentro de freqüências cuidadosamente selecionadas em lugar de centenas de outras misturadas. Essas poucas freqüências vibratórias são muito fortes e constantes, atuando dia e noite, durante a vigília e o sono, sem cessar, sobre os veículos do discípulo e gradualmente elevando-os até o padrão do Mestre. Somente o tempo e a convivência próxima produzem esse efeito e, mesmo assim, só com aqueles capazes de ser afinados, e não com qualquer um. Muitos instrutores esperam que o candidato demonstre possuir um refinamento razoável antes de começarem a ministrar seus métodos especiais de desenvolvimento oculto, isto é, antes de ensinar ao discípulo algo que pode facilmente prejudicá-lo se for mal usado; querem ter certeza, através de uma prova visual, de que o discípulo é do tipo apropriado a essa instrução e suficientemente sensível às suas influências para manter-se no caminho certo nos momentos de tensão. As vantagens são mil vezes maiores para aqueles escolhidos pelo Mestre, os quais recebem a oportunidade de um relacionamento íntimo e próximo.

Ser um discípulo aceito pelo Mestre significa, então, tornar-se uma espécie de posto avançado de Sua Consciência, de modo que a força dos Grandes Seres possa ser irradiada através dele e o mundo torne-se um pouco melhor. O discípulo fica em contato tão íntimo com o pensamento do Mestre que pode, a qualquer momento, ver o que Ele pensa sobre qualquer assunto e, dessa forma, evita cair em erro freqüentemente. O Mestre pode, a qualquer momento, enviar um pensamento através do discípulo, seja como sugestão ou mensagem. Se, por exemplo, o discípulo estiver escrevendo uma carta ou proferindo uma palestra, o Mestre, subconscientemente, sabe o que se passa e pode, no momento que quiser, colocar em sua mente uma frase a ser incluída na carta ou uma ilustração útil para aquela palestra. A princípio, o discípulo não percebe o que se passa, supondo que aquelas idéias surgiram com espontaneidade em sua mente, mas logo ele aprende a reconhecer o pensamento do Mestre. Na verdade, precisa aprender a reconhecê-lo porque muitas outras entidades do plano astral e mental estão prontas para fazer sugestões similares, as quais, mesmo sendo bem intencionadas e amistosas, ele deve aprender a distinguir.

Contudo, não podemos confundir a utilização do corpo do discípulo pelo Mestre com a mediunidade que tantas vezes censuramos. Por exemplo, em algumas ocasiões, um ou outro de nossos Mestres já se manifestou através de Annie Besant e, naqueles momentos, sua voz, suas maneiras e até mesmo seu rosto transformaram-se. Mas em todas as ocasiões ela se manteve plenamente consciente, sabendo quem estava falando e por quê. Essa condição é tão diferente do que se entende normalmente por mediunidade que seria incorreto usar o mesmo nome. Não há nenhuma objeção a esse tipo de manifestação do Mestre, restrita somente a alguns poucos discípulos.

Durante essa manifestação, a consciência da Sra. Besant continuava em seu cérebro físico, tão ativa como sempre, mas em vez de dirigir seus órgãos de formação, ela escutava e sentia como o Mestre os usava. Ele estruturava as frases em seu próprio cérebro e só então as transferia para o dela. Enquanto isso, ela passivamente ouvia, compreendia e admirava, e acredito que fosse quase impossível a ela, no mesmo momento, formar uma frase sobre outro assunto completamente diferente. Suponho que a forma mais elevada de controle espiritual aproxime-se mais ou menos disso, mas provavelmente é muito rara e dificilmente ocorre alguma vez de modo completo.

A influência de um Mestre é poderosa e de grande alcance, e alguém mais sensitivo na audiência poderia ter consciência de sua presença e até ver suas feições ou ouvir sua voz no lugar das do discípulo. Não é provável que ocorram mudanças realmente físicas a ponto de se tornarem visíveis aos espectadores não sensitivos. No Espiritismo, já presenciei casos em que a voz, as maneiras e até mesmo a aparência do médium transformaram-se fisicamente, mas isso envolve o afastamento total do ego do médium pela entidade que se manifesta, algo totalmente estranho ao sistema de treinamento adotado por nossos Mestres.

Existe ainda um terceiro estágio de união entre Mestre e discípulo, quando este se torna "filho" do Mestre. Esse estágio começa somente depois do discípulo aceito ter passado por um longo tempo de experiências, quando o Mestre tiver certeza absoluta de que não será obrigado a afastá-lo por causa de alguma vibração astral ou mental inadequada. Talvez essa seja a principal diferença, prontamente explicável no plano físico, entre o discípulo aceito e o "filho": o discípulo aceito, mesmo sendo parte da consciência do Mestre, ainda pode ser afastado quando necessário, enquanto que o "filho" entra em uma união tão íntima e sagrada que nem mesmo o poder do Mestre pode desfazer o que está feito ou separar as consciências, mesmo que por um momento.

Estes são então os três estágios da relação entre Mestre e aprendiz: primeiro — o *período probatório,* durante o qual o aprendiz ainda não é um discípulo; segundo — o *período do discipulado aceito;* e terceiro — o *período de "filho"*. Precisa ficar bem claro que esses estágios não têm nada a ver com iniciações ou passos na Senda, os quais pertencem a uma categoria inteiramente diferente e marcam a relação com a Grande Fraternidade Branca e seu augusto Chefe e não com o Mestre. Podemos fazer uma comparação com os estudantes, o diretor do colégio e a universidade. A universidade exige que o aluno passe por certos exames e, comparativamente falando, é indiferente quanto aos métodos usados em sua preparação. É a universidade, e não o diretor do colégio, que organiza o exame e confere os diversos graus; cabe ao diretor apenas verificar se o candidato está devidamente preparado. Durante a preparação, ele pode, em caráter privado, estabelecer com seu aluno qualquer relacionamento que julgue apropriado e nada disso interessa à universidade.

Da mesma maneira, a Grande Fraternidade Branca não tem nada a ver com as relações entre o Mestre e seu discípulo; esse assunto é de consideração exclusiva do próprio Mestre. Ao considerar que o discípulo está pronto para a primeira iniciação, o Mestre comunica o fato e apresenta-o para a Fraternidade, a qual apenas pergunta se ele está pronto para a iniciação e não qual a relação entre ele e qualquer dos Mestres. O candidato à iniciação deve ser proposto e apadrinhado por dois elevados membros da Fraternidade, dois adeptos. O Mestre não apresentaria alguém para os testes iniciáticos se não tivesse certeza de sua aptidão, oriunda daquela íntima união de consciência que mencionei acima.

Diante de tudo isso, o estudante naturalmente pergunta: "Como posso tornar-me discípulo de um Mestre? O que devo fazer para atrair sua atenção? Na verdade, não precisamos tentar atrair sua atenção, pois os Mestres estão sempre vigilantes em busca daqueles a quem possam ajudar para que, por sua vez, estes Os auxiliem na grande obra que estão realizando, e assim não há o menor perigo de sermos esquecidos.

Lembro-me de um incidente ocorrido no início de meu relacionamento com os Grandes Seres, vinte e cinco anos atrás. Encontrei, no plano físico, um homem de grande entusiasmo e caráter impecável que acreditava na existência dos Mestres e tinha devotado sua vida ao único objetivo de qualificar-se para prestar-lhes serviço. Pareceu-me que estava pronto para o discipulado e muito melhor do que eu mesmo, de modo que não entendia por que ainda não tinha sido aceito. Dessa forma, sendo ainda ignorante e jovem no trabalho, um dia surgiu uma oportunidade e eu, humildemente, como que me desculpando, mencionei seu nome ao Mestre, sugerindo que talvez fosse um bom instrumento. Um sorriso surgiu na face do Mestre enquanto Ele me respondia:

"Ah, você não precisa temer que seu amigo esteja sendo esquecido; ninguém jamais é esquecido. No caso dele, ainda há certo *karma* para ser resgatado, o que torna impossível aceitar sua sugestão no momento. Em breve seu amigo deixará o plano físico e logo retornará novamente, sua penitência terminará e o que você deseja para ele irá se tornar possível".

Depois, com a amabilidade que é tão marcante nele, uniu minha consciência ainda mais profundamente com a dele e elevou-a até um plano mais alto, o qual eu não poderia ter alcançado sem ajuda, e mostrou-me como os Mestres observam o mundo. O mundo inteiro estava diante de nós com todos os seus milhões de almas, a maioria não desenvolvida e por isso indiferenciada. Mas, em meio a essa imensa multidão, onde quer que houvesse alguém se aproximando, mesmo que ainda distante do ponto a partir do qual pudesse ser aproveitado, este se destacava dos outros como o facho de um farol destaca-se na escuridão da noite.

"Agora você pode ver", disse o Mestre, "como é totalmente impossível que alguém seja esquecido, mesmo que ainda distante da possibilidade de ser aceito em caráter probatório".

Tudo o que podemos fazer da nossa parte é trabalhar incessantemente para melhorar nosso caráter, esforçando-nos para isso, de todas as maneiras, pelo estudo de obras teosóficas, pelo autodesenvolvimento e pelo altruísmo de nossa devoção ao bem dos outros; preparando-nos para a honra de sermos escolhidos com a plena certeza de que, tão logo estejamos prontos, seremos aceitos. Como há grande necessidade de auxiliares, podemos nos preparar com a certeza de que seremos aceitos tão logo estejamos prontos. Nada mais podemos fazer além disso. Mas se o Mestre nos aproximasse dele antes do momento mais produtivo para aplicar a força em nós do que em qualquer outro lugar, isto é, antes que o resultado de nossas ações justificasse o gasto de energia em nós, ele estaria faltando com seu dever.

Podemos estar certos de que não há exceções a essa regra, mesmo que, vez por outra, pensemos ter encontrado alguma. Alguém pode-se tornar discípulo em caráter probatório ainda que apresente algumas falhas evidentes, mas, em casos assim, podemos ter certeza de que ele possui boas qualidades que compensam em muito as falhas superficiais. Precisamos lembrar também que, como todos nós, os Grandes Mestres de Sabedoria passaram por uma longa série de vidas nas quais criaram certos laços de *karma*. Às vezes, alguma pessoa tem direito à retribuição de algum serviço prestado há muito tempo atrás no passado remoto. Nas vidas passadas que examinamos, encontramos alguns exemplos desses laços de *karma*.

Um caso notório é o de certo membro da Sociedade Teosófica que, há seis mil anos, foi um poderoso nobre egípcio. Ele usou sua influência sobre as autoridades de um dos grandes templos para que aceitassem um jovem que demonstrava um profundo interesse em ocultismo. O jovem estudante dedicou-se ao ocultismo com afinco e progrediu surpreendentemente. Nas vidas seguintes, ele continuou os estudos começados na antiga Khem e alcançou o adeptado, passando assim bem à frente do amigo que o havia colocado no templo. Em nossa época, o trabalho desse adepto exigia alguém para revelar ao mundo certas verdades, as quais já podiam ser publicadas porque o momento era apropriado. Ao procurar por um instrumento para essa tarefa, encontrou seu velho amigo e protetor de seis mil anos atrás em uma posição que possibilitava seu aproveitamento nesse trabalho. De imediato, lembrou-se de seu antigo débito e saldou-o dando ao amigo o maravilhoso privilégio de ser um canal para a verdade no mundo.

Casos assim são razoavelmente numerosos. Todos sabemos como, em uma época ainda mais remota, um dos fundadores da Sociedade Teosófica salvou a vida do outro, que era, então, o filho mais velho daquele que hoje é Mestre e instrutor de ambos, estabelecendo assim um elo *kármico* que manteve os três sempre juntos desde então. Ainda em outra ocasião do passado remoto, Annie Besant salvou seu instrutor atual da morte certa, planejada por uma conspiração; e, em outro caso ainda, alguém que tinha acabado de passar pelos portais da iniciação salvou a vida do *Bodhisattva*, o próprio Senhor Maitreya.

Todos são exemplos inquestionáveis de laços de *karma*, débitos a serem plenamente recompensados. Qualquer um de nós pode ter prestado serviço no passado a alguém que hoje é Mestre. Pode ter sido o começo de uma parceria que resultará em nosso discipulado. Acontece com freqüência que algumas pessoas se reúnem devido a um forte interesse comum por ocultismo e, em vidas posteriores, quando alguns progridem bem mais do que os outros, aqueles que foram uma vez amigos e colegas, naturalmente, retomam a relação como instrutor-discípulo.

Não há dúvidas de que podemos atrair a atenção d'Eles de muitas maneiras: podemos chegar até os portais do Caminho associando-nos com alguém mais avançado; pelo pensamento firme e concentrado; pela devoção ou trabalho intenso; pela realização de boas obras. Mas todas essas maneiras são, afinal, apenas divisões do Caminho uno, porque significam que estamos preparando-nos para servir em um ou outro departamento do trabalho a ser feito. Assim, ao alcançarmos um determinado nível através de qualquer um desses métodos, inevitavelmente atrairemos a atenção dos Mestres de Sabedoria e entraremos em contato com eles, ainda que provavelmente não no plano físico. Segundo o plano normal do Mestre, primeiro o candidato entra em contato com um de seus discípulos mais adiantados, e esse é o método mais seguro, porque uma pessoa comum não pode-se certificar da veracidade das comunicações astrais.

A menos que tenhamos grande experiência com mediunidade, não podemos fazer idéia da enorme quantidade de pessoas comuns que existem no plano astral desejosas de passar por grandes instrutores mundiais. Geralmente são pessoas honestas e pensam, de verdade, que seus ensinamentos podem salvar o mundo. Agora que estão mortas, compreenderam a inutilidade dos objetos mundanos e sentem — corretamente — que, se pudessem divulgar ao mundo em geral as idéias que alcançaram aquele se tornaria um lugar bem diferente. Estão convencidas de que a publicação de suas descobertas no plano físico é suficiente para convencer imediatamente a todos de sua racionalidade e, por isso, escolhem alguma senhora impressionável e dizem-lhe que foi escolhida para ser instrumento de uma magnífica revelação.

Para essa pessoa é bastante lisonjeiro ouvir que ele ou ela é o único médium em todo o mundo para alguma poderosa entidade, o único canal para algum ensinamento exclusivo e transcendente. Mesmo que a entidade comunicante negue ter qualquer grandeza especial — o que normalmente não faz —, isso é encarado como uma louvável modéstia de sua parte, e ela é descrita, no mínimo, como um Arcanjo, se não como uma manifestação ainda mais direta da divindade. O que essa entidade esquece é que, quando vivia no plano físico, outras pessoas estavam comunicando-se igualmente através de vários médiuns, e ela não dava a menor atenção e nem se deixava afetar pelo que diziam. Não compreende assim que, precisamente como ela não se interessou por essas manifestações quando esteve imersa nos assuntos do mundo, o mundo agora segue satisfeito, cuidando de seus próprios interesses sem prestar atenção a *ela*.

Com freqüência, essas entidades assumem nomes reconhecidos, e por um motivo até perdoável, pois conhecem bem a natureza humana e sabem que, se José Silva ou Mário Souza voltarem dos mortos e anunciarem alguma doutrina, terão pouca chance de serem aceitos, mesmo que a doutrina seja excelente e verdadeira. Mas, em nome de George Washington, Júlio César ou do Arcanjo Miguel, as mesmas palavras serão pelo menos ouvidas e provavelmente aceitas sem hesitação.

Quem quer que trabalhe no plano astral percebe em certa medida os pensamentos e emoções daqueles que encontra, e essas pessoas, diante de teosofistas, vêem que suas mentes estão repletas de reverência pelos Mestres de Sabedoria e por essa razão, às vezes, personificam os próprios Mestres, para que as idéias que desejam divulgar sejam aceitas mais prontamente. Também não podemos esquecer daqueles que não têm nenhuma boa vontade para com os Mestres, desejam prejudicá-los e, como não podem feri-los diretamente, tentam atingi-los por meio dos discípulos que tanto amam. Uma das maneiras mais fáceis de criarem dificuldades é assumindo a identidade do Mestre tão reverenciado por sua vítima; em muitos casos a imitação é perfeita no que diz respeito à aparência física, mas sempre me pareceu que eles não conseguem captar a correta expressão dos olhos. É totalmente impossível para essas entidades imitar o corpo causal do Mestre; sendo assim, quem tiver desenvolvido a visão nos planos superiores não pode ser enganado.

Devemos prestar atenção ao sábio preceito de *A Voz do Silêncio:* "Não procures o Guru nessas regiões *mayávicas**". Não aceitem ensinamentos de algum instrutor autonomeado no plano astral; recebam todas as comunicações e conse-

---

* Derivada da palavra sânscrita *maya*; *mayávicas* significa "ilusórias". (N. ed. bras.)

lhos que dali vierem da mesma maneira como receberiam conselhos semelhantes de um estranho no plano físico. Tomem-nos pelo que valem e aceitem ou rejeitem segundo sua própria consciência, sem prestar atenção à sua origem alegada. Prefiram ensinamentos que satisfaçam o intelecto, aplicando o teste do intelecto e da consciência a qualquer pretensão que seja formulada.

Nunca esqueçam que nossas linhas de desenvolvimento não são as únicas. Os dois Mestres relacionados mais intimamente ao trabalho da Sociedade Teosófica representam dois raios diferentes ou métodos de ensino, mas há outros além destes. Todas as escolas de ensinamento superior dão um treinamento preliminar para purificar o caráter, mas os ensinamentos particulares e as práticas recomendadas diferem segundo o tipo do instrutor. Todos os instrutores pertencentes à Grande Loja Branca insistem em que o único caminho para o mais alto é a Senda da Santidade, e que a extinção do desejo é fruto da vitória sobre ele, e não da sua gratificação.

O discípulo servirá seu Mestre de muitas maneiras diferentes. Alguns serão preparados para o trabalho indicado no livro *Auxiliares Invisíveis*, outros são empregados na assistência pessoal ao Mestre e outros serão preparados para ministrar palestras no plano astral para almas menos desenvolvidas, a fim de ajudarem e instruirem os que se libertam temporariamente durante o sono ou os habitantes permanentes do mundo astral após a morte. À noite, ao dormir, o discípulo normalmente se apresenta ao Mestre que lhe diz se há algum trabalho para ele. Se não houver nada em especial, o discípulo retoma seu trabalho noturno normal, qualquer que seja este. Todo auxiliar invisível assume certo número de casos ou pacientes que são colocados sob sua guarda, exatamente como os pacientes de um médico no plano físico. Toda vez que não houver trabalho especial, ele passa a fazer suas rondas comuns, visitando aqueles pacientes e fazendo o melhor que puder por eles. Assim ele sempre tem muito trabalho para ocupar seu tempo, enquanto não houver nada especial a ser feito, como quando uma catástrofe inesperada coloca um grande número de almas aterrorizadas simultaneamente no plano astral. A maior parte do treinamento no trabalho astral é dada por um dos discípulos mais antigos do Mestre.

Se o discípulo tiver que passar por um sistema especial de desenvolvimento psíquico no plano físico, o Mestre irá orientá-lo diretamente ou através de um de seus discípulos reconhecidos. O sistema prescrito difere de acordo com o caráter e as necessidades do discípulo, e por isso é melhor esperarmos pela orientação do Mestre em vez de tentarmos qualquer prática desse tipo. E quando as práticas nos forem passadas, devemos guardá-las para nós mesmos, não as divulgando para os outros, porque muito provavelmente serão inadequadas para eles. Aqui na Índia cada um dos muitos instrutores menores existentes possui seus próprios métodos, que diferem entre si por pertencerem a diferentes escolas de filosofia e abordarem o mesmo tema de diversos pontos de vista. Normalmente esses métodos são mantidos em segredo para se evitar a responsabilidade de seu uso incorreto.

A publicação indiscriminada de qualquer um destes sistemas semifísicos pode causar sérios danos, comprovados com clareza na América, onde o livro de um instrutor indiano cautelosamente mencionava certas práticas, depois de advertir expressamente sobre a necessidade de preparação através do treinamento do caráter. No entanto, o livro foi causa de muito sofrimento, porque as pessoas desconsideraram a advertência e tentaram praticar o que estava descrito. Viajando alguns anos atrás por aquele país, encontrei muitas pessoas que se arruinaram fisicamente ao tentar seguir suas instruções. Alguns haviam enlouquecido, outros sofriam de desmaios ou estavam sob a influência de várias entidades obsessoras. A segurança dessas práticas depende diretamente da presença de um instrutor (como sempre se fez na Índia) para observar os resultados e interferir de imediato se algo sair errado. Na verdade, neste país, é comum que o discípulo permaneça fisicamente próximo de seu instrutor, porque aqui as pessoas compreendem o que mencionei há algum tempo: que o primeiro e maior trabalho do instrutor é afinar a aura do discípulo com a sua própria, anulando o efeito das condições perturbadoras prevalecentes no mundo e mostrando-lhe como abandoná-las para viver em um mundo de calma absoluta. Um de nossos próprios Mestres disse em uma de suas primeiras cartas: "Venham do seu mundo para o nosso" e isso, é claro, refere-se a uma condição mental e não a um lugar.

Lembrem-se de que ao meditarmos sobre o Mestre, criamos um elo definido com Ele, que aparece à visão clarividente como uma linha de luz. O Mestre sempre sente subconscientemente o toque dessa linha e envia por ela em resposta um fluxo constante de magnetismo que permanece em ação até mesmo depois de finda a meditação. A prática regular dessa concentração/meditação é da máxima ajuda ao aspirante, e a regularidade é um dos fatores mais importantes para o sucesso. Deve ser praticada diariamente na mesma hora e com firme perseverança, mesmo que nenhum efeito óbvio seja percebido. Quando não sentirmos qualquer efeito, precisamos ter o cuidado de evitar a depressão, porque ela dificulta a influência do Mestre sobre nós e, também, porque ela mostra que estamos pensando mais em nós mesmos do que no Mestre.

A Senda do Progresso

Quando expomos a grande verdade de que a evolução surgiu do Divino e que nós mesmos somos apenas centelhas da chama divina, à qual um dia retornaremos, as pessoas freqüentemente nos fazem duas perguntas bastante lógicas. Primeira: "Por que o Ser Divino enviou-nos, se somos parte d'Ele, divinos desde o início? Por que o *Logos* manifestou-Se na matéria se já era perfeito, glorioso e sábio?" Segunda: "Se emanamos do Espírito divino, por que caímos na maldade, e como o homem pode, tendo surgido de uma fonte tão pura, degradar-se tanto como vemos à nossa volta?" Uma vez que essas perguntas surgem com freqüência, vale a pena tentarmos ver como podem ser respondidas.

A razão da manifestação do *Logos* praticamente não é da nossa conta. Basta-nos saber que Ele escolheu fazê-lo, que somos parte de Seu esquema, que é nosso dever tentar compreender este processo até onde pudermos e adaptar-nos a ele. Mas se alguém desejar especular sobre esse mistério, talvez não haja sugestão melhor do que a que foi dada pelos Doutores Gnósticos:

> *Deus é amor, mas o Amor não pode ser perfeito sem aqueles a quem possa ser dado e por quem possa ser retribuído. Por isso Ele lançou parte de Si colocando-a na matéria e limitou Sua glória para que, através do lento processo natural da evolução, viéssemos a existir; e nós, por nossa vez, de acordo com Sua vontade iremos desenvolver-nos até alcançarmos o Seu próprio nível, e então o Amor do próprio Deus tornar-se-á mais perfeito, porque será pródigo para aqueles, Seus próprios filhos, que o compreenderem plenamente e o retribuírem. Assim Seu grande esquema terá sido compreendido, e Sua vontade será feita.*

Quanto à outra consideração sobre por que a emanação ocorreu desta maneira, novamente não é assunto nosso, pois estamos ocupados com os *fatos* da evolução e não com suas razões; mesmo assim, não parece ser difícil esboçar as linhas de pensamento que nos podem levar a uma resposta. O homem realmente é uma emanação da substância do Divino, mas não podemos esquecer que, no momento da emanação, a substância é indiferenciada, e do nosso ponto de vista inconsciente, isto é, traz dentro de si muito mais a potencialidade da consciência do que qualquer coisa que nós estejamos acostumados a chamar de consciência propriamente dita.

Na descida à matéria, ela simplesmente reúne à sua volta matéria pertencente aos diversos planos pelos quais passa, e só depois de ter alcançado o ponto mais baixo de sua evolução, no reino mineral, é que ela se volta para cima e começa seu retorno para o nível de onde veio, desenvolvendo agora o que chamamos de consciência. É por essa razão que o homem torna-se consciente primeiro no plano físico e, somente depois de ter-se desenvolvido plenamente naquele nível, é que começa a ser consciente no plano astral, no mental e assim por diante.

Deus poderia ter feito o homem perfeito e obediente à lei por um único ato de Sua Vontade, sem dúvida alguma, mas não é óbvio que um homem assim seria um mero robô, que sua vontade interior seria a vontade de Deus e não a sua própria? O que o *Logos* desejou foi trazer à existência de Sua própria substância outros que fossem iguais a Ele em poder e glória, absolutamente livres para escolher, mas também absolutamente seguros de escolher o certo e não o errado, porque, além do poder perfeito, teriam também o conhecimento e o amor perfeitos.

Não é fácil imaginarmos uma maneira alternativa para alcançar esse resultado, além do método que foi adotado: deixar o homem livre e capaz de cometer erros. Com os erros ele aprende e adquire experiência, e mesmo que num esquema como esse o mal seja inevitável, assim como o sofrimento e a tristeza, quando sua função na evolução humana é compreendida, concordamos com o provérbio chinês que diz que o mal é apenas a sombra do bem. Verdadeiramente, por mais pretas que as nuvens sejam quando vistas por baixo, elas são transitórias por sua própria natureza e acima e por trás delas brilha constantemente o poderoso Sol que por fim as dissipará, confirmando o antigo ditado que diz que *todas* as coisas, mesmo as de aparência mais desagradável, na realidade trabalham juntas para o bem.

Aqueles que fizeram algum progresso real sabem pelo menos disso, por si mesmos e com absoluta certeza, e mesmo que não possam dar provas para os que ainda não passaram pela experiência, podem dar seu testemunho, que certamente tem seu valor para as almas que ainda lutam em direção à luz.

Quanto à segunda questão — por que caímos na maldade se viemos do Espírito divino —, podemos sinceramente afirmar que ela supõe coisas demais. Não é verdade que fomos enviados para a maldade e degradação. De fato, rigorosamente falando, não fomos enviados de forma alguma. A questão é inteiramente diferente. O *Logos* coloca em manifestação um fluxo de força que pode ser descrito como parte Dele ou de Suas vestes. Esse fluxo contém potencialmente as vastas hostes de mônadas, cada qual podendo tornar-se um *Logos* quando plenamente desenvolvida. Entretanto, para desenvolver-se, a mônada precisa se manifestar através de matéria de vários graus de sutilidade para que a individualidade seja lenta e gradualmente construída, e, dessa forma, certas qualidades latentes despertadas. Esse é o processo da evolução, e todas as grandes leis do universo estão colocadas de modo a facilitá-lo. Nos primeiros estágios, a manifestação da mônada é inteiramente controlada por estas leis, porque ainda não desenvolveu qualquer tipo de individualidade ou alma própria.

Mas, em certo estágio, a individualidade é alcançada, e a vontade começa a se desenvolver. O plano do *Logos* permite ao homem certa liberdade (no início bem pouca) no uso dessa vontade que desperta; e esse indivíduo primitivo utiliza naturalmente sua vontade tanto para o mal quanto para o bem, quase sempre sob a supervisão de instrutores pertencentes a evoluções anteriores que lhe ensinam o caminho.

Quando usa a vontade erradamente — isto é, numa direção oposta à corrente da evolução —, a ação mecânica das leis da natureza traz-lhe sofrimento como conseqüência daquela ação. Depois de passar várias vezes pela mesma situação, o ego primitivo aprende por fim, pela experiência, que deve obedecer ao sábio ensinamento que recebeu, e tão logo essa determinação torna-se parte dele, ele passa a desfrutar de uma liberdade de ação muito mais ampla.

O processo repete-se novamente, sempre trazendo sofrimentos onde houver erros. "Maldade e degradação", se existirem, resultam sempre do uso incorreto do livre-arbítrio por homens que ainda estão aprendendo a utilizá-lo corretamente. Tão logo a lição tenha sido aprendida por todos, os maus efeitos desaparecerão. Assim é óbvio que todo o mal existente no mundo é obra de seus habitantes e é de natureza temporária. Por mais terrível e profundo que nos possa parecer, o mal não é permanente, pois faz parte da essência das coisas que — quando as suas causas são eliminadas — ele tem que desaparecer. A existência do mal não é responsabilidade da Causa Primeira, mas nossa, porque estamos falhando na realização do Plano.

Com freqüência, aconselhamos as pessoas a adotarem um curso de ação superior ao invés de inferior; todavia, penso que a verdade é que o homem sempre segue o ponto de vista mais elevado sobre o qual pode ter certeza. A dificuldade é que para muitas pessoas o ensinamento superior parece ser vago e irreal e, assim, embora admitam acreditar nele, pensando realmente que acreditam, quando chega o momento da ação, consideram-no muito vago para confiarem suas vidas a ele.

Por exemplo, muitas pessoas que se dizem religiosas podem ser vistas lutando por posição e riqueza. Tal atitude seria razoável se fossem materialistas e não tivessem a pretensão de acreditar em nada mais elevado; no entanto, quando encontramos um religioso devotado à busca de objetivos mundanos, algo está evidentemente errado e ilógico. A verdade é que essa pessoa não acredita realmente em sua religião, não está plenamente convencida de sua verdade, pois, se fosse esse o caso, não poderia estar buscando outras coisas. Ela vai atrás daquilo que lhe dá segurança, e está totalmente certa, sem a menor dúvida, da vontade de possuir dinheiro e poder. Ela sabe que quer estas coisas e pensa que se as conseguir será mais feliz. Assim, coloca todo o seu tempo e energia nesse propósito e, ao agir dessa maneira, está, pelo menos, desenvolvendo a vontade e a perseverança.

Agora, se de alguma maneira pudermos fazer essa pessoa acreditar no valor das coisas superiores com a mesma intensidade com que acredita no valor do dinheiro, ela dirigirá imediatamente sua vontade e perseverança para o desenvolvimento superior, buscando realidades com a mesma intensidade de propósito que hoje dedica à busca de sombras. Isso é precisamente o que o estudo da teosofia fará por ela. Ao compreender o que significa a teosofia, o homem sabe que está aqui com um certo propósito e que é do seu interesse devotar-se inteiramente à realização daquele objetivo. Ele compreende que há coisas que valem a pena fazer e metas que valem a pena buscar, e dedica-se a elas com a mesma avidez que anteriormente devotava à busca de dinheiro e posição.

Mas não basta ler alguns livros ou estar vagamente interessado. É preciso realmente acreditar, estar totalmente convencido de sua verdade. A única maneira de alguém alcançar essa convicção é realizando alguma parte dela, por menor que seja, por si mesmo e em primeira mão. O homem pode, é claro, convencer-se intelectualmente da verdade da doutrina, conscientizando-se de que nada mais é logicamente possível, mas poucos de nós têm força bastante para agir de acordo com uma convicção lógica sobre coisas inteiramente além de nosso alcance. Para a maioria de nós, é realmente necessário que pelo menos uma pequena parte da doutrina, uma amostra dela, por assim dizer, seja definitivamente vista e conhecida.

Nós, que fomos estudantes tempos atrás, sentimos todas essas coisas tão intensamente quanto os estudantes de hoje, e quando, há vinte e cinco ou vinte e sete anos, perguntamos à Sra. Blavatsky se havia alguma maneira de verificarmos qualquer uma dessas coisas por nós mesmos, ela respondeu de imediato que sim. Ela nos disse que, se trabalhássemos para desenvolver as faculdades necessárias, inquestionavelmente experimentaríamos por nós mesmos a verdade de grande parte do ensinamento. Avisou-nos que o caminho era longo e árduo e que ninguém poderia prever quanto tempo demoraríamos para trilhá-lo. Porém, por outro lado, consolou-nos, dizendo que a meta era absolutamente segura, e que seria impossível alguém deixar de alcançá-la uma vez que o caminho fosse iniciado, mesmo que em muitos casos o objetivo final pudesse estar em alguma outra vida futura e não nesta.

Isso era encorajador por um lado e um pouco assustador por outro, mas, de qualquer forma, alguns de nós aceitaram sua palavra e se atiraram de corpo e alma no esforço de levar a vida que nos foi prescrita, realizando o trabalho que nos aguardava. Os graus de sucesso foram muito variados; contudo, de todos os que se esforçaram e perseveraram, acho que posso dizer que nenhum deixou de obter algum resultado — suficiente de qualquer modo para comprovar a veracidade do ensinamento e comprovar também que, se o progresso era menor que o esperado, o erro estava com o próprio aluno e não com os instrutores.

Alguns entre nós, no entanto, puderam comprovar diretamente um grande número de informações dadas pelos Mestres — primeiro só algumas, que diziam respeito a nós mesmos, a nossos veículos e possibilidades e à vida astral que nos envolve. Mais tarde, por meio de contínuos e árduos esforços, desenvolvemos as faculdades do corpo mental e, pela primeira vez, compreendemos o que nos tinham ensinado sobre a vida celeste. No início, interpretávamos tudo errado porque, com as faculdades à nossa disposição naquele momento, éramos incapazes de compreender. Esforçando-nos ainda mais arduamente, alcançamos as faculdades do corpo causal, e então o mundo das realidades comparativas começou realmente a se abrir diante de nós.

Podíamos ler os registros do passado e ver com absoluta certeza como o grande esquema do *Logos* está vagarosamente desabrochando e desenvolvendo-se através de sucessivos nascimentos sob a orientação das grandes leis da evolução e de causa e efeito. Podíamos ver com clareza que indiscutivelmente fazíamos parte desse grande esquema e que, portanto, também era nosso dever, nossa vantagem e nosso privilégio, dedicarmo-nos ao esquema e cooperar inteligentemente para sua realização. Não tínhamos dúvida sobre a evolução e o futuro da humanidade, pois estava claro que nos havíamos elevado através dos reinos inferiores e podíamos ver muitos estágios tanto abaixo quanto acima de nós. Todos os estágios da vida humana mostravam-se a nós como degraus de uma escada que se estendia para cima e para baixo e, em cada um, havia seres claramente ocupados em subi-los.

Os Mestres, que nos pareciam estar no alto da escada, asseguraram-nos que eram homens como nós mesmos e que tinham passado pelo estágio que agora ocupávamos. Não havia nenhuma falha na continuidade entre nós e eles, porque todos os degraus estavam ocupados, e observamos o progresso de alguns mais elevados que nós de um degrau para outro. Ao acostumarmo-nos com a maravilhosa luz dos planos superiores, agora menos ofuscante, pudemos ver que, além do estupendo nível ocupado pelos Mestres, surgiam alturas ainda maiores. Acima deles estavam *Manus*, Cristos, Budas, *Lipikas**, Grandes Devas, *Dhyan Chohans* e muitos outros dos quais nada podemos saber, exceto que existem e que, mesmo nessas alturas inefáveis, fazem parte da mesma poderosa cadeia.

Todo o passado encontra-se então diante de nós, conhecemos os pontos de parada e as estradas secundárias que nos afastam do caminho; portanto está justificada nossa certeza de que, onde esses Grandes Seres estão agora, nós também um dia estaremos. Diante da inevitabilidade de nosso destino, percebemos que é totalmente inútil tentar resistir a ele. O progresso é a lei designada para nós; somente no progresso encontramos felicidade e segurança. Quanto ao progresso que nos aguarda nessa cadeia de mundos em particular, a grande maioria ainda não está de forma alguma "salva", tecnicamente falando. Alcançaremos essa desejável posição somente quando passarmos pela primeira das grandes iniciações, a *Sotapatti*

---

* *Lipikas*: palavra sânscrita que denomina os registradores celestes, os "escrivães" que registram cada palavra proferida e cada ação executada pelo homem, enquanto vive nesta Terra. Imprimem as tábuas invisíveis da Luz Astral em que tudo fica registrado. São conhecidos também como Senhores do *Karma*. (N. ed. bras.)

ou *srotapanna:* — "aquele que entra na corrente" —, e tornarmo-nos membros da Grande Fraternidade que permanece através das eternidades.

Ter dado esse passo é importantíssimo e significa ter ultrapassado o ponto mais crítico de toda a evolução humana, porque, no curso da evolução, três pontos destacam-se. O primeiro é a entrada em nossa humanidade, a conquista da individualidade, o corpo causal, o ego aparentemente separado e definido. Essa individualidade era a meta da evolução animal, e seu desenvolvimento serve a um propósito bem específico. O objetivo é criar um forte centro individual através do qual um dia a força do *Logos* possa ser irradiada. No início, esse centro não passa de um ego recém-nascido, fraco e indeciso. Para se fortalecer, ele tem de cercar-se de um intenso egoísmo, e, assim, durante muitas vidas, um forte muro de egoísmo deve ser mantido para que dentro dele o centro cresça cada vez mais.

Podemos comparar esse egoísmo com um andaime, que é absolutamente necessário para a construção de um edifício, mas que deve ser desmontado tão logo esta termine para não impedir o pleno uso do prédio. O andaime não é bonito e, se não fosse desmontado, tornaria o edifício inabitável; no entanto, sem ele o prédio não teria sido construído. O centro foi criado para irradiar a força do *Logos* no mundo, e isso seria impossível com a persistência do egoísmo, mas sem o egoísmo não existiria um centro forte. Vemos assim que até essa qualidade desagradável tem seu lugar na evolução. Entretanto, para nós sua utilidade terminou, e precisamos nos livrar dela. É inútil irritarmo-nos com a persistência desta que era uma virtude necessária. Na verdade, o homem egoísta é um anacronismo, a sobrevivência da selvageria pré-histórica. Ele está irremediavelmente atrasado no tempo.

Como pode o homem, então, tornar-se altruísta e colocar-se na dianteira da evolução? Para isso a natureza tem diversos métodos, mas, em essência, todos eles se resumem em um só: a compreensão da unidade de todas as coisas. No início, o homem expande gradualmente o eu no qual ele pensa. Em vez de pensar em si mesmo como uma unidade, ele começa a considerar a família como a unidade pela qual trabalha e, dentro destes limites, ele gradualmente se torna altruísta. Logo suas idéias e seu altruísmo incluem também sua tribo ou o clã a que pertence, enquanto que, para os que estão fora dela, ele continua sendo egoísta e até mesmo predador, pois considera-os como inimigos naturais. Mais tarde incluirá, pelo menos em certos aspectos de seu pensamento, a nação a que pertence.

A maioria da humanidade atual está em algum ponto desse estágio de transição. Em quase todos os assuntos de menor importância o homem comum ainda luta por sua família contra os interesses de todas as outras, mas, em alguns aspectos mais amplos, ele reconhece que seus interesses são idênticos aos de outras famílias, desenvolvendo, assim, o patriotismo ou sentimento nacional. Todavia, com relação a outras famílias de terras e línguas diferentes, ele continua sendo egoísta. Em algum momento do futuro, o homem incluirá toda a humanidade no seu eu, e então, por fim, poderemos dizer que ele se tornou altruísta.

Enquanto aprende a se relacionar mais abertamente com os outros, ele também aprende a se conhecer melhor. Primeiro compreende que não é o corpo físico, depois que não é seus sentimentos e, mais tarde, que não é nem mesmo sua mente. Depois percebe que é o ego ou alma e, mais tarde, entende que o ego está apenas aparentemente separado e isolado, pois, na verdade, existe uma unidade transcendente.

Assim o homem trilha a exaustiva ronda de setecentos e setenta e sete encarnações; um tempo de progresso lento, doloroso e de angustiantes incertezas; depois de tanto esforço, a incerteza chega ao fim com aquele mergulho na corrente que salva o homem para sempre, um ponto de destaque de sua evolução: o segundo e ainda mais importante. Porém, antes que possa dar esse passo, o homem precisa aprender a cooperar conscientemente com a natureza e a responsabilizar-se completamente por sua própria evolução. O conhecimento da unidade que o torna altruísta também o faz desejar ser útil, porquanto o incentiva a estudar e aperfeiçoar-se, dando uma razão para seus atos e um critério pelo qual pode julgar seus sentimentos e pensamentos, bem como avaliar tudo com o que entra em contato.

Como o homem deve começar o auto-aperfeiçoamento? Obviamente ele primeiro deve arrancar as ervas daninhas, isto é, eliminar as qualidades indesejáveis que encontra em si mesmo, uma por uma, e então identificar e cultivar as boas. Deve prestar assistência aos necessitados, mesmo que no início ele não tenha muito jeito pela falta de costume. A formação do caráter é lenta e tediosa para ele, por causa das muitas forças que se opõem a seus esforços; forças criadas por ele mesmo no passado. Durante muitos anos, ele se deixou influenciar por certas qualidades indesejáveis, e por isso elas acumularam grande energia.

Vejamos, por exemplo, o vício da irritabilidade. No passado ele estava habituado a ter explosões de raiva e, depois de cada explosão, ficava cada vez mais difícil controlar a próxima. O hábito ficou tão forte que uma vasta quantidade de energia foi acumulada naquela direção. Essa energia não fica armazenada no ego como qualidade inerente, e, sim, no átomo astral permanente*. Quando ele se conscientiza da inconveniência da raiva e passa a se opor a ela, deve encarar aquela força acumulada, gerada por ele mesmo durante muitas vidas passadas. Naturalmente encontrará dificuldades, fracassos e desânimos; mas a vitória é absoluta e cientificamente certa se ele perseverar, e isso ele não deve esquecer.

---

* Átomo astral permanente: unidade de matéria astral que permanece com o ego de uma encarnação para a outra. (N. ed. norte-americana)

Por maior que seja a quantidade de energia acumulada, um dia ela acaba, e cada esforço feito a reduz um pouco mais. O homem tem a seu favor uma força infinita, e, se sua vontade for forte o bastante, ele segue em frente, se necessário durante muitas vidas, renovando constantemente a força para o bem com a qual combate o mal. Seus esforços são amparados pela força infinita do próprio *Logos*, porque esse desenvolvimento evolutivo está de acordo com Sua vontade. Até alcançar a idéia da unidade, o homem não possui nenhum motivo forte o bastante que o faça assumir o duro e desagradável trabalho da construção do caráter; mas, uma vez percebida sua importância, ainda que fracasse mil vezes, a razão para continuar tentando permanece sendo tão válida quanto no começo. Quem conhece esse sistema evolutivo não se intimida diante de fracasso algum, porque sabe que as forças do infinito estão do seu lado, por maior que seja a luta, e que, no final, a vitória está assegurada.

Para ter certeza de que seu propósito não será esquecido de uma vida para outra, o homem deve elevar sua consciência até o ego; mas enquanto não alcançar esse poder, ele pode imprimir o propósito nos átomos permanentes, para que, dessa forma, seja levado com eles de uma vida para outra. Se o ego for alcançado, o homem nascerá com o conhecimento inerente a si mesmo; contudo se conseguiu imprimir seu propósito apenas nos átomos permanentes, esse conhecimento não nascerá com ele como parte de seus recursos, mas, no momento em que o encontrar, sob qualquer forma, em sua próxima encarnação, ele, imediatamente, reconhecerá a verdade desse conhecimento, compreendê-lo-á e agirá de acordo com ele. A prática constante da virtude e o crescente conhecimento adquirido certamente o conduzirão até a porta da senda probatória e através dela até a grande iniciação da qual já falamos.

Após aquela iniciação, com certeza, já se aproxima o terceiro ponto de destaque de sua evolução, o momento em que deixa a evolução meramente humana e entra na super-humana; a outra margem da corrente, o adeptado. Dizem-nos que, depois de entrar na corrente, o homem leva em média sete encarnações para alcançar o quarto passo, o do *arhat,* o nobre, o venerável, o perfeito. Esse período é com freqüência mais prolongado, e as vidas sucedem-se sem estágios intermediários no "mundo-céu". Normalmente só aqueles que estão nesse estágio é que podem dispensar ou renunciar à vida do mundo celeste.

Por outro lado, aqueles que têm a felicidade de ser escolhidos para participar da nobre tarefa que os Mestres estão preparando para nós — a de trabalhar sob as ordens do *Manu* encarregado do desenvolvimento da sexta raça-raiz — com certeza necessitarão passar por muitas encarnações sucessivas sem qualquer período intermediário de descanso celestial. Essa possibilidade, contudo, está condicionada pela regra que diz que antes de renunciar à vida celestial o homem tem de ter experimentado a consciência celestial; e, além disso, não se trata apenas de renunciar voluntariamente a uma recompensa. Precisamos estar suficientemente avançados para dispensar no momento aquela parte da evolução que para a maioria acontece normalmente na vida celestial.

Podemos dizer que, no nível do *arhat*, metade da senda que vai da primeira iniciação ao adeptado já foi trilhada, pois foram abandonados cinco dos dez grandes grilhões que impedem o homem de entrar no nirvana. Agora ele deve abandonar os cinco restantes e para isso leva, em média, sete encarnações — mas essa média não é de modo algum uma regra geral, uma vez que muitos levam um tempo muito maior, enquanto outros, com grande determinação e perseverança, rompem esses grilhões em muito menos tempo. Sabe-se de um caso que, por começar muito cedo na vida e trabalhar duro, uma pessoa foi capaz de passar por todas as quatro grandes iniciações em uma encarnação, mas isso é extremamente raro e nem mesmo um em dez mil candidatos o consegue.

O nível do *arhat* envolve o poder de utilizar plenamente o veículo búdico; e, quando nos elevamos até o corpo búdico, o corpo causal se desvanece, e não somos obrigados a recuperá-lo. Fica claro, portanto, que as sete vidas que faltam para o adeptado não envolvem necessariamente uma descida ao plano físico, e por isso podem não ser bem o que chamamos normalmente de encarnações. Contudo, na grande maioria dos casos, elas se passam no plano físico, porque há trabalho a ser feito nesse plano para a Grande Fraternidade.

O candidato gasta essas catorze vidas passando pelos diferentes estágios da Senda de Santidade e qualificando-se da maneira já descrita com detalhes nos capítulos finais do livro *Auxiliares Invisíveis*. Aqueles que se tornam discípulos de um de nossos Mestres sempre deixam de lado a senda de libertação egoísta — o mero equilíbrio entre o bom e o mau *karma* e o desaparecimento de todo desejo, de modo a não ser mais forçado a renascer — e assumem a senda da renúncia onde, tendo visto o esquema do *Logos*, dedicam-se a ele e vivem unicamente para promover o progresso de seus irmãos.

Essa tem sido chamada de "Senda de Sofrimento", por causa do constante auto-sacrifício que envolve, mas, de fato, esse título está um pouco incorreto porque, mesmo sendo verdade que há sofrimento, trata-se do sofrimento do inferior e não do superior, e, se o candidato quisesse evitar tal sofrimento por preguiça, deixando o trabalho por fazer, certamente sofreria muito mais em um nível mais elevado na forma de remorso. Esse sofrimento é inevitável nessa senda, porque o estudante está tentando fazer aqui e agora, na quarta ronda, o que será natural e fácil na sétima. Na sétima ronda, todos os nossos veículos estarão muito mais desenvolvidos, e até mesmo a própria matéria de que serão feitos estará em uma condição inteiramente diferente. Assim, forçar nossos veículos hoje não desenvolvidos a realizarem um trabalho que será comparativamente fácil para eles dentro de milhões de anos, quando estiverem plenamente desenvolvidos, produz muita tensão e necessariamente certa quantidade de sofrimento.

Esse sofrimento assemelha-se à privação decorrente de um treinamento que o atleta aceita alegremente. Para competir em alguma maratona ou outra prova de esforço, ele tem de exigir de seu corpo físico mais do que o normal, negando-lhe muitas coisas das quais gosta, o que causa considerável desconforto e, talvez, um pouco de sofrimento. Em função de seu propósito, o atleta alegremente se submete a tudo; e caso desistisse da oportunidade de participar da corrida só para evitar aqueles desconfortos temporários, comparativamente pequenos, ao ver seus colegas passando pela vitória, certamente sentiria remorsos por sua auto-indulgência; um sofrimento muito mais agudo, em um plano superior. Essa comparação ilustra bem os esforços necessários para progredir pela senda de renúncia. Aquele que desiste dessa senda por causa de seus sofrimentos e de suas dificuldades sem dúvida alguma sofrerá muito mais, depois, com o remorso de ver os necessitados, seus irmãos, a quem poderia ter ajudado; ao ver a miséria que poderia ter aliviado se tivesse sido menos comodista.

A dor desta preparação prematura só atinge os veículos inferiores, jamais o Eu. O crescimento de caranguejos e outros crustáceos oferece-nos uma boa analogia. Os ossos dessas criaturas ficam do lado de fora, formando uma carapaça de proteção, enquanto os nossos são internos para formar um esqueleto. Uma objeção decisiva ao esquema do crustáceo é que, com o crescimento, a criatura é obrigada a romper sua carapaça e esperar que outra se forme, um processo tão doloroso quanto inconveniente. Ora, durante o processo de nosso desenvolvimento, nós criamos carapaças ou cascas de pensamento como se fôssemos mentalmente crustáceos. Logo a carapaça torna-se pequena demais, mas continuamos esforçando-nos para colocar dentro dela, de qualquer maneira, os novos desenvolvimentos, abarrotando-a, até percebermos por fim que temos de quebrá-la. Isso é inevitável; portanto, não coloquem a culpa no *karma* ou nas leis imutáveis da natureza; vocês mesmos construíram suas cascas ou carapaças no passado e agora precisam quebrá-las. Se não passarem pela inconveniência de quebrá-las, vocês sofrerão muito mais depois com o sentimento de insatisfação por não estarem fazendo progresso algum.

Muitas pessoas têm medo de mudar, principalmente de fé, não só por causa do preconceito herdado, mas também pelo próprio medo da dúvida, o medo de abandonar algo e não encontrar segurança mental em lugar algum. Muitos não conseguem defender racionalmente sua crença ou responder aos problemas a ela relacionados, contudo, mesmo assim, têm medo de abandoná-la. Cedo ou tarde terão de fazê-lo ainda que a ampliação de sua fé seja acompanhada por sofrimento. É claro que, se não quebrássemos nossas carapaças, não sofreríamos; por outro lado também não faríamos progresso algum.

A vida do discípulo é plena de alegrias — não duvidem disso nem por um instante — mas também não é uma vida fácil. O trabalho a ser feito é muito duro e o esforço bastante intenso. Realizar em umas poucas vidas a evolução de milhões de anos que, pelo processo natural, levaria três rondas e meia, não é uma tarefa de fim de semana. Annie Besant escreveu: "Os discípulos são os cadinhos da natureza, em que os compostos prejudiciais são dissociados e recombinados para promover o bem geral".

Ninguém *precisa* tornar-se esse cadinho, mas essa é uma distinção ansiosamente aspirada, pois, uma vez que tenha *visto* o grande sacrifício do *Logos*, não resta ao discípulo outra alternativa a não ser atirar-se a ele e fazer o melhor possível para compartilhar e ajudá-lo, qualquer que seja o custo para sua natureza inferior. E isso não é brincadeira de criança, uma vez que envolve com freqüência uma terrível tensão. O estudante sério compreenderá que alguém pode amar tanto seu trabalho e estar tão preenchido de alegrias nele que, fora dele, nenhum outro prazer consegue atrair sua atenção, mesmo que tal trabalho possa sobrecarregar quase que insuportavelmente todos os veículos e faculdades que possua, físicos, astrais ou mentais.

Lembrem-se de que, quando a humanidade passar por essa evolução, estará bem melhor preparada para o esforço do que o homem que agora tenta trilhar esse caminho mais curto e íngreme. A maior parte de suas dificuldades deve-se ao fato de ele estar tentando, com um conjunto de corpos da quarta ronda, alcançar resultados que a natureza reserva para seus filhos menos aventureiros, preparando-os ao longo do tempo e fornecendo-lhes os esplêndidos veículos da sétima ronda. É claro que, para possuir aqueles veículos glorificados, estas almas mais fracas terão de fazer o mesmo trabalho; mas, ao se diluir por milhares de encarnações, a tarefa naturalmente se torna menos difícil.

Acima e além de toda essa tensão, o discípulo possui permanentemente um contentamento, uma paz e serenidade que nada na Terra pode perturbar. Caso contrário, ele não seria um servidor confiável de seu Mestre, pois deixaria que a tensão temporária dos veículos impedisse sua percepção do Eu interior; e estaria identificando-se com o inferior, ao invés do superior.

Assim, parece quase um absurdo dizer que esta é uma Senda de sofrimento, visto que é evidente que o candidato sofreria muito mais se não a trilhasse. Na verdade, para o homem que cumpre seu dever, o verdadeiro sofrimento é desconhecido: "Aquele que age com retidão, meu filho, jamais toma o caminho da angústia". (*Bhagavad Gita*, VI, 40.)

Tudo isso se refere à vida interna do discípulo; contudo, se considerarmos as condições prováveis de sua vida física, o nome de *senda de sofrimento* torna-se bem apropriado, pelo menos se estiver envolvido em algum tipo de trabalho público em benefício do mundo. Ruysbroek, místico flamengo do século XIV, assim escreveu sobre os que entram no Caminho: "Às vezes esses seres infelizes são privados das boas coisas da Terra, de seus amigos e parentes, e abandonados por todas as criaturas. Suspeitam de sua santidade e desprezam-na; os homens interpretam mal as obras de suas vidas; são rejeitados e desdenhados por todos os que os circundam e também podem sofrer de várias doenças". Lembrem-se do que Blavatsky escreveu: "Onde encontraremos na história um 'Mensageiro' sequer, majestoso ou humilde, iniciado ou neófito, que, sendo portador de alguma verdade até o momento oculta, não tenha sido crucificado e despedaçado pelos 'cães' da inveja, ignorância e maldade? Esta é a terrível lei oculta, e aquele que não possuir um coração de leão para desprezar os latidos selvagens e uma alma de pomba para perdoar os pobres tolos ignorantes, que abandone a Ciência Sagrada". (*A Doutrina Secreta*, Vol. III).

Diante da revelação de uma nova verdade, o mundo normalmente reage da seguinte maneira: primeiro ridiculariza-a, depois se enfurece contra ela e finalmente a adota, alegando que sempre a apoiou. Enquanto isso, o primeiro portador da nova verdade muito provavelmente foi morto ou morreu de tristeza.

Durante o treinamento, ao longo do Caminho, a consciência do candidato atravessa os três salões mencionados em *A Voz do Silêncio*, isto é, os três planos inferiores. O primeiro, da ignorância, é o plano físico onde nascemos para viver e morrer, adequadamente chamado de Salão da Ignorância, porque nele vemos apenas o lado exterior das coisas. O segundo, o Salão do Aprendizado, é o plano astral, verdadeiramente um lugar de aprendizagem e provação, pois, quando os centros astrais abrem-se, percebemos as coisas muito mais profundamente do que no plano físico e, a princípio, julgamos que estamos compreendendo tudo, mas um desenvolvimento maior logo nos mostra que não é bem assim.

Mas *A Voz do Silêncio* adverte-nos que, por trás de cada flor desta região, por mais bela que seja, encontra-se enrolada a serpente do desejo; aquele desejo inferior que o aspirante deve extinguir para desenvolver em seu lugar o desejo superior, ao qual chamamos de aspiração. No caso do afeto, por exemplo, a afeição inferior, egoísta e possessiva, deve ser totalmente transcendida, mas a superior, pura e desinteressada, não pode ser nunca afastada, porquanto é uma característica do próprio *Logos* e uma qualidade necessária para o progresso na Senda. O amor que os homens devem abandonar é aquele que sempre pensa: "Quanto amor posso receber? Quanto aquela pessoa me ama? Será que ele me ama tanto quanto ama os outros?" O amor que precisamos é aquele que se esquece de si mesmo totalmente, que busca apenas a oportunidade de se colocar aos pés do ser amado.

O plano astral é com freqüência chamado de mundo da ilusão, mas está pelo menos um estágio, um longo estágio, mais próximo da verdade das coisas do que o plano físico. Os homens são facilmente iludidos no plano astral, porque estão numa condição muito parecida com a de bebês recém-nascidos, sem noção de distância ou capacidade de locomoção. Lembrem-se de que, no curso normal das coisas, as pessoas despertam muito vagarosamente para as realidades do plano astral, no mesmo ritmo em que o bebê desperta para as realidades do plano físico. Entretanto, aqueles de nós que estão entrando na Senda de modo deliberado e, por assim dizer, prematuramente, desenvolvem esse conhecimento anormalmente e, em conseqüência, estão mais propensos ao erro.

Poderíamos facilmente correr perigo e machucar-nos durante nossas experiências, se não fosse pelo fato de que todos os discípulos que, sob treinamento adequado, esforçam-se para abrir essas faculdades, são auxiliados e orientados por aqueles já acostumados ao plano. É por essa razão que diversos testes são aplicados em quem deseja tornar-se um trabalhador nos planos superiores, e também que todos os tipos de visões horríveis são mostradas ao neófito, para que as compreenda e se acostume a elas. Se isso não fosse feito, ao se encontrar repentinamente diante de alguma visão horrível, ele sofreria um choque grande o bastante para mandá-lo de volta ao corpo físico, impedindo-o de realizar algum trabalho útil e colocando seu corpo também em perigo. Se o neófito for enganado no plano astral, a culpa é toda dele e não do plano, porque o erro deve-se à sua falta de familiaridade com o ambiente.

O terceiro salão é o plano mental, o Salão da Sabedoria. Tão logo se liberte do apego às coisas astrais, o neófito pode deixar o estágio probatório de seu aprendizado e começar a adquirir conhecimento real e definitivo. Depois, por sua vez, vem o mundo imperecível do plano búdico, onde, pela primeira vez, ele aprende a verdadeira unidade de todas as coisas, que para a visão inferior mostram-se separadas.

Como tem sido dito: "Você não pode trilhar o Caminho enquanto você não se tornar o próprio Caminho". Enquanto ele for apenas um Caminho para nós e o trilharmos seguindo instruções, ou porque o escolhemos apenas intelectualmente, não teremos entrado nele de fato. Esse é apenas um estágio que leva a tornarmo-nos a Lei e o Caminho, quando, então, teremos cumprido com suas exigências, fazendo instintivamente o certo, porque é o correto e porque nos é inconcebível agir diferentemente. Só assim nos teremos *tornado* o próprio Caminho.

O homem não pode subir se não tentar; mas também é verdadeiro que, se não subir, não poderá cair muito. O forte, com freqüência, comete erros também fortes, mas a própria força que lhe dá condição de errar também lhe permite grandes progressos, quando suas energias voltam-se na direção certa. O progresso rápido afeta todo o organismo, acarretando grande tensão e inevitavelmente estimulando todos os pontos fracos. Não importa o que façamos, o plano da Hierarquia será realizado, pois não somos mais que peões no poderoso jogo em andamento; todavia, se formos peões inteligentes e cooperadores, daremos muito menos trabalho às autoridades, e, conseqüentemente, a nós mesmos.

E qual é o objetivo de tudo isso? A perfeição. Mas até mesmo essa perfeição é relativa e não absoluta, porque, quando tivermos alcançado em plena consciência o *Logos* de nosso sistema e unificado nossa consciência com a d'Ele, ainda surgirá à nossa frente a Senda que leva à união com poderes ainda maiores. Uma grande autoridade disse-nos que, ao final de um dos estágios da evolução, bem além do adeptado, o homem perfeito será décuplo, pois terá um corpo em cada um dos subplanos do plano cósmico mais inferior, com o seu Eu, o *Logos* tríplice, fora do tempo e do espaço completando os dez. Mas este estágio será alcançado somente quando o homem tiver o poder de criar um corpo em cada um desses planos.

Fizeram-nos entender que, do número total de egos envolvidos na evolução atual, mais ou menos um quinto alcançará sucesso total, isto é, alcançará o nível *asekha* antes do final da sétima ronda. Outra parcela de um quinto terá alcançado, naquele momento, o nível *arhat* e um número igual estará nos estágios inferiores da Senda, enquanto os dois quintos restantes, calculando aproximadamente, ter-se-ão afastado totalmente dessa evolução no período crítico da metade da quinta ronda.

Todos os que não tiverem alcançado plenamente o objetivo e completado sua evolução terão de retomá-la na próxima cadeia de mundos, e mesmo aqueles que falharam na quinta ronda alcançarão o sucesso na próxima cadeia. Assim, não é impossível que alguns dos adeptos e Mestres de hoje tenham estado entre os fracassados da cadeia anterior, quer dizer, tenham pertencido à humanidade daquela cadeia, mas, estando algo atrasados, afastaram-se, voltando à frente dessa evolução posterior, exatamente como um garoto reprovado nos exames finais provavelmente estará entre os primeiros de sua classe ao enfrentar o mesmo exame novamente doze meses mais tarde.

Lembrem-se de que estamos agora passando pela metade de um período evolutivo, e é por essa razão que tão poucas pessoas, comparativamente falando, alcançaram o adeptado, assim como poucos alunos passariam pelo exame de final de ano depois de seis meses de estudo apenas. Precisamente pelo mesmo motivo, poucos animais individualizaram-se, pois o animal que se individualiza está bem à frente de seus irmãos, assim como o ser humano que alcança o adeptado está adiante do homem comum. Ambos estão realizando, no ponto médio da evolução, algo que normalmente conseguiriam apenas no final. Aqueles que completam sua evolução no tempo normal, ao final da sétima ronda, alcançarão o objetivo gradualmente, com pouco ou nenhum esforço.

Esperar pela sétima ronda é muito mais fácil para o candidato, sem dúvida alguma, mas torna-o incapaz de prestar qualquer auxílio aos seus irmãos, e faz ele próprio necessitar de ajuda, o que é uma tremenda desvantagem. Recordo-me de um hino cristão de minha infância que transmite essa idéia de um modo belo. Ele descreve como certa alma foi para o céu e desfrutou de sua bem-aventurança e felicidade até perceber que a coroa que usava brilhava diferente de muitas outras. Por bastante tempo, ficou se perguntando por que isso acontecia. Finalmente encontrou-se com o próprio Cristo, criou coragem e perguntou-lhe a razão daquela peculiaridade; a resposta foi a seguinte:

Sei que acreditas em Mim,
E a Vida que flui por Mim é tua;
Mas onde estão todas as gloriosas pedras preciosas
Que deveriam brilhar em tua coroa?

Viste mais além multidões gloriosas
Com estrelas em todas as testas;
Por cada alma que trouxeram até mim,
Usam agora uma jóia.

"Os sábios brilharão como o esplendor do firmamento, mas aqueles que conduzem a muitos para a retidão são como as estrelas para todo o sempre".

Enquanto nos esforçamos para progredir, podemos ajudar os outros e devemos fazer tudo o que pudermos nesse sentido com a intenção de ajudar o mundo e não pelo benefício que ganharemos — embora ele seja inevitável —. Aquele que flutua com a correnteza tem de ser carregado, mas quando começa a nadar ele libera a força que seria gasta para ajudá-lo. Esta poderá então ser usada para ajudar outros, independentemente do que ele próprio faça nesse sentido.

O adeptado liberta o homem da necessidade de renascer e libera forças que passarão a ajudar outras pessoas. Aquele que busca libertação só para si mesmo pode equilibrar perfeitamente seu *karma* e matar o desejo, de forma que a lei do *karma* não mais o obriga a renascer, mas, ainda assim, ele não escapa da lei de evolução. Pode demorar bastante até ser de novo influenciado pela lei da evolução, pois, ao se libertar de todo desejo, ele se colocou consideravelmente à frente do homem médio. Todavia, inevitavelmente, chega um momento em que o constante e lento avanço dessa lei alcança-o e, com sua pressão irresistível, força-o a sair de seu êxtase egoísta e renascer, e, então, ele se encontrará novamente na roda da qual pensou ter escapado.

Às vezes perguntam-nos como os segredos revelados na iniciação são protegidos daqueles que podem ler pensamentos. Não existe o menor perigo de algum desses segredos ser revelado desta maneira, pois, ao mesmo tempo em que recebe o segredo, o iniciado aprende também a protegê-lo. Mesmo que existisse um iniciado tão falso a ponto de pensar em trair o que lhe foi confiado, ainda assim não haveria perigo, uma vez que ele está em contato tão próximo com a Fraternidade da qual faz parte que esta saberia de imediato sua sórdida intenção e, antes que pudesse soltar traiçoeiramente as palavras, esqueceria totalmente que havia alguma coisa a trair. Nada há de terrível nesses segredos, exceto o poder que os acompanha, que pode ser terrível se usado erradamente. Os iniciados sempre se reconhecem uns aos outros, quase que da mesma maneira como os maçons o fazem, e, assim como estes, qualquer iniciado oculta sua posição daqueles que lhe são inferiores, mas não dos que são superiores.

Por mais que a Fraternidade necessite de auxiliares, ninguém pode receber uma iniciação até que seu caráter desenvolva-se o suficiente e ele esteja pronto, e, do mesmo modo, uma vez que esteja pronto, ao nível da iniciação, não existe poder capaz de recusar-lhe a iniciação. Às vezes acontece, todavia, que alguém está pronto em quase todos os aspectos, mas a falta de alguma qualidade segura-o por bastante tempo. Provavelmente, quando adquirir a qualidade que faltava, os outros aspectos estarão bem mais desenvolvidos do que o necessário. Por isso não podemos supor que todos os iniciados de um mesmo nível sejam invariavelmente iguais em todos os aspectos. O grande homem reconhecido pelo mundo nem sempre apresenta um desenvolvimento uniforme ou encontra-se pronto para a iniciação. O favoritismo ou a negligência são totalmente inconcebíveis aqui. Ninguém pode dar a outro o que este não possui, nem deixar de prestar o devido reconhecimento ao desenvolvimento dos outros.

Os Mistérios Antigos

O que tenho para contar-lhes sobre os mistérios antigos não é fruto de algum estudo superficial de manuscritos antigos ou da história. Em outra vida, nasci na Grécia antiga e fui iniciado em alguns dos mistérios. O iniciado grego comprometia-se a não revelar o que tinha visto, e esse juramento continua valendo mesmo que tenha sido feito em alguma encarnação anterior. Contudo, aqueles que dirigiam os mistérios decidiram, há muito tempo, divulgar ao mundo muita coisa que na época só era passada sob o voto do segredo, liberando-nos assim de nossa promessa no que diz respeito àqueles ensinamentos. Portanto, ao lhes falar sobre as instruções dadas naqueles mistérios antigos, não estou quebrando promessa alguma. Ensinavam-nos também outros assuntos que não tenho liberdade para mencionar, porque ainda não foram divulgados pelos Grandes Seres.

Em primeiro lugar, gostaria que notassem que todos os povos e religiões tiveram seus mistérios, inclusive a religião cristã. Freqüentemente, ouço as pessoas dizerem que, pelo menos na religião cristã, todos os ensinamentos estavam disponíveis para o pobre e o iletrado, nada havendo de oculto. Qualquer pessoa que faça essa afirmação desconhece a história da Igreja Cristã. Hoje em dia, de fato, tudo o que a Igreja sabe é divulgado, porque não se lembra mais dos mistérios que costumava ocultar. Se estudarmos a história dos primeiros tempos, veremos que os antigos escritores falam bem claramente dos mistérios cristãos, ensinados somente para os que eram completamente membros da Igreja. Muitas coisas não eram explicadas aos *katechoumenoi*, os que tinham entrado havia pouco na Igreja, que ainda eram candidatos.

Podemos encontrar traços dos mistérios em épocas ainda mais remotas, se nos lembrarmos de que os Evangelhos dizem que Cristo ensinava a Seus discípulos muitas coisas que, para a multidão, Ele dava apenas em parábolas.

Por ter esquecido e perdido os mistérios filosóficos e sobrenaturais, que formavam a base de seu dogma, a Igreja Cristã não conseguiu controlar seus filhos mais intelectuais. As obras dos grandes escritores gnósticos revelam-nos um pouco do lado oculto dos ensinamentos cristãos. Descobrimos assim que, se tomarmos esse lado oculto como a doutrina interna para os eruditos e a forma atual da religião como a doutrina externa dirigida aos leigos, combinaremos as duas numa expressão perfeita da Sabedoria antiga. Se condenarmos uma como heresia e aceitarmos apenas a outra, teremos apenas uma visão unilateral. Assim, toda religião orienta aqueles que não passam de sua forma externa, mas também reserva instruções aos que penetram no interior.

Quando mencionamos os mistérios antigos, geralmente queremos dizer aqueles relacionados à grande religião da Grécia antiga. Poucos livros tratam deste tema. Existe um livro de Jâmblico, que era iniciado nos mistérios, outro escrito por um estudioso de Platão, conterrâneo meu, Thomas Taylor, e também um outro de um francês, Monsieur P. Foucart. Apesar de interessantes, trazem-nos poucas informações reais. A maior parte do que sabemos sobre os mistérios (quero dizer, de um ponto de vista externo) foi-nos passada através dos livros de seus intérpretes.

A Igreja Cristã tinha o hábito — provavelmente justificável do seu ponto de vista — de destruir todos os livros que contivessem ensinamentos diferentes dos seus, e não podemos esquecer que quase todo o conhecimento que possuímos sobre os primeiros anos cristãos chegou até nossas mãos através dos monges da Idade Média. Eles eram praticamente as únicas pessoas instruídas de sua época, e foram eles que copiaram todos os manuscritos. Tinham opiniões muito fortes sobre o que era útil e o que não era, e por isso, naturalmente, somente o que estava de acordo com seus pontos de vista era preservado e registrado com relevância, enquanto que tudo que estivesse em oposição era descartado. Além disso, a maior parte do conhecimento acessível ao mundo sobre os mistérios encontra-se nas obras dos padres cristãos, seus opositores. Sem querer acusar os padres de terem propositadamente adulterado os textos, podemos certamente concluir que eles tentaram revestir seus próprios pontos de vista com os melhores e mais fortes argumentos. Mesmo hoje em dia, se quiséssemos saber a verdade sobre a doutrina de alguma seita protestante, não iríamos procurar os padres católicos, assim como também não iríamos ao Exército da Salvação em busca de boas explicações sobre o Catolicismo.

Com relação aos Mistérios, estamos em situação parecida, só que muito pior, por causa das disputas amargas entre os seguidores da religião antiga e seus mistérios e os padres da Igreja Cristã. Por isso só aceitamos o que os padres dizem a esse respeito com grande prudência e considerável reserva. Vocês descobrirão, por exemplo, que eles afirmam com freqüência que os mistérios antigos continham muita indecência e imoralidade.

Como fiz cuidadosas pesquisas clarividentes e fui iniciado nos mistérios gregos em uma encarnação anterior, posso afirmar, com certeza, que não existe nem mesmo uma sombra de verdade nessas afirmações. Existiram certos mistérios que cultuavam festividades e uma forma de adoração a Baco, que, mais tarde, degeneraram em algo bastante repreensível; mas isso ocorreu bem depois daquela época, e estes mistérios pertenciam a um ramo bem diferente. Não estavam, de forma alguma, relacionados aos mistérios de Eleusis, não passavam de uma imitação em pequena escala e inteiramente exotérica.

Esta noite tenho pouco tempo para tratar de um assunto tão extenso, mas vou tentar passar-lhes um esboço do que eram aqueles Mistérios gregos e o que ensinavam aos iniciados.

Vocês já devem saber que sempre se mencionam dois grupos: os mistérios maiores e os menores. Todos sabiam da existência deles, e grande parte da população era iniciada. Acho que alguns livros exotéricos falam de uma reunião de trinta mil iniciados em determinada ocasião, e isso nos mostra que um iniciado não precisava manter em segredo sua condição, pois o mundo externo sabia que ele pertencia a esse numeroso grupo. Quero dizer que, mesmo que certos ensinamentos dados nos mistérios fossem sempre secretos, todo o mundo grego e o romano sabiam da existência dos mistérios maiores e menores e, mais ou menos, quem pertencia a um e outro.

Entretanto, por trás destes dois graus, cuja existência era geralmente conhecida, existiram o tempo todo os verdadeiros mistérios secretos; e a existência do terceiro grau, como poderíamos chamá-lo, era desconhecida do público. Se pensarmos nas condições daquela época, prontamente compreendemos a razão para esse segredo. A maioria dos imperadores romanos, por exemplo, sabia da existência dos mistérios menores e maiores, e eles teimavam em ser iniciados. Hoje sabemos pela história que muitos dos imperadores romanos dificilmente tinham um caráter que permitisse sua liderança em um corpo religioso. Por outro lado, teria sido muito difícil para os líderes dos mistérios recusarem admissão a um Imperador de Roma. Como já se disse uma vez, não se pode argumentar com o chefe de trinta legiões. Os imperadores certamente matariam qualquer um que tentasse impedi-los de conseguir o que desejassem. Assim, era preferível que a existência do terceiro grau não fosse conhecida, e ninguém sabia de sua existência até o momento em que merecesse ser admitido, de acordo com aqueles que podiam julgá-lo.

Os ensinamentos desse terceiro grau nunca foram divulgados e nem serão, mas muitas coisas dos mistérios menores e maiores podem ser comentadas. Em primeiro lugar, ensinavam-nos alguns vigorosos provérbios ou aforismos, e, ao citar alguns, vocês compreenderão a natureza do ensinamento. Um dos mais conhecidos dizia: "Morte é vida e vida é morte". Este mostra-nos que a vida superior do outro lado da morte era conhecida. Outro provérbio era: "Aquele que busca realidades nessa vida também buscará realidades após a morte; e aquele que procura ilusões também buscará ilusões após a morte". Um grande princípio de seus ensinamentos dizia que a alma tinha descido das esferas superiores para a material. Os princípios de reencarnação também eram ensinados. Vocês irão lembrar-se de que ela não aparece na doutrina externa das religiões grega ou romana — quer dizer, não era publicamente ensinada nem muito comentada —, mas encontrarão a idéia da descida da alma na matéria dentro da mitologia clássica. Lembrem-se do mito de Proserpina, levada ao submundo por colher a flor do narciso.

Vamos relembrar o mito de Narciso. Ele era um jovem de grande beleza que se apaixonou por sua própria imagem refletida na água e, por isso, foi transformado em flor e preso à Terra. Não é necessário muito conhecimento teosófico para perceber o que isso significa. Aprendemos em *A Doutrina Secreta* como o ego observa as águas do plano astral e do mundo inferior, como ele se reflete na personalidade, identifica-se com ela e, apaixonando-se por sua imagem, aprisiona-se à Terra. Assim, Proserpina é arrastada para o submundo ao colher o narciso e passa metade da vida sob a Terra e metade sobre a Terra, isto é, como vocês verão, metade no corpo material e metade fora dele.

Existem muitos outros mitos com interessantes explicações teosóficas. Por exemplo: no antigo ensinamento dos mistérios, o minotauro significava a natureza inferior do homem — a personalidade que é metade homem e metade animal. Ele morre nas mãos de Teseu, representando o eu superior ou individualidade que lentamente cresce e reúne forças até poder empunhar a espada de seu Pai Divino, o Espírito. Guiado através dos labirintos da ilusão, formados pelos planos inferiores, pelo fio de conhecimento oculto dado por Ariadne (que representa a intuição), o eu superior torna-se capaz de matar o inferior e escapar em segurança da teia de ilusão. Mas ainda resta para ele o perigo de desenvolver o orgulho intelectual e repudiar a intuição, como Teseu descuidou-se de Ariadne, e assim falhar na realização de suas possibilidades mais elevadas.

Na Grécia antiga, os mistérios menores eram celebrados especialmente num pequeno lugar chamado Agrae e os iniciados eram chamados *mystae*. Talvez vocês saibam que a vestimenta oficial, símbolo de dignidade, era a pele de um gamo, que, na simbologia antiga, representava o corpo astral.

Sua aparência pintada, manchada, simbolizava as muitas cores de um corpo astral comum. Essa vestimenta era adequada para os iniciados aos mistérios menores, porque os ensinamentos principais dados a eles tratavam do plano astral. Eles aprendiam o que poderia ser a vida do homem após a morte.

Eles passavam muito tempo transmitindo, através de ensinamentos e de exemplos, que efeitos determinada maneira de viver provocava no mundo astral. Por meio de ilustrações teatrais, peças ou dramas representados nos templos, eles ensinavam o que um homem avarento, por exemplo, ou cheio de desejos sensuais, passaria no mundo astral. Nos tempos antigos dos mistérios, quando eram lideradas por adeptos ou discípulos de adeptos, essas representações eram quase materializações, isto é, o instrutor, qualquer que fosse ele, usava seu próprio poder para criar imagens nítidas para seus discípulos com a matéria etérica ou astral. Com o passar do tempo, os novos instrutores tornaram-se incapazes de realizar esse fenômeno e tentaram, então, representá-los de outras maneiras — em alguns casos pelo que poderíamos chamar de teatro. Membros do sacerdócio assumiam diferentes papéis, ou então fantoches eram acionados através de mecanismos.

Junto com o ensinamento sobre o plano astral eram dadas instruções sobre o sistema de evolução planetária. Entre outras coisas, os discípulos aprendiam como surgiu nosso sistema solar com suas diferentes partes. Podemos imaginar como esses ensinamentos eram representados: primeiro, com materializações de nebulosas e globos e, depois, quando essas materializações não eram mais possíveis, por meio de modelos de globos e do sistema solar, o que hoje chamamos de planetário.

Os mistérios explicavam a religião externa de maneira totalmente diferente daquela dada ao público em geral, o que é um detalhe muito importante. Quem conhece alguma coisa da religião da Grécia antiga sabe que muitas coisas precisavam de uma explicação interior, pois, observada do ponto de vista comum, aquela religião não parecia ser muito elevada ou racional. Parece que seu objetivo era fazer com que as pessoas aprendessem e recordassem todas as histórias que formavam o ensinamento externo, muitas das quais eram bastante extraordinárias, com alguns conceitos simples e claros — e nada mais. Mas todas as pessoas sérias e determinadas participavam dos mistérios, que davam um aspecto inteiramente diferente às histórias, e ensinavam seu real significado.

Deixem-me dar a vocês uma idéia do que quero dizer, com dois ou três exemplos simples e breves. Eu disse que o objetivo central dos mistérios menores era informar os discípulos sobre os efeitos no plano astral de certos modos de vida na Terra. Vocês provavelmente já conhecem o mito de Tântalo. Ele estava condenado a sofrer de sede eterna no inferno, e, mesmo tendo água à sua volta por todos os lados, esta se afastava de seus lábios tão logo tentasse bebê-la. Não é difícil de se perceber o significado dessa alegoria, uma vez que saibamos o que é a vida astral. Todos os que deixam o mundo cheios de desejos sensoriais de qualquer tipo — como por exemplo um alcoólatra ou alguém que se entregou à vida sensual no sentido comum do termo — encontram-se no plano astral na condição de Tântalo.

Ele próprio fortaleceu o terrível desejo que agora governa seu ser. O desejo de um alcoólatra pode ser forte o bastante para derrotar seus sentimentos de honra, o amor que seria dedicado à sua família e todas as melhores inclinações de seu caráter. Ele tirará dinheiro de sua esposa e dos filhos e até mesmo venderá roupa deles para conseguir dinheiro para a bebida.

Lembrem-se de que ao morrer o homem não muda em nada. Seu desejo ainda é tão poderoso quanto antes, mas agora é impossível saciá-lo, porque o corpo físico, através do qual podia beber, foi-se. Aqui temos nosso Tântalo, como vocês podem ver, pleno daquele terrível desejo e descobrindo que a gratificação retrocede sempre, tão logo ele pensa que vai consegui-la.

Lembrem-se também da história do Titã Prometeus, o homem atado a uma rocha, cujo fígado é comido por abutres mas cresce novamente na mesma velocidade com que é devorado. Temos aqui uma ilustração do efeito criado pela capitulação ao desejo: a imagem de um homem continuamente torturado pelo remorso por pecados cometidos na Terra.

A história de Sísifo talvez seja um exemplo mais elevado da mesma situação. Como vocês sabem, ele foi condenado a fazer rolar uma pedra continuamente até o alto de uma colina, e, uma vez no alto, ela rola novamente para baixo. Essa é a condição do ambicioso após a morte, alguém que passou a vida fazendo planos com objetivos egoístas, em busca de glória ou honra. Nesse caso, também a morte nada mudou. Ele continua fazendo planos como fez a vida toda. Ele desenrola seus planos e executa-os, segundo pensa, até o fim e, então, repentinamente percebe que não tem mais um corpo físico e que tudo não passou de um sonho. E começa tudo de novo, e outra vez, até aprender por fim que esses desejos são inúteis e que a ambição tem de ser destruída. Assim, Sísifo continua inutilmente a rolar a pedra até o alto da colina até aprender a não movê-la mais. Aqui aprender é o mesmo que dominar o desejo, e ele voltará em sua própria vida sem o *desejo*, mas, ainda, é claro, com a fraqueza de caráter que tornou aquele desejo possível.

Vemos assim que por mais terríveis que as condições astrais nos pareçam ser, não passam de efeitos de uma vida errada na Terra. Esse é o método usado pela natureza para transformar o errado no certo. O homem sofre, mas sofre apenas o efeito de suas próprias ações e nada mais; não se trata de uma punição imposta de fora, ele mesmo a criou. E isso não é tudo. O sofrimento que ele tem de suportar é a única maneira pela qual suas qualidades podem ser dirigidas para o caminho correto, para seu progresso e evolução em outra vida. Esse aspecto era bastante enfatizado nos ensinamentos dos mistérios.

Vamos falar agora dos mistérios maiores. Eram celebrados principalmente no grande templo de Eleusis, não muito longe de Atenas. Os iniciados eram chamados *epoptai*, quer dizer: "aqueles cujos olhos estão abertos". Seu símbolo era o velocino dourado de Jasão, que representa o corpo mental, pois a cor amarela na aura humana indica a inteligência, como bem sabe todo clarividente. Nesse grau de iniciação, os ensinamentos do grau anterior eram continuados. No primeiro, como vocês se lembram, eram ensinados os efeitos de diversos tipos de vida no mundo astral. Nos mistérios maiores, os discípulos aprendiam que efeitos teriam no mundo celeste uma determinada conduta de vida, o estudo e a aspiração na Terra. Era revelada também toda a história da evolução do mundo e do homem em seus aspectos mais profundos. Usavam os mesmos métodos de representação que mencionamos para o outro grau, apesar da dificuldade muito maior para se representar no plano físico o que pertence ao mental.

Em cada uma das divisões dos mistérios, menores e maiores, havia uma escola interna que ensinava o desenvolvimento prático para aqueles considerados prontos. Nos mistérios menores eram dados conhecimentos teóricos sobre o plano astral, os professores observavam cuidadosamente os alunos, e quando notavam algum de caráter íntegro, que mostrasse ser capaz de desenvolvimento psíquico, eles o convidavam para o círculo interno, onde era instruído sobre o uso consciente do corpo astral. Ao passar para os mistérios maiores, além do ensinamento normal sobre as condições do plano mental, ele era reservadamente instruído sobre o desenvolvimento do corpo mental como veículo.

Todos os alunos, não somente os dos estágios reconhecidos dos mistérios mas também os das escolas internas, aprendiam, ao final do curso, que tudo isso era na verdade exotérico — que tudo o que tinham aprendido, ainda que de valor incalculável, era apenas uma preparação para os verdadeiros mistérios da iniciação, que os levariam até os pés dos Mestres de Sabedoria e fariam com que fossem admitidos à Grande Fraternidade que governa o mundo.

Ainda posso explicar um pouco mais o significado de alguns dos símbolos usados no mistérios. Primeiro vejamos aquele chamado tirso, um bastão com uma pinha na ponta. Na Índia encontramos o mesmo símbolo, porém, em lugar do bastão, é usado um bambu com sete nós. Em algumas modificações dos mistérios usava-se uma barra de ferro oca, que se dizia conter fogo. Novamente aqui o estudante de ocultismo não encontra dificuldade para entender o significado. O bastão e o bambu com sete nós representam a medula espinhal com seus sete centros, sobre os quais lemos nos livros hindus. O fogo oculto é a serpente de fogo, *kundalini*, sobre a qual podem ler em *A Doutrina Secreta*. Mas o tirso não era só um símbolo, era também um objeto de uso prático. Era um instrumento magnético muito forte, usado pelos iniciados para libertar o corpo astral do físico, quando passavam em plena consciência para a vida superior. O sacerdote magnetizava-o e colocava junto à medula espinhal do candidato, passando assim um pouco do seu próprio magnetismo para ajudá-lo a vencer as dificuldades e esforçar-se ainda mais. Os estudos sobre os mistérios também mencionam um conjunto de objetos chamado de "brinquedos de Baco", e veremos que são brinquedos bastante notáveis.

Enquanto brinca com seus brinquedos, o menino Baco (O *Logos*) é raptado pelos Titãs e despedaçado. Mais tarde os pedaços são reunidos e passam a formar um todo. Pode-se perceber que, por mais tosca ou deselegante que pareça, esta é sem dúvida uma imagem alegórica representando a descida do Uno que se torna muitos e a reunião dos muitos em Um pelo sofrimento e sacrifício. Quais os brinquedos de Baco no momento em que ele cai na matéria e torna-se muitos? Primeiro nós o encontramos brincando com dados. Não se trata de dados comuns, mas os cinco sólidos platônicos: um conjunto de cinco figuras regulares, os únicos poliedros regulares possíveis na geometria. Eles formam uma série fixa que corresponde aos diferentes planos do sistema solar. Cada um indica não a forma dos átomos dos planos, mas, sim, as linhas por onde se movimenta a energia que circunda aqueles átomos. Esses poliedros são o tetraedro, o cubo, o octaedro, o dodecaedro e o icosaedro*. Se colocarmos o ponto no começo da série e a esfera no fim, formamos um conjunto de sete figuras que corresponde aos planos de nosso sistema solar.

Vocês sabem que em algumas das antigas escolas de filosofia era dito que: "Ninguém será admitido se não souber matemática." O que vocês acham que

* Dodecaedro e icosaedro: poliedros de doze e vinte faces respectivamente. (N. ed. bras.)

isso significava? Não apenas o que chamamos hoje de matemática, mas, sim, aquela ciência que abrangia o conhecimento dos planos superiores, de suas relações mútuas e da maneira como a vontade de Deus tinha construído o todo. Platão disse: "Deus geometriza", e isso é absolutamente verdadeiro. Aquelas formas não são conceitos do cérebro humano, são verdades dos planos superiores. Criamos o hábito de estudar os livros de Euclides, entretanto, nós os estudamos em si mesmos e não como guias para algo superior. Os filósofos antigos refletiam sobre eles porque levavam ao conhecimento da verdadeira ciência da vida. Perdemos de vista o verdadeiro ensinamento e, em muitos casos, abraçamos apenas a forma sem vida.

Outro brinquedo de Baco era um pião, símbolo do átomo rodopiante, do qual vocês podem encontrar um desenho em *Química Oculta*. Ele também brincava com uma bola que representa a Terra, aquela parte da cadeia planetária para onde o pensamento do *Logos* está especialmente focalizado no momento. Brincava também com um espelho. O espelho sempre foi símbolo da luz astral, onde as idéias arquetípicas refletem-se e, então, materializam-se. Vemos assim que cada brinquedo indica uma parte essencial da evolução de um sistema solar.

Algumas palavras podem ser ditas sobre o método de preparação das pessoas para o estudo daqueles mistérios nas diferentes escolas. Por exemplo, na escola pitagórica, à qual pertenci, os alunos eram divididos em três classes. A primeira era chamada *akoustikoi* ou ouvintes. Significa que eram aprendizes, e uma de suas regras dizia que tinham de guardar silêncio absoluto durante dois anos. Penso que essa regra seria vista como um sério obstáculo por muitos que se filiam à nossa Sociedade hoje em dia, mas naqueles tempos antigos muitas pessoas, não só homens mas mulheres também, submetiam-se a essa condição. Essa regra tinha também outro significado, mas é um fato que, durante dois anos, os membros da primeira classe eram obrigados a manter silêncio. O outro significado era que, durante todo o tempo, por maior que fosse, que alguém ficasse na classe dos *akoustikoi* ele não poderia dar qualquer ensinamento, só aprender. Gostaria que tivéssemos algo parecido na Sociedade Teosófica, pois, às vezes, alguns membros que ainda não sabem muita coisa começam a ensinar, e esse ensinamento nem sempre pode ser chamado de teosofia.

A segunda classe dos pitagóricos era chamada *mathematikoi*. Eles empregavam o seu tempo estudando geometria, números e música, estabelecendo relações entre esses assuntos e descobrindo também as relações entre cor e som, as quais são muito notáveis. Vejamos um exemplo que mostra como nosso mundo é um todo coerente e como podemos associar e relacionar fatos tirados de partes diferentes, as quais parecem não ter qualquer conexão. Acabei de falar sobre os cinco poliedros platônicos. Quem conhece um pouco de música sabe que existe uma proporção definida entre os comprimentos das cordas que produzem certos tons. Vocês sabem que um piano pode ser afinado de acordo com um sistema de quintas, expressando a relação entre os diferentes tons pelo número de vibrações de cada um; assim, um acorde harmônico expressa-se em números matemáticos. Essa descoberta foi feita primeiro através de experiência; mais tarde, os matemáticos descobriram as proporções e, pela experiência, provaram que eram exatas. A peculiaridade é que o conjunto de números que define um acorde tem entre si a mesma relação existente entre certas partes dos sólidos platônicos. Acho que esse assunto já foi comentado algum tempo atrás na *Theosophical Review* por um dos organistas da catedral inglesa.

É impressionante que nossa escala musical, tão diferente da antiga escala grega de cinco tons, possa ser deduzida da proporção entre as cinco figuras platônicas que foram estudadas alguns milhares de anos atrás na Grécia. Pode-se pensar que não existem muitas relações entre a matemática e a música, mas, como vocês podem ver, ambas são partes do mesmo grande todo.

A terceira classe da escola pitagórica era formada pelos *physikoi* — os que estudavam física, a relação interna entre os fenômenos, a construção do mundo e a metafísica. Aprendiam a verdade sobre o homem e a natureza, e — até onde podiam — sobre Aquele que criou a ambos.

Há ainda um aspecto dos mistérios que não podemos deixar de considerar: a vida dos discípulos. Exigia-se uma vida de pureza perfeita. É uma coincidência notável que a vida na escola pitagórica seja dividida em cinco períodos, quase iguais aos cinco passos na senda preparatória dos hindus, que descrevi em *Auxiliares Invisíveis* e a Sra. Besant em *O Caminho do Discipulado*. Quase todos os símbolos e rituais da religião cristã atual são derivados dos mistérios egípcios. Por exemplo: todo o simbolismo relacionado à cruz latina, à descida e ao sacrifício do *Logos* vem dos mistérios egípcios. Escrevi sobre isso em *O Credo Cristão*.

Apesar de os mistérios gregos, romanos, egípcios e caldeus estarem extintos há muito tempo, o mundo nunca foi deixado sem caminhos de aproximação para o santuário interno. Até mesmo durante a negra escuridão da Idade Média, os Rosa-cruzes e algumas outras sociedades secretas estavam preparados para ensinar a verdade aos que queriam aprender; e hoje, nos dias modernos da pressa e do materialismo, a Sociedade Teosófica ainda sustenta a bandeira do verdadeiro conhecimento, agindo como um portal pelo qual aqueles realmente interessados podem avançar até os pés dos Mestres de Sabedoria.

Muitas das coisas que naqueles tempo eram passadas somente sob o voto do silêncio hoje são públicas, reveladas ao mundo através de nossa Sociedade. Muitas das maiores e mais nobres personalidades da história passaram anos estudando e trabalhando para tentar descobrir o que hoje encontramos de maneira fácil e simples em alguns poucos livros. Uma das afirmações bíblicas adapta-se perfeitamente a nós: "Muitos profetas e reis desejaram ver as coisas que vedes e não as viram; e ouvir as coisas que ouvistes, e não as ouviram." (Lucas, 10:24). Como essa honra e oportunidade nos são reservadas e oferecidas, parece-me que uma grande responsabilidade está sobre nossos ombros, e que devemos tentar merecer este presente. O bom *karma* é que permite essa possibilidade, e se a deixarmos passar não mereceremos outra durante milhares de anos. Se soubessem, como eu sei, com que dificuldades tínhamos de nos contentar nos primeiros dias para aprender todas as coisas que hoje estão disponíveis, talvez vocês apreciassem melhor a oportunidade oferecida. Façamos o melhor uso possível dela, e nos mostremos merecedores do privilégio dado pela teosofia.

Capítulo Dois

RELIGIÃO

O Logos

Nós temos no *Logos* do nosso sistema solar um ser que é tão próximo de um Deus pessoal (ou melhor, individual, talvez) quanto qualquer pessoa poderia desejar, porque Ele possui todas as qualidades atribuídas a uma divindade pessoal. Não podemos qualificá-lo de injusto, parcial, cruel, ciumento etc.; aqueles que desejam uma deidade com esses atributos devem procurar em outro lugar. No que diz respeito ao Seu sistema, ele é onisciente, onipresente e onipotente, além de possuir a mais alta expressão de amor, poder, sabedoria e glória. E, no entanto, ele é um indivíduo poderoso, uma trindade na unidade, verdadeiramente um Deus apesar de ainda afastado do Absoluto não sabemos por quantos estágios; do Incognoscível, para quem até mesmo sistemas solares não passam de partículas de poeira cósmica. Não acredito que possamos imaginá-lo de alguma forma. O Sol é Sua manifestação principal no plano físico, e isso pode nos ajudar a compreender algumas de Suas qualidades e a entender também como tudo pode surgir d'Ele. O Sol pode ser considerado como uma espécie de centro de força do *Logos*, correspondendo ao coração no homem, a manifestação externa do centro principal em Seu corpo.

Apesar de o conjunto do sistema solar ser Seu corpo físico, Suas atividades são muito mais intensas fora do que dentro dele. Preferi não tentar fazer qualquer imagem Sua mas simplesmente contemplá-lo permeando todas as coisas, de modo que eu também sou Ele, outros homens são Ele, e, na verdade, nada existe além de Deus. Contudo, ao mesmo tempo, ainda que tudo o que vemos seja manifestação Sua, para ele esse sistema solar que nos parece ser tão estupendo não passa de um pequeno objeto, pois, fora e acima de tudo, Ele existe com uma glória e esplendor dos quais nada sabemos. Assim, mesmo concordando com o panteísta ao dizer que tudo é Deus, nós nos aprofundamos muito mais porque entendemos que Ele tem uma existência muito maior, acima e além de Seu universo. "Tendo permeado esse universo inteiro com um fragmento meu, eu permaneço." (*Bhagavad Gita*, X, 41.)

Não acredito que possamos encontrar palavras que expressem nossa união com Ele. Em certo sentido, podemos ser como células em seu Corpo, mas, com certeza, somos muito mais do que isso, pois Sua vida e poder estão manifestados através de nós de maneira totalmente desproporcional e fora de comparação com qualquer possível manifestação de nossa vida espiritual, através das células de nossos corpos. Em Sua manifestação no plano cósmico mais inferior, podemos dizer que Seu primeiro aspecto está no nível mais alto; o segundo, no nível abaixo, e o terceiro, na parte superior do plano nirvânico. Ao desenvolver-se, o adepto gradualmente eleva sua consciência plano por plano e entra em contato primeiro com o terceiro aspecto, realizando sua unidade com ele, e só depois de longos intervalos alcança o segundo e o primeiro aspectos.

Eu mesmo, que falo a vocês nesse momento, uma vez O vi numa forma diferente da forma de Seu sistema. Isso transcende totalmente toda experiência ordinária e não tem nada a ver com qualquer dos planos inferiores. Essa experiência só me foi possível por causa de uma situação bastante ousada: a combinação total, por um momento, de dois tipos ou raios distintos, de modo que, por meio dessa união, um nível enormemente elevado pode ser tocado por um momento, um nível muito mais elevado do que qualquer dos egos envolvidos poderia ter alcançado sozinho. Ele existe bem acima de Seu sistema e se apóia nele como se fosse um trono de lótus. Ele é a glorificação da humanidade, ainda que infinitamente maior do que ela. Podemos imaginar o *Augoeides* sendo levado cada vez mais alto até o infinito. Não sei se aquela forma é permanente ou se limita apenas a um certo nível — quem poderia dizer? Mas é uma tremenda realidade, disso eu sei; e uma vez vista, não pode ser esquecida.

Posso mencionar um pequeno toque daquela experiência superior, mesmo sendo extremamente difícil descrevê-la adequadamente. Quando alguém eleva sua consciência até a subdivisão mais elevada de seu corpo causal e a focaliza exclusivamente na matéria atômica do plano mental, só restam três possibilidades de movimento, que correspondem, até certo ponto, às três dimensões do espaço. Obviamente pode movê-la para baixo, até o segundo subplano mental, ou para cima, até o subplano búdico mais próximo, caso o tenha desenvolvido o suficiente para poder utilizá-lo como veículo.

Uma segunda opção de movimento é o atalho existente entre a subdivisão atômica de um plano e as subdivisões atômicas correspondentes dos planos acima e abaixo, de modo que, sem tocar qualquer subplano intermediário, a consciência passa do mental atômico para o astral atômico ou búdico atômico, supondo-se, é claro, que essa consciência esteja desenvolvida o bastante. Para compreender melhor esse atalho, podemos imaginar os subplanos atômicos colocados lado a lado ao longo de uma vara e as outras subdivisões de cada plano dependuradas na forma de laços, como um barbante enrolado frouxamente em torno da vara. Fica claro que para passar de uma subdivisão atômica para outra, podemos mover-nos pelo atalho ao longo da vara, ou então descer e subir pelos laços do barbante que simbolizam os subplanos inferiores. Entretanto ainda existe uma terceira possibilidade, não tanto de *movimento* ao longo de outra linha em ângulo reto com as outras duas, mas, sim, a possibilidade de procurar tal linha, tal qual um homem no fundo de um poço procurando uma estrela no céu acima.

Pois existe uma linha direta de comunicação entre o subplano atômico do mental nesse plano cósmico mais inferior e o atômico mental correspondente no plano cósmico. Estamos ainda infinitamente distantes da possibilidade de utilizar essa linha, mas pelo menos uma vez me foi possível passar por ela. É inútil tentar descrever o que vi porque nenhuma palavra humana pode dar-nos a menor idéia. Pelo menos uma coisa permanece da experiência, sem nunca fraquejar: que o que até agora tomamos como nossa consciência, nosso intelecto, simplesmente não é nosso de forma alguma e sim d'Ele; não é nem mesmo um reflexo, mas literal e verdadeiramente, uma parte de Sua consciência, Seu intelecto. Incompreensível, porém, ainda assim, a pura verdade. Costumamos dizer em nossa meditação: "Eu Sou este Ser, este Ser Sou Eu"; mas vê-lo, conhecê-lo e senti-lo, compreendê-lo dessa forma, é algo bem diferente da mera recitação verbal.

D'Ele vem toda a vida das emanações sucessivas descritas em nossos livros. A primeira emanação de Seu terceiro aspecto confere aos átomos previamente existentes o poder de agregarem-se em elementos químicos ou, de acordo com as escrituras cristãs, o espírito de Deus movendo-se sobre as águas do espaço. Em um estágio posterior, quando os reinos da natureza estão definitivamente estabelecidos, vem a segunda emanação de Seu segundo aspecto, para formar almas-grupo para minerais, plantas e animais, e é esta a descida do princípio crístico na matéria que torna possível nossa própria existência. Quanto ao reino humano, nosso próprio ego é manifestação da terceira emanação, que vem do Seu primeiro aspecto, o Pai eterno e amoroso.

Budismo

Ao pensar no Senhor Buda, não podemos esquecer que ele é muito mais do que o fundador de uma religião. Ele é um grande oficial da Hierarquia Oculta, o maior de todos, exceto um, o fundador em encarnações anteriores de muitas religiões antes desta que leva seu nome. Foi *Vyasa*, que deu grande impulso à religião indiana; foi Hermes, o grande fundador dos mistérios egípcios; foi o Zoroastro original, que pregou a adoração ao Sol e ao fogo, e também foi Orfeu, grande poeta grego.

Em seu último nascimento, como o Senhor Gautama, aparentemente ele não tinha qualquer intenção de fundar uma nova religião. Era apenas um reformador do Hinduísmo, uma fé de respeitável antigüidade, e que, por isso, havia se afastado de sua forma original, como fazem todas as religiões. O Hinduísmo estava esclerosado e pouco flexível, até menos do que é nos dias de hoje. E todos sabemos da rigidez de ferro de seus rituais e cerimônias de hoje em dia.

Imaginem uma situação em que tudo era ainda mais rígido, em que o sentimento era mais intenso, e todas as idéias sobre a vida tinham-se tornado muito diferentes da religião otimista e vital, que dava esperança a todos, dos dias dos primeiros imigrantes arianos. Um pouco antes da época do Buda, só um brâmane tinha chance de salvação, segundo a opinião geral. Ora, como o número de brâmanes sempre foi e ainda hoje é pequeno, fica claro que não se tratava de uma religião muito animadora para a maioria das pessoas, pois dizia-lhes que tinham de trabalhar durante muitas vidas até que pudessem ser admitidas na pequena e exclusiva casta brâmane, antes que pudessem escapar da roda de nascimentos e mortes.

Veio então o Senhor Buda e abriu amplamente os portões da doce lei da justiça com seus ensinamentos, pregando que os homens tinham-se afastado inteiramente da forma antiga da religião. Ele afirmava repetidamente que, mesmo tendo nascido brâmane, aquele que não levasse a vida de um brâmane não mereceria respeito nem estava no caminho da salvação, e que um membro de qualquer das outras castas que levasse a vida de um verdadeiro brâmane deveria ser tratado como tal e ter direito às mesmas possibilidades como se tivesse nascido na casta sagrada.

Naturalmente, diante de ensinamentos que colocavam toda esperança de salvação final em um futuro distante e indefinido, o homem comum do mundo tinha-se tornado negligente e desanimado. Por outro lado, a austeridade do brâmane, que passava a vida toda realizando cerimônias e meditando, não o atraía, e, na verdade, era obviamente impossível que ele a praticasse. O Buda ensinava-lhes o que chamava de caminho do meio, pregando que embora a vida de austeridade e total devoção religiosa não fosse para eles, não havia razão para viverem em pecado e na indiferença. Mostrou-lhes que o homem podia levar uma vida superior no mundo e que, mesmo que não pudessem dedicar-se à metafísica e às sutilezas especulativas, ainda podiam compreender bastante bem os grandes fatos da evolução de forma a guiar satisfatoriamente suas vidas.

Afirmou que os extremos, em qualquer direção, são igualmente irracionais. De um lado, o homem comum, envolvido inteiramente com seus negócios e buscando sonhos de riqueza e poder, vive uma vida tola e incompleta, pois não leva em conta tudo o que realmente vale a pena. Por outro lado, o ascetismo extremo, que ensina o homem a voltar suas costas ao mundo e a devotar-se exclusiva e egoisticamente ao esforço de se retrair e escapar dele, também é tolo. Ele sustentava que o caminho do meio, da verdade e da beleza, é o melhor e mais seguro; e que, mesmo que a vida devotada inteiramente à espiritualidade seja a mais elevada de todas — para aqueles que estão prontos para ela — é possível ao homem levar uma vida espiritual boa e verdadeira, mantendo seu lugar no mundo e realizando seu trabalho.

Ele baseou suas doutrinas unicamente na razão e no senso comum e não pediu a qualquer homem que acreditasse nas coisas cegamente, mas, sim, que abrisse os olhos e olhasse em volta. Afirmou que, apesar de todos os sofrimentos e misérias do mundo, o grande esquema do qual o homem faz parte é um esquema de justiça eterna e que a lei que nos governa é uma boa lei, precisando apenas que a compreendamos e a ela nos adaptemos. Ensinou que toda vida é sofrimento, mas que o próprio homem é causador de seus problemas, porque constantemente deseja o que não tem e que a felicidade e o contentamento podem ser alcançados mais pela limitação dos desejos do que pelo aumento das posses.

Para isso, esquematizou maravilhosamente seu ensinamento, dispondo-o na forma de tópicos facilmente memorizáveis. Na verdade, trata-se de um cuidadoso sistema gradual de mnemotécnica. Seu esquema geral é tão simples que até uma criança pode lembrar e entender as quatro nobres verdades, o nobre caminho óctuplo e os princípios de vida que elas sugerem; mas, ao mesmo tempo, são tão elaboradas que constituem um sistema de filosofia em que o mais sábio dos homens pode estudar a vida toda, descobrindo cada vez mais luz sobre os problemas da vida.

Ele analisou todas as coisas até uma profundidade quase inacreditável, como podemos ver pelo estudo dos doze *nidanas* (causas da existência) ou pela descrição dos passos que levam do pensamento à ação. Cada uma de suas quatro nobres verdades é representada por uma única palavra, mas, ao serem explanadas, cada uma delas desperta uma grande seqüência de idéias. O mesmo acontece com as palavras que definem os passos do nobre caminho óctuplo e as "grandes perfeições" mencionadas em *A Voz do Silêncio*. Todas essas perfeições são simplesmente sabedoria, poder e amor, surgindo em diferentes formas. Às vezes são numeradas até seis, porém mais comumente são dez. As seis são: caridade perfeita, moralidade perfeita, paciência perfeita, energia perfeita, verdade perfeita e sabedoria perfeita; e as outras quatro, acrescentadas às vezes, são: resignação perfeita, determinação perfeita, benevolência perfeita e abnegação perfeita.

O Budismo praticamente desapareceu da Índia, mas deixou para trás resultados permanentes, e o país mostra, em todos os lugares, o forte impacto de seus ensinamentos. Antes dele, os sacrifícios de sangue estavam difundidos aparentemente por toda parte e, até mesmo hoje em dia, ainda existem, apesar de comparativamente raros; mas ele ensinou que tais coisas não agradavam a nenhuma divindade nobre e que os Deuses preferiam mais o sacrifício de uma vida santa.

Observando os registros daqueles tempos, vemos que ele pregava principalmente a céu aberto, quase sempre sentado sob uma árvore com os ouvintes no chão à sua volta ou de pé, apoiados nas árvores, homens e mulheres misturando-se e crianças correndo e brincando em volta da multidão. O grande instrutor tinha uma voz maravilhosa, clara e sonora, e uma personalidade que atraía a atenção de todos e, invariavelmente, conquistava seus corações, até mesmo nos raros casos daqueles que não concordavam com o que ele dizia. Um grande fervor religioso excitava a audiência, e esta, como que aplaudindo, gritava "Sadhu, Sadhu" ao ouvir algo de maior profundidade, enquanto levantavam as mãos juntas em atitudes de saudação.

Pelo menos parte dessa influência vinha das vibrações tremendamente fortes de sua aura, a qual era suficientemente grande para envolver a audiência e harmonizá-la com ele, enquanto ouviam sua pregação. Seu efeito magnético era quase indescritível, e, sob sua influência, até mesmo o mais tolo de seus ouvintes entendia de modo pleno qualquer coisa que dissesse, mesmo que mais tarde, já fora daquela influência, encontrasse dificuldades para compreender a mesma coisa. Essa maravilhosa influência também é responsável por um fenômeno várias vezes relatado nos livros budistas: a conquista do nível *arhat* por um grande número de seus ouvintes. Nos relatos das escrituras budistas, encontramos, com freqüência, que, após um sermão do Buda, centenas, ou mesmo milhares de pessoas alcançavam o nível *arhat*. Como esse nível é muito elevado, esses relatos pareciam-nos ser quase inacreditáveis, simples casos de exagero oriental, mas um estudo posterior mais profundo mostrou que eram verdadeiros. Resultados tão notáveis exigiam maiores investigações, e concluímos que para compreendê-los era preciso levar em consideração o trabalho de muitas encarnações anteriores e não só daquela vida.

Precisamos nos lembrar de que o Senhor Gautama é o Buda da quarta raça-raiz, mesmo que essa sua última encarnação tenha ocorrido na quinta. Ele nasceu muitas vezes em diversas raças atlantes, sempre como um grande instrutor. Em cada uma daquelas vidas, ele reuniu à sua volta muitos discípulos, os quais gradualmente se elevaram a níveis superiores de pensamento e vida, e, quando nasceu desta vez na Índia, para sua última vida, ele arranjou para que todos os que ele tinha influenciado em épocas e terras diferentes reencarnassem ao mesmo tempo. Por isso, sua audiência era formada em grande parte de almas especialmente preparadas e, por assim dizer, altamente especializadas. Ao serem mais uma vez influenciadas pelo magnetismo extraordinariamente poderoso de um Buda, elas compreenderam e seguiram cada palavra, e seus egos foram maravilhosamente estimulados. Por essa razão, responderam tão prontamente; por essa razão, um grande número delas foi elevado tão depressa a alturas tão vertiginosas.

No terceiro volume de *A Doutrina Secreta*, encontramos um capítulo bastante interessante e sugestivo chamado *O Mistério do Buda*, que menciona que o Buda preparou seus corpos internos com matéria de elevados graus e "espirilas" desenvolvidas ao máximo. Seus corpos búdico, causal e mental estão preservados para o uso de outros grandes Seres devido à extrema dificuldade de se conseguir outros iguais a eles. O Cristo usou-os juntamente com o corpo físico de Jesus, enquanto este esperava nos planos superiores em seus próprios veículos. Shankaracharia também utilizou estes "restos" e, por isso, pensou-se erroneamente que ele era a reencarnação do Buda.

O Budismo ainda possui mais seguidores do que qualquer outra religião do mundo, e é uma influência viva nas vidas de milhões de nossos irmãos. Seria injusto julgá-lo pelo que escreveram os orientalistas europeus. Quando estive no Ceilão e em Burma, comparei esses relatos com a interpretação das doutrinas dada pelos seguidores vivos dessa religião. Os monges eruditos desses países têm tanto conhecimento quanto os mais avançados orientalistas, mas sua interpretação das doutrinas é muito menos insípida. O melhor livro em inglês, que nos dá uma idéia real da religião praticada por seus seguidores atuais, é, de longe, *A Luz da Ásia*, de Sir Edwin Arnold, e outro muito bom também é *A Alma de um Povo*, de H. Fielding Hall. Alguns críticos argumentaram que Sir Edwin Arnold foi um pouco além do sentido literal das palavras do texto, tentando ver nelas idéias cristãs. Não penso assim e acredito que ele expressa com maior fidelidade o sentimento e a atitude dos budistas do que qualquer outro escritor.

O Budismo hoje está dividido em duas grandes igrejas: a do Norte e a do Sul. Afastaram-se até certo ponto do ensinamento original do Buda, ainda que em direções diferentes. Trata-se de uma religião simples, direta e de bom senso, que as pessoas podem acompanhar de imediato, sem necessariamente abandonarem as crenças e práticas de outra fé. Em conseqüência, temos na Igreja do Norte uma forma de Budismo com uma imensa quantidade de acréscimos. Ela parece ter absorvido muitas cerimônias e crenças da fé original que suplantou; de modo que no Tibete, por exemplo, adotou toda uma hierarquia de divindades menores, devas e demônios inteiramente desconhecidos do esquema original do Buda. A Igreja do Sul, por outro lado, em vez de acrescentar alguma coisa ao ensinamento do Buda, perdeu algo dele e intensificou o lado material e abstrato da filosofia.

Esta última prega que nada, exceto o *karma*, passa de uma vida para outra; que o homem não possui um ego permanente; que no seu próximo nascimento ele será, na verdade, um novo homem, resultado do *karma* da vida precedente, e faz várias citações do Buda em apoio a esta idéia. É verdade que ele, diversas vezes, pregou com veemência contra a persistência da personalidade, afirmando a seus ouvintes que nada que conhecessem de um homem podia passar para outro nascimento, mas, em momento algum, ele negou a individualidade e, na verdade, muitos de seus ensinamentos afirmam-na. Vejamos, por exemplo, um texto do *Samannaphalasutta* do *Digha-Nikaya*. Ao mencionar pela primeira vez a condição e o treinamento mental necessários para o sucesso no progresso espiritual, o Buda descreve as cenas que lhe interessavam, passando sucessivamente diante da Sua visão mental. Ele esclarece, dizendo:

> *Se um homem sai de sua própria vila e vai para outra, e dali para outra, retornando em seguida para a sua vila, ele pode pensar assim: "Fui de fato da minha vila para outra, onde fiquei dessa forma, sentei dessa maneira, falei ou permaneci em silêncio desse jeito. Daquela vila fui para outra e lá fiz as mesmas coisas. O mesmo 'Eu sou' retornou daquela vila para a minha própria". Da mesma maneira, ó Rei, o asceta, quando sua mente é pura, conhece seus nascimentos anteriores. Ele pensa: "Em tal lugar tive tal nome, nasci de tal família, minha casta era esta e também este era meu alimento; experimentei o prazer e a dor desta e daquela maneira; e minha vida continuou em outro lugar, e lá também tive tais e tais condições. Vindo de lá, o mesmo "Eu" agora nasceu aqui".*

Essa questão mostra bem claramente a doutrina do Buda sobre o ego reencarnante. Ele ilustra também, no mesmo *sutta*, como o asceta pode conhecer os nascimentos anteriores dos outros, como pode vê-los morrer em um lugar e, após os sofrimentos e alegrias do inferno e do céu, nascer novamente em algum outro lugar. É verdade que no *Brajmajala Sutta* ele menciona os diversos aspectos da alma e diz que eles não existem absolutamente, porque sua existência depende do "contato", isto é, da relação. Ao negar assim a realidade absoluta da alma, ele concorda com os outros grandes instrutores indianos, pois a existência não só da alma mas mesmo a do próprio *Logos* é apenas relativa.

As mentes não treinadas com freqüência interpretam mal essas idéias, mas o estudante cuidadoso do pensamento oriental compreende exatamente o que querem dizer, entendendo que o ensinamento do Buda a esse respeito é exatamente igual ao divulgado hoje pela teosofia. Não é difícil entender como vários textos podem ser tão enfatizados ou distorcidos a ponto de aparentemente se contradizerem. A Igreja do Sul preferiu apegar-se à negação da permanência da personalidade e não à afirmação da continuidade da individualidade, assim como no Cristianismo algumas pessoas habituaram-se a salientar alguns textos em particular e a ignorar outros que os contradizem.

Outro ponto igualmente mal-interpretado é a constante afirmação de que o nirvana é equivalente à aniquilação. Até mesmo Max Müller, grande erudito da Universidade de Oxford em sânscrito, incorreu nesse erro durante muitos anos e só bem mais tarde, com estudos mais profundos, compreendeu seu engano. A descrição do nirvana feita pelo próprio Senhor Buda está tão além da compreensão de pessoas acostumadas apenas a métodos mundanos e comuns de pensamento que não é de se admirar que tenha sido mal-interpretada, à primeira vista, pelos orientalistas europeus. Entretanto, quem viveu entre os budistas orientais não pode, nem por um momento, supor que a aniquilação seja o objetivo de seus esforços.

É certo que alcançar o nirvana implica a aniquilação total do lado inferior do homem, o que, na verdade, é tudo o que conhecemos no momento. A personalidade, como tudo o que se relaciona com os veículos inferiores, é impermanente e desaparecerá. Em nosso estágio atual é difícil compreender o que sobraria do homem se este fosse privado de tudo o que está incluído em seu nível inferior, mas a verdade é que tudo permanece, e, no espírito glorificado, abriga-se a essência de todas as qualidades desenvolvidas através de séculos de esforços e lutas em encarnações terrestres. O homem está agora no limiar da divindade e já se tornou mais do que homem, porém ainda é ele mesmo, só que muito maior.

Muitas definições já foram dadas ao nirvana e, naturalmente, nenhuma delas é satisfatória, mas talvez a melhor seja de paz na onisciência. Muitos anos atrás, quando eu preparava um pequeno catecismo introdutório para crianças, o próprio Abade Chefe Sumangala deu-me como a melhor definição do nirvana a ser colocada a elas a idéia de uma paz e uma bênção tão acima de nosso estado atual que nos é impossível compreendê-las. Isso certamente passa bem longe da idéia de aniquilação. Tudo o que no momento chamamos de homem, na realidade, desaparece, não porque a personalidade seja aniquilada, e, sim, porque se perde em meio à divindade.

O próprio Buda disse certa vez: "nirvana não é ser, mas também não é não-ser."

Outra diferença entre a Igreja Budista do Norte e a do Sul é a adoção de diferentes versões das escrituras. Em geral se diz que a Igreja do Norte adota o *mahayana* e a do Sul, o *hinayana*, todavia uma afirmação segura depende do significado que dermos a uma palavra bastante discutida. *Yana* significa veículo, e todos concordam que se refere ao *dhamma* ou lei, o veículo que nos leva pelo mar da vida até o nirvana, mas existem pelo menos cinco teorias sobre o sentido exato desta palavra:

1. Que ela se refere, simplesmente, à língua em que a lei está escrita; o grande veículo é nessa hipótese o sânscrito e o pequeno, o páli — teoria que me parece insustentável. Realmente, a Igreja do Norte usa a versão sânscrita enquanto as escrituras do Sul estão em páli, a língua falada pelo Senhor Buda na Terra. Afirma-se que as escrituras páli atuais não são as originais, pois todas foram destruídas pelos invasores tamis, pelo menos no Ceilão*. Assim, as escrituras páli de hoje foram novamente traduzidas de uma cópia em elu, que era então a língua nativa do Ceilão;
2. Aparentemente *hina* pode significar moderado ou fácil bem como pequeno. Uma interpretação, portanto, considera o *hinayana* como o caminho mais fácil ou moderado que leva à libertação, o mínimo indispensável de conhecimentos e conduta necessários para isso; enquanto que *mahayana* seria, então, a doutrina mais completa e mais filosófica, o que abrange muito conhecimento tradicional sobre os reinos superiores da natureza. Desnecessário dizer, essa interpretação é de origem *mahayana*;
3. Que o Budismo, com sua incansável cortesia para com outras religiões, aceita todas como caminhos para a libertação, contudo, considera o método ensinado por seu fundador como a rota mais curta e segura. Segundo esse ponto de vista o Budismo é o *mahayana*, ao passo que o *hinayana* abrange o Bramanismo, o Zoroastrismo, o Jainismo e qualquer outra religião que existia quando essa definição foi feita;
4. Que as duas doutrinas são simplesmente estágios de uma única: o *hinayana* serviria para os *sravakas* ou ouvintes e o *mahayana* para os estudantes mais avançados;
5. Que a palavra *yana* não deve ser entendida em seu sentido primário de "veículo", mas, sim, no secundário, quase equivalente a "carreira", "profissão". Segundo essa interpretação, o *mahayana* oferece ao homem a "grande carreira" que o leva a se tornar um *boddhisattva* e a se devotar ao bem-estar do mundo; enquanto que o *hinayana* seria a "pequena carreira" que o leva a alcançar o nirvana apenas para si mesmo.

---

* Ceilão: atual Sri Lanka. (N. ed. bras.)

Tem havido também muita discussão quanto ao sentido exato dos termos *Adi-buddha* e *Avalokiteshwara*. Não fiz nenhum estudo especial dessas palavras do ponto de vista filosófico, porém, até onde fui capaz de discutir o assunto com expoentes vivos da religião, *Adi-buddha* parece ser a culminação de uma das grandes linhas do desenvolvimento super-humano e poderia ser chamado de princípio abstrato de todos os Budas. *Avalokiteshwara* é um termo pertencente à Igreja do Norte e parece ser o nome dado por eles a seu conceito do *Logos*. Eruditos europeus traduziram-na como "o Senhor que observa do alto", mas essa tradução aparentemente leva a uma conclusão não muito correta, pois se refere sempre ao *Logos* manifestado; às vezes ao *Logos* de um sistema solar e, às vezes, a outro mais elevado, mas sempre manifestado. Não devemos esquecer que os fundadores das grandes religiões conhecem as coisas que Eles descrevem; no entanto, Seus seguidores geralmente não as vêem diretamente e, por isso, ficam só com os nomes, embaralhando-os como em jogos mentais e criando muita inverdade e inconsistência.

O Budismo da Igreja do Sul, que inclui Ceilão, Burma, Siam* e Camboja, no geral se manteve livre de adições, as quais se tornaram bem visíveis no Budismo do Norte, que inclui Japão, China e Tibete. Em Burma, os templos exibem apenas imagens do Buda e, em alguns deles, encontram-se centenas de imagens feitas de matérias diferentes, em diversas poses e ofertadas por adoradores diferentes. No Ceilão parece que alguma concessão foi feita ao sentimento popular ou talvez a algum governo estrangeiro durante a época dos reis tamis, pois as imagens de certas divindades hindus são vistas com freqüência, nos templos, sempre colocadas em posições subordinadas e consideradas como auxiliares do Buda. Por outro lado, não precisamos responsabilizar em demasia os tibetanos por permitirem que certas superstições se insinuassem em seu Budismo. O mesmo acontece em todos os países e com todas as religiões à medida que o tempo passa. Na Itália, por exemplo, muitos camponeses das montanhas ainda seguem o que chamam de antiga religião e continuam, mesmo hoje em dia, a adorar Baco, sob um nome etrusco que antecede até mesmo a época do Império Romano. Os sacerdotes católicos reconhecem a existência dessa antiga fé e lhe fazem oposição, mas sem sucesso.

No Budismo do Sul, notavelmente, quase não existem cerimônias, praticamente nada que, de alguma maneira, corresponda ao ritual cristão. Ao visitarem o templo pela manhã, as pessoas em geral pedem aos monges que recitem para elas os três refúgios e os cinco preceitos, que repetem em seguida; no entanto, isso não pode ser chamado de cerimônia pública, porque não é realizada de uma só vez numa certa hora, e, sim, para cada grupo à medida que chegam. Existe outra cerimônia chamada *parita* ou *pirit* (que significa "bênçãos"), mas não é realizada

* Siam: antigo nome da atual Tailândia. (N. ed. bras.)

no templo nem em ocasiões determinadas. Os leigos consideram uma boa obra celebrar qualquer ocasião especial com uma cerimônia *pirit* e, para isso, constroem um prédio temporário, finamente decorado, para a celebração da cerimônia. Esta consiste no canto de versos abençoados das escrituras sagradas durante um certo número de dias, geralmente quinze, por um grupo de monges que se revezam de duas em duas horas.

Em algumas ocasiões, quando alguém fica doente, essa cerimônia é feita com a intenção de promover sua recuperação. Trata-se, na verdade, de uma cerimônia hipnotizante, pois os monges sentam-se em círculo, segurando uma corda que passa por todos, e recitam os textos com a mente focalizada o tempo todo no desejo de abençoar. Essa corda, naturalmente, torna-se extremamente magnetizada à medida que a cerimônia progride e, através de outras cordas que saem dela para um enorme pote, magnetiza fortemente a água nele contida. O doente, às vezes, segura uma cordinha também presa a essa corda, e, no final da cerimônia, a água é distribuída entre as pessoas.

Os budistas do sul mencionam cinco poderes psíquicos que podem ser obtidos por quem progride no Caminho: (1) A capacidade de atravessar o ar e objetos sólidos e visitar o mundo celeste enquanto ainda em vida. É possível que isso signifique apenas a habilidade de funcionar livremente no corpo astral, porque é provável que o mundo do céu de que falam seja, na verdade, os níveis superiores do astral. (2) Audição divina — que evidentemente se trata da faculdade astral da clariaudiência. (3) A capacidade de compreender e compartilhar da mente dos outros — o que parece ser leitura do pensamento ou talvez telepatia. (4) O poder de lembrar nascimentos anteriores. (5) Visão divinamente clara — isto é, clarividência. Além destes, menciona-se em algumas listas a libertação pela sabedoria. Isso significa a libertação da necessidade de renascer, mas não parece ter a mesma natureza dos outros poderes e talvez não deva constar da mesma categoria.

Consta que Ananda era o discípulo favorito do Senhor Buda, assim como João era o discípulo amado do Cristo, e não há dúvida de que nos dois casos essa intimidade especial resultava de relacionamento em vidas anteriores. Ananda não foi escolhido por ser o mais avançado — isso é certo — pois, logo após a morte do Buda, o primeiro grande conselho reuniu-se em uma caverna dentro da rocha viva e, como só podiam participar aqueles que pudessem atravessar a rocha, Ananda ficou de fora por não ter ainda esse poder. Também se diz que sua aflição foi tão grande por se ver excluído dessa grande oportunidade de servir ao Mestre que se havia ido, que, por um supremo esforço da vontade, ele imediatamente desenvolveu o poder que faltava e passou triunfantemente pela rocha para assumir seu lugar entre seus irmãos, ainda que um pouco tarde.

Isso nos mostra que mesmo os membros mais avançados da humanidade possuem ainda amizades especiais e que, por isso, amar uma pessoa mais do que outra não pode ser impróprio. A afeição que hoje sentimos pelos que estão mais próximos de nós irá estender-se mais tarde pelo mundo todo e, naquele momento, nossa afeição pelos mais próximos será mil vezes maior. Nosso amor nunca será o mesmo para todos, mas todos serão incluídos nele. É possível sentirmos por outro o que sentimos por nosso Mestre, pois, quando ele se tornar um *Logos*, seremos parte de seu sistema e até mesmo bem mais tarde, quando nos tornarmos *Logoi*, ainda seremos parte dele; porque ele então representará um sistema bem maior. Ainda que o amor seja sempre mais para uns do que para outros, ajudaremos aqueles que amamos menos com a mesma intensidade com que ajudamos aqueles que amamos mais. Faremos sempre o máximo por todos, como um médico que socorre igualmente seus pacientes, amigos ou não, uma vez que o ódio ou a antipatia, ou qualquer coisa parecida, terão desaparecido muitas eras antes.

Na época do Senhor Buda, muitos outros instrumentos espirituais foram enviados ao mundo. Encontramos, por exemplo, Lao-Tsé, Confúcio e Pitágoras, todos trabalhando em suas diferentes áreas. A tremenda emanação de força espiritual da época foi aproveitada para o envio de instrutores a diversas partes do mundo.

Cristianismo

Não há nada nos princípios teosóficos que se oponha ao verdadeiro Cristianismo primitivo, embora algumas afirmativas possam não se conciliar com os erros da teologia popular moderna. Essa teologia moderna dá grande importância a textos, e parece-me que, na verdade, ela se baseia quase inteiramente em um ou dois textos apenas. Ela os interpreta de certa maneira em particular, às vezes contradizendo de forma direta o sentido óbvio de outros textos da mesma Bíblia. Livros como as escrituras cristãs apresentam necessariamente contradições, pois diversas partes foram escritas em épocas diferentes e bem separadas da história do mundo por pessoas de cultura e conhecimentos desiguais.

É impossível que todas as suas afirmativas sejam literalmente verdadeiras, entretanto, podemos tentar descobrir por trás delas o que o instrutor original ensinou a Seus discípulos. Como existem muitas contradições e interpretações, o pensador cristão obviamente tem o dever de pesar com cuidado as diferentes versões de sua fé existentes no mundo e decidir por uma delas de acordo com sua própria razão e bom senso.

Na verdade, todo cristão decide por si mesmo, podendo ser um católico romano, membro da Igreja da Inglaterra, metodista ou salvacionista, embora cada uma dessas seitas proclame ser o único ramo genuíno do Cristianismo, justificando-se com a citação de textos. Como o leigo se decide entre tantas pretensões contraditórias? Ou aceita cegamente a fé de seus pais e não examina o assunto, ou então investiga e decide através de seu próprio julgamento.

Ao fazer essa investigação seria absurdo e inconsistente de sua parte se ele se recusasse a examinar *todos* os textos e baseasse sua crença em apenas um ou dois. Examinando com imparcialidade todos eles, certamente encontrará muitos que apóiam a verdade teosófica. Descobrirá também que somente a teosofia pode interpretar de forma racional os credos. É claro que, para fazer uma comparação inteligente entre esses diferentes sistemas, ele terá de investigar a história de sua própria religião a fim de ver como a doutrina cristã chegou a ser o que é hoje.

Descobrirá que a primitiva Igreja Cristã tinha três divisões principais ou grupos. Primeiro havia os Doutores Gnósticos ou instrutores, homens sábios e cultos que afirmavam que o sistema filosófico da Igreja Cristã era da mesma natureza dos sistemas gregos e romanos existentes naquela época. Diziam que esse sistema, ainda que totalmente compreensível e muito bonito, era difícil de entender e por isso não recomendavam seu estudo para os incultos. Chamavam-no de Gnose ou conhecimento — o conhecimento possuído por aqueles que eram membros admitidos da igreja, que não era divulgado para o mundo e nem mesmo para os membros mais inexperientes da igreja enquanto estivessem no estágio preliminar, ainda sem os sacramentos.

A segunda divisão era formada por um grupo de pessoas respeitáveis de classe média que não se preocupavam nem um pouco com a filosofia, contentando-se em tomar como guia de suas vidas as palavras do Cristo. Usavam como livro sagrado uma coleção de Seus provérbios, alguns dos quais recentemente descobertos por antiquários.

Depois, infelizmente, vinha a grande massa de pessoas ignorantes e turbulentas que não tinham compreendido a doutrina cristã, mas tinham-se tornado membros da igreja por causa das profecias dadas pelo Cristo, que falam dos bons tempos que virão. Ele era bastante sensível aos sofrimentos dos pobres, pleno de compaixão e piedade por eles. Dizia-lhes constantemente em Seus ensinamentos que se confortassem, porque o pobre que suportar com bravura a luta terá no futuro uma posição melhor e progredirá mais do que o rico que não aproveita bem suas oportunidades. Podemos ver de imediato como uma doutrina ensinada a um povo excessivamente ignorante pode-se tornar unilateral. Eles aceitavam as promessas, mas não as exigências, e, para eles, a idéia daqueles bons tempos poderia facilmente significar que eles seriam, por sua vez, os opressores e iriam aproveitar-se dos ricos, uma coisa que, sem dúvida, o Cristo nunca pregou. Aconteceu assim que Ele atraiu uma grande multidão de homens que, por diversas razões, opunha-se ao governo existente, e quando essas pessoas ignorantes pregaram aos outros o que chamavam de Cristianismo, naturalmente intensificaram e exageraram suas próprias idéias errôneas. Essa multidão de pessoas comuns, que chamavam a si mesmas de "homens pobres", rapidamente se tornou maioria na igreja nascente e ganhou tanto poder que finalmente conseguiu afastar os Doutores Gnósticos como hereges, pois os "homens pobres" ressentiam-se com a idéia de que qualquer conhecimento fora de seu alcance fosse considerado parte essencial do Cristianismo.

Há ainda outro ponto de vista que pode tornar a teosofia de grande utilidade para os cristãos. Muitos cristãos ortodoxos tentam usar o bom senso e métodos científicos no exame dos ensinamentos religiosos, esforçando-se por compreender a religião ao invés de aceitá-la cegamente. Durante muito tempo, o mundo foi ensinado a engolir os dogmas eclesiásticos como se fossem pílulas, e toda tentativa de analisá-los de forma racional era taxada de irreverência. Muitas pessoas intelectualizadas simplesmente não podem aceitar tão cegamente as doutrinas sem compreendê-las. Antes que possam acreditar, precisam, até certo ponto, entender, e uma afirmação não se torna fato para elas até que possam relacioná-la racionalmente com outros fatos, considerando-a parte de um esquema mais ou menos abrangente das coisas.

Dizer que essas pessoas são pecaminosas e inspiradas pelo demônio, como alguns ortodoxos fazem, não é sério. Pelo contrário, elas são precisamente aquelas que apreciam o grande dom de Deus, a razão, e estão determinadas a usá-la da maneira mais elevada possível: esclarecendo a verdade sobre a religião. O certo é que os críticos prestam um grande serviço à religião esclarecendo pontos vagos, explicando assuntos ainda pouco entendidos e tentando fazer um sistema racional daquilo que até agora não passa de uma grande confusão sem sentido.

Se alguns de nossos membros tiverem amigos ortodoxos preocupados com esses esforços e temerosos de que essa liberalização e racionalização de sua fé purifique-a tanto que deixe de existir, recomendem-lhes os ensinamentos da teosofia, pois é disso que necessitam. Aprenderão, assim, a pensar por um momento antes de abandonar uma fé ancestral, que, bem compreendida, tem sentido e fundamentos reais: o ensinamento original do Cristo é uma magnífica apresentação da verdade universal, mas algumas fantasias do dogma eclesiástico são incompreensíveis e inacreditáveis.

Se esses ortodoxos crescerem um pouco além da forma externa de sua religião, se quebrarem a crisálida da fé cega e voarem nas asas da razão e da intuição em direção a uma vida mental mais nobre e livre em níveis mais exaltados, a teosofia irá mostrar-lhes que se beneficiaram em muito e nada perderam. O brilho da devoção que muito significou para eles em sua vida espiritual estará mais do que justificado; o esplendor, a beleza e poesia do pensamento religioso serão revertidos em medida muito maior do que jamais esperaram — não mais como meros sonhos agradáveis, de onde a fria luz do bom senso a qualquer momento podia despertá-los, mas como verdades da natureza que precisam ser investigadas, que se tornarão mais brilhantes e perfeitas à proporção que forem compreendidas. A Bíblia cristã certamente não deve ser tomada no sentido literal, pois muitas de suas afirmativas são simbólicas.

O Pecado

Perguntam-me o verdadeiro significado do pecado. No sentido em que essa palavra em geral é usada, pelo menos pelos sacerdotes cristãos, penso que o pecado não passa de invenção da imaginação teológica. Popularmente, o pecado indica um desafio à lei divina — a realização de alguma ação cujo autor sabe ser errada. É extremamente duvidoso que esse fenômeno, de fato, exista. Em praticamente todos os casos imagináveis, o homem quebra a lei pela ignorância ou negligência e não pela intenção deliberada. Quando um homem, em realidade, conhece e vê a intenção divina, inevitavelmente se harmoniza com ela por duas razões: primeiro porque percebe a total futilidade de uma ação contrária e, mais tarde, porque, ao ver a glória e beleza do plano, nada mais deseja fazer a não ser dedicar-se com todos os poderes de seu coração e de sua alma à sua realização.

De todas as concepções erradas que herdamos das idades negras, uma das mais sérias é a idéia de "pecado" como uma perversidade a ser punida e brutalmente perseguida. Na verdade, o pecado é resultado de ignorância, que só se supera pela educação e esclarecimento. Alguém poderá discordar dizendo que, na vida diária, as pessoas fazem a todo momento e conscientemente coisas erradas, todavia esse é um argumento falso. Elas estão fazendo o que lhes disseram que é errado, o que é bem diferente. Quando alguém sabe, de verdade, que uma ação é errada e que, inevitavelmente, será seguida por más conseqüências, evita-a com cuidado. Todos sabem que o fogo queima, por isso ninguém põe a mão nele. Quem age errado justifica o erro para si mesmo no momento da ação, não importa o que venha a pensar depois com mais calma. Por conseguinte, afirmo que o pecado, como normalmente o entendemos, é invenção da imaginação teológica; o que existe, na verdade, é uma condição infeliz que leva freqüentemente à infração da Lei divina. Temos o dever de lutar para dissipar essa ignorância com a luz da teosofia.

O Papa

Uma magnífica oportunidade está à espera do Papa que estiver preparado e for corajoso o bastante para aproveitá-la. No lugar de bulas fulminantes contra a teosofia e o liberalismo, ele mesmo poderia apresentar a interpretação teosófica do Cristianismo. Lembrem-se de que a Igreja Católica possui o que chama de doutrina do desenvolvimento e, também, de que nomeou o Papa intérprete infalível da doutrina divina, o representante de Deus na Terra. Portanto estaria dentro de seus direitos se, no que diz respeito à interpretação teosófica, ele anunciasse corajosamente:

> *O que vocês apresentam é, com certeza, o verdadeiro significado da doutrina cristã. Sempre soubemos disso e possuímos muitos manuscritos na Biblioteca do Vaticano para prová-lo. Não divulgamos isso antes, porque, ao longo das eras e até hoje, os homens não estavam preparados para tal revelação. Eram muito imaturos, grosseiros e pouco desenvolvidos para compreender uma interpretação filosófica e mística. A casca externa da religião era tudo o que podia ser oferecido de útil a eles. Agora estamos em um outro estágio, e o mundo está pronto para maiores revelações. Por isso o sentido interno de nossa doutrina está sendo divulgado, e não podemos condenar aqueles que ainda estão no estágio em que devem apegar-se à casca externa, e nem eles, por sua vez, devem condenar os que estão prontos a dar o próximo passo e receber uma iluminação superior.*

Além de forte, ele teria de ser também sábio, porque, como todos os outros grandes personagens, o Papa está cercado por enormes massas de formas-pensamento, e ele acharia extremamente difícil atravessá-las para abrir uma nova linha de ação.

Cerimonial

O cerimonial é seguido por muitas e muitas pessoas, porém é preciso que fique bem claro que nenhum cerimonial religioso é, de fato, necessário. Quem deseja entrar na Senda de Santidade tem de compreender e abandonar de vez a crença na necessidade de cerimônias, pois esse é um dos grilhões que o impedem de alcançar o nirvana. Não queremos dizer que as cerimônias, às vezes, não são eficientes, produzindo realmente os resultados esperados. Mas, elas não são, na verdade, necessárias para quem quer que seja, e o candidato ao progresso superior tem de aprender a caminhar mesmo sem elas. A linha do cerimonial é uma estrada fácil para certo tipo de pessoas, realmente útil e enaltecedora, mas outros já vêem as cerimônias como obstáculos entre eles e as divindades que desejam alcançar.

No Cristianismo, o cerimonial é a linha designada por seu fundador, através da qual sua mágica deve fluir. A consagração da hóstia, por exemplo, é um meio usado para derramar força espiritual sobre o povo. A consagração é um momento de grande estímulo devocional, que acaba auxiliando o trabalho da magia, apesar de esta não depender da devoção. Aqueles que são devocionais inquestionavelmente recebem mais força, porque possuem uma faculdade adicional de recepção. Por outro lado, sempre existe a possibilidade da devoção ignorante degenerar em superstição. Em uma pesquisa sobre esses assuntos, feita do ponto de vista oculto na Sicília, descobri muita superstição e muita interferência prejudicial em assuntos familiares por parte dos sacerdotes; entretanto, mesmo assim, no geral, o país estava bem melhor do que estaria sem a devoção religiosa. Devemos lembrar também que normalmente a história fala-nos muito mais dos piores efeitos do entusiasmo religioso do que do progresso firme de muitos milhares.

A Oração

Existem muitos tipos diferentes de oração, destinados a pessoas de diversos graus de evolução, e, por isso, fica difícil dizer algo aplicável a todos. Os fundadores da maioria das grandes religiões jamais encorajaram, de forma alguma, seus seguidores a rezarem para eles, e, via de regra, estes últimos também eram suficientemente iluminados para não fazer nada parecido. Se um pensamento muito forte vai alcançá-los ou não, depende da linha de evolução que seguiram desde então e se estão ainda ao alcance desta Terra. Se ainda estiverem ao alcance da Terra, e esse pensamento atingi-los, é provável que, se perceberem que será bom para aquele que enviou o pensamento receber uma resposta, dirijam para ele a atenção de algum discípulo que ainda estiver sobre a Terra. Mesmo compreendendo pouco o tremendo alcance do trabalho realizado pelos Grandes Seres no planos superiores em favor da evolução, é inconcebível que um homem queira atrair a atenção d'Eles com seus interesses insignificantes. Ele deveria saber que alguém mais próximo de seu próprio nível evolutivo poderia ajudá-lo mais adequadamente quando necessário. Mesmo aqui, no plano físico, não ocupamos o tempo dos maiores eruditos de nossas universidades com as dificuldades de alfabetização enfrentadas pelas crianças.

Quanto aos santos das diversas igrejas, a situação é diferente, mas a capacidade de ouvir orações continua dependendo de sua evolução. O santo comum, que não passa de um homem bom e santo, com certeza passará por uma vida celestial normal e provavelmente bem longa. Sua vida no plano astral deverá ser curta e somente enquanto esta durar é que uma oração poderá alcançá-lo e atrair sua atenção. Se durante esse tempo for atraído por alguma oração, não há dúvida de que fará qualquer coisa para satisfazer ao suplicante, porém não podemos ter certeza de que sua atenção será atraída, pois ele naturalmente estará ocupado com seu novo ambiente.

Ao entrar no longo descanso do mundo do céu, ele se afasta totalmente de qualquer possibilidade de perturbação terrestre, contudo uma oração dirigida a ele não deixaria de ter efeitos. Um homem santo, assim, quase certamente estaria derramando um constante fluxo de pensamentos de amor pela humanidade, uma verdadeira chuva de bênçãos a socorrer espiritualmente aqueles a quem atingisse. Não há dúvidas de que, ao rezar ou pensar com intensidade naquele santo, o homem entra em sintonia e atrai parte daquela força, embora o santo nada saiba sobre isso. Se o santo fosse suficientemente avançado para poder entrar em uma série especial de nascimentos rápidos, um após o outro, o caso também seria diferente. Estaria então o tempo todo ao alcance da Terra, seja no plano astral ou encarnado no físico, e, ao ter sua atenção atraída por uma forte oração, ele provavelmente prestaria a ajuda possível quando estivesse fora do corpo.

No entanto, felizmente para os milhares de pessoas que enchem suas almas de orações — na mais cega ignorância, mas ainda assim de boa fé — há outro fator envolvido, independente de todas essas considerações. Sri Krishna nos diz, no *Bhagavad Gita*, que todas as verdadeiras orações alcançam-no, não importa a quem tenham sido tolamente oferecidas. Existe uma consciência ampla o bastante para compreender todas e que jamais deixa de responder aos esforços feitos na direção da espiritualidade. Ela atua de muitas maneiras, às vezes atraindo a atenção de um deva para o suplicante, outras vezes através dos auxiliares invisíveis que trabalham no plano astral ou mental para o bem da humanidade. Esse deva ou auxiliar seria confundido com o santo, caso se mostrasse ao suplicante, como muitas histórias nos contam.

Eu mesmo, por exemplo, em uma situação parecida, fui tomado por Philip Neri, e um auxiliar mais jovem que estava comigo por Stanislaus Kostka. A Sra. Besant, também, mais de uma vez, foi confundida com um anjo por aqueles a quem assistia.

O Diabo

O diabo não existe. Algumas pessoas imaginam ter feito pactos com ele, às vezes assinados com o próprio sangue. O resultado destes pactos depende bastante do tipo de entidade que o personifica na ocasião. Existe uma enorme profusão de criaturas de tipos diferentes que adorariam muito se divertir às custas de um humano, mas nenhuma delas poderia fazer qualquer uso da "alma" de um homem — e nem a "alma" humana que fosse idiota o bastante para fazer tal pacto seria de qualquer utilidade, seja para o próprio dono, seja para qualquer outro. Todas essas superstições absurdas são contestadas pelo fato de que o homem é o ego e, portanto, não pode vender a si mesmo e, também, porque não existem compradores nessa transação; dessa forma, tudo não passa de tolice.

Existem muitas entidades que podem, se quiserem, proporcionar, digamos, vinte anos de prosperidade material para uma pessoa. Em geral, elas o fazem em troca de alguma oferta material, como o sacrifício de bebês, bodes ou galinhas. O ego não participa desses pactos, seja nos casos individuais ou coletivos, de adoração em conjunto. Essas entidades não podem possuir o ego humano e nem poderiam usá-lo se o possuíssem. Um corpo humano, às vezes, lhes é conveniente, e podem fazer um pacto em troca da permissão para obsedá-lo. Um pacto dessa natureza dá à entidade uma forte influência sobre o homem, mas tão logo este percebe a tolice de sua ação, a atitude correta é resistir ao máximo à obsessão. Cerimônias infantis como a assinatura do pacto com sangue não fariam, naturalmente, qualquer diferença.

Não existe uma hierarquia do mal. Magos negros existem com certeza, porém, o mago negro costuma ser uma entidade solitária. Ele trabalha para si mesmo, é uma entidade isolada com seus próprios objetivos. Não podemos formar uma hierarquia com pessoas que desconfiam umas das outras. Na Fraternidade Branca, todos os membros confiam uns nos outros, mas entre os magos negros não pode haver confiança, porque seus interesses estão centralizados no eu.

Precisamos definir com clareza o que queremos dizer ao falarmos do mal. O princípio da destruição freqüentemente é personificado, contudo ele se refere apenas à destruição das formas velhas, que serão usadas como material para a construção de outras novas e superiores. Aqui na Índia temos *Shiva*, o Destruidor, uma das manifestações mais elevadas da divindade, mas ninguém pensaria que ele é mau. O princípio da destruição das formas é necessário para que a vida possa progredir. Existe um Grande Ser que, entre outras coisas, está encarregado de definir quando os grandes cataclismos devem acontecer, todavia ele trabalha para o bem do mundo. Não devemos pensar em absoluto que essas coisas são más. A idéia de um suposto anjo que foi expulso do céu por ter-se revoltado baseia-se bastante em John Milton. O conceito não é de forma alguma o mesmo no livro de Job. Nessa história o demônio é bem diferente do melancólico herói de Milton. Os budistas têm *Mara*, uma personificação do *karma* passado que desaba sobre o homem e assume muitas formas. O *karma* esgota-se de imediato no momento da iluminação.

A afirmação de que todas as coisas materiais, diferenças e limitações são más é incorreta. Se usarmos a palavra "mal" no sentido comum, e não com alguma outra noção abstrata e bem diferente, então a matéria não é má. Espírito e matéria são iguais. A matéria não se opõe ao espírito. Achamos a matéria incômoda por causa do corpo que temos de usar, porém estamos aqui para aprender coisas que só a vida física pode-nos proporcionar. As experiências do plano físico conferem definição e precisão à nossa consciência e a nossos poderes, algo que nunca conseguiríamos em qualquer outro plano, só neste. Por que as pessoas se preocupam com o mal? Existem muitas coisas boas no mundo, e é melhor pensarmos nelas, pois o pensamento fortalece aquilo em que pensamos. Pensar e falar muito sobre os magos negros inquestionavelmente atrai a atenção deles, com resultados extremamente indesejáveis.

Hinduísmo

Quando os missionários cristãos incultos falam incessantemente dos trezentos e trinta milhões de deuses dos hindus estão deturpando, de modo grosseiro, uma religião muito mais científica do que a sua própria. O Hinduísmo, como todas as outras religiões, sabe muito bem que só pode haver um Deus, ainda que com incontáveis manifestações. Chamar essas manifestações de "deuses" não é sério. Talvez seja melhor evitarmos a palavra "Deus" por causa das idéias bastante desagradáveis associadas a ela pelos cristãos, mas se tiver que ser usada não deve ser aplicada a nenhum ser abaixo do *Logos* do sistema solar. Todas as qualidades boas atribuídas ao Deus cristão também valem para o *Logos*; nada há no sistema que não seja Ele, mas Ele é muito mais do que Seu sistema. Não podemos alcançar a verdade sobre o Absoluto, porque nossas mentes são pequenas, e assim só podemos apreender coisas também pequenas. O Senhor Buda sempre aconselhava Seu povo a não se preocupar com assuntos tão remotos, porque, como era impossível chegar a qualquer conclusão, nada de útil seria obtido.

As imagens das divindades indianas normalmente são muito magnetizadas e, ao serem levadas pelas ruas, nos festivais, influenciam positivamente o povo. Em muitos templos, como por exemplo em Madura, existem intensas influências permanentemente em ação. Certa vez, ao visitar essa cidade, ganhei de presente um pouco de cinzas brancas do templo de *Shiva* e um pó carmesim brilhante do templo de Parvati; ambos estavam tão poderosamente magnetizados que mantiveram sua influência durante alguns anos, mesmo depois de muitas viagens.

A Índia é essencialmente um país de ritos e cerimônias. A religião está repleta deles e acredita-se que muitos foram prescritos pelo próprio *Manu*, enquanto outros foram obviamente acrescentados em épocas muito posteriores. Alguns se parecem com regulamentos, necessários no início de uma nova raça, mas inúteis depois que ela está estabelecida. Observando muitas das cerimônias, podemos ver qual deve ter sido sua intenção original, embora a cerimônia atual tenha-se tornado uma casca vazia, sem qualquer resultado prático. Essas coisas têm seu valor para as almas mais jovens, e, na verdade, muitos se encantam com elas e são assim beneficiados. Todavia, nenhuma delas é, de fato, necessária, e todos esses grilhões caem diante do homem realmente desenvolvido.

No passado, cada chefe de família era o sacerdote de sua própria casa, mas à medida que a civilização evoluiu, os ritos e as cerimônias também se tornaram mais complexos, fazendo surgir assim uma classe de sacerdotes especialmente instruídos, pois ninguém que tivesse outros afazeres iria lembrar-se da abundância de detalhes desnecessários. Naqueles dias, parece que muitas pessoas realizavam-nas ou alguém as realizava por elas, assim como alguém que toma um remédio receitado pelo médico e sem saber do que é feito acredita que lhe fará bem. Existem, contudo, muitas pessoas que só conseguem dedicar-se a uma cerimônia se puderem entendê-la, e estas normalmente terminam afastando-se totalmente.

É triste observar sacerdotes oficiando, sem qualquer resultado digno, cerimônias e rituais que um dia foram eficazes. Parece que não há vontade em nossos dias. Eles começam algumas de suas recitações com "*Om, Bhur, Bhuvar, Swar*" mas nada acontece. Nos tempos antigos, o oficiante recitava estas palavras com vontade, elevando sua própria consciência — e a daqueles mais sensíveis — de um plano a outro à medida que falava.

Lembro-me de ter visto esse fenômeno durante a realização de uma impressionante cerimônia, quando examinávamos uma das vidas anteriores, há muitos milhares de anos aqui na Índia. As pessoas entraram todas em uma sala interna e permaneceram na mais absoluta escuridão. No início da cerimônia, o oficiante, vagarosa e solenemente, pronunciou aquelas palavras, e cada uma delas afetou a maioria daqueles que estavam à sua volta. A palavra *Om* harmonizou todas as pessoas com o oficiante e com os sentimentos que preenchiam sua mente. Então, ao som de *Bhur*, para os sentidos daquelas pessoas, o quarto encheu-se de luz comum, e elas puderam ver todos os objetos físicos. Depois de um intervalo, a segunda palavra estimulou a abertura temporária da visão astral, e a terceira abriu a visão mental, mergulhando todos na felicidade e no poder do plano superior, condição que persistiu durante a recitação dos versos que se seguiram.

Esses efeitos eram apenas temporários, e, ao final da cerimônia, a consciência superior desaparecia, mas para os participantes restava a experiência, que tornaria mais fácil o despertar da consciência superior em outra ocasião. Entretanto, hoje em dia, parece que não se fazem mais essas coisas. O sacerdote ajeita sua lamparina, invoca solenemente *Agni* e então... acende o fogo com um fósforo! Nos tempos antigos, aquilo que *Agni* representa manifestava-se de verdade, e o fogo caía do céu, segundo uma antiga expressão. No entanto, parece que todas as cascas externas permanecem.

A peregrinação baseia-se em uma idéia totalmente científica e racional. Os grandes santuários em geral são construídos no local onde viveu algum homem santo, onde tenha ocorrido algum grande evento (como uma iniciação, por exemplo) ou onde estão abrigados os restos mortais de algum grande personagem. Em qualquer um desses casos, cria-se um poderoso centro magnético de influência que persistirá por milhares de anos. Qualquer pessoa sensitiva que se aproxime do local perceberá essa influência, sem dúvida alguma benéfica para ela. Uma vibração forte, de nível mais elevado do que as vibrações alcançadas pela humanidade comum, eleva as vibrações das pessoas que no momento estiverem sob sua influência, fazendo-as entrar em harmonia.

Ao chegar a um lugar destes, o peregrino é banhado por esse magnetismo, às vezes durante vários dias, o que lhe faz muito bem. As pessoas são afetadas diferentemente, segundo seu poder de receptividade. A árvore *Bodhi* em *Buddha-Gaya*, onde o Senhor Gautama alcançou o Budado, é um destes lugares de peregrinação, mesmo não sendo a árvore original. Esta caiu na Idade Média, e a atual é apenas um ramo dela. Não obstante, o magnetismo extremamente forte do local permanece e deverá continuar ainda por muitos séculos.

Espiritismo

Os espíritas concordam inteiramente conosco em alguns pontos importantes, lembrem-se sempre disso. Eles sustentam que (a) a vida após a morte é uma certeza real e vívida e que (b) todos progredirão eternamente e alcançarão a felicidade, sejam bons, sejam maus. Essas duas afirmativas são tão importantes e constituem um avanço tão grande em relação à posição ortodoxa comum que, por mim, alegremente me juntaria a eles, adiando a discussão dos pontos menores sobre os quais divergimos até que tenhamos convencido o mundo inteiro dessas verdades. Sempre achei que há espaço suficiente para todos nós.

Aqueles que procuram fenômenos, que não acreditam em nada sem uma demonstração ocular, não se satisfarão conosco, mas encontrarão entre os espíritas exatamente o que buscam. Por outro lado, aqueles que buscam mais filosofia do que a normalmente proporcionada pelo Espiritismo, naturalmente nos procurarão. As pessoas que se satisfazem com os ensinamentos dados durante o transe comum por certo não apreciarão a teosofia, enquanto que os teosofistas nunca ficarão satisfeitos com o primeiro. Ambos satisfazem pessoas liberais e de mente aberta, mas de tipos bem diferentes, e com certeza, não precisamos brigar por isso.

Ao escrever sobre o assunto, a Sra. Blavatsky enfatizou bastante a incerteza de todo o processo e a predominância de personificações inverídicas sobre as aparições reais. Minha própria experiência pessoal tem sido mais favorável. Passei alguns anos fazendo experiências com o Espiritismo e acredito que já presenciei várias vezes todos os fenômenos descritos nos livros que vocês possam ter lido. Encontrei muitas personificações falsificadas, porém na minha experiência uma grande maioria das aparições foram genuínas, e, por isso, sou obrigado a dar meu testemunho. As mensagens passadas freqüentemente são desinteressantes, e o ensinamento religioso normalmente não passa de um Cristianismo aguado, mas ainda assim é liberal até onde alcança.

Alguns espíritas são fanáticos, estritos e intolerantes — como qualquer sectário — quando discutem (digamos) a questão da reencarnação. Muitos estudantes acham estranho que os mortos não saibam nem reconheçam o fato da reencarnação, mas por que deveriam saber? Ao morrer, o homem procura a companhia daqueles que conheceu na Terra, o mesmo tipo de pessoa com quem tinha amizade na vida física. Por exemplo: um simples trabalhador rural, depois da morte, tem a mesma possibilidade que tinha em vida de encontrar alguém instruído sobre a reencarnação. Uma hoste de preconceitos afasta as novas idéias de muitas pessoas. Os preconceitos acompanham as pessoas para o mundo astral, e lá elas não se encontram mais acessíveis à razão ou ao bom senso do que aqui.

Uma pessoa de mente aberta pode aprender muito no plano astral, familiarizando-se rapidamente com os ensinamentos teosóficos, e muitos assim o fazem. Por isso, às vezes, surgem fragmentos de teosofia nas comunicações espíritas. Lembrem-se de que existe um Espiritismo superior desconhecido do público, que não divulga seus resultados. As melhores reuniões são as privadas, restritas a uma família ou a um pequeno grupo de amigos. São freqüentadas pelas mesmas pessoas, e nenhum estranho é admitido para não se alterar o magnetismo. As condições são perfeitas, e os resultados obtidos surpreendentes. As sessões públicas, que admitem qualquer um mediante pagamento, atraem somente almas não desenvolvidas por causa da confusão magnética, promíscua e desarmônica.

Simbologia

O estudo da simbologia é muito interessante. Para certo tipo de mente, tudo se expressa por meio de símbolos, e, para algumas pessoas, eles são muito úteis. Não pertenço a esse tipo e, por essa razão, não prestei atenção especial a eles nem fiz qualquer estudo em particular. Contudo, alguns símbolos são óbvios e prontamente compreensíveis por qualquer um que entenda pelo menos algo dos princípios de sua interpretação. Vejamos, por exemplo, os que aparecem nas primeiras páginas do *Livro de Dzyan**. A primeira página traz um disco branco, significando a condição do não-manifestado; na segunda, um ponto aparece no centro do disco branco, significando a primeira manifestação — o Primeiro *Logos* ou o Cristo no seio do Pai; na terceira página, esse ponto transforma-se em uma linha que divide o disco em duas metades, significando assim a primeira grande separação em espírito e matéria — o Segundo *Logos*, sempre descrito como dual ou andrógino; na quarta página, outra linha surge em ângulo reto com a primeira e divide o disco em quatro partes iguais, significando o aparecimento do Terceiro *Logos*, ainda que em uma condição de inatividade. Na próxima página, o círculo externo

* Em *A Doutrina Secreta*, ob. citada, Tomo I, Proêmio. (N. ed. bras.)

desaparece, deixando-nos com os quatro braços iguais ou cruz grega. Isso indica que o Terceiro *Logos* está pronto para a ação, o momento da descida à matéria de Seu cosmo.

O próximo estágio desta atividade é mostrado através de várias formas do símbolo. Algumas vezes os braços da cruz grega alargam-se do centro para fora, formando a chamada cruz de Malta. Outra linha da simbologia mantém os braços retos da cruz grega e acrescenta uma chama brotando da ponta de cada um deles, significando a luz flamejante interior. Uma outra modificação dessa idéia coloca a cruz girando em torno de seu centro, como uma roda em movimento, e, ao girar, as chamas alongam-se para trás dando origem a um dos mais universais de todos os símbolos, a suástica*, encontrada em todos os países e relacionada com todas as religiões.

O significado simbólico da cruz latina comum, na forma usada pela Igreja Cristã, não está relacionado com essa linha de pensamento. Seu sentido é inteiramente diferente: ela simboliza a descida do Segundo *Logos* na matéria e relaciona-se também com os ritos iniciáticos do Egito antigo. O forte magnetismo do *Livro de Dzyan* facilita bastante a compreensão de seus símbolos, afetando notavelmente o privilegiado estudante. Um quadro surge na mente do estudante para mostrar o que a página do livro pretende simbolizar, e, simultaneamente, ele ouve uma recitação da estância que o descreve. A experiência é maravilhosa, mas bastante difícil de se colocar em palavras.

Eu mesmo vi e folheei a cópia que a Sra. Blavatsky descreve, a qual ela estudou para escrever *A Doutrina Secreta*. Esse não é o livro original, mas uma cópia pertencente ao museu oculto que está sob os cuidados do Mestre K.H. O documento original está em Shamballa, sob os cuidados do chefe da Hierarquia, e certamente é o livro mais velho do mundo. Na verdade, o que se diz é que parte dele (as primeiras seis estâncias, acredito) é ainda mais antiga do que o mundo, pois teria vindo de alguma cadeia precedente. Alguns acreditam que essa parte mais antiga não é apenas um relato dos processos que levam um sistema à existência, mas, sim, um tipo de manual orientador da criação. Até mesmo a cópia deve ter milhões de anos de idade.

Outro símbolo bem conhecido é o "Grande Pássaro", simbolizando a divindade pairando sobre Seu universo, as águas do espaço, e arremessando-se pelas linhas de Sua evolução. Repousar entre as asas do Grande Pássaro significa meditar para realizar a união com o *Logos*, e diz-se que o homem que consegue fazê-lo pode descansar lá por anos sem conta.

---

* A cruz suástica, deturpada e invertida de modo a significar um movimento no sentido anti-horário (contrário à evolução) foi usada como símbolo pelo Nazismo nos anos 30 e 40 do século 20. (N. ed. bras.)

A palavra *Om* é outra apresentação da mesma idéia; é a palavra sagrada da quinta raça-raiz ou ariana. A palavra sagrada atlante era *Tau* e se diz que as palavras sagradas dadas às sucessivas raças-raízes são sílabas de uma palavra maior, o verdadeiro Nome sagrado.

O coração, outro símbolo óbvio, tinha destaque na antiga religião atlante. No santuário interno do grande templo da Cidade do Portão de Ouro, havia uma grande caixa de ouro em forma de coração colocada em cima do altar, e só o alto sacerdote conhecia o segredo que a abria. Era chamada de "Coração do Mundo" e significava para eles os mistérios mais profundos que conheciam. Dentro dela guardavam seus objetos mais sagrados, e a maior parte de seu simbolismo ali estava centralizada. Sabiam que o átomo pulsava como um coração e que o Sol tinha um movimento similar, relacionado por eles com o período das manchas solares. Às vezes alguns trechos de seus livros dão a impressão de que sua ciência era mais avançada do que a nossa, apesar de a considerarem mais do ponto de vista poético do que científico. Acreditavam, por exemplo, que a Terra respirava e se movia e, bem recentemente, os cientistas descobriram uma acomodação diária da superfície terrestre que, de certo modo, pode ser chamada de respiração.

O lótus era usado para simbolizar a relação entre o sistema solar e seu *Logos*. Fatos da natureza justificam essa comparação. Os sete *Logoi* Planetários são grandes entidades individuais e, ao mesmo tempo, aspectos do *Logos Solar*, centros de força, por assim dizer, em Seu corpo. Cada um desses grandes centros vivos ou *Logoi* subsidiários passa por um tipo de mudança periódica ou movimento próprio que talvez corresponda, em um nível infinitamente mais elevado, à pulsação regular do coração humano ou à inspiração e expiração.

Algumas dessas mudanças periódicas são mais rápidas do que outras e, por isso, compõem um complicado padrão de efeitos. Observou-se que os movimentos dos planetas físicos em sua relação mútua fornecem uma pista para a operação dessas grandes influências cósmicas. Cada um desses centros tem Sua localização especial ou foco maior dentro do corpo do Sol e um foco menor sempre fora dele, indicado por um planeta físico.

A relação exata é de difícil compreensão em virtude de nossa limitação tridimensional, mas talvez possamos dizer que cada centro tem um campo de influência co-extensivo com o sistema solar. Uma seção desse campo seria elíptica com um dos focos no Sol e o outro no planeta governado pelo *Logos* subsidiário. Durante a condensação gradual da nebulosa original que formou o sistema, a localização dos planetas provavelmente foi determinada pelos vórtices que se formaram nesses focos menores, como se fossem pontos auxiliares de distribuição — gânglios, por assim dizer, do sistema solar. Todos os planetas físicos estão incluídos dentro daquela parte do sistema que é comum a todos os ovóides, de modo que, ao tentarmos visualizar mentalmente a figura formada por eles, veremos que esses ovóides rotativos devem ter segmentos projetados em outras direções, e assim entenderemos a comparação do sistema inteiro com uma flor de muitas pétalas.

A comparação do sistema com um lótus tem outra razão, ainda mais bonita, que requer uma reflexão mais profunda. Da forma como vemos os planetas, eles nos parecem ser globos separados, mas, na realidade, existe uma ligação entre eles fora do alcance de nossa consciência cerebral. Aqueles que estudaram a quarta dimensão estão familiarizados com a idéia de uma extensão em uma direção invisível a nós, porém pode ser que não tenha ocorrido a eles que isso se aplica também ao sistema solar.

Podemos fazer algumas comparações para tentar entender os fatos. Estiquem a mão com a palma para cima, os dedos separados também esticados e apontando para cima, e coloquem uma folha de papel apoiada nas pontas dos dedos. Um ser bidimensional que vivesse no plano dessa folha de papel não poderia estar consciente da mão inteira, só perceberia os pequenos círculos nos pontos de contato dos dedos com o papel. Para ele esses círculos estariam totalmente separados, mas nós, usando a visão de uma dimensão superior, podemos ver que cada círculo expande-se para baixo e que todos fazem parte de uma mão. Exatamente da mesma maneira, usando a visão da quarta dimensão, observamos que os planetas isolados de nossas três dimensões estão ligados de uma outra forma que não podemos perceber. Do ponto de vista daquela visão superior, esses globos não passam de pontos das pétalas que formam uma grande flor, e, do coração florescente daquela flor, sai um pistilo central que aparece para nós como o Sol.

Ao ridicularizar e desprezar os ensinamentos antigos ou os símbolos estranhos e fantásticos que os expressam, o partidário da ciência moderna não demonstra sabedoria, pois muitos desses símbolos antigos estão repletos de significado e, com freqüência, ostentam um conhecimento mais profundo do que o do mundo externo. O estudante de teosofia pelo menos evitará o erro de desprezar qualquer coisa apenas porque ainda não a compreende ou porque ainda não aprendeu a linguagem na qual foi escrita.

O Fogo

Nos planos superiores, todas as coisas são "luminosas", e, acima de certo nível, podemos dizer que tudo está permeado pelo fogo, mas não o fogo que conhecemos no plano físico. O fogo físico depende de alguma coisa que queime ou entre em combustão, e não passa de um reflexo ou expressão inferior de algo abstrato que não podemos perceber. Tentem imaginar um fogo que não queima, líquido, parecido com água. Os seguidores do primeiro grande Zoroastro conheciam-no pois tinham em seus altares esse fogo que não queimava combustível, um fogo sagrado que para eles simbolizava a vida divina.

O fogo é um dos caminhos que levam ao *Logos*, como bem sabiam os antigos parses*, que se elevavam até se tornarem unos com o fogo e por meio dele alcançavam o *Logos*. A única maneira de nos unirmos ao fogo é com a ajuda de certas classes de devas, mas nesse período da história mundial somos ainda tão grosseiramente materiais que poucos podem suportar a provação. O primeiro Zoroastro tinha, à sua volta, muitos discípulos em condições de trilhar esse caminho; no entanto, em nossas condições atuais, nossos veículos inferiores provavelmente seriam destruídos na primeira tentativa. No futuro, em novas raças e outros planetas, poderemos de novo trilhar aquele caminho. Tudo isso nos parece estranho, misterioso e incompreensível, porque se refere a condições totalmente desconhecidas no plano físico, mas o estudante de ocultismo logo perceberá que durante seu progresso terá de encarar muitas coisas que não podem ser descritas com facilidade.

* Parses: Seguidores de Zoroastro que vivem na Índia. (N. ed. bras.)

Capítulo Três

A ATITUDE TEOSÓFICA

O Bom Senso

Acima de todas as coisas e em quaisquer circunstâncias, o estudante de ocultismo tem de manter o bom senso. Ele se defrontará com muitas idéias novas e inúmeros fatos impressionantes, e, se deixar que a estranheza das coisas o desequilibre, esse conhecimento maior irá fazer-lhe mal em vez de bem. Muitas qualidades são desejáveis para o progresso, mas uma mente bem equilibrada é imprescindível. O ocultismo pode ser resumido como o estudo de muitas coisas não percebidas pelo homem comum, a apreensão de uma grande quantidade de fatos novos e a adaptação da vida do estudante a eles, com racionalidade e bom senso. Todo o ocultismo que conheço é, simplesmente, a exaltação do bom senso.

A Fraternidade

A fraternidade humana é um fato da natureza, e os que a negam são aqueles que não a percebem, porque fecham os olhos para realidades que não desejam conhecer. Não precisamos gastar muito tempo com essas pessoas, pois a própria natureza refutará a heresia que cometem. Muito mais sutilmente perigosos são aqueles que a deturpam, e estes formam multidões.

Lembrem não só do que a fraternidade significa, mas também do que ela não significa. Certamente ela não significa igualdade, pois gêmeos e trigêmeos são comparativamente raros. Sob todas as circunstâncias, exceto as mais anormais, a fraternidade implica diferença de idade e, conseqüentemente, todo tipo de outras diferenças: em vigor, em inteligência, em capacidade.

Fraternidade quer dizer comunhão de interesse, mas não comunhão de interesses. Se uma família é rica, todos os seus membros beneficiam-se; se é pobre todos sofrem. Existe, assim, um interesse comum. Todavia, os interesses individuais dos irmãos podem ser, e por muitos anos têm de ser, absolutamente diferentes. Quais os interesses comuns entre um garoto de catorze anos e seu irmão de seis? Cada um vive sua própria vida entre amigos de sua idade, com os quais tem muito mais em comum do que com o irmão. Que interesse têm para o irmão mais velho de vinte e cinco anos, que luta por seu caminho na vida, todas as ansiedades e recompensas da vida escolar que preenchem o horizonte do segundo irmão?

Assim, não devemos imaginar que, pelo fato de serem irmãos, os homens devam interessar-se pelas mesmas coisas ou ter os mesmos sentimentos. Isso não seria desejável — mesmo que fosse possível — pois seus deveres diferem de acordo com a idade. Todos devemos lutar para cumprir com nosso dever nas circunstâncias da vida em que Deus nos colocou, segundo o catecismo da Igreja, e este é o maior dos impulsos à evolução da família humana. Isso não quer dizer que o homem deva permanecer no mesmo ponto em que seu *karma* o colocou ao nascer. Se — com honestidade e sem prejudicar ninguém — puder criar um *karma* que o leve para cima e para frente, tem liberdade total para fazê-lo. No entanto, deve cumprir sempre as obrigações do estágio em que se encontra. A criança cresce e seus deveres adaptam-se à sua idade; ela não tem de cumprir as obrigações de algum irmão mais velho. Cada idade tem seus deveres — o mais jovem deve aprender a servir, e o mais velho a orientar e proteger, mas todos devem igualmente ser prestativos e afetuosos, tentando realizar o ideal da grande família da humanidade. A melhor ajuda que cada um pode dar a seus irmãos é tentar cumprir com seu dever dentro da família, sem interferir na vida dos outros.

Na Sociedade Teosófica, a fraternidade deve ser algo bem real. É importante que reconheçamos e realizemos uma amizade muito próxima, um verdadeiro sentimento de unidade, de aproximação. Para isso os membros devem esquecer seus próprios sentimentos pessoais e pensar primeiro nos interesses dos outros. O coração da Sociedade Teosófica está criando para si um corpo no plano búdico, um canal através do qual os Grandes Seres possam agir. O aperfeiçoamento desse canal depende da atitude de membros valorosos e devotados. Ele ainda está bastante imperfeito, por causa da tendência que leva cada membro a pensar muito em si mesmo e pouco no bem-estar do todo. As pedras do muro devem estar todas nos seus devidos lugares; se alguma estiver deslocada ou fora de posição, o muro ficará grosseiro e imperfeito. Somos apenas uma pequena parte de um vasto esquema, uma roda, por assim dizer, de uma máquina. Temos o dever de nos adaptar à nossa pequena parte e, se o fizermos, ainda que não alcancemos uma posição de liderança no mundo, o pouco que conseguirmos será duradouro e bem feito, preenchendo honrosamente seu lugar no todo maior.

Todos vocês sabem que, dentro de setecentos anos, nossos dois Mestres começarão a fundar a sexta raça-raiz e que, mesmo hoje, já procuram por assistentes adequados a esse trabalho. Contudo há algo bem mais próximo para ser feito — um trabalho que proporcionará um treinamento excelente para o desenvolvimento das qualidades necessárias ao trabalho maior: o desenvolvimento da sexta sub-raça da cultura ariana, que está começando a ser formada na América do Norte. A preparação para esse trabalho já mostra alguns sinais, como a união de diversos povos, e nós também temos nossa parte a fazer. Os pais sabem que uma criança deve ser cercada de boas influências nos seus primeiros anos e o mesmo vale para a infância de uma raça. Se conseguirmos que uma raça jovem adote linhas corretas de desenvolvimento, muito será ganho, e se quisermos, poderemos ser de grande ajuda nesse período crítico da história.

A união dos vários ramos de nossa quinta sub-raça, a teutônica, faz parte do esquema a ser cumprido a curto prazo. Muitos de nós pertencem a ela: os países da colonização inglesa, os americanos, os escandinavos, holandeses e alemães, muitos franceses e italianos como, por exemplo, os normandos, que são descendentes dos noruegueses, e também os habitantes dos países do sul, que são descendentes dos godos e visigodos. Para impulsionar o trabalho do grande plano, todos devem unir-se em uma simpatia bem mais intensa. Isso já foi alcançado em grande parte na Inglaterra e na América.

Aproxima-se rapidamente o momento em que uma nova religião será lançada; um ensinamento que unificará as outras religiões, que manterá sua pureza por mais tempo e irá apoiar-se em uma base bem mais ampla, se comparado às religiões atuais. Entretanto, antes que isso aconteça, temos de nos livrar do demônio da guerra, que atualmente está sempre pairando sobre nossas cabeças como um enorme espectro, paralisando as melhores mentes de todos os países e impedindo-as de realizarem experimentos sociais, tornando impossível que nossos homens de Estado tentem novos planos e métodos em larga escala. Desse modo, para o desenvolvimento do esquema, é essencial um período de paz mundial. Muitos esforços já foram feitos com essa intenção, mas parece que uma outra maneira terá de ser tentada.

Qual o melhor modo de realizar tudo isso? Fazer com que a paz universal seja do interesse de todas as nações. Lembrem-se de que o comércio sofre durante a guerra. Nós, pertencentes a diversos ramos do povo teutônico, somos as principais nações comerciantes do mundo, e espero que logo compreendamos que a união de todas as nações e a busca da paz são do nosso interesse. Esse motivo não é muito elevado, pois não passa de interesse próprio, mas, mesmo assim, quando o amor impessoal pela humanidade motivar nossos governantes e estadistas a desejarem a unidade, esse motivo inferior pode ajudá-los a colocar na mesma posição seus compatriotas menos desenvolvidos, fazendo-os apoiar qualquer ação que tenha esse objetivo.

Cada povo tem suas próprias peculiaridades, assim como cada indivíduo. Se quisermos cooperar no grande trabalho, temos de aprender a ser tolerantes, a reconhecê-las e entendê-las, não desprezando nem permitindo que nos irritem. O que podemos fazer então para prestar uma ajuda efetiva a essas grandes questões nacionais? Pelo menos uma atitude: se, na nossa presença, alguém desprezar ou tratar com grosseria alguma outra nação, podemos sempre fazer considerações em favor do outro lado e dizer algo amável. Pode ser que nem sempre consigamos contradizer as afirmações negativas feitas, mas ao menos podemos acrescentar algo de bom.

Talvez sejamos poucos; contudo, se no espaço de um ano, cada um encontrar outros mil, no mínimo seremos um centro ajudando nossa própria nação a ver o bem nos outros; um pequeno centro, é verdade, mas capaz de suavizar o caminho e facilitar a união. Muitas pessoas têm preconceitos contra as peculiaridades de outras nações, e nós devemos ter cuidado para não fazer o mesmo; devemos, sim, estimular sentimentos de amizade. Não devemos desanimar quando pensamos no pouco que podemos fazer; lembrem-se de que todo esforço, por menor que seja, é aproveitado por aqueles que trabalham do outro lado. O esquema de trabalho será cumprido, sem dúvida alguma, quer aproveitemos ou não o privilégio que nos é oferecido de participar nele, porém, nem por isso vamos deixar de fazer o melhor que pudermos.

A realização do esquema não utiliza só as boas pessoas. A Grande Fraternidade utiliza todo tipo de forças para impulsionar o trabalho. Até mesmo os mais egoístas e fracassados. Como Southey escreveu no *Thalaba*: "Cegamente o perverso cumpre a vontade correta do céu", e "Todas as coisas trabalham conjuntamente para o bem daqueles que amam a Deus". Isso se refere ao *karma* pessoal e vale também para esquemas maiores e mais amplos. Por exemplo: o fanatismo da Igreja Cristã é algo ruim, todavia, não deixa de ter seu valor, pois ajudou a fortalecer a fé; os ignorantes não conseguem acreditar com firmeza sem fanatismo. A busca de vantagens pessoais nas relações comerciais também é ruim, mas tem um certo poder que pode ser aproveitado, porque fortalece a vontade e a concentração, qualidades que podem ser melhor utilizadas em uma vida futura.

Todos nós temos a oportunidade de participar desse esquema, de cooperar pelo lado do bem. Se não aproveitarmos a oportunidade oferecida, outro o fará, ou então outro ainda, mas em qualquer caso o trabalho será realizado.

Não devemos temer nem por um momento que o trabalho venha a sofrer por causa da deserção de alguém. Só podemos lamentar que pessoas estejam assim perdendo suas oportunidades, trabalhando contra seus próprios interesses, por ignorância e falta de visão. No entanto, lembrem-se de que essa insensatez é temporária, e algum dia estas pessoas despertarão para a verdade, se não nessa vida, então em alguma outra. Enquanto isso, tudo está bem internamente, e a Grande Obra continua adiante.

A evolução do mundo, afinal de contas, é igual a qualquer outro grande empreendimento. Vamos imaginar a construção de uma ferrovia, por exemplo. Para a companhia ferroviária ou para os futuros passageiros não importa qual trabalhador assentou determinado trilho ou parafuso, desde que tenha sido bem feito, e o inspetor irá certificar-se disso. Entretanto, importa muito para o trabalhador, pois ele receberá seu pagamento. O supervisor lamenta quando algum trabalhador deixa de trabalhar por bebedeira ou por um momento de raiva e desequilíbrio e coloca outro para substituí-lo, pensando: "não importa, amanhã ele volta". Muitas pessoas deixam o trabalho dessa maneira, numa explosão de raiva e prepotência, mas retornarão. A questão não é se o trabalho será feito — os Mestres cuidarão disso em qualquer situação — mas, sim, quem aproveitará a oportunidade de fazê-lo.

Muitas pessoas lutam cruelmente contra o que está correto, demonstrando que ainda não estão prontas para esse teste, pois não alcançaram o estágio do total esquecimento de si mesmas no trabalho. Suas personalidades ainda estão exaltadas e, por isso, ofendem-se e desequilibram-se diante de algum fato novo. Isso é triste, mas é temporário. Perderam uma boa oportunidade nessa vida, porque não estavam ainda fortes o bastante, mas muitas vidas virão. Enquanto isso outros tomarão seus lugares. Nunca se esqueçam de que a única coisa que importa é que o trabalho dos Mestres seja feito. Que, pelo menos, nós estejamos entre aqueles que o fazem — mesmo que existam muitos que não possam ver a realidade com clareza suficiente para ajudar-nos.

Para estarmos à altura da nossa oportunidade, temos de aparar as nossas arestas e abandonar nossas personalidades complicadas, encorajando os bons sentimentos de todas as formas possíveis. Ao ouvir algo desfavorável a alguém, devemos imediatamente argumentar do ponto de vista do outro, e isto tanto com relação a nações quanto a indivíduos. Compensem o mal falando do bem, não para dar uma falsa impressão, mas para dar a melhor interpretação possível dos fatos. Temos o dever de suavizar o trabalho, neutralizando o atrito. Nosso objetivo é formar um todo unido em uma Sociedade que ajuda a harmonizar o mundo externo. O esquema é estupendo e a oportunidade gloriosa. Será que a aproveitaremos?

Tenham muito cuidado para que a preparação para essa grande obra no futuro não se transforme em desculpa para a negligência das oportunidades menores da vida diária. Recentemente recebi uma carta que serve de exemplo para o que quero dizer. Essa pessoa escreveu dizendo que estava tendo que ensinar em uma Loja Teosófica, mas sentia que era uma grande responsabilidade e que não se julgava capaz, porque seus conhecimentos, no momento, eram imperfeitos. Em resposta disse o seguinte: Não se preocupe, de forma alguma, com sua posição na Loja. Não há dúvida de que ensinar é uma grande responsabilidade, mas também é um grande privilégio. Existem muitas almas famintas, e aqueles que dirigem a evolução foram tão bondosos com você que lhe deram a oportunidade de ser o canal através do qual essas almas podem ser alimentadas. Você tem claros os princípios gerais do ensinamento em sua mente, e o bom senso impedirá que erre muito nos detalhes. Admiro sua honestidade, mas, se colocar esses princípios gerais a seus alunos, é pouco provável que venha a errar.

Todos nós temos essa responsabilidade, e aqueles que escrevem livros e dão palestras sentem-na, mais profundamente do que podeis imaginar. Às vezes alguns amigos dizem-nos que deveríamos alcançar o adeptado antes de escrever qualquer livro, para evitar erros. Só posso dizer que decidimos compartilhar nosso conhecimento imperfeito com nossos irmãos, mesmo tendo ainda muito a aprender, e penso que o resultado justificou nossa decisão. Se tivéssemos esperado até o adeptado, nossos livros seriam realmente perfeitos — e hoje estão longe da perfeição —, mas vocês teriam de esperar mil anos ou mais por eles, e isso faria uma diferença considerável para o trabalho da Sociedade Teosófica em nosso século. Penso que o problema de meu correspondente é exatamente igual: ele começaria a ensinar depois de conhecer todas as coisas, mas o que seria da Loja nesse meio tempo?

Ajudando o Mundo

A concentração ou determinação é uma das primeiras qualificações que precisamos para trilhar o Caminho. Os homens mundanos alcançam o sucesso porque se concentram em um propósito, e podemos aprender com eles o valor da determinação. Nosso objetivo não é tão tangível quanto o deles, por isso temos mais dificuldade para manter um firme propósito mental; entretanto, na Índia, a importância do invisível é compreendida mais facilmente do que no Ocidente. Devemos procurar a companhia dos mais avançados, para quem as realidades do Caminho estão constantemente presentes, e também ler e ouvir com freqüência sobre nosso propósito, enquanto praticamos com firmeza as virtudes sem as quais nunca poderíamos alcançar o conhecimento perfeito.

Nossa época é de pressa e confusão; as pessoas tendem a fazer um pouco de cada coisa, mas nada por inteiro, e ficam pulando de um assunto para outro. Hoje em dia ninguém mais devota a vida a uma obra-prima como se fazia na Europa, na Idade Média e antigamente na Índia.

O ocultismo muda a vida das pessoas de muitas maneiras, principalmente porque lhes dá um propósito. Não estou dizendo com isso que as pessoas passam a negligenciar seus compromissos já assumidos; pelo contrário, a vigilância incessante pelo cumprimento de todos os deveres é a primeira regra. O ocultismo dá às pessoas uma nota chave que ressoa constantemente em seus ouvidos, a qual não esquecem nem por um instante: a assistência a nossos irmãos. Por quê? Porque agora conhecem o plano do *Logos* e tentam cooperar com ele seguindo uma entre muitas linhas de ação.

Para auxiliar com eficiência, precisamos primeiro preparar-nos com um cuidadoso autotreinamento para eliminar as más qualidades e desenvolver as boas. Precisamos também vigiar constantemente para aproveitar todas as oportunidades de prestar auxílio.

Aqueles que são membros de nossa Sociedade podem prestar ao mundo uma assistência especial divulgando as verdades teosóficas. Não temos o direito nem o desejo de impor nossas idéias a ninguém, mas é nosso dever e privilégio dar às pessoas a oportunidade de conhecer uma explicação verdadeira dos problemas da vida. Uma vez que as águas da vida sejam oferecidas, beber ou não é assunto pessoal de cada um, mas pelo menos que ninguém morra sem saber que aquela água existe.

Temos então o dever de espalhar a verdade, e nada deve impedir-nos de fazê-lo. Esse é o trabalho de nossa Sociedade, um dever que compromete cada um de nós. Nossas mentes devem estar preenchidas por ele; devemos constantemente pensar, planejar e aproveitar todas as oportunidades que surgirem. Não devemos considerar-nos desobrigados, porque algum outro membro parece nada fazer; é assunto pessoal dele, mas, se negligenciarmos, estaremos deixando de cumprir com nosso dever. Essa luz gloriosa não veio para iluminar nosso próprio caminho, porém, para que, nós, por nossa vez, sejamos portadores da luz para nossos irmãos sofredores.

A Crítica

Se quisermos progredir no ocultismo, temos de aprender a cuidar de nossa própria vida e deixar que os outros cuidem da sua. Cada um tem suas razões e seus pensamentos, os quais não entendemos. Nossos sucessos ou fracassos interessam apenas ao nosso próprio Mestre. Temos nosso trabalho a cumprir e não devemos distrair-nos. Temos de aprender a caridade e a tolerância e temos de dominar o desejo insensato de sempre procurar falhas nos outros.

O espírito da crítica é um desejo demente que domina a vida moderna. Todo mundo quer interferir com o dever dos outros ao invés de cuidar do seu próprio; todos pensam que podem fazer melhor o trabalho dos outros. Isso acontece na política, religião e vida social. Por exemplo, o governo de um país obviamente tem o dever de governar, e as pessoas, para facilitar o trabalho do governo, devem ser bons cidadãos. Entretanto, hoje em dia, as pessoas estão tão ávidas para ensinar seu governo a governar que, algumas vezes, esquecem seu dever principal: serem bons cidadãos. Os homens não entendem que, se cumprirem com seus deveres, o *karma* cuidará de seus tão reclamados "direitos".

Como esse espírito de crítica tornou-se tão desenfreado e generalizado nesse momento da história mundial? Assim como a maior parte das outras maldades, trata-se do excesso de uma qualidade boa e necessária. Através da evolução, chegamos à quinta sub-raça da quinta raça-raiz. Quero dizer com isso que o espírito dessa raça domina o mundo no momento, e aqueles que pertencem a outras raças são muito influenciados por ela, porque, afinal, é a última que se desenvolveu.

Ora, cada raça tem suas próprias lições para aprender, sua qualidade especial a desenvolver. A qualidade da quinta raça é o que, às vezes, chamamos de *manas* — o intelecto que discrimina, que nota *diferenças* entre as coisas. Quando ele estiver plenamente desenvolvido, as pessoas observarão aquelas diferenças com serenidade, unicamente com o propósito de compreendê-las e escolher qual é a melhor. Mas hoje em dia, nesse estágio de desenvolvimento parcial, muitas pessoas observam as diferenças a partir de seu próprio ponto de vista, *não* para compreendê-las, mas, sim, para se *oporem* a elas, às vezes perseguindo-as com violência. Trata-se da visão de um homem não desenvolvido, ignorante, cheio de intolerância e presunção, absolutamente seguro de que está certo (e talvez esteja até certo ponto) e de que, portanto, todos devem estar inteiramente errados, o que não é verdade. Lembrem-se do que Oliver Cromwell disse a seus conselheiros: "Irmãos, pelo sagrado nome de Cristo, peço que aceitem como algo possível que vocês possam cometer erros, às vezes!"

Nós também precisamos desenvolver a faculdade da crítica, mas não devemos fazer críticas aos outros, e sim a nós mesmos.

Toda questão sempre tem dois lados — geralmente, inclusive, mais de dois. *Kritein* significa julgar, e por isso a crítica é inútil e só pode fazer o mal — se não for absolutamente calma e imparcial. Criticar não significa atacar selvagemente o oponente, e, sim, pesar imparcialmente as razões pró e contra certa opinião ou conduta. Podemos tomar uma decisão, mas *temos* de reconhecer que outra pessoa com um intelecto igual pode enfatizar outro aspecto da questão e, por isso, decidir de outra maneira, e nem por isso deixará de ser tão justa, sábia e honesta quanto nós mesmos. Mas como são poucos os que pensam assim; como são poucos os protestantes fanáticos que realmente acreditam que os católicos são boas pessoas; quão poucos radicais extremados acreditam que um velho nobre conservador pode ser tão bom e sério quanto eles mesmos, e que tenta honestamente cumprir seu dever.

Não precisamos concordar com uma decisão diferente da nossa, mas temos de dar um crédito de boas intenções. Uma das piores características da vida moderna é sua prontidão para acreditar no mal, o hábito que nos faz procurar deliberadamente o pior conceito possível de todas as coisas. E essa atitude certamente se torna a pior de todas quando se refere àqueles que nos ajudaram, a quem devemos agradecer pelo conhecimento ou inspiração recebidos. Lembrem-se das palavras do Mestre: "A ingratidão não é um de nossos vícios". Criticar desenfreadamente aqueles que sabem mais do que nós é sempre um erro; é mais conveniente esperar e deixar que as coisas sigam seu caminho, esperar e ver o que o futuro dirá. Devemos aplicar o teste do tempo e ver as conseqüências: "Por seus frutos vós os conhecereis." Que nossa regra seja sempre pensar o melhor de cada um, fazer o nosso trabalho e deixar que os outros cuidem dos seus assuntos.

O Preconceito

Tenham cuidado com os começos da suspeita; ela deturpa todas as coisas. Tenho visto pequenas suspeitas surgindo entre amigos e logo se tornarem gigantescos desentendimentos. A suspeita inconscientemente nos faz distorcer palavras inofensivas, dando-lhes motivos impróprios ou grosseiros, sem que nosso amigo perceba. O mesmo acontece com opiniões divergentes sobre livros ou religiões; uma pequena diferença de opinião é alimentada com comentários favoráveis até resultar em um ponto de vista absurdamente distorcido. Isso também ocorre com os preconceitos raciais, apesar do fato de que os brancos de hoje já usaram corpos de cor escura e vice-versa, e os hábitos de uns também já foram, ou serão, os hábitos dos outros. Fraternidade significa ausência de preconceitos, e a reencarnação é um fato que nos deve ajudar a superar nossas limitações e falta de caridade.

Nós, estudantes da vida superior, *temos* de elevar-nos acima destes preconceitos. É uma tarefa difícil, porque eles estão enraizados: preconceitos de raça, casta, religião etc., mas eles precisam ser arrancados, porque impedem uma visão clara e uma avaliação correta. Eles se parecem com vidro colorido, vidro barato e imperfeito, porque através deles tudo fica distorcido, e às vezes a distorção é tanta que os objetos se mostram inteiramente diferentes do que são na verdade. Antes de avaliar e discernir *temos* de ver com clareza.

É sempre muito fácil atribuir motivos ou explicações maldosas para os atos de outras pessoas, a quem nós nos permitimos rejeitar. Essa tendência é um impedimento sério na senda do progresso. Temos de romper nossas próprias personalidades, pois só então poderemos perceber a outra pessoa como ela é. O preconceito é um tipo de tremor no corpo mental e, é claro, se alguém tentar ver através daquela parte tremida do corpo não terá uma percepção clara. Na verdade, trata-se de um ponto congestionado no corpo mental, onde a matéria não pulsa nem flui, apodrecendo e estagnando. A cura está no esclarecimento, em um conhecimento mais amplo, pois assim a matéria do corpo mental entra em movimento, os preconceitos dissolvem-se e desaparecem um a um.

Quando Aryasangha disse em *A Voz do Silêncio* que a mente era o assassino do real, era a esse efeito maldoso do preconceito que se referia. Com isso ele quis chamar nossa atenção para o fato de que não vemos os objetos como eles são. Vemos apenas as imagens que formamos deles, necessariamente coloridas por essas formas-pensamento criadas por nós. Observem como duas pessoas preconceituosas relatam histórias totalmente diferentes diante das mesmas circunstâncias e acontecimentos. Isso acontece o tempo todo com todas as pessoas, e não percebemos o quanto distorcemos as coisas absurdamente.

O dever do estudante teosófico é aprender a ver as coisas como elas são, e isso significa controle, vigilância e muito trabalho duro. No Ocidente, por exemplo, as pessoas são muito preconceituosas com assuntos religiosos, pois nascemos em certa religião e aprendemos que todas as outras são superstições. Por isso, nossas idéias são tendenciosas desde a infância, e, mesmo depois que aprendemos um pouco mais sobre as outras religiões e passamos a respeitá-las, fica difícil imaginar como seríamos se tivéssemos nascido nelas. Os hindus dificilmente se imaginam cristãos ou muçulmanos, e, da mesma maneira, um cristão tem a mesma dificuldade para se imaginar budista ou hindu, mesmo sendo praticamente certo que em alguma vida passada todos pertenceram a uma ou outra dessas religiões.

Quanto mais incultas as pessoas, maior a desconfiança que sentem das coisas que desconhecem, às quais não estão acostumadas. Os camponeses, por exemplo, desconfiam instintivamente de todos os estrangeiros. Em muitas áreas rurais inglesas, um francês com certeza será recebido com desconfiança, a não ser que seja muito pobre e necessite de ajuda. Se estiver faminto será alimentado e tratado com piedade, mas se for apenas um lavrador em busca de trabalho receberá críticas e suspeitas. A ignorância é a causa de tudo isso, pois os camponeses não estão acostumados a conhecer estrangeiros.

As pessoas inteligentes que viajam livram-se desse preconceito. Na Sociedade Teosófica, homens de diversas nações estão sendo levados a um relacionamento mais próximo; os indianos estão aprendendo a confiar nos europeus e estes, por sua vez, aprendem que os indianos são iguais a eles. Eu estava trabalhando em Amsterdã durante a guerra dos Boer, e, apesar de naquele momento existir na Holanda um forte sentimento contra a Inglaterra, não havia o menor traço dele entre os teosofistas holandeses. As conferências teosóficas européias são bastante interessantes, porque percebemos sentimentos sinceros e genuínos entre pessoas de países diferentes, verdadeiramente contentes por se verem outra vez e desfrutarem da companhia umas das outras. Se o sentimento de camaradagem existente entre os membros da Sociedade Teosófica pudesse espalhar-se pelos habitantes de todos os países, a guerra iria tornar-se uma impossibilidade ridícula.

Do jeito como as coisas estão hoje, formamos opiniões com poucos fundamentos. Ao conhecer alguém, pode ser que uma palavra ou um gesto trivial feito por ela desperte em nós uma pequena aversão que forma uma barreira entre nós e ela. Pode parecer algo sem importância; entretanto, se não tomarmos cuidado, aquele pequeno preconceito crescerá até tornar-se uma barreira que nos impedirá para sempre de compreender a outra pessoa. Até certo ponto, vemos as pessoas através da forma-pensamento que criamos, e não temos uma percepção correta porque essa forma-pensamento é como um vidro colorido e disforme que obviamente distorce todas as coisas.

Às vezes, mas não muito freqüentemente, criamos um preconceito favorável a alguém, como no caso de uma mãe que não vê mal algum no que seu filho faz, mesmo que este prejudique seriamente os outros. Contra ou a favor de alguém, preconceitos são ilusões mentais que assassinam o real. A melhor maneira de ver as coisas com clareza é começando com determinação a procurar sempre o lado bom de todas as pessoas, pois nossos preconceitos geralmente são negativos, e estamos, infelizmente, inclinados a ver o mal onde ele não existe. Somos diferentes das outras pessoas na cor da pele, na maneira de vestir, nos modos e costumes e nas formas externas da religião, mas tudo isso é apenas o exterior; o homem real por trás e debaixo de todas essas coisas é praticamente igual em todos nós. Além do mais não é tão difícil aprender a ver por baixo da conchas externas nas quais as pessoas se escondem. Elas em geral mostram o pior de si mesmas, pois as faltas principais quase sempre estão na superfície e o ouro verdadeiro bem oculto. Aquele que deseja progredir tem de superar essa tendência de julgar as pessoas pelas suas características superficiais e reconhecer o valor que elas têm.

Lembrem-se de que a oportunidade não pode ser recusada para aquele que permanece do lado do bem, contra o mal, ainda que seja ignorante ou fanático. Os Mestres sempre aproveitam o bem onde quer que apareça, embora na mesma pessoa o mal também exista, e o uso dessa força para o bem auxilia grandemente a pessoa que a gerou. Por exemplo: eles utilizarão até mesmo a força devocional de um assassino fanático, permitindo assim que este faça algum trabalho bom e conseqüentemente possa ser ajudado.

Deveríamos também imitar os Grandes Seres e tentar ver o lado bom de tudo e todos. Não procurem nem enfatizem o mal em ninguém, pelo contrário, destaquem o bem. Sigam em frente com seu trabalho, fazendo o melhor que puderem, e não se preocupem com o trabalho dos outros ou como o estão fazendo. Embora outras pessoas coloquem dificuldades no seu caminho, não se preocupem e passem por cima; elas são seu *karma*, e, além disso, essas coisas externas realmente não importam. Não caiam no erro de pensar que os outros estão tentando atrapalhar suas boas intenções. Todas essas pessoas são em grande parte iguais a vocês mesmos — pensem nisso. Vocês fariam deliberadamente alguma coisa tão perversa assim?

A Curiosidade

Concentrem-se no trabalho; assim não terão tempo para notar as falhas dos outros ou ficar espreitando seus negócios. Se cada um cuidasse da própria vida, o trabalho seria infinitamente mais proveitoso.

Bisbilhotar a vida alheia é com certeza uma doença e origem de muitos males. A pessoa que se intromete nos assuntos alheios não tem a intenção de ajudar, mas simplesmente de satisfazer sua curiosidade sobre alguma coisa que não lhe diz respeito, o que é um sintoma de sua doença. Outro sintoma de sua condição faz com que ela não consiga guardar para si a abominável informação que descobriu e a espalhe para outras pessoas tão idiotas quanto ela. A tagarelice é muito perversa, sem dúvida alguma, e uma das maiores maldades do mundo. Noventa e nove vezes em cada cem tudo não passa de invenção, mas causa um mal enorme.

O dano causado à reputação da pessoa atacada é a menor parte do mal feito. A fofoca e os que são aficionados a ela constroem formas-pensamento de alguma característica maldosa que decidem atribuir à sua vítima, e as arremessam numa corrente incessante. Se a vítima tiver em sua natureza algo que responda a esses esforços malignos, aquela característica maldosa começará a despertar. Em um caso em cada cem, aquela tagarelice maldosa tem algum fundo de verdade; as formas-pensamento intensificarão o mal e acumularão para os fofoqueiros um *karma* terrível por terem desencaminhado um irmão. Os teosofistas devem prestar atenção especial para evitar essas maldades, porque muitos estão tentando desenvolver poderes psíquicos, e, se os usarem para bisbilhotar a vida alheia ou para enviar maus pensamentos aos outros, seu *karma* será terrível.

Só devemos falar alguma coisa se soubermos o que estamos falando, depois de termos certeza absoluta de que resultará em algum bem. Antes de falar devemos nos perguntar: "É verdadeiro? É amável? É útil?" E se não pudermos responder afirmativamente às três perguntas, devemos manter silêncio. Tenho certeza de que, se essa regra fosse seguida, a tagarelice mundial iria reduzir-se em noventa por cento, uma vantagem indescritível que faria o mundo progredir muito mais rapidamente.

Quando compreendemos a unidade subjacente de todas as coisas, tudo o que desejamos é ser úteis e não conseguimos mais manter distância do sofrimento do nosso irmão. Em muitos casos, a ajuda física é impossível, mas podemos dar pelo menos simpatia, compaixão e amor, e esse é nosso dever. Quem compreende a teosofia não consegue mais tornar-se agressivo. O teosofista grosseiro ou áspero está falhando; sua falta de paciência demonstra ausência de compreensão. Compreensão total é perdoar e amar. Cada um tem seu ponto de vista, e o caminho mais curto para uma pessoa não é necessariamente o melhor para outra. Temos o direito de tomar nas próprias mãos nossa evolução, à nossa maneira, e fazer o que quisermos desde que não prejudiquemos ou incomodemos os outros. Enfaticamente: não devemos tentar corrigir as pessoas, temos de cuidar apenas que tudo esteja correto do nosso lado com relação aos outros. Antes de tentarmos colocar outra pessoa no mesmo caminho que seguimos, seria melhor se examinássemos cuidadosamente o *dela,* pois pode ser o melhor para ela. Nunca devemos interferir na vida das outras pessoas, mas temos de estar prontos para ajudar no máximo de nossa capacidade.

Conhece-te a Ti Mesmo

O antigo ditado grego *Gnothi seauton*, conhece-te a ti mesmo, é um excelente conselho. O autoconhecimento é absolutamente necessário a qualquer candidato ao progresso, porém, precisamos tomar muito cuidado para que esse auto-exame não degenere em introspecção mórbida, como freqüentemente acontece com alguns de nossos melhores estudantes. Muitas pessoas preocupam-se, com receio de estarem "recuando" sem saber, como elas dizem. Caso conhecessem um pouco melhor o método da evolução, veriam que ninguém pode recuar quando a corrente toda está movendo-se constantemente para a frente.

A correnteza de um rio forma redemoinhos por trás das pedras, onde a água gira em torno de um ponto e, por um momento, parte dela move-se para trás, mas toda a massa d'água, incluindo os redomoinhos, está sendo arrastada pela correnteza. Assim, aquela água do redemoinho que aparentemente desliza para trás em relação ao resto da corrente está sendo levada para frente junto com toda a água. Até mesmo as pessoas que nada fazem por sua evolução e deixam as coisas seguirem à deriva estão gradualmente evoluindo, pois a força irresistível do *Logos* pressiona-as continuamente para frente, mas se movem tão lentamente que passarão por milhões de anos de encarnações, transtornos e inutilidades para conseguirem dar um simples passo.

O método evolutivo é encantadoramente simples e engenhoso. Todas as características más do homem são vibrações da matéria inferior dos respectivos planos. No corpo astral, por exemplo, egoísmo, raiva, ódio, ciúme, sensualidade e todas as outras características desse tipo invariavelmente se expressam por vibrações na matéria astral inferior; enquanto que amor, devoção, simpatia e outras emoções deste tipo expressam-se somente na matéria dos três subplanos superiores. Esse arranjo traz dois resultados notáveis. Não esqueçam que cada subplano do veículo astral está especialmente relacionado com o subplano correspondente do corpo mental ou, para esclarecer um pouco mais os quatro subplanos inferiores do astral correspondem aos quatro tipos de matéria no corpo mental, enquanto que os três superiores correspondem ao veículo causal.

Percebemos assim que somente as qualidades superiores podem vibrar no corpo causal, pois as vibrações criadas pelas qualidades inferiores não encontram nele matéria capaz de responder a elas. Em conseqüência disso, todas as coisas boas que o homem desenvolve dentro de si ficam permanentemente registradas por alterações no corpo causal, enquanto que as coisas más que faz, pensa e sente não têm possibilidade de tocar o ego real, podendo apenas perturbar e atrapalhar o corpo mental, o qual é renovado a cada nova encarnação. Os átomos permanentes astral e mental guardam o resultado destas maldades, e por isso o homem terá de enfrentá-las repetidas vezes, mas isso é bem diferente de levar maldade para o ego e torná-la realmente parte de si mesmo.

A segunda conseqüência notável do esquema evolutivo é que uma certa quantidade de força dirigida para o bem produz um efeito enormemente maior do que a mesma quantidade de força dirigida para o mal. A energia colocada em alguma qualidade má tem de se expressar através da matéria astral inferior, mais pesada, e, mesmo sendo muito mais sutil do que qualquer objeto físico, comparada com a matéria superior do seu próprio plano, ela é tão grosseira quanto o chumbo comparado com o mais fino éter.

A mesma energia dirigida para o bem expressar-se-á na matéria muito mais fina destes subplanos superiores, produzindo um efeito pelo menos cem vezes maior ou, se compararmos o mais inferior com o mais superior, provavelmente mais de mil vezes maior. Lembrem-se de que, além do que já dissemos sobre o efeito da energia sobre os diversos graus de matéria, o próprio *Logos*, com seu poder irresistível, pressiona constantemente todo o sistema para cima e para frente, e, por mais vagarosa que nos possa parecer, essa progressão cíclica é um fato que não pode ser negado. Assim, o homem que apenas mantém em equilíbrio o bem e o mal, sem se esforçar muito pelo bem, ao reencarnar não retorna para a posição que ocupava antes, e, sim, para a mesma posição "relativa" e por isso até ele faz algum progresso, assumindo uma posição um pouco melhor do que realmente mereceria como resultado do seu pouco esforço.

Com essas considerações, fica claro que, se alguém for suficientemente tolo para querer de fato retroceder, indo contra a corrente, terá de trabalhar árdua e definidamente em favor do mal; ninguém precisa ter medo de "deslizar para trás". Essa é uma das antigas ilusões que permanece desde os tempos da crença no demônio, o qual era tão mais forte que Deus que todas as coisas do mundo trabalhavam a seu favor. A verdade é exatamente o oposto, e tudo que existe em torno do homem foi planejado para ajudá-lo; basta apenas que ele compreenda isso.

Assim, muitas pessoas dedicadas parecem-se com aquela criança que tinha um pequeno jardim e, a todo momento, arrancava suas plantas para ver como as raízes estavam crescendo — e, conseqüentemente, nenhuma crescia. Temos de aprender a não pensar em nós mesmos e nem em nosso progresso pessoal, mas, sim, entrar na senda do desenvolvimento e ir em frente trabalhando pelo bem dos outros o máximo que pudermos, deixando que nosso progresso tome conta de si mesmo. Quanto mais o cientista pensa em si mesmo, menos energia mental ele dedica para os problemas científicos; quanto mais o devoto pensa em si mesmo, menos devoção tem para dedicar a seu objetivo.

Algum auto-exame é necessário, mas é um erro fatal gastar muito tempo com essa atividade, porque seria o mesmo que passar o tempo todo consertando e engraxando a maquinaria. Temos de usar as faculdades que tivermos, e, ao usá-las, outras irão desenvolver-se, e progrediremos de verdade. Por exemplo: ao aprender uma nova língua, não devemos buscar a perfeição nos livros antes de tentar falar; temos de mergulhar nessa tentativa e cometer erros, pois com o esforço aprenderemos, no momento certo, a falar sem erros. Assim, no devido tempo, o que chamamos de renúncia surge fácil e naturalmente. Ao tentarmos viver pela primeira vez a vida superior, renunciamos, sem dúvida, a muitas coisas que são prazeirosas para os outros e que ainda exercem uma forte atração mesmo sobre nós, mas logo descobrimos que a atração desses prazeres sobre nós diminui e que não temos mais tempo ou propensão para as satisfações inferiores.

Acima de tudo, aprendam a não se preocupar. Vivam felizes e façam sempre o melhor possível. Tentem elevar-se e ajudar os outros. O contentamento não é incompatível com as aspirações maiores. O otimismo é justificado pela certeza do triunfo final do bem, apesar de que, se levarmos em conta apenas o plano físico, não é fácil sermos otimistas. Aqui, no físico, nossa atitude depende principalmente do nível em que mantemos habitualmente nossa consciência. Se estiver centralizada no plano físico, perceberemos quase somente a miséria, mas, ao alcançar um nível mais elevado, a alegria interior passa a brilhar através dela. Sei que o Buda disse que a vida é miséria, o que é bastante verdadeiro em geral para a vida manifestada aqui embaixo, mas, mesmo assim, os gregos e egípcios viviam alegremente, encarando a vida inferior do ponto de vista filosófico.

Não temos nada a perder por aproveitar as situações da melhor maneira possível, uma vez que ganhamos muito em felicidade e no poder de fazer os outros felizes. Na medida em que nosso amor e simpatia crescerem, seremos capazes de receber em nós mesmos todas as correntes de emoção e pensamento que vêm dos outros sem que sejamos afetados, pois ficaremos calmos e alegres como o oceano, que recebe as águas de muitos rios, mas permanece sereno.

A vida interna do aspirante não deve estar em contínua oscilação. Nosso humor muda a todo momento, porque somos afetados por todo tipo de influências externas. Podemos encontrar meia dúzia de razões para a nossa depressão, mas nenhuma delas tem real importância. O corpo físico é a causa de muitas dessas indisposições. Uma pequena indigestão, uma congestão moderada da circulação ou um pouco de estresse podem ser responsáveis por muitas condições que *sentimos* como bastante sérias. Com mais freqüência, a depressão é causada pela presença de alguma entidade astral deprimida rondando a pessoa na tentativa de despertar simpatia ou obter um pouco da vitalidade que lhe falta. Precisamos apenas aprender a não dar a menor atenção à depressão, afastando-a de nós como se fosse um pecado e um crime contra nossos irmãos, o que na verdade é. No entanto, de qualquer modo, quer consigamos ou não dispersar suas nuvens, temos de aprender a viver como se ela não existisse.

Nossa mente é nossa, e só devemos permitir a entrada dos pensamentos que nós, como egos, escolhermos. Nosso corpo astral também é só nosso, e só devemos permitir nele as sensações que forem boas para o eu superior. Podemos assim controlar as vibrações da depressão, não permitindo que nos afetem. Não devemos deixar que nos influenciem. Se nos afetarem, não devemos deixar que se instalem. Mas, se apesar de nossos esforços, as vibrações da depressão agarrarem-se a nós, por pouco que seja, então é nosso dever ignorá-las e não deixar que outras pessoas as percebam.

Às vezes as pessoas dizem-me que tiveram momentos de esplêndida inspiração e exaltação, uma alegria e devoção ardentes. Elas não compreenderam que esses são precisamente os momentos em que o eu superior conseguiu influenciar o inferior e que tudo o que sentiram *está lá o tempo todo*, entretanto o eu inferior nem sempre é consciente desta presença. Compreendam, pela razão e pela fé, que essa felicidade existe e será como se a estivessem sentindo, mesmo que no momento o elo esteja imperfeito e que aqui embaixo vocês não a percebam.

Muitas pessoas reconhecem essa verdade apenas abstratamente e dizem que não podem sentir essa felicidade o tempo todo, por causa de seus defeitos e constantes fracassos. A atitude delas, na verdade, parece-se bastante com aquela ladainha: "Tenha piedade de nós, miseráveis pecadores". Ora, somos todos pecadores no sentido de que não cumprimos com nosso dever e, a todo momento, fazemos o que não deveríamos, mas não precisamos agravar a ofensa sendo pecadores *miseráveis*. Uma pessoa miserável é um transtorno público, porque é um centro de infecção espalhando miséria e sofrimento à sua volta, sobre seus desafortunados irmãos; algo que nenhum homem tem o direito de fazer. Quem conseguir se manter razoavelmente feliz nas mesmas circunstâncias, esforçando-se para melhorar, não estará prejudicando os outros.

As pessoas que se julgam vermes miseráveis estão exatamente a caminho de se tornarem vermes miseráveis, pois o homem é o que pensa. Normalmente toda essa conversa não passa de hipocrisia; como podemos ver quando alguém se sente insultado por ser chamado de verme miserável, apesar de ele próprio ter admitido ser um miserável verme quando esteve na igreja. Hipocrisia ou não, trata-se de uma bobagem. Quem compreende a influência do pensamento percebe logo que a pessoa que pensa ser um verme miserável já se privou de qualquer poder para elevar-se daquele estado, enquanto que aquele que acredita firmemente que é uma centelha da vida divina permanece alegre e esperançoso, pois, na essência, o divino sempre é alegria. Gastar tempo com arrependimento é um grande erro; o passado é passado, e nenhuma quantidade de remorso pode desfazê-lo. Como disse um de nossos Mestres certa vez: "O único arrependimento que tem algum valor é a resolução de não fazer a mesma coisa novamente".

Ascetismo

Algumas idéias erradas sobre o ascetismo circulam entre os estudantes de teosofia, e por isso pode valer a pena considerarmos o que ele é na realidade e até onde pode ser útil. Em geral, essa palavra é usada para indicar uma vida de austeridades e mortificações corporais; mas isso está um pouco distante do sentido original da palavra grega *asketes*; o zelo religioso alterou seu significado para a prática das abnegações, que leva ao progresso espiritual segundo a teoria de que a natureza corporal, com suas paixões e desejos, é o quartel do mal inerente ao homem desde a queda de Adão e, por isso, deve ser subjugada através da penitência e do jejum. Nas religiões orientais, encontramos às vezes uma idéia parecida, baseada no conceito de que a matéria é essencialmente má, e, por conseguinte, para alcançar o bem ideal ou escapar das misérias da existência, temos de subjugar ou torturar o corpo.

O estudante de teosofia perceberá de imediato que as duas teorias mostram uma terrível confusão de idéias. Não existe mal inerente ao homem, exceto o que ele mesmo gerou em nascimentos anteriores; e a matéria não é essencialmente má, pois é tão divina quanto o espírito, e, sem ela, toda a manifestação da divindade seria impossível. O corpo e seus desejos não são em si mesmos nem bons, nem maus, mas é verdade que para o progresso verdadeiro eles têm de ser controlados pelo eu superior interno. Torturar o corpo é de pouco valor; governá-lo é necessário. "Os homens que se dedicam a austeridades severas.... ignorantes, torturando os elementos agregados que formam o corpo, e também a Mim, que resido no corpo interno — reconheçam esses como demoníacos por suas resoluções." (*Bhagavad Gita*, XVII 5,6) E também: "A austeridade praticada com o tolo propósito de torturar-se a si mesmo, sob uma compreensão iludida, ...pertence à escuridão." (Ibid, XVII 19).

Parece estar bem difundida a ilusão de que para sermos bons de verdade precisamos estar sempre desconfortáveis, que o desconforto em si agrada diretamente ao *Logos*. Não há nada mais grotesco do que essa idéia, e, pelas citações do

Bhagavad Gita feitas acima, talvez ela seja bem pior, pois o *Gita* diz que aquele que atormenta o corpo tortura também o *Logos* nele residente. Essa teoria, infelizmente bastante comum, é um dos muitos legados que o Calvinismo deixou para nós europeus.

Nossos Mestres, tão acima de nós, estão plenos de bem-aventurança e simpatia e não de sofrimentos. Nós também temos de ter simpatia para com os outros e não devemos nos identificar com seus sofrimentos. Uma pessoa com um grande problema não consegue julgar com clareza, e, para ela, o mundo inteiro parece obscuro, como se ninguém pudesse ser feliz. Quando está alegre, o mundo torna-se brilhante, e a infelicidade parece-lhe impossível. Entretanto entre essas duas situações, não há nenhuma diferença. Nada mudou; nem o mundo, nem a pessoa. Só seu corpo astral modificou-se. O mundo continua como sempre, quer estejamos felizes ou não. Não se identifiquem com o corpo astral, tentem afastar dessa teia de ilusão esses estados de espírito pessoais.

Essa teoria tola do mérito do desconforto sem dúvida baseia-se, em parte, no conhecimento de que para progredir o homem tem de controlar suas paixões e que esse controle é desagradável para a pessoa não desenvolvida. Mas o desconforto está longe de ser meritório; pelo contrário, é um sinal de que a vitória ainda não foi alcançada. Ele surge do fato de que a natureza inferior ainda não foi dominada, e uma luta ainda ocorre. Quando o controle for perfeito, não haverá mais qualquer desejo pelo inferior e, conseqüentemente, nenhuma luta ou desconforto. O homem viverá a vida correta e evitará o inferior, porque é perfeitamente natural que assim o faça e não mais porque pensa que deve fazer o esforço, mesmo que lhe pareça difícil. Assim, o desconforto existe somente em um estágio intermediário e não ele, mas sua ausência é sinal de sucesso.

Outra razão para a pregação do desconforto é uma confusão entre causa e efeito. Tem-se observado que as pessoas realmente avançadas possuem hábitos simples e não dão importância a um grande número de luxos menores, considerados importantes e necessários pelo homem comum. Todavia essa indiferença pelo luxo é efeito e não causa de seu progresso. Elas não se preocupam com esses assuntos porque já os superaram há muito tempo e eles não as atraem mais, não porque os considerem errados. Se procurarmos imitá-los, abstendo-nos de muitas coisas que ainda desejamos, não avançaremos nada com isso. A criança brinca com bonecos e joguinhos; alguns anos depois, ela se torna um garoto e se diverte com críquete e futebol; mais tarde ainda, quando for um jovem, todas essas coisas perdem seu interesse, e ele começa o jogo do amor e da vida. Contudo, a criança que quiser imitar os mais velhos, abandonando os bonecos e joguinhos para tentar jogar críquete, continuará sendo criança e não sairá da infância por causa disso. À medida que crescer, naturalmente deixará de lado as brincadeiras infantis; mas não pode forçar o crescimento meramente afastando-se das brincadeiras e agindo como se fosse mais velha.

O desconforto em si não tem virtude alguma, mas em três situações ele pode fazer parte do progresso. A primeira é quando assumimos certo desconforto com a intenção de ajudar alguém, como, por exemplo, quando um homem cuida de um amigo doente ou trabalha duro para ajudar sua família. A segunda é quando compreendemos que algum hábito nosso está obstruindo nosso progresso, por exemplo: fumar, beber ou comer carne. Se estivermos decididos, abandonaremos o hábito de uma vez, mas o corpo está acostumado a ele, sente sua falta e o exige, causando muito transtorno. Mantendo firme nossa decisão, o corpo adapta-se às novas condições, e o desconforto cessa. No entanto, enquanto lutamos com o corpo, o sofrimento pode ser bem desagradável e deve ser creditado ao *karma* criado pelo hábito que agora estamos abandonando. Passado o sofrimento, o *karma* está resgatado, e a vitória assegurada; um passo a mais na evolução foi dado.

Em alguns casos raros (de pessoas fisicamente muito fracas), pode ser perigoso abandonar um hábito de repente. O vício das drogas é um exemplo. A vítima dos seus horrores em geral precisa diminuir gradualmente a dose, porque a tensão da abstenção súbita pode ser maior do que o corpo físico poderia suportar. Parece que, em certos casos dignos de lástima, o mesmo sistema de diminuição gradual tem de ser usado para o abandono do hábito de comer carne. Segundo os médicos, a digestão da carne ocorre principalmente no estômago, e a maior parte dos vegetais é digerida nos intestinos; por isso, uma pessoa de saúde muito abalada deve dar tempo a seus órgãos para que se ajustem aos novos hábitos alimentares. A forte pressão da vontade, contudo, logo subjugará o corpo e o adaptará à nova situação.

A terceira situação em que o desconforto pode ter utilidade é quando forçamos nosso corpo a fazer algo que o desagrada para nos certificarmos de que obedecerá quando for necessário. Todavia precisamos entender claramente que, mesmo nesse caso, o mérito está na pronta obediência e não no sofrimento corporal. Dessa maneira, aprendemos gradualmente a ser indiferentes a muitas das perturbações menores da vida, evitando muita irritação e preocupação. No treinamento da vontade e da obediência do corpo, devemos escolher apenas as situações vantajosas. Não há dúvida de que o *hatha* iogue desenvolve o poder da vontade quando mantém seu braço levantado acima da cabeça até secar, mas ao mesmo tempo em que ganha um enorme poder da vontade também perde a utilidade do braço. O poder da vontade pode, também, ser desenvolvido por algum esforço que resulte em alguma utilidade permanente ao invés de um estorvo, como por exemplo o controle da irritabilidade, do orgulho, da impaciência ou da sensualidade.

Seria aconselhável que todos os que se sentem atraídos pelo ascetismo prestassem atenção nas palavras sábias do *Bhagavad Gita*:

> *"Pureza, retidão, castidade e não-violência constituem a austeridade do corpo. A linguagem comedida, honesta, verdadeira, agradável e benéfica constitui a austeridade da palavra. Felicidade mental, equilíbrio, silêncio, domínio de si mesmo e pureza de ânimo formam a austeridade da mente. (XVII 14, 15, 16.)*

Notem especialmente que esse último verso descreve a felicidade mental como a primeira característica da austeridade da mente, o primeiro sinal do perfeito autocontrole necessário para quem quer progredir de verdade. Temos a obrigação de ser felizes; depressão, morbidez e melancolia significam sempre fraqueza e fracasso, porque se originam no egoísmo. Quem se preocupa com seus próprios sofrimentos e erros negligencia seu dever para com seus irmãos, torna-se um centro de infecção que espalha melancolia ao invés de alegria; e isso não é o mais grosseiro egoísmo? Aqueles que se interessam pelo ascetismo devem adotar a austeridade mental aconselhada pelas escrituras e esquecer de si mesmos, seus sofrimentos e problemas pessoais em benefício dos outros. Dessa forma, espalhamos sobre nossos companheiros de caminhada a felicidade radiante que emerge do conhecimento maior do teosofista, sempre ajudando os outros a compreender que "*Brahman* é bem-aventurança."

As Pequenas Preocupações

Parece que a tônica da vida moderna são as preocupações desnecessárias. Não são só aqueles que estão fazendo esforços especiais para progredir tornam-se irracionalmente desconfortáveis, mas, na vida comum, esse vício também é freqüente. O corpo astral do homem comum é uma triste visão para o clarividente. A ilustração do corpo astral de um homem desenvolvido, no livro *O Homem Visível e Invisível* (quadro XXIII) mostra que um corpo astral *deveria* ser apenas o reflexo das cores do mental, indicando que o homem só se permite sentir o que sua razão comanda. No entanto, se isso ainda está muito distante do estágio atual da evolução, o quadro X traz uma seleção de cores que representam o corpo astral médio em relativo repouso. Ele apresenta muitas tonalidades que indicam a presença de características indesejáveis que devem ser extirpadas logo que possível. Essa questão já é comentada naquele livro; no momento quero dar atenção a outro ponto.

Eu disse que a ilustração mostra um corpo astral comum, não desenvolvido, em relativo repouso; mas uma das aflições daquilo que chamamos civilização é a quase impossibilidade de algum corpo astral colocar-se em repouso. A matéria do corpo astral tem de estar vibrando continuamente, e cada cor mostrada no desenho indica uma freqüência vibratória diferente, mas há uma certa ordem e limite. O homem mais desenvolvido possui cinco faixas vibratórias, porém o homem comum mostra pelo menos nove faixas além de uma mistura de sombras cambiantes. Este caso não é tão bom quanto o outro, contudo a maioria dos ocidentais está ainda bem pior do que isso. Nove faixas de vibração simultâneas já é bastante ruim, mas o corpo astral de muitas pessoas mostra, com facilidade, cinqüenta ou até mesmo cem. Ele deveria estar dividido em algumas poucas áreas razoavelmente definidas, cada uma oscilando em sua taxa normal; no entanto, ao invés disso, sua superfície mostra múltiplos redemoinhos e correntes cruzando-se, lutando umas contra as outras na mais louca confusão.

Isso tudo é conseqüência das pequenas emoções e preocupações desnecessárias, e o ocidental comum não passa de um amontoado delas. Ele se preocupa com uma coisa, incomoda-se com outra, fica com medo de uma terceira e assim por diante, preenchendo a vida inteira com pequenas emoções mesquinhas que dissipam sua força. Uma emoção realmente grande, seja boa, seja má, varre o corpo astral por inteiro, fazendo-o vibrar no momento numa freqüência só; mas as pequenas preocupações criam vórtices ou centros de perturbação local que persistem por bastante tempo.

O corpo astral que vibra com cinqüenta freqüências diferentes ao mesmo tempo é algo lamentável e um transtorno para seus vizinhos. Não se trata apenas de algo muito feio, é também um aborrecimento muito sério. Pode ser comparado a um corpo físico acometido de espasmos, com seus músculos contraindo-se simultaneamente em direções diferentes. Para tornar essa comparação mais adequada, deveríamos presumir que os espasmos são contagiosos ou que as outras pessoas sentem uma tendência irresistível para reproduzir seus resultados desagradáveis. Essa confusão horrível causa um efeito desagradável e perturbador em todas as pessoas que se aproximam, infectando seus corpos astrais e passando-lhes uma sensação dolorosa de mal-estar e preocupação.

Poucos desenvolveram as faculdades que permitem ver essa influência maléfica em ação; um número um pouco maior de pessoas consegue perceber vagamente o desconforto provocado pela proximidade de uma pessoa nessas condições, mas é provável que a maioria não sinta nada definitivo, apesar de mais tarde perguntarem por que estão inexplicavelmente fatigadas. Foram afetadas, e o mal foi feito, quer o percebam imediatamente ou não.

Uma pessoa tola o bastante para se deixar viver numa condição destas prejudica muitas outras, mas acima de tudo a si mesma. Essa constante perturbação astral reage, através do etérico, sobre o veículo físico denso, causando diversas doenças nervosas. As emoções e preocupações desnecessárias causam diretamente numerosos problemas nervosos, os quais desapareceriam se o paciente aquietasse seus veículos e mantivesse sua alma em paz.

Mesmo que o corpo físico denso seja forte o bastante para resistir a essa constante irritação astral, em seu próprio plano, os efeitos não são menos desastrosos. Para o corpo astral, aqueles pequenos centros de inflamação que o recobrem são o mesmo que bolhas para o corpo físico. Além de causarem um forte desconforto, essas feridas provocam terríveis dores ao menor toque, são pontos fracos por onde a vitalidade se esvai ou por onde se inicia um envenenamento externo. Uma pessoa com o corpo astral assim perturbado praticamente não oferece resistência alguma às influências malignas que possa encontrar e também não aproveita as boas. Seu vigor esvai-se por essas feridas abertas ao mesmo tempo que diversas influências causadoras de doenças aproveitam para entrar. Nessas condições, a pessoa não está usando nem controlando seu corpo astral, pois permite que se divida em diversos centros e é dominada por eles. Suas pequenas preocupações e irritações fixam-se e fortalecem seu domínio até se tornarem uma legião de "demônios" possuindo-a, e não consegue escapar deles.

Essa situação é tristemente comum. Como evitá-la ou, se *já existir*, como escapar dela? A resposta é a mesma para as duas perguntas: aprendendo a não se preocupar, a não se aborrecer ou a não sentir medo. Que cada um medite sobre a falta de importância de todos esses pequenos assuntos pessoais que aparecem em tão grande número em seu horizonte, sobre a aparência que terão quando relembrados daqui a vinte anos ou na próxima vida, e guarde no fundo do coração aquelas palavras de sabedoria que dizem que, de todas as coisas externas que acontecem a um homem, "nada tem muita importância e a maioria não tem importância alguma." O que fazemos, dizemos ou pensamos é importante para nós, porque forma nosso futuro; o que outras pessoas fazem, dizem ou pensam não tem qualquer importância. Que cada um se afaste de todas essas alfinetadas da vida diária e simplesmente se recuse a se preocupar com elas.

No começo, precisamos de uma decisão firme, pois é necessário algum esforço para se vencer um mau hábito já estabelecido. Nossa mente resmungará repetidas vezes: "A Sra. Jones falou mal de mim e pode estar falando nesse momento, talvez outras pessoas acreditem nela e pode ser que isso me prejudique", e assim por diante *ad infinitum*. Mas devemos afirmar: "Não me importo com o que a Sra. Jones disse, lamento que essa pobre mulher esteja criando um *karma* tão ruim. Recuso-me a pensar nela ou nesse assunto, pois tenho um trabalho a fazer e não tenho tempo para pensar em tagarelices tolas."

Pode ser também que pressentimentos ruins com freqüência se introduzam em nosso cérebro: "No ano que vem talvez eu perca meu emprego, acho que vou à falência, vou passar fome e perder a estima de alguns amigos." Devemos enfrentar tudo isso com firmeza: "Talvez essas coisas aconteçam, mas também pode ser que não, e não tem sentido tentar atravessar uma ponte antes de chegar até ela. Tomarei todas as precauções sensatas e, depois disso, não pensarei mais no assunto. A preocupação não pode mudar o que está para acontecer, mas pode, com certeza, deixar-me despreparado para enfrentar o que virá. Por isso, recuso-me a preocupar-me e viro as costas em definitivo para esse assunto."

Ficar ofendido com alguma coisa que alguém disse ou fez é uma tolice, um tipo de preocupação muito comum que leva a sérias conseqüências. O bom senso normalmente não deixaria as pessoas caírem nesse erro, mas são poucos os que o evitam. Precisamos apenas pensar com calma para entender que o que a outra pessoa disse ou fez não faz qualquer diferença para nós. Se ela disse algo que ofendeu nossos sentimentos, podemos ter certeza de que, de nove casos em dez, ela não teve a intenção de ofender; por que então nos perturbarmos com isso? Mesmo nos raros casos em que alguém diz algo propositalmente para machucarnos, com intenção de ser grosseiro e malvado, ainda assim é bastante tolo da nossa parte sentirmo-nos ofendidos. Se a pessoa tenta ofender-nos fazendo comentários mal-intencionados, devemos sentir pena dela, pois sabemos que, sob a lei de justiça divina, ela certamente sofrerá por sua tolice. Seus comentários não precisam afetar-nos de forma alguma, porque, se pensarmos bem, eles não produziram qualquer efeito palpável.

As palavras provocativas não nos afetam, exceto até onde permitirmos que ofendam nossos sentimentos, injuriando-nos. Afinal, o que são as palavras, e por que permitir que perturbem nossa tranqüilidade? Não passam de vibrações na atmosfera e, se não tivéssemos ouvido, diretamente ou através de outrem, teriam nos afetado? É óbvio então que não são as palavras que nos machucam, e, sim, o fato de as ouvirmos. Assim, se dermos importância ao que outra pessoa disser, nós seremos os responsáveis pela perturbação criada em nosso corpo astral e não ela.

Ninguém pode fazer nada que possa ofender-nos; se nos sentirmos ofendidos ou injuriados, devemos agradecer por isso a nós mesmos, pois seremos os únicos responsáveis pela perturbação. Se nosso corpo astral perturba-se em função do que outras pessoas dizem é porque ainda não temos controle sobre ele, ainda não desenvolvemos a calma que nos permite ver as coisas como *almas,* acima de tudo isso, e seguir em frente com nosso trabalho sem dar a menor atenção ao falatório tolo e malicioso. Trata-se de simples bom senso, mas nem uma pessoa em cem o reconhece.

A verdade é que o estudante de ocultismo não pode ter sentimentos pessoais que possam ser ofendidos, quaisquer que sejam as circunstâncias. Se os tiver, ainda estará pensando em si mesmo, e para podermos pensar no bem dos outros, temos de esquecer de nós mesmos. Nada pode nos ofender se tivermos resolvido que não seremos ofendidos, se estivermos pensando unicamente em ajudar os outros e não em nós mesmos.

Outra variação dessa doença é menos pessoal e, portanto, muito menos censurável, mas nem por isso deixa de ser prejudicial ao progresso. Trata-se do hábito que faz as pessoas se incomodarem com ninharias e coisas sem importância, no trabalho ou nos assuntos domésticos. É um hábito que evidencia falta de perspectiva e de discernimento. Em casa e no trabalho, as coisas devem estar em ordem, devem ser feitas na hora certa e com precisão; mas, para isso, devemos estabelecer um ideal elevado e pressionar as coisas com tranqüilidade em sua direção e não ficar irritando a todos com uma preocupação inútil e incessante. O desafortunado que tiver um temperamento desses deve lutar com determinação até dominá-lo, pois se trata de uma força a favor do atrito e não da paz, tendo assim pouco uso no mundo. Seus sintomas diferem um pouco do caso das preocupações mais pessoais; apresenta menos vórtices malignos, mas um tremor contínuo, um desconforto por todo o corpo astral que inquieta também os outros, sabotando a felicidade e o progresso deles e da própria pessoa.

Temos de aprender a dominar a mente e os sentimentos, rejeitando com firmeza todo pensamento ou emoção que nosso eu superior desaprove. Um caos de emoções insignificantes é indigno de um ser racional. O homem, centelha do Divino, rebaixa-se ao último grau ao permitir que o elemental do desejo — algo que ainda não é nem mesmo um mineral — o influencie e o domine.

Já mencionei que essa desastrosa confusão astral prejudica com freqüência a saúde física, mas, para o progresso na senda, ela é muito pior, é fatal. Uma das primeiras grandes lições deste caminho ensina-nos o autocontrole perfeito; e a ausência completa de preocupações é um longo estágio da preparação para o autocontrole. No começo, a matéria do corpo astral ainda se agitará, formando vórtices desnecessários, simplesmente pelo hábito, mas, toda vez que isso acontecer, deveremos eliminá-los com firmeza e restaurar a suave oscilação dos sentimentos que nós, como egos, de fato desejamos sentir.

Devemos preencher-nos tão intensamente com o amor divino, que este emane de nós em todas as direções na forma de amor por nossos companheiros, e deste modo, não haverá lugar para vibrações desnecessárias. Não teremos tempo para nos preocupar com assuntos pessoais, levianos, se toda a nossa vida estiver a serviço do *Logos*, tentando ajudar a evolução mundial. Para trabalhar e progredir de verdade, temos de nos afastar do inferior e alcançar o superior; temos de sair do *nosso* mundo para o d'Eles, da inquietação para a paz que ultrapassa o entendimento.

A Destruição do Desejo

A todo momento dizem-nos que temos de matar o desejo, porém, precisamos lembrar que este é um processo gradual. A palavra sânscrita *kama* abrange desejos inferiores e grosseiros que têm de ser eliminados totalmente antes de se alcançar algum progresso, mas, de acordo com o sentido da palavra nas línguas ocidentais, todos nós temos desejos e provavelmente os teremos ainda por um longo tempo. Por exemplo: desejamos ardentemente servir aos Mestres, seus discípulos, e ajudar a humanidade. Esses também são desejos, mas não devem ser eliminados. Precisamos matar o inferior e buscar o superior, isto é, purificar nossos desejos e transmutá-los em aspirações.

Outra transmutação ocorrerá mais tarde. Hoje desejamos progredir, mas chegará um tempo em que teremos tanta certeza do progresso que deixaremos de desejar, porque saberemos que ele é constante, que progredimos tão rápido quanto nos é possível e que o motor é nossa intenção. O desejo transmuta-se então em resolução, e o arrependimento deixa de existir, pois fazemos sempre o melhor, sabemos que o melhor retorna sempre. Algumas pessoas desejam seriamente ter essa ou aquela qualidade; não gastemos nosso tempo desejando e ansiando, mas sim, *querendo pela vontade*.

Também nos dizem que devemos assassinar a "forma lunar", isto é, o corpo astral. Isso não significa que o corpo astral tenha que ser destruído ou que tenhamos de viver sem emoções ou sentimentos. Se fosse assim, não teríamos simpatia pelos outros nem compreensão. O que se quer dizer é que temos de mantê-lo completamente sob controle, que possamos matar a "forma lunar" à vontade. A pureza é necessária, mas ela não significa somente a abstinência de determinados erros. Inclui, também, o altruísmo absoluto. A ambição, por exemplo, é uma forma muito comum de desejo, que sempre traz consigo um pensamento do eu. O adepto não pode ser ambicioso. Sua vontade está unida com a vontade do *Logos*, e ele quer a evolução. Somos todos parte do *Logos*; e nossas vontades fazem parte da vontade do *Logos*. É só quando não compreendemos isso que estabelecemos desejos em nossas linhas próprias e separadas.

O Senhor Buda resumiu de maneira esplêndida as regras que devem orientar nossas vidas:

Sabbapapassa akaranam
Kusalassa upasampada
Sachitta pariyo dapanam
Etam Buddhana sasanam.

Cessa de fazer todo mal;
Aprende a fazer o bem;
Purifica teu próprio coração;
Essa é a religião dos Budas.

O Centro de Meu Círculo

De todos os muitos obstáculos no caminho do aspirante que deseja entrar na Senda, o mais sério, porque é o de maior alcance e o mais fundamental, é o egocentrismo. Não estou me referindo ao egoísmo grosseiro e repulsivo que tudo quer para si, mesmo que à custa dos outros. Estou supondo, é claro, que esse tipo de egoísmo já foi descartado há muito tempo. Todavia resta esse outro mal, tão sutil e profundo, que as pessoas nem mesmo o reconhecem, na verdade nem mesmo estão conscientes de sua existência. Se nos examinarmos com honestidade e imparcialidade, descobriremos que todos os nossos pensamentos são egocêntricos. Pensamos nas pessoas e nas coisas sempre em relação a nós próprios; em nossos dramas imaginários sempre ocupamos um papel proeminente, e todas as vezes colocamo-nos no centro de nosso pequeno palco. De outra forma, sentimo-nos feridos, aborrecidos, furiosos e ciumentos porque outra pessoa no momento atrai a atenção daqueles que deveriam estar reverenciando *nosso* santuário. Mudar uma característica tão fundamental significa para nós mudar a origem de todas as coisas e nos tornarmos pessoas totalmente diferentes. Muitos não podem, nem por um momento, encarar a possibilidade de uma mudança tão radical porque nem mesmo sabem que essa condição existe.

Uma atitude dessas é absolutamente fatal para qualquer progresso e, por isso, tem de ser mudada; contudo poucos tentam fazê-lo. Há apenas um caminho que leva para fora desse círculo vicioso: o caminho do amor. Na vida do homem comum, o amor é o único fator que muda aquela condição, agarrando-o com firmeza e alterando suas atitudes. Por algum tempo pelo menos, quando ele se apaixona, alguma outra pessoa ocupa o centro de seu círculo, e ele pensa em tudo no mundo em relação a ela e não em relação a si mesmo. Para o resto do mundo, a "divindade" que ele venera parece ser apenas uma pessoa comum, mas, para ele, temporariamente, ela é a encarnação da graça e da beleza; nela ele percebe a divindade que, na verdade, já lhe pertence porque jaz latente em todos nós, embora normalmente não a vejamos. Depois de algum tempo, em muitos casos, o entusiasmo diminui e é transferido para outro objeto, contudo, durante aquele tempo, o egocentrismo cessou, e ele desfrutou de uma perspectiva bem mais ampla.

O que o homem comum faz inconscientemente, o estudante de ocultismo tem de fazer conscientemente. Ele, de modo deliberado, tem de destronar-se do centro do círculo de sua vida e entronizar o Mestre neste lugar. Estamos habituados a pensar instintivamente em como as coisas nos afetarão, o que podemos fazer com elas para nosso proveito e prazer. Em vez disso, temos de aprender a pensar em como *cada coisa* afetará o Mestre. Como o Mestre vive apenas para ajudar a evolução da humanidade, temos, conseqüentemente, de considerar todas as coisas do ponto de vista de sua utilidade ou não para a evolução.

No início, precisamos de atenção e esforço, mas, com perseverança, o processo torna-se inconsciente, tal qual era antes, quando de maneira instintiva dispúnhamos todas as coisas à nossa volta. Segundo as palavras de um Mestre, devemos esquecer totalmente de nós mesmos para lembrarmo-nos somente do bem dos outros.

No entanto, mesmo depois de termo-nos destronado e entronizado em nosso lugar o trabalho a fazer, precisamos ter muito cuidado para não nos enganarmos, para não retornarmos ao velho egocentrismo em uma forma mais sutil. Conheci muitos trabalhadores teosóficos valorosos que caíram nesse erro; identificaram o trabalho teosófico consigo mesmos e passaram a ver como inimigos da teosofia todos os que não concordavam com suas idéias e métodos. Esse trabalhador pensa que seu caminho é o único, que aquele que tiver opiniões divergentes é um traidor da causa. Isso significa que o eu retornou habilmente para seu antigo lugar, no centro do círculo, e que temos de recomeçar o trabalho para expulsá-lo novamente. O único poder que o discípulo deve desejar é aquele que o faz parecer nada aos olhos dos homens. Ele pode até realizar um bom trabalho quando está no centro de seu círculo, mas sempre com o sentimento de que *ele* o está fazendo; no entanto, quando o Mestre passa a ocupar o centro de seu círculo, ele trabalhará simplesmente para que o trabalho seja feito. O trabalho é feito pelo trabalho, e não para benefício de quem trabalha. Ele precisa aprender a ver seu trabalho como se fosse de alguma outra pessoa e o trabalho dos outros como se fosse seu. O que importa é que o trabalho seja feito, pouco importa quem o fez. Assim, o discípulo não deve ser preconceituoso em favor de seu próprio trabalho ou indevidamente crítico para com o dos outros, nem se autodepreciar hipocritamente para que outros o elogiem. Nas palavras de Ruskin, ao falar sobre a arte, o discípulo deve poder dizer com serenidade: "Quer seja meu, seu ou de quem quer que seja, isto está bom".

Existe também um outro perigo, específico do trabalhador da Sociedade Teosófica: o perigo de congratularmo-nos cedo demais por sermos diferentes do resto do mundo. O ensinamento teosófico dá uma nova aparência a todas as coisas e, assim, naturalmente sentimos que nossas atitudes são bem diferentes da maioria das outras pessoas. Não há mal algum nisso, é uma constatação óbvia; mas percebi que alguns de nossos membros orgulham-se disso. Não somos melhores do que os outros! As outras pessoas desenvolveram-se em outras direções e podem estar bem à nossa frente, mesmo que em nossa direção de desenvolvimento falte a elas coisas que já temos. Lembrem-se de que o adepto é um homem perfeito plenamente desenvolvido em *todas* as direções possíveis, e, dessa forma, ao mesmo tempo que temos algo a ensinar aos outros, temos também muito a aprender com eles, e seria o cúmulo da tolice desprezar alguém que ainda não tenha conhecimentos teosóficos, ou nem mesmo as qualidades que lhe permitam apreciar estes conhecimentos. Portanto, também nesse sentido, temos de tomar cuidado para não sermos o centro de nosso próprio círculo.

Para evitar que nosso eu recue de novo para o centro, será útil lembrarmo-nos do que já expliquei sobre o ponto de vista oculto dos planetas, suas órbitas e influências, simbolizando nossa atitude ideal. Lembre-se de que cada planeta é o foco menor de uma elipse, estando o foco maior dentro do corpo do Sol. Somos como esses focos menores, estamos seguindo nosso próprio curso e fazendo o trabalho que nos foi designado, mas não passamos de um reflexo do foco maior. Nossa consciência está centrada no Sol porque o Mestre do qual fazemos parte é membro da Grande Hierarquia que realiza o trabalho do *Logos*.

Enquanto formos o centro de nosso próprio círculo, estaremos erroneamente pensando que somos também o centro de qualquer outra pessoa. Dessa forma, supomos que tudo o que os outros dizem ou fazem, de algum modo, refere-se a nós, e isso acaba tornando-se uma obsessão, pois não percebemos que, via de regra, as pessoas estão tratando dos seus próprios assuntos, sem se preocuparem conosco de forma alguma. Desse modo criamos para nós mesmos muito transtorno e preocupações desnecessárias, que poderiam ser evitados se percebêssemos as coisas com uma perspectiva sadia e racional. Nessa situação, estamos sujeitos também à depressão, porque ela só atinge aquele que pensa em si mesmo. Se o Mestre for o centro de nosso círculo e todas as nossas energias estiverem dirigidas para servi-lo, não teremos tempo para a depressão e nem a menor inclinação para ela. Ansiosamente desejamos o trabalho que pudermos fazer. Nossa atitude deve ser a que foi indicada pela Sra. Besant em sua autobiografia: diante de algum trabalho a ser feito, não devemos dizer o que normalmente as pessoas dizem: "Sim, seria uma boa coisa e alguém deveria fazê-lo. Mas por que eu?"; em vez disso, deveríamos dizer: "Alguém tem de fazer isso. Por que não eu?"

À medida que nos desenvolvermos, nosso círculo aumentará até se tornar infinito, e então, num certo sentido, seremos novamente seu centro, porque nos teremos identificado com o *Logos*, que é o centro de todos os círculos possíveis, pois todos os pontos são igualmente centros de um círculo de raio infinito.

Nosso Dever Para com os Animais

Ao mesmo tempo que tentamos fazer o melhor por todos à nossa volta, não podemos esquecer que também temos um dever para com as formas de vida inferiores à humana. Para isso, precisamos tentar entender nossos irmãos menores, os animais, tal como fazemos, em um nível mais elevado, com nossas crianças. Assim como aprendemos a ver as coisas do ponto de vista da criança se quisermos ajudá-la, precisamos tentar perceber o ponto de vista dos animais se também quisermos ajudar a evolução animal. Em todas as situações e com todas as formas de vida nosso dever sempre é amar e ajudar, buscando aproximar-nos da idade de ouro em que compreenderemos uns aos outros e todos cooperaremos no trabalho glorioso que está por vir.

Não há razão para que nossos animais domésticos não sejam treinados para ajudar o homem, trabalhando para ele, desde que o trabalho não seja excessivo ou penoso. Devem ser treinados do modo que traga mais benefícios para eles mesmos, isto é, não podemos esquecer que o propósito da vontade divina é sua evolução. Assim, devemos ensinar aos animais tudo o que pudermos, porque isso desenvolve sua inteligência, mas com o cuidado de só desenvolver neles as boas qualidades e não as más. Temos diversos animais entre nós — cachorro, gato, cavalo e outros — que eram selvagens e estão aos nossos cuidados, em busca de afeição e ajuda. Por quê? Para que possamos treiná-los para perderem sua ferocidade e ingressarem num estado de vida superior e mais inteligente; e a fim de que possamos evocar neles devoção, afeição e inteligência.

Precisamos ter cuidado, todavia, para ajudar e não atrapalhar. Temos de prestar atenção para que as qualidades selvagens de ferocidade de nossos animais não aumentem, posto que sua evolução busca justamente se livrar delas. Por exemplo: ao treinarmos um cachorro para caçar e matar, estaremos intensificando nele os próprios instintos que devem ser eliminados para que o animal se desenvolva. Ao invés de ajudar, estaremos degradando uma criatura que está sob nossos cuidados, ainda que ao mesmo tempo a inteligência do animal possa estar-se desenvolvendo, pois apesar de parecer uma boa coisa, o mal que fizemos é muito maior e supera o bem feito. O mesmo vale para o homem que treina seu cachorro para adquirir ferocidade e proteger sua propriedade.

O homem que trata um animal com crueldade pode até estar desenvolvendo a inteligência deste animal, uma vez que o animal aprende a pensar mais agudamente para tentar evitar a crueldade. Entretanto, o progresso assim conseguido traz junto o desenvolvimento de características indesejáveis como o medo e o ódio. Mais tarde, quando aquela onda de vida animal alcançar o nível humano, teremos uma humanidade começando com grandes desvantagens, pois trará consigo o medo e o ódio em lugar da devoção, amor e bondade que se teriam desenvolvido se os homens encarregados da parte animal daquela evolução tivessem cumprido com seu dever.

Também temos obrigações para com outras formas de vida, inclusive inferiores a essa. A essência elemental* existe à nossa volta e em todos os lugares. Ela evolui através do nosso pensamento, da ação que criamos sobre ela por meio de nosso pensamento, paixões, emoções e sentimentos. Não precisamos preocupar-nos com isso, basta que realizemos nossos ideais mais elevados, que tenhamos pensamentos e emoções elevados, pois, como a essência elemental é influenciada por nossos pensamentos, estaremos cumprindo com nosso dever elevando-a, colocando em movimento as qualidades superiores que só nós podemos alcançar, vivificadas em seus respectivos níveis.

Através de toda a evolução, espera-se que o superior auxilie o desenvolvimento do inferior — e não é só na sua individualização que o homem ajuda os membros do reino animal. Nos tempos da Atlântida, a própria formação das espécies estava em grande parte nas mãos do homem, e muitas coisas saíram diferentes do que se pretendia, porque eles falharam com seu dever. Seus erros foram em grande parte responsáveis pela existência de animais carnívoros que vivem unicamente para se destruírem uns aos outros. Eles não foram responsáveis por *todas* as criaturas carnívoras, elas já existiam entre os gigantescos répteis do período Lemuriano, e o homem não estava diretamente envolvido com sua evolução, mas parte do seu trabalho era auxiliar o desenvolvimento, a partir daqueles répteis, dos mamíferos que hoje predominam no mundo. Esta foi a oportunidade que tiveram para aperfeiçoar as raças e controlar as qualidades indesejáveis das criaturas que estavam sob seus cuidados e, porque falharam, são responsáveis em parte por muita coisa que saiu errada no nosso mundo desde então. Se tivessem cumprido com seu dever, provavelmente os mamíferos carnívoros não existiriam hoje.

A humanidade tem tratado os animais com crueldade há tanto tempo que o mundo animal em geral demonstra medo e inimizade para com os homens. Os homens geraram dessa forma um *karma* terrível que se esgota em horríveis sofrimentos na forma de doenças e insanidade. Ainda assim, mesmo com o péssimo comportamento do homem, poucos animais atacá-lo-iam. Uma cobra, por exemplo, normalmente não ataca o ser humano, só se for atacada ou ameaçada primeiro; e o mesmo acontece com quase todos os animais selvagens, exceto os poucos que podem ver o homem como alimento, mas mesmo estes não o tocarão se puderem obter outra coisa para comer. A destruição de qualquer forma de vida deve ser evi-

* Essência elemental é a vida que anima a matéria astral e mental. (N. ed. norte-americana)

tada, exceto por absoluta necessidade para proteger alguém ou a nós mesmos, pois tende a retardar o trabalho da natureza. Essa é uma das razões que levam os teosofistas conscientes a recusarem-se a participar do pecado da matança comendo carne ou peixe ou usando coisas que só podem ser obtidas com a morte de animais, como pêlo de foca ou penas de aves. A seda é conseguida com a morte de todos os bichos-da-seda, mas ouvi dizer que já existe um método de obtê-la sem precisar destruir as lagartas.

Harmonia

Nunca se coloquem contra as leis da natureza. O homem tem-se afastado muito da natureza ultimamente, e o materialismo espalha-se cada vez mais. Os cientistas sabem muito sobre a natureza, mas seus precursores menos instruídos estavam bem mais harmonizados com ela. Ao estudarem o exterior, algo útil e realmente necessário, muitos esqueceram o interior; contudo os homens atravessarão este estágio intermediário de incompreensão e voltarão à harmonia. Os antigos tinham uma afinidade bem maior com a natureza, porém não a examinavam muito detalhadamente, porque isso lhes parecia irreverente. Perdemos a sensibilidade viva e nos tornamos irreverentes, por isso espreitamos sem remorsos. Precisamos ter cuidado para não perder a precisão que ganhamos nesse estágio intermediário, mas temos de recuperar a harmonia. Através da harmonia interior, podemos descobrir muita coisa que a ciência sozinha nunca descobriria. Ao ensinarmos as crianças, precisamos fazê-las sentir que as entendemos, mesmo que para isso sacrifiquemos algumas vantagens acadêmicas. A criança normalmente considera os mais velhos como seres exóticos, estranhos e arbitrários.

Tudo isso também vale para nossos estudos sobre a natureza. Os espíritos da natureza ficam com medo de nós se os estudarmos muito cientificamente; temos de compreender como vivem, e eles então também se interessarão pela vida da humanidade. Em sua maneira cega, as flores e outras coisas sentem alegria e amabilidade. Emerson disse que ao voltar para casa parecia que as árvores de seu jardim alegravam-se ao vê-lo ou senti-lo novamente, e não há dúvida de que isso é verdade. As árvores e animais conhecem as pessoas que as amam. Na Índia, o povo fala das pessoas que têm "mão boa" para plantar, pois com elas as plantas crescem, enquanto que com outras pessoas não. Precisamos estar em harmonia com o propósito do *Logos*. Se estivermos auxiliando ativamente o progresso de todas as coisas, estaremos vivendo de acordo com Sua vontade, que permeia a natureza; e esta o sente de imediato. Contudo, se nos opusermos à evolução, a natureza recua assustada como uma criança sensível.

Nossa Atitude Para com as Crianças

Como vocês tratam as crianças? Lembrem-se de que elas são egos, centelhas da vida divina. Foram confiadas a vocês não para que as dominem, maltratem ou usem em proveito próprio, mas, sim, para que as amem e ajudem a expressar aquela vida divina. Quanta paciência, compaixão e amor vocês precisam ter! Quão profundamente vocês devem sentir-se honrados por terem sido escolhidos para servi-las dessa forma! Lembrem-se de que vocês não são os mais velhos e elas mais jovens, pois, como almas, vocês têm quase a mesma idade, e por isso não se devem comportar como ditadores cruéis e egoístas, mas como amigos solidários. Vocês não tratam um amigo de modo diferente só porque ele está usando um casaco novo; não se esqueçam de que encontrar uma criança é o mesmo que encontrar uma alma usando um casaco novo, e com amor e perfeita bondade vocês devem estimular o que há de melhor nela, ajudando-a a se adaptar a seu casaco novo. Lembrem-se sempre de que o bem verdadeiro significa o bem de todos, e que o bem *nunca* é alcançado à custa do sofrimento dos outros. O que se pode ganhar desse modo não é bem algum.

O Medo da Morte

O medo da morte é uma dura realidade na mente de muitas pessoas. Um número de pessoas muito maior do que podemos supor sofre desse mal e, mais ainda, do medo do que nos possa acontecer após a morte. Naturalmente encontramos essas pessoas entre aquelas que alimentam idéias sobre o inferno.

No entanto, conhecemos a lei do *karma* e compreendemos que os estados após a morte são simplesmente uma continuação da vida que hoje vivemos, em um plano superior e sem o corpo físico. Quando aprendemos, além disso, que o que normalmente chamamos de vida é apenas um dia da vida maior, real, todas as coisas passam a ter uma perspectiva totalmente diferente. Sabemos então que o progresso é absolutamente certo. Podemos tropeçar ou tentar obstruir as forças do progresso, mas seremos carregados para a frente apesar de nós mesmos e, enquanto resistirmos, teremos muito sofrimento e perturbação. De imediato, percebemos que esse conhecimento acaba com o medo.

A assim chamada perda de um ente querido é, na verdade, apenas uma ausência temporária e nem mesmo isso, tão logo o homem desenvolva o poder de ver nos planos superiores. Aqueles que pensamos que perdemos ainda estão conosco, embora não possamos vê-los com nossos olhos físicos. Mesmo iludidos, pensando que os perdemos, eles de forma alguma pensam que *nos* perderam, porque ainda podem ver nossos corpos astrais e, tão logo deixamos o veículo físico durante o sono, podemos nos comunicar com eles exatamente como se estivessem no plano físico.

Não precisamos nos preocupar em salvar nossas almas. Pelo contrário, como um escritor teosófico disse certa vez, pode ser que um dia nossas almas nos salvem. Não existe alma a ser salva no sentido comum dessas palavras, porque nós mesmos somos as almas, e, além disso, não há nada do que ser salvo exceto de nosso próprio erro e ignorância. O corpo não passa de uma vestimenta que deixamos de lado quando está gasta.

A Cooperação

Faz parte do esquema do *Logos* que em certo estágio da sua evolução a humanidade comece a guiar a si mesma. Portanto, todos os futuros Budas, *Manus* e adeptos serão membros de nossa própria humanidade, e os Senhores de Vênus terão ido para outros mundos. Desse modo, o *Logos* conta com todos nós, com vocês e comigo. Podemos ter noventa e nove faltas e apenas uma virtude, mas, se o trabalho teosófico precisar dessa virtude (e qual virtude não é necessária?), certamente teremos a oportunidade de utilizá-la.

Devemos assim valorizar nossos colaboradores pelo que podem fazer e não ficarmos responsabilizando-os pelo que não podem. Muitas pessoas ganharam o direito de realizar algum trabalho em particular apesar de seus defeitos às vezes serem maiores do que suas virtudes. As pessoas, com freqüência, cometem o erro de comparar seu trabalho com o dos outros, desejando que tivessem as mesmas oportunidades. A verdade é que cada um tem seus próprios dons e habilidades, e não se espera que alguém faça tanto quanto os outros; apenas que faça o melhor que puder.

O Mestre disse certa vez que, na verdade, existem apenas dois tipos de homens: aqueles que sabem e os que não sabem. Os que sabem são aqueles que viram a luz e se voltaram para ela, através de qualquer religião, mesmo que a distância que os separa da luz seja grande no momento. Vários deles podem estar sofrendo muito para se aproximarem daquela luz, mas pelo menos eles têm esperança pela frente. Simpatizamos profundamente com eles, tentamos ajudá-los, contudo sabemos que de forma alguma estão na pior situação. Nossa compaixão maior deve ser para aqueles que ainda estão totalmente indiferentes a todo pensamento superior; aqueles que não lutam porque não se importam, não sabem, nem pensam que há algo pelo que lutar. São esses que formam verdadeiramente "a grande órfã humanidade".

Não é sábio especializar-se além de certo ponto, porque nunca conseguiremos chegar ao fim de um tema, compreender tudo sobre ele, e estreitaremos cada vez mais nossa mente e nossas perspectivas, gerando um desenvolvimento distorcido e unilateral que nos faz ver as coisas fora de proporção. Estamos acostumados a pensar que uma vida é um longo período, mas, na verdade, não passa de um dia da vida maior. Não podemos terminar um trabalho volumoso em um dia; podem ser necessários diversos dias, e o trabalho de um desses dias pode no momento não mostrar nenhum resultado apreciável. Todavia, precisamos do trabalho de todos os dias para terminar a tarefa maior; se nos tornarmos preguiçosos porque o término do trabalho parece estar muito distante, não conseguiremos realizá-lo.

Muitas pessoas conhecem a teosofia em uma idade mais avançada e se sentem um pouco desencorajados, pensando que estão velhos demais para iniciar algum trabalho sério e, por isso, acham que o melhor a fazer é esperar tranqüilamente o fim desta encarnação na esperança de que possam ter uma oportunidade melhor na próxima.

Esse é um triste erro, por várias razões. Não sabemos que tipo de encarnação o *karma* está preparando para o nosso próximo retorno à Terra e também se ganharemos ou não a oportunidade de nascer em um ambiente teosófico por causa de alguma ação anterior. Em qualquer caso, a melhor maneira de assegurar um nascimento desses é aproveitando a oportunidade que tivermos no momento, pois, de tudo que aprendemos sobre essa grande lei de causa e efeito, um fato destaca-se: o resultado de uma oportunidade aproveitada é invariavelmente o oferecimento de outra oportunidade mais ampla. Assim, se negligenciarmos a oportunidade que tivemos ao encontrar a teosofia agora, é possível que na próxima encarnação não a encontremos novamente.

Se trabalharmos com seriedade, permeando nosso espírito com idéias teosóficas, estas afetarão tão profundamente o ego que, mesmo sem lembrarmos os detalhes, nós as buscaremos e as reconheceremos instintivamente em nosso próximo nascimento. Deveríamos começar o trabalho teosófico tão logo o conhecêssemos, pois, por menor que seja o progresso alcançado, ele é aproveitado, e amanhã recomeçaremos de onde paramos da última vez. Se tentarmos fazer o possível com nossos veículos atuais, obstinados e indiferentes por falta de flexibilidade, decerto mereceremos veículos mais maleáveis na próxima vez. Desse modo, nenhum esforço é perdido, e nunca é tarde demais para entrarmos no longo caminho da subida e começarmos o glorioso trabalho de auxílio ao próximo.

Com uma vida eterna à nossa frente, seria um erro preocuparmo-nos pelo fato de que o dia atual está-se aproximando da noite ou, em desespero, negligenciarmos os preparativos para o dia seguinte.

Luz no Caminho[*] diz: "Mate o desejo pela vida". Essa frase é muito incompreendida, mas seu significado deveria estar claro. Não podemos perder nossa vida, então por que desejá-la? Ninguém pode tomá-la de nós. Ao mesmo tempo, a frase significa que devemos eliminar o desejo por condições corporais especiais.

Meditação

Acredito que os membros da Sociedade Teosófica, às vezes, enganam-se sobre a meditação, porque não compreenderam exatamente como ela funciona. Eles pensam que se não se sentirem felizes e elevados após a meditação esta terá sido um fracasso e totalmente inútil; ou então se sentem pesados e melancólicos, incapazes de meditar. Nada para eles parece ser real, não têm certeza sobre nada e sentem que não estão progredindo. Imaginam que de alguma forma isso é sua culpa, repreendem-se por isso e procuram saber o que podem fazer para melhorar as coisas e recuperar a alegria que costumavam sentir.

Essa experiência é comum a todos os que buscam a vida espiritual. Os santos cristãos falam com freqüência de seus sofrimentos durante os períodos que chamam de "aridez espiritual", quando nada parece ter qualquer utilidade. Sentem como se tivessem perdido Deus de vista. Vamos imaginar que estou sentado diante de uma grande janela, próximo a uma bonita encosta, mas o céu está cinzento e carregado com uma cortina de nuvens talvez de várias milhas de espessura. Não vejo o Sol há três dias. Não posso sentir seus raios, mas sei que ele está lá e sei também que algum dia essas nuvens dispersar-se-ão como sempre fizeram e novamente o verei. Tudo que a vida no mundo precisa é que o Sol esteja lá e não que eu o veja; é muito mais agradável vê-lo e sentir o calor de seus raios, mas não é uma necessidade da vida. Sei exatamente como essas pessoas sentem-se e pouco ajuda dizer que nossos sentimentos não importam, mesmo que em certo sentido seja verdade.

Penso que seria útil lembrarmos que nossa meditação tem diversos objetivos, por exemplo:

(1) Garantir que dedicaremos pelo menos algum tempo, cada dia, à reflexão sobre um elevado ideal, ainda que estejamos profundamente imersos nos assuntos do mundo;

(2) Aproximarmo-nos do Mestre e do *Logos*, de modo que Eles possam enviar força sobre nós e através de nós para o benefício do mundo;

(3) Treinar nossos corpos superiores para que se acostumem a responder às vibrações mais elevadas.

---

[*] *Luz no Caminho*, Mabel Collins, Ed. Pensamento. (N. ed. bras.)

Observem que todos esses objetivos serão alcançados quer estejamos felizes ou não. Muitas pessoas supõem erradamente que uma meditação que não foi satisfatória *para elas* é ineficaz. Podemos comparar o processo meditativo ao aprendizado de piano. A criança pratica uma hora por dia, alguma vezes disposta e alegre, outras vezes aborrecida e querendo terminar o mais rápido possível. Ela não sabe, mas nós sabemos, que cada hora de prática acostuma cada vez mais seus dedos ao instrumento e aproxima o momento em que desfrutará de sua música com uma alegria que ainda não pode imaginar. Notem que esse objetivo está sendo alcançado tanto pelas horas desagradáveis e insatisfatórias da prática quanto pelas agradáveis. Assim, em nossa meditação, às vezes, sentimo-nos felizes e elevados, outras vezes não, contudo, nos dois casos, nossos corpos superiores estão sendo treinados da mesma forma que a ginástica exercita nosso corpo físico. É mais agradável quando temos o que vocês chamam de "boa" meditação, mas a única diferença entre uma boa e outra ruim está nos efeitos sobre nossos sentimentos e não no trabalho real feito para nossa evolução.

A razão para esse embotamento temporário não está sempre em nós mesmos, ou melhor dizendo, nem sempre pode ser atribuída a uma falha nossa. Com freqüência é puramente física, por causa de estresse ou tensão nervosa, e, outras vezes, deve-se a influências astrais e mentais circundantes. É claro que essas condições são resultado de nosso *karma*; e, assim, somos responsáveis, embora de uma maneira mais remota. Temos de fazer o melhor que pudermos, não precisamos nos desesperar nem gastar tempo condenando-nos.

Uma outra razão é que, em certas épocas, as influências planetárias podem ser mais favoráveis à meditação do que em outras. Não sei nada sobre isso, pois nunca levei em conta as influências planetárias nessa questão e sempre forcei meu caminho com minha vontade. Mas um astrólogo disse a um amigo meu que, em certas ocasiões, a posição de Júpiter com relação à Lua expande a atmosfera etérica e torna a meditação mais fácil, ou pelo menos parece torná-la mais proveitosa. O astrólogo deu-lhe uma tabela, que ele passou a consultar depois de tomar notas das condições de suas meditações diárias durante três ou quatro semanas e verificou que os resultados estavam de acordo com as influências mencionadas. Certos aspectos com Saturno, por outro lado, congestionam a atmosfera etérica, tornando difícil a meditação, o que também foi verificado.

O pensamento mais elevado que podemos ter é o do Senhor supremo de todas as coisas, e não podemos conceber que esse pensamento altere, por pouco que seja, a atitude do Supremo para conosco. Nós, estudantes, devemos estar bem além daquele estágio em que o homem imagina que pode mudar o Supremo, algo concebível somente pelos ignorantes, por quem não tem uma atitude filosófica. Nós próprios, contudo, somos certamente afetados por abrirmo-nos para Ele. Ao abrirmos a janela do quarto para o Sol, este altera as condições dentro do quarto, mas o Sol não muda em nada por causa disso. Abram as janelas de suas almas para Deus.

Durante a meditação, vocês podem tentar imaginar o Eu Supremo em tudo e tudo n'Ele. Tentem entender como o Eu está-se esforçando para se expressar através da forma, para isso identifiquem suas consciências com a de outras criaturas como, por exemplo, uma mosca, uma formiga ou uma árvore. Procurem ver e sentir as coisas como elas, até interiorizarem-se e a consciência da árvore ou do inseto desaparecer, surgindo no seu lugar a vida do *Logos*. Somos muito mais que uma árvore ou uma formiga; por isso não existe o perigo de não conseguirmos recuperar nossa consciência quando a experiência terminar. Afinal, não a aprisionamos na forma de uma árvore ou de uma formiga, nós a expandimos para assumir a vida em qualquer forma. Na primeira vez em que o fazemos, normalmente nos surpreendemos com as limitações impostas aos animais. Pensamos que um animal age de certa maneira por razões aparentemente óbvias, mas, quando entramos realmente no animal, descobrimos que seus motivos e intenções são totalmente diferentes. O discípulo tem de repetir esse processo também com classes inferiores de seres humanos, porque só assim poderá ajudá-los com eficiência. Dessa maneira, conseguimos alcançar a base do Eu e afugentar a escuridão e a solidão que nos atingem em determinado estágio de nosso progresso. Quando alcançarmos a certeza de que somos parte de um todo, não nos importaremos mais com as experiências que esse fragmento possa estar passando. Por mais solidão que possamos sentir, sabemos que nunca estamos sós; o Mestre está sempre presente, pronto a ajudar-nos no que for possível. Temos de eliminar o apego a formas em particular. Nosso único objetivo deve ser cumprir a vontade do *Logos*. Não podemos deixar que o sentimento de solidão faça-nos esquecer o Mestre ou diminuir nossa fé n'Ele, pois o progresso só é possível se confiarmos plenamente no Mestre que escolhemos servir. Se houver dúvida ou indiferença em nós, não progrediremos. Não precisamos escolher um Mestre; só devemos fazê-lo se quisermos. Entretanto, se escolhermos, *temos* de ter fé no Instrutor e em Sua mensagem.

Para controlar a mente, primeiro afastamos os sentidos de sons e visões externos e nos tornamos insensíveis às ondas de pensamento e emoção dos outros. Isso é comparativamente fácil, mas o próximo estágio é muito difícil, pois então começam a surgir do interior perturbações originadas da atividade mental descontrolada. A meditação de muitos iniciantes não passa de uma contínua luta para voltar ao tema escolhido. Aqui entra o conselho dado em *A Voz do Silêncio*: "A mente é o assassino do Real; que o discípulo mate o assassino". Não podemos, com certeza, destruir nossa mente, pois não podemos continuar sem ela; mas temos de dominá-la, porque ela é *nossa*, não *nós*. O melhor método para controlar suas atividades é usar a vontade. Os alunos são freqüentemente aconselhados a construir uma concha à sua volta para ajudá-los, mas conchas não passam de muletas. Desenvolvam a vontade e poderão dispensá-las. O corpo astral tenta impor-se sobre nós da mesma maneira, fazendo-nos acreditar que seus desejos são nossos. Temos de tratá-lo exatamente como fizemos com a mente.

O desenvolvimento da vontade não tem limites. O corpo físico pode ser fortalecido até certo ponto, mas não parece haver limitações no caso da vontade. Felizmente podemos treiná-la com as pequenas coisas da vida diária, o tempo todo, e não há exercício melhor do que esse. É muito mais fácil arranjar coragem para enfrentar um dramático martírio diante de uma multidão do que para suportar os cansativos deveres diários, com pessoas enfadonhas, dia após dia, ano após ano. Essa situação exige muito mais poder de vontade do que a primeira. Devemos ser cuidadosos para que nossos esforços para desenvolver a vontade não façam os outros sofrerem. Algumas pessoas demonstram o poder da vontade abandonando casa e amigos e enfrentando todo tipo de dificuldades e privações para fazer algum trabalho teosófico. Está tudo bem, desde que a pessoa seja absolutamente livre para fazê-lo. Todavia, o homem que deixa esposa e família com essa intenção ou um filho único que abandona os pais dependentes dele, evidentemente, está negligenciando seus deveres de uma maneira que não tem o direito de fazer, mesmo que pelos motivos mais nobres.

Como resultado de uma meditação firme, começamos a desenvolver em nossos corpos os tipos superiores de matéria. Nesse estágio, costumamos sentir grandes emoções, vindas do plano búdico e refletidas no corpo astral, e, sob influência delas, podemos realizar um ótimo trabalho e demonstrar grande autosacrifício. No entanto, precisamos agora desenvolver os corpos mental e causal para alcançarmos equilíbrio e estabilidade, pois as emoções que nos dirigiram para a direção correta podem alterar-se e nos levar para outras direções menos desejáveis. Somente com o sentimento nunca alcançaremos o equilíbrio ou a estabilidade perfeita. É bom que as emoções elevadas apareçam, e quanto mais fortes melhor, mas não são suficientes, precisamos também de sabedoria e serenidade, isto é, o poder diretor e a força motivadora. O significado exato de *buddhi* é sabedoria, e quando esta surge absorve tudo o mais.

A Iluminação pode significar três coisas inteiramente diferentes. Primeiro, pensando intensa e cuidadosamente sobre um assunto, podemos chegar a alguma conclusão sobre ele. Segundo, podemos esperar alcançar alguma iluminação de nosso eu superior, descobrir o que o ego realmente pensa em seu próprio plano sobre o assunto em questão. Terceiro, um homem altamente desenvolvido pode entrar em contato com Mestres ou devas. Somente no primeiro caso nossas conclusões poderiam estar viciadas por nossas próprias formas-pensamento. O eu superior pode transcendê-las, bem como um Mestre ou deva.

Nos três casos, podemos perceber as coisas como elas realmente são, sem dificuldades, mas precisamos nos lembrar de que, além de apreendermos a informação, temos de trazê-la para o cérebro físico e, tão logo chegue ao cérebro, ela começa a ser colorida pelos preconceitos. O que podemos fazer na meditação depende do que fazemos no dia-a-dia. Se temos preconceitos na vida comum, também os teremos durante a meditação, mas, se nos esforçarmos pacientemente para destruir nossos preconceitos e por compreender que os caminhos dos outros são tão bons quanto os nossos, estaremos, pelo menos, tornando-nos gentis e tolerantes, e essa atitude certamente nos acompanhará durante o momento especial de nossa meditação. É fácil perceber as desvantagens de sugestões ou idéias novas, elas saltam aos olhos. No entanto, procurem pelas vantagens também, elas nem sempre aparecem tão prontamente.

O controle do pensamento é um pré-requisito essencial para o desenvolvimento dos poderes da alma. Com o pensamento controlado e a vontade fortalecida, podemos conseguir muitas coisas em diversas direções. Podemos ajudar bastante tanto os vivos quanto os assim chamados mortos, bem como os doentes e sofredores. Seria bom se cada membro devotasse um certo tempo diário para enviar tais pensamentos a pessoas que ele conheça pessoalmente, além, é claro, da meditação normal que realiza para seu próprio desenvolvimento. O mesmo pode ser feito, até certo ponto, na meditação grupal, onde os pensamentos de todos podem ser concentrados durante alguns minutos em alguém que esteja passando por problemas ou sofrimentos, com uma determinação firme de enviar consolo e força. O mesmo poder, usado de maneira diferente, cura doenças físicas com freqüência.

Quanto ao desenvolvimento da visão e da audição astral, ele dificilmente pode ser considerado um fim em si mesmo. Trata-se de um meio para um fim. Parece que o melhor que temos a fazer é utilizar ao máximo os poderes que já temos, esperar que os outros desenvolvam-se em conseqüência de estudo e do trabalho altruísta. Esses poderes são, sem dúvida alguma, uma grande ajuda, mas podem ser perigosos se surgirem antes que o caráter esteja totalmente desenvolvido. Para aqueles que desejam acelerar seu desenvolvimento, recomendo o processo que descrevi no último capítulo de *O Que Há Além da Morte**.

Se a sua casa for suficientemente grande, é uma boa idéia reservar uma sala especialmente para a meditação. Não vejo problema algum em reuniões grupais nessa sala se o grupo for harmônico e sério, mas isto *não* deve ocorrer se houver possibilidade de discussões ou disputas. Alguém pergunta se deve entrar nessa sala de meditação caso esteja preocupado com alguma coisa. Aconselho-os a não criar uma forma-pensamento: "Estou preocupado, por isso não devo entrar", mas, sim, exatamente o oposto: "Estou entrando na sala, por isso não estou mais preocupado". Descobrirão que esse método é bem mais eficaz.

* No original, *The Other Side of Death,* obra publicada pela Ed. Pensamento. (N. ed. bras.)

Capítulo Quatro

OS PLANOS SUPERIORES

Nirvana

Freqüentemente se diz que, no momento final, todas as almas individuais fundir-se-ão na Grande Alma, e nossos estudantes acham difícil reconciliar essa idéia com outras afirmativas que parecem implicar a permanência da individualidade, de alguma forma ou outra, mesmo nas alturas mais elevadas. O fato é que nenhuma experiência ou idéia que possamos ter no cérebro físico pode expressar as realidades gloriosas do nirvana e dos planos acima dele. Pouco sabemos daquela glória transcendente e mesmo esse pouco não pode ser colocado adequadamente em palavras. De certo modo, talvez, estejamos algo enganados ao falar de almas individuais fundindo-se na Grande Alma. Toda mônada é fundamentalmente uma centelha da tríade divina, e não pode ser fundida com aquilo do qual já faz parte. Seguramente a melhor explicação seria dizer que, à medida que se desenvolve, a centelha transforma-se em chama, torna-se cada vez mais consciente de sua unidade com o divino e, assim, o *Logos* pode manifestar-se mais e mais através dela.

Tudo o que posso dizer é que até o nível mais elevado da consciência alcançado por alguns de nossos estudantes, até o que comumente chamamos nirvana, não há perda de individualidade, da capacidade de pensar, planejar e agir. Bem antes disso, perde-se totalmente a sensação de *separatividade*, todavia isso é algo bem diferente. Sir Edwin Arnold escreveu que naquela condição beatífica "a gota retorna ao mar resplandecente". Segundo aqueles que passaram por essa experiência, que é a mais maravilhosa de todas, a sensação é exatamente oposta, por mais paradoxal que isto pareça; uma descrição melhor seria dizer que o oceano, de algum modo, derramou-se na gota!

Essa consciência, ampla como o mar, "com seu centro em todos os lugares e a circunferência em nenhum", é um *fato* glorioso; mas, quando a alcançamos, parece que nossa consciência nunca foi nossa, que era apenas o brilho do poder divino, sabedoria e amor através de nós e agora, por fim, começamos a compreender esse fato estupendo. Na verdade, o que comumente entendemos por individualidade não passa de ilusão, nunca existiu, porém tudo o que ela tem de melhor e mais nobre mantém-se até o adeptado e mais além, até o reino dos sublimes Espíritos Planetários, pois Eles certamente são indivíduos, apesar de estarem poderosamente além dos nossos parcos poderes de imaginação.

Mesmo que a tentativa seja destinada ao fracasso, vou-me esforçar para transmitir a vocês pelo menos uma vaga idéia desse elevado plano a partir de uma experiência que alguns de nós tivemos. Antes que pudéssemos alcançar aquele plano com nossos próprios esforços, um Mestre, por determinadas razões, envolveu-nos em Sua aura superior e permitiu-nos conhecer algo das glórias do nirvana.

Tentem imaginar o universo inteiro feito e preenchido de uma imensa torrente de luz viva, contendo uma vivacidade e uma bem-aventurança além de toda descrição, cem mil vezes mais intensa do que a maior felicidade celeste. A princípio, não sentimos nada mais do que a bem-aventurança e a intensidade da luz, mas gradualmente percebemos que nesse brilho estonteante existiam pontos mais brilhantes, núcleos, por assim dizer, feitos de luz, porque nada mais havia além de luz. Através deles, de algum modo, a luz raiava mais brilhante, com uma qualidade nova que permitia que fosse percebida em planos mais inferiores, pois, se assim não fosse, não poderíamos, de forma alguma, sentir seu esplendor. Pouco a pouco começamos a perceber que estes sóis auxiliares eram os Grandes Seres, Espíritos Planetários, Grandes Anjos, Divindades, Budas, Cristos e Mestres e que, através d'Eles, a luz e a vida fluem para os planos inferiores. Aos poucos, ao nos acostumarmos com essa estupenda realidade, compreendemos que até mesmo nós, em um sentido bastante inferior, somos focos desse esquema cósmico; e que, através de nós também, em nosso nível inferior, a luz e a vida fluem para aqueles que estão ainda mais afastados, não em distância, pois somos todos parte dele e nada mais existe além dele, mas em compreensão e experiência direta.

Se pudermos perceber e apreender pelo menos um pouco dessa glória, poderemos, até certo ponto, refleti-la para os menos afortunados. Essa luz brilha para todos, e é a única realidade. Contudo, com ignorância e insensatez, os homens podem fechar-se e não a perceber, assim como podem esconder-se em cavernas e porões, onde a luz não pode ser vista, mesmo com o Sol inundando o mundo de luz e vida. Se colocarmos um espelho na entrada da caverna ou do porão, as pessoas que estiverem lá dentro receberão pelo menos um pouco de luz, e da mesma maneira nós também podemos refletir a luz para os outros, para aqueles que não podem percebê-la diretamente.

Não há palavras que possam descrever uma experiência dessas, pois tudo o que a mente conhece desaparece bem antes desse nível ser alcançado. Nesse nível existe, é claro, um tipo de invólucro para o espírito, porém é impossível descrevê-lo. Em certo sentido parece ser um átomo, mas, em outro, parece ser o plano inteiro. Todo homem é um centro de consciência e, por isso, tem de ter alguma posição; esse foco na corrente de vida do *Logos* tem de estar, pode-se dizer, em um lugar ou em outro. Mas ele se sente como se fosse o plano inteiro e como se pudesse focalizar em qualquer lugar, e onde quer que a emanação dessa força pare no momento, lá existe para ele um invólucro. O homem ainda sente ser absolutamente ele mesmo, apesar de ser muito mais, e é capaz de distinguir os outros. Ele pode reconhecer com certeza os Grandes Seres a quem conhece, entretanto é mais uma questão de instinto do que de semelhança com qualquer coisa que tenha visto antes. Se focalizar sua consciência em um d'Eles, perceberá a forma do homem conhecida no *Augoeides*, dois planos abaixo.

O Espírito Tríplice

As mônadas são todas claramente centros de força no *Logos*, mas cada uma tem uma individualidade própria. No homem comum, a mônada tem pouco contato com o ego e a personalidade inferior, que são de certo modo suas expressões. Ela conhece desde o começo o objetivo de sua evolução e compreende sua tendência geral, mas, até que aquela parte sua que se expressa no ego alcance um estágio bastante elevado, ela raramente se torna consciente dos detalhes da vida aqui embaixo e, de qualquer forma, pouco se interessa por eles. Parece que, nesse estágio, ela não conhece outras mônadas, permanecendo em uma indescritível bem-aventurança sem qualquer consciência ativa do ambiente ou circunstância. À medida que a evolução progride, ela passa a dirigir as coisas no plano inferior cada vez mais, até, finalmente, tomá-las em suas próprias mãos. Nesse estágio, passa a conhecer tanto a si mesma quanto aos outros e, dentro de nós, sua voz torna-se A Voz do Silêncio. Essa voz difere segundo os vários estágios que passamos. Para nós, agora, nesta consciência inferior, ela é a voz do ego; quando nos identificarmos com o ego passará a ser a voz do espírito; quando alcançarmos o espírito, ela se tornará a voz da mônada, e, quando no futuro distante, identificarmo-nos com a mônada, ela se tornará a voz do *Logos*. Em todos esses casos, temos de subjugar o inferior e elevarmo-nos acima dele, antes que a voz do superior possa ser ouvida.

A mônada mora permanentemente no segundo plano da natureza, o monádico, e, ao descer ao terceiro, o plano do nirvana, ela se manifesta como um espírito tríplice. Esse espírito tríplice é um reflexo ou, mais precisamente, uma expressão do *Logos*, dentro do modo como Ele Se expressa em nosso conjunto de planos. A primeira manifestação do *Logos* em nosso plano mais elevado também é tríplice. O primeiro de Seus três aspectos só se manifesta no plano mais elevado. No segundo aspecto, Ele desce ao segundo plano e reveste-se com sua matéria, criando assim uma expressão separada. No terceiro aspecto, Ele desce à porção superior do terceiro plano e reúne à Sua volta matéria daquele nível, criando assim a terceira manifestação. As três são as "três pessoas em um único Deus" de que nos fala o Cristianismo. Segundo o credo atanasiano, devemos venerar "Um Deus na Trindade e a Trindade na Unidade, sem confundir as pessoas nem dividir a substância", quer dizer, sem confundir em nossas mentes o trabalho e a função das três manifestações distintas, cada uma em seu próprio plano, nem esquecer a unidade eterna da "substância", aquilo que está por trás de todas no plano mais elevado, onde as três são um.

Esse processo repete-se no homem, que é feito verdadeiramente à imagem de Deus. O espírito é tríplice no terceiro plano, e a primeira de suas três manifestações não desce abaixo desse nível. A segunda manifestação desce um estágio, para o quarto plano, e reveste-se de sua matéria, recebendo o nome de *buddhi*. Como no processo anterior, o terceiro aspecto desce dois planos e envolve-se na matéria do nível mais elevado do plano mental, recebendo o nome de *manas*. Essa trindade, *Atma-Buddhi-Manas*, manifestada no corpo causal, é o que chamamos de ego.

Nunca se esqueçam de que o ego é a tríade espiritual e não apenas *manas*. Em nosso estágio evolutivo atual, o ego está baseado no corpo causal, nos níveis mais elevados do plano mental; mas, à medida que evoluirmos, sua consciência passará a centralizar-se no plano búdico e, mais tarde, quando alcançarmos o adeptado no nirvânico. Não devemos supor de forma alguma que, quando esse desenvolvimento ocorrer, *manas* terá sido perdido. Quando o ego passa para o plano búdico, ele leva *manas* consigo até aquela expressão de *manas* que já existia o tempo todo no plano búdico, apenas ainda não vitalizada até aquele momento. Da mesma maneira, ao passar para o plano nirvânico, *manas* e *buddhi* continuam existindo tão plenamente quanto antes. Agora, o espírito tríplice está manifestado em seu próprio plano, com todos os seus aspectos. Assim, o espírito é na verdade sétuplo, pois é tríplice em seu próprio plano, duplo no búdico e único no mental; e a unidade que faz a síntese completa sete. Apesar de se retrair para o superior, ele mantém a definição e precisão do inferior.

Provavelmente era isso que a Sra. Blavatsky queria dizer quando falou do ovo áurico, mas ela cercou essa idéia de grande mistério e parece também que estava sob o compromisso de não escrever abertamente sobre o tema. Ela nunca explicou com clareza o espírito tríplice, mas esforçou-se para sugerir a idéia sem expressá-la abertamente, salientando que, assim como podemos dizer que o plano astral é um reflexo do búdico, o físico pode ser um reflexo do nirvânico. Enfatizou também que o homem tem três corpos ou veículos no plano físico — aparentemente se afastando de seu estilo para fazer essa comparação dar certo. Dividiu com essa intenção o corpo físico em duas partes, o denso e o etérico, e acrescentou como um terceiro princípio a vitalidade que flui por eles. Como essa vitalidade existe em todos os planos e também poderia ser encarada como constituindo princípios adicionais nos planos astral e mental, assim como no físico, parece que deve existir alguma razão para essa disposição peculiar feita por ela, e talvez essa razão possa ser encontrada em seu desejo de indicar o espírito tríplice sem realmente mencioná-lo. A Sra. Besant disse que, quando a Sra. Blavatsky falou sobre o ovo áurico sagrado, pensava nos quatro átomos permanentes como estando dentro de um envelope de matéria do plano nirvânico.

A Consciência Búdica

O egoísta não pode alcançar a consciência do plano búdico, pois a própria essência daquele plano é perfeita compreensão e simpatia, o que exclui o egoísmo. Não podemos desenvolver o corpo búdico até termos conquistado os planos inferiores. Existe uma conexão bem próxima entre o astral e o búdico, sendo o primeiro, em alguns aspectos, um reflexo do último, mas isso não quer dizer que podemos saltar da consciência astral para a búdica sem desenvolver os veículos intermediários.

Nos níveis mais elevados do plano búdico, o homem torna-se um com todos os outros, todavia isso não significa que ele sinta o mesmo por todos. Não há razão para supor que teremos sentimentos iguais por todas as pessoas; por que deveríamos ter? Até mesmo o Senhor Buda tinha Seu discípulo favorito, Ananda, e o Cristo considerava São João, o Amado, com uma atenção diferente da que dava aos outros. A verdade é que amaremos todas as pessoas tanto quanto amamos os que hoje nos são caros e estão próximos a nós, mas, naquele momento, teremos desenvolvido por estes um tipo de amor que não podemos imaginar hoje. A consciência búdica inclui a de muitos outros, de modo que podemos colocar-nos no lugar de alguma pessoa e sentir exatamente o que ela sente, observando-a a partir de dentro ao invés de fora. Numa relação dessas, não sentimos vontade de recuar nem mesmo de um homem mau, porque nós o reconheceremos como uma parte nossa, uma parte mais fraca. Desejamos ajudá-lo vertendo força naquela parte mais fraca de nós mesmos. Esse poder não é alcançado facilmente. Temos de levar essa atitude a sério e realizá-la na prática e não apenas falar ou pensar vagamente sobre ela.

Não é necessário que todo ego passe por todas as experiências, pois, quando nos elevarmos ao nível búdico, poderemos participar da experiência dos outros, mesmo daqueles que progrediram em sentidos opostos ao nosso. Poderemos participar de suas experiências pela empatia. Se não quiséssemos sentir o sofrimento dos outros, poderíamos nos afastar, mas queremos ajudar; por isso, devemos compartilhar o sofrimento. No plano búdico envolvemos as pessoas em nossa própria consciência, mesmo que elas não o percebam, e seus sofrimentos diminuem até certo ponto em conseqüência disso. Todos nós passamos pela maioria das experiências dos estágios inferiores do desenvolvimento humano. Um adepto desejaria certamente aliviar o sofrimento de alguém, mas podemos imaginar com facilidade uma situação em que o bem produzido pelo sofrimento excede enormemente a dor do momento, e, neste caso, sua interferência não seria benéfica, e, sim, cruel para o sofredor. Mas ele veria o todo e não a parte. Sua simpatia seria mais profunda do que a nossa, mas não se transformaria em ação, a não ser que a ação fosse útil.

As Esferas

Normalmente representamos os planos do universo em diagramas, colocando-os um sobre o outro como as prateleiras de uma estante. Entretanto, ao explicar o diagrama, temos o cuidado de dizer que essa disposição não deve ser tomada literalmente, pois todos os planos interpenetram-se e estão presentes aqui o tempo todo. Essa afirmação é perfeitamente verdadeira, mas, em certo sentido, a disposição em forma de prateleira também está correta. Talvez possamos fazer uma analogia com a condição das coisas existentes na superfície da terra física. Podemos presumir que a matéria sólida, para todos os propósitos práticos, existe apenas debaixo de nossos pés, formando o extrato mais inferior da matéria física, mas é claro que intocáveis milhões de partículas de matéria sólida flutuam no ar acima de nós.

Podemos dizer que a matéria líquida da Terra — na maior parte água — está sobre a superfície da matéria sólida, ainda que uma grande quantidade interpenetre a Terra abaixo de nós e haja milhões de toneladas de água acima da superfície na forma de nuvens. Mas a grande massa líquida da Terra está sobre sua matéria sólida, formando os oceanos, lagos e rios. A matéria gasosa da Terra — formada principalmente pela atmosfera — por sua vez, está acima da água e da terra sólida, estendendo-se até muito mais longe no espaço do que o líquido e o sólido.

Todas as três condições da matéria existem aqui na superfície da Terra onde vivemos, mas a água na forma de nuvens estende-se até uma altura bem maior do que a poeira alcança e o ar interpenetra os dois e alonga-se bem além deles. Essa analogia é útil para explicar a disposição da matéria dos planos superiores.

O que nós chamamos de plano astral também pode ser considerado como o corpo astral da Terra. Ele existe à nossa volta, interpenetra a terra sólida sob nossos pés e também se estende até bem longe, acima de nossas cabeças, de modo que podemos imaginá-lo como um enorme balão de matéria astral com a terra física no meio, assim como nosso corpo físico está dentro da forma ovóide preenchida de matéria astral, exceto que, no caso da Terra, o tamanho proporcional de seu corpo astral fora do físico é enormemente maior do que no caso do homem. Em nós, o agregado mais denso da matéria astral está dentro da periferia do corpo físico, e, no caso da Terra também, a maior parte de sua matéria astral está concentrada dentro dos limites da esfera física.

No entanto, a porção da esfera astral externa ao físico prolonga-se aproximadamente até a metade da distância até a Lua, de modo que os planos astrais destes dois mundos tocam-se quando a Lua está no perigeu, mas não no apogeu. Conseqüentemente, a comunicação astral com a Lua é possível apenas em certas épocas do mês, em outras não.

Conheço um caso em que um homem morto alcançou a Lua e não pôde retornar por causa da descontinuidade da matéria astral. A maré do espaço escorreu pelo meio, por assim dizer, e ele teve de esperar até que a comunicação fosse restabelecida com a aproximação do satélite de seu perigeu.

O plano mental de nossa Terra está relacionado ao astral da mesma maneira que este com o físico. Ele também é um enorme globo, concêntrico com os outros dois e interpenetrando-os, mas estende-se muito além do globo astral. Veremos, assim, que, em conseqüência disso, além de as matérias de todos os planos existirem juntas aqui embaixo, existe uma certa dose de verdade na imagem das prateleiras, pois, além do limite da atmosfera física, existe uma faixa enorme formada apenas de matéria astral e mental e, por fora dela, outra faixa similar formada apenas de matéria mental.

Quando alcançamos o plano búdico, a extensão torna-se tão grande que as esferas búdicas dos diferentes planetas de nossa cadeia encontram-se umas com as outras, formando assim um veículo búdico único para a cadeia inteira, o que significa que, no nível búdico, podemos passar de um planeta para o outro. Acredito que, quando as investigações se estenderem ao plano nirvânico, descobriremos que a matéria se estende tanto que alcançará também as outras cadeias, talvez o sistema solar inteiro.

Tudo isso é verdade, mas não transmite uma idéia realmente precisa, porque nossas mentes só podem apreender três dimensões, enquanto que, na realidade, existem muitas mais. À medida que elevamos nossa consciência de plano para plano, abre-se diante de nós a possibilidade de compreendermos uma dimensão a mais. Torna-se difícil assim descrever exatamente a posição daqueles que passaram da vida física para outros planos. Algumas dessas pessoas tendem a permanecer em torno de seus lares terrestres para se manterem em contato com seus amigos da vida física e os lugares que conheceram. A grande maioria dos habitantes do mundo astral passa a maior parte de suas vidas comparativamente próximos da superfície da terra física. Mas, à proporção que se recolhem para dentro de si mesmos e sua consciência alcança os tipos superiores de matéria, descobrem que é mais fácil e natural elevarem-se para longe dessa superfície, para regiões onde existem menos correntes perturbadoras. Certa vez eu soube do caso de um morto que se comunicou com um amigo meu durante uma série de sessões espíritas, dizendo que se encontrava mais ou menos quinhentas milhas acima da superfície da Terra. Nesse caso, o interlocutor conhecia bastante de ocultismo e sabia assim conduzir suas perguntas e as investigações de seu amigo no outro lado inteligentemente.

Ao passar para a vida celeste, a pessoa comum tende a flutuar a uma distância considerável da superfície da Terra; no entanto, alguns são atraídos para nosso nível. De modo geral, podemos afirmar que os habitantes do mundo celeste vivem em uma esfera, anel ou zona, em torno da Terra. O que os espíritas chamam de *terra de verão* estende-se muitas milhas acima de nossas cabeças, e, como as pessoas da mesma raça e mesma religião tendem a se manter juntas após a morte, como o faziam em vida, forma-se uma espécie de conjunto de *terras de verão* sobre os países aos quais pertencem as pessoas que as criaram.

As pessoas encontram seu próprio nível no plano astral, quase da mesma maneira como objetos flutuando no oceano o fazem. Isso não quer dizer que não se possam elevar e descer à vontade, mas, sem um esforço definido, retornam a seu nível e permanecem lá. A matéria astral gravita em torno do centro da Terra tal como a matéria física. Ambas obedecem às mesmas leis gerais. Podemos dizer que o sexto subplano do astral coincide parcialmente com a superfície da Terra e que o sétimo, o mais inferior, penetra um pouco no interior.

Não é fácil descrever as condições do interior de nossa Terra. À medida que nos aproximamos do centro da Terra, encontramos matéria em um estado pouco compreensível por aqueles que ainda não a viram, um estado bem mais denso do que o metal mais denso que conhecemos, porém com a fluidez da água. Mesmo assim existe alguma coisa viva dentro dela. Essa matéria é muito densa para as formas de vida que conhecemos, porém está relacionada com uma evolução própria.

A tremenda pressão existente é utilizada pelo Terceiro *Logos* para a criação de novos elementos. Na verdade, as porções centrais da Terra podem ser consideradas como Seu laboratório, e ali são obtidas pressões e temperaturas inimagináveis na superfície. Nesse lugar, sob Sua direção, tropas de devas e espíritos da natureza de certo tipo combinam e separam, arranjam e rearranjam os átomos físicos fundamentais, trabalhando de acordo com sua maravilhosa forma espiral dupla. Apesar de parecer inacreditável para nós, essa região está em conexão direta com o coração do Sol, de modo que elementos criados lá surgem no centro da Terra sem passar pelo que chamamos de superfície; mas é inútil falar sobre isso até que as dimensões superiores do espaço sejam mais compreendidas. Investigando o interior da Terra, não encontramos um eixo de pólo a pólo, mas existem certas forças que atuam através de camadas concêntricas. Assim como no físico, a matéria astral mais densa é muito densa para as formas da vida astral, mas ela também tem outras formas próprias, desconhecidas pelos que estudam a superfície.

Existe inquestionavelmente uma força de pressão etérica, tal qual a pressão atmosférica, e ela poderá ser utilizada pelo homem tão logo este descubra algum material à prova de éter. A mesma pressão existe no mundo astral. O exemplo mais comum desse fato é o que acontece quando deixamos nosso corpo no sono ou na morte.

Quando o corpo astral retira-se do físico, este não fica sem uma contraparte astral. A pressão da matéria astral circundante — a ação da força de gravidade no plano astral — imediatamente força outra matéria astral a ocupar aquele espaço astralmente vazio, da mesma forma que, se criarmos um redemoinho e tirarmos o ar de uma sala, outro ar flui instantaneamente da atmosfera circundante. Aquela matéria astral corresponderá com uma curiosa exatidão à matéria física que interpenetra. Cada variedade de matéria física atrai matéria astral de densidade correspondente, de modo que a matéria física sólida é permeada pelo que podemos chamar de matéria astral "sólida", isto é, matéria do subplano astral mais inferior. O líquido físico é permeado por matéria do próximo subplano astral, astral líquido, e o gasoso físico, por sua vez, atrai seu correspondente, matéria do terceiro subplano astral, a partir de baixo, que pode ser chamado de gás astral.

Vejamos, por exemplo, um copo d'água: o copo (matéria sólida) é permeado por matéria astral do subplano mais inferior; a água contida por ele (matéria líquida) é interpenetrada por matéria astral do segundo subplano, contando de baixo para cima; e o ar que envolve ambos (matéria gasosa) é permeado por matéria astral do terceiro subplano.

Não podemos esquecer também que, como todas essas coisas — copo, água e ar — são permeadas pela matéria etérica, seus correspondentes astrais também são interpenetrados pela variedade da matéria astral que corresponde aos diferentes tipos de matéria etérica. Assim, quando nosso corpo astral se afasta do físico, ocorre um influxo de todas as três variedades da matéria astral, porque nosso corpo físico compõe-se de sólidos, líquidos e gases. Obviamente o corpo físico também contém matéria etérica; portanto, deve haver matéria astral dos subplanos superiores que corresponda a ela.

A contraparte astral temporária, formada durante a ausência do verdadeiro corpo astral, é, assim, uma cópia exata no que diz respeito à sua organização, mas não tem uma ligação verdadeira com o corpo físico e nunca poderia ser usada como veículo. Ela é formada pela matéria astral disponível no momento; não passa de um mero ajuntamento casual de átomos, e, quando o verdadeiro corpo astral retorna, ele empurra essa matéria astral sem a menor oposição. Essa é uma das razões para o cuidado que devemos ter com relação ao ambiente onde dormimos, pois se o ambiente for ruim, matéria astral dos tipos mais repreensíveis preencherá nossos corpos físicos enquanto estivermos ausentes, deixando neles uma influência que reagirá horrivelmente sobre o homem verdadeiro ao retornar. Esse influxo instantâneo da matéria demonstra a existência da pressão astral.

Da mesma maneira, quando o homem abandona de vez seu corpo físico na morte, o que ele deixa não é mais um veículo, mas, sim, um cadáver, o qual já não é um corpo de forma alguma, mas apenas uma coleção de materiais em desintegração com a forma de um corpo. Assim como não podemos mais considerá-lo um corpo, não podemos chamar de contraparte no sentido comum dessa palavra a matéria astral que o interpenetra. Vamos fazer uma comparação imperfeita, porém útil. Quando o pistão de uma máquina está cheio de vapor, podemos dizer que o vapor é a força motora dentro do pistão e faz a máquina funcionar. Mas quando a máquina está fria, parada, o pistão não está necessariamente vazio, pode estar cheio de ar. Esse ar não é sua força motriz, mas ocupa a mesma posição do vapor.

A matéria astral nunca é *realmente* sólida, apenas relativamente sólida. Como vocês sabem, os alquimistas medievais simbolizavam a matéria astral pela água por causa de sua fluidez e penetrabilidade. É verdade que a contraparte de qualquer objeto físico sólido sempre é formada por matéria do subplano astral mais inferior, que, por conveniência, chamamos de matéria astral sólida; todavia não devemos por isso dotá-la com as qualidades que nos são familiares nos sólidos deste plano. As partículas da matéria astral mais densa estão mais separadas, comparativamente ao seu tamanho, do que até mesmo as partículas gasosas, sendo assim mais fácil corpos astrais densos passarem um por dentro do outro do que o gás físico mais sutil espalhar-se pelo ar.

No plano astral não se tem a sensação de pular em um precipício, mas apenas de flutuar sobre ele. Quando estamos de pé, uma parte de nosso corpo astral penetra o chão sob nossos pés, contudo não temos consciência desse fato através de nenhuma sensação de dureza ou obstáculo à nossa liberdade de movimento. Lembrem-se de que no plano astral não há um sentido de tato que corresponda ao nosso no físico. Não tocamos nunca a superfície das coisas, por isso não podemos ter a sensação de duro, macio, rugoso, liso, quente ou frio. Quando entramos em contato com a substância interpenetrante, tomamos consciência de uma freqüência diferente de vibração, que obviamente pode ser agradável ou desagradável, estimulante ou deprimente. Quando despertamos pela manhã e lembramo-nos de alguma coisa correspondente ao nosso tato normal, significa que o cérebro físico adaptou os fatos dos meios de expressão aos quais já está acostumado.

A luz de todos os planos origina-se no Sol, mas o efeito que produz no plano astral é inteiramente diferente daquele do físico. Na vida astral existe uma luminosidade difusa que não parece vir de alguma direção especial. Toda matéria astral é por si só luminosa, e um corpo astral não se parece com uma esfera pintada, mas, sim, com uma esfera de fogo vivo. Ele também é transparente, e não existem sombras. Nunca escurece no mundo astral. A passagem de uma nuvem física entre nós e o Sol não faz diferença no plano astral nem, é claro, a sombra da Terra, que chamamos noite.

O auxiliar invisível não conseguirá passar através de uma montanha se pensar nela como um obstáculo; e aprender que ela não é um obstáculo faz parte do que chamamos "teste da terra". Acidentes astrais não podem acontecer, no sentido comum, porque o corpo astral é fluídico e não pode ser destruído ou machucado permanentemente como acontece com o corpo físico. Uma explosão no plano astral seria temporariamente tão desastrosa quanto uma explosão de pólvora no físico, mas os fragmentos astrais rapidamente se reuniriam.

As pessoas no plano astral podem passar, e passam, umas através das outras constantemente, bem como através dos objetos astrais fixos. Lembrem-se de que no plano astral a matéria é muito mais fluídica e muito menos densa. Não pode ocorrer nunca uma colisão, como a entendemos, e sob circunstâncias normais dois corpos que se interpenetram nem mesmo se afetam de maneira apreciável. Contudo, se a interpenetração durar algum tempo, como por exemplo quando duas pessoas se sentam lado a lado, durante uma cerimônia religiosa ou uma apresentação teatral, podem afetar consideravelmente uma à outra.

Existem muitas correntes que tendem a carregar pessoas sem vontade, e até mesmo aqueles que a têm mas não sabem como usá-la. Durante a vida física, a matéria de nossos corpos astrais está constantemente em movimento; porém, após a morte, a não ser que a vontade impeça, ela se organiza em cascas concêntricas com uma crosta da matéria que é mais grosseira por fora. Se alguém deseja trabalhar no astral deve impedir a formação dessas cascas, pois aqueles cujos corpos astrais organizaram-se dessa forma estão confinados a um único nível. Se essa reorganização já ocorreu, a primeira coisa a fazer quando encontramos uma pessoa assim é quebrar esse arranjo e deixá-la livre para percorrer o plano inteiro. Para aqueles que trabalham como auxiliares invisíveis no plano astral, não existem níveis separados; todos formam apenas um único nível.

As condições climáticas e atmosféricas praticamente não interferem no trabalho realizado nos planos astral e mental. Mas viver em uma grande cidade faz diferença por causa das massas de formas-pensamento. Alguns médiuns requerem uma temperatura de quase oitenta graus Farenheit para trabalharem com eficiência, enquanto que outros só trabalham com uma temperatura mais baixa.

Se necessário, o trabalho oculto pode ser feito em qualquer lugar, mas alguns lugares oferecem facilidades maiores do que outros. Por exemplo, a Califórnia tem clima muito seco, com muita eletricidade no ar, o que é favorável ao desenvolvimento da clarividência. Em Adyar, nossas formas-pensamento não encontram resistência ambiental porque estamos todos pensando mais ou menos segundo as mesmas linhas. Contudo precisamos lembrar que sempre pode haver resistência da parte da pessoa a quem estamos enviando pensamentos, pois algumas pessoas construíram a vida inteira, em torno de si mesmas, cascas de egoísmo impenetráveis até mesmo por quem lhes deseja fazer o bem.

Capítulo Cinco

O EGO E SEUS VEÍCULOS

O Ego e a Personalidade

Muitos dos membros da Sociedade Teosófica ainda não compreendem bem a questão do eu superior e do eu inferior. Isso não é de surpreender, pois ouvimos dizer repetidamente que existe apenas uma consciência, mas às vezes percebemos duas. É normal que alguns estudantes não saibam com certeza qual a verdadeira relação existente entre as duas e se o ego está ou não separado do corpo físico, tendo uma existência própria entre seus semelhantes em seu próprio plano.

A questão do eu superior e do eu inferior é muito antiga, e, sem dúvida alguma, é difícil perceber que apesar de tudo existe somente uma consciência e que as aparentes diferenças são causadas apenas pelas limitações dos diversos veículos. A consciência total funciona em seu próprio plano, o mental superior, mas, no caso da pessoa comum, ela ainda é parcial e vaga. Até onde alcança sua atividade ela está sempre do lado do bem, porque deseja aquilo que favoreça sua evolução como alma. Ela lança uma parte de si mesma na matéria inferior, onde essa parte se torna uma consciência tão aguda e vívida que pensa e age como se fosse um ser separado, esquecendo sua ligação com aquela autoconsciência superior muito mais ampla, mas menos elaborada. Assim, às vezes, parece que o fragmento trabalha contra o todo, mas o homem instruído não se deixa enganar e recua, através da consciência aguçada do fragmento, até a verdadeira consciência que está por trás.

O ego expressa-se apenas parcialmente pelo corpo físico, sem dúvida alguma; mas não é verdade que esteja dissociado do corpo. Se imaginarmos o ego como um corpo sólido e o plano físico como uma superfície, ao se apoiar nela, o sólido manifesta-se como uma figura plana, a qual obviamente é uma expressão muito parcial. Percebemos também que os diversos lados do sólido, ao se apoiarem sucessivamente na superfície, deixam impressões bastante diferentes entre si, e todas imperfeitas, porque o sólido prolonga-se em uma direção totalmente diferente que não pode ser expressa nas duas dimensões das superfícies. Poderemos tornar a comparação mais exata com relação ao homem comum se supusermos que o sólido é consciente apenas na área em contato com a superfície e que os resultados obtidos com a manifestação dessa consciência impregnam o sólido inteiro e estão presentes em qualquer expressão posterior dele, mesmo que totalmente diferente das expressões precedentes.

Podemos dizer que o ego existe consciente, entre seus semelhantes, em seu próprio plano, somente no caso daqueles que já estão um pouco avançados. A partir do momento em que se separa de sua alma-grupo e inicia sua existência independente, ele passa a ser uma entidade consciente, mas com uma consciência de natureza extremamente vaga. A única impressão que o ego ocasionalmente faz sobre o cérebro físico de algumas pessoas acontece no momento do despertar, de manhã. Existe um estado intermediário entre o sono e a vigília em que o homem é bem-aventuradamente consciente de que existe. Nesse estado, ele não percebe quaisquer objetos circundantes nem é capaz de se mover. Na verdade, qualquer movimento quebraria o encanto da felicidade e o traria de volta para o mundo comum de vigília; dessa forma, ele se esforça para permanecer quieto tanto quanto possível.

Essa condição — uma consciência de existir e uma intensa felicidade — lembra bastante o ego do homem comum no plano mental superior. Ele se concentra nesse estado durante o pouco tempo existente entre o final de uma vida no mundo celeste e o começo de sua própria descida à encarnação e, durante esse breve período, passa por uma retrospectiva e uma antecipação, isto é, um vislumbre do que sua vida anterior fez por ele e do que sua próxima vida está destinada a fazer. Durante muitos séculos, esses vislumbres são seus únicos momentos de pleno despertar, e é seu desejo por uma manifestação mais perfeita, o desejo de sentir-se mais vivo e ativo, que o impele ao esforço da encarnação. Não se trata do desejo pela vida no sentido comum da palavra, mas aquela consciência completa que abrange o poder de responder a todas as vibrações possíveis em cada plano, para que alcance a perfeição da empatia e da compaixão.

Enquanto o ego ainda é pouco desenvolvido, as forças do plano mental superior passam através dele praticamente sem afetá-lo, pois ele só pode responder a algumas poucas destas vibrações extremamente sutis. No início, só vibrações poderosas e comparativamente grosseiras podem afetá-lo, e elas não existem em seu próprio plano, por isso ele tem de lançar-se aos níveis inferiores para poder encontrá-las. Assim, a consciência completa surge para ele somente no seu veículo mais denso e inferior, e sua atenção focaliza-se por um longo tempo no plano físico. Apesar de esse plano estar muito abaixo do seu próprio nível e de oferecer um campo limitado de atividades, nos primeiros estágios, ele se sente muito mais vivo quando trabalha nele. À medida que a consciência amplia seu alcance, ele gradualmente começa a trabalhar com a matéria de um estágio mais elevado, isto é, matéria astral.

Muito mais tarde, tendo já alcançado plena liberdade com a matéria astral, ele começa a expressar-se também através da matéria de seu corpo mental, e seus esforços terminam quando conseguir trabalhar tão livremente com a matéria do corpo causal, no plano mental superior, quanto o faz hoje no plano físico.

Esses estágios de pleno desenvolvimento da consciência não devem ser confundidos com o mero aprendizado do uso dos respectivos veículos. Usamos nosso corpo astral toda vez que expressamos uma emoção, e nosso corpo mental toda vez que pensamos, no entanto isso está bem distante da capacidade de usá-los como veículos independentes para a plena manifestação da consciência. Aquele que consegue se manter plenamente consciente em seu corpo astral já fez um progresso considerável, porque superou o abismo entre a consciência astral e a física. Dia e noite não mais existem, pois leva uma vida contínua. A morte também deixou de existir. Sua consciência segue sem interrupção não só através da noite e do dia, mas também pelos portais da própria morte, até o fim de sua vida no plano astral.

Diante dele, abre-se depois uma etapa a mais de desenvolvimento — a consciência do mundo celeste, quando então sua vida e sua memória serão contínuas durante todo o tempo de cada descida à encarnação. Mais um passo leva a consciência ao nível de ego no plano mental superior; a partir de então, ele trará sempre consigo a memória de todas as suas vidas e pode dirigir conscientemente as várias manifestações inferiores de si mesmo em todas as etapas de seu progresso.

Não se deve pensar que o desenvolvimento de qualquer um desses estágios de consciência é repentino. Normalmente o rompimento do véu entre dois estágios é um processo razoavelmente rápido, às vezes até instantâneo. Uma pessoa que não tenha memória do que acontece no plano astral pode, involuntariamente, por acaso ou por alguma doença, ou intencionalmente, através de certas práticas, superar o intervalo e fazer a ligação. Desse momento em diante, sua consciência astral será contínua, e a memória dos acontecimentos ocorridos enquanto o corpo físico dorme será, portanto, perfeita. Mas, bem antes que um esforço ou acidente desses possa acontecer, sua consciência tem de estar funcionando plenamente no corpo astral, mesmo que ele não saiba disso durante sua vida física.

Exatamente da mesma maneira, precisamos ter, durante um longo tempo, uma experiência completa do uso do corpo mental como veículo antes que possamos quebrar a barreira entre ele e o astral, para desfrutarmos do prazer da recordação contínua. Por analogia, concluímos que o ego tem de estar plenamente consciente e ativo em seu próprio plano durante bastante tempo antes que qualquer conhecimento de sua existência possa chegar até nós na vida física.

Em muitas pessoas, o ego já começou a acordar daquela condição de mera bem-aventurança descrita anteriormente, tornando-se parcialmente consciente de seu ambiente e, portanto, de outros egos. A partir desse momento, ele leva adiante sua vida e tem interesses e atividades em seu próprio plano; mas não devemos esquecer que ele coloca na personalidade apenas uma pequena parte de si mesmo e que essa parte se envolve constantemente em interesses parciais, freqüentemente em desacordo com as atividades gerais do próprio ego, o qual, por conseqüência, não presta muita atenção à vida inferior da personalidade, a não ser que algo fora do comum aconteça.

Quando esse estágio é alcançado, em geral passamos a ser influenciados por um Mestre. Na verdade, nossa primeira consciência de algo externo é amiúde esse contato com aquele Mestre. O tremendo poder da influência do Mestre magnetiza-nos, harmoniza nossas vibrações com as d'Ele e multiplica o ritmo de nosso desenvolvimento. Ele brilha sobre nós como a luz do Sol nas flores e, sob essa influência, desenvolvemo-nos rapidamente. Embora os estágios iniciais do progresso sejam muito vagarosos, chegando a ser imperceptíveis, quando o Mestre volta Sua atenção sobre o homem, desenvolvendo e despertando nele uma vontade própria para participar do trabalho, a velocidade do progresso aumenta em progressão geométrica.

A parte daquela torrente de influência divina — derramada sobre o ego pelo Mestre — que pode ser passada para a personalidade, depende da conexão entre ela e o ego, a qual é diferente em cada caso. A vida humana é de uma variedade quase infinita. A força espiritual é vertida sobre o ego e um pouco dela certamente alcança a personalidade, porque, apesar de o ego ter destacado uma parte de si próprio, ele não se separou inteiramente dela, nem mesmo no caso das pessoas comuns, em que ego e personalidade são coisas bastante diferentes.

Nas pessoas comuns, o ego não tem muito poder sobre a personalidade, nem entende bem seu próprio propósito ao enviá-la aos planos inferiores; além disso, a pequena parte do ego que se encontra na personalidade cresce até ter opiniões e maneiras próprias. A personalidade desenvolve-se com as experiências que adquire e as repassa para o ego, mas, junto com esse desenvolvimento verdadeiro, ela acumula muita coisa que dificilmente mereceria ser considerada legítima ou autêntica. Ela adquire conhecimentos, mas também preconceitos que não são conhecimentos. Só no adeptado é que ela se liberta totalmente dos preconceitos; os preconceitos de conhecimento — ou melhor, de sua ausência —, de sentimentos e de ações. A personalidade gradualmente percebe esses preconceitos e passa por eles, porém sempre leva consigo uma boa dose de limitações, das quais o ego está inteiramente livre.

Só com a clarividência podemos verificar a quantidade de força espiritual que a personalidade recebe em cada caso particular. Entretanto, um pouco sempre flui, porque o inferior está ligado ao superior assim como a mão está presa ao corpo pelo braço. A personalidade, com certeza, recebe alguma energia, mas só a que ela mesma tiver se capacitado para receber. Trata-se também de uma questão de qualidades. O Mestre freqüentemente trabalha com qualidades do ego que estão bastante obscurecidas na personalidade, e, nesse caso, muito pouco desce aos planos inferiores. Como o ego espiritual ou permanente só pode receber da personalidade aquelas experiências compatíveis com sua natureza e seus interesses, assim também a personalidade só pode receber do ego os impulsos a que ela for çapaz de responder. Lembrem-se, no entanto, de que as experiências do ego tendem a excluir o mal, e as da personalidade, o bem — ou melhor, deveríamos chamá-los de aspectos material e espiritual, pois nada é realmente mau. Às vezes, podemos ver pela clarividência muitas dessas influências em ação. Em certo momento, por exemplo, podemos notar que determinada característica da personalidade está muito intensificada sem qualquer razão aparente. A causa pode ser encontrada em algum nível superior, na estimulação daquela qualidade no ego. Algumas vezes, transbordamos de devoção e afeição sem entender por quê. A razão novamente pode estar na estimulação do ego, ou pode ser que o ego esteja tendo um interesse especial, momentâneo, pela personalidade.

Durante a meditação, às vezes, atraímos a atenção do ego; mas devemos tentar elevar-nos e participar da atividade superior, e não interrompê-lo para atrair sua atenção para o inferior. Lembrem-se de que a meditação física não se destina ao ego, mas ao treinamento dos veículos, para que sirvam de canal para o ego. A influência superior é atraída pela meditação correta, a qual *sempre* é eficaz, mesmo que no plano físico as coisas pareçam ser embotadas e sem atrativos. Se o ego estiver um pouco desenvolvido, Ele também fará meditação em seu próprio plano; contudo isso não quer dizer que sua meditação esteja em sintonia com a da personalidade... O *Yoga* de um ego razoavelmente bem desenvolvido consiste em tentar elevar sua consciência primeiro para o plano búdico e depois através de seus diversos estágios. Ele realiza essa prática sem se importar com o que a personalidade esteja fazendo no momento, mas é bem provável que preste atenção a ela durante a meditação pessoal, embora suas meditações sejam bem diferentes.

O atingimento de níveis superiores por parte do ego faz, freqüentemente, com que ele se descuide da personalidade e deixe de enviar-lhe energia, fazendo-a sentir-se um tanto embotada e obscurecida.

O grau de influência que o esforço do Mestre exerce sobre a personalidade depende principalmente de duas coisas: a intensidade da ligação entre ego e personalidade e o trabalho realizado pelo Mestre sobre o ego, isto é, quais qualidades Ele está estimulando.

A meditação e o estudo de temas espirituais durante a vida terrestre são muito importantes para a vida do ego. As pessoas que não possuem um interesse mais sério pelos assuntos espirituais mostram apenas um fio de ligação entre o eu superior e o inferior. A personalidade parece ser tudo, e o ego, apesar de continuar existindo em seu plano, não apresenta praticamente atividade alguma, parecendo-se bastante com um pinto dentro do ovo. No entanto, no caso de alguns de nós, que estamos nos esforçando na direção correta, é de se esperar que o ego esteja alcançando uma consciência vívida, pois quebrou sua casca e começa a ter muita atividade e poder. À proporção que progredimos, tornamo-nos capazes de unir nossa consciência pessoal com a vida do ego — até onde for possível —, criando, assim, uma consciência única que nos acompanha até mesmo aqui embaixo, e, desse modo, o ego sabe tudo o que está acontecendo. Mas em nossa época muitas pessoas mostram uma considerável oposição entre personalidade e ego.

Existem outros detalhes que devem ser levados em consideração. Nem sempre é correto julgar o ego por sua manifestação na personalidade. Um ego de tipo intensamente prático pode demonstrar uma presença bem mais nítida no plano físico do que outro muito mais desenvolvido, caso a energia deste último esteja muito concentrada nos níveis causal ou búdico. Por isso as pessoas que vêem apenas o plano físico erram freqüentemente ao avaliarem a posição relativa dos outros.

Ao se relacionarem com um ego bastante avançado, vocês perceberão que, por vezes, ele não trata seu corpo com muita consideração. Quase tudo o que a personalidade mostra foi retirada *dele*! Tenho visto diversos casos em que o ego ficou até certo ponto impaciente e retirou-se um pouco, mas nestes casos sempre permanece um fluxo entre ele e a personalidade, o que não acontece com o homem comum. No caso do homem comum, a parte do ego enviada aos planos inferiores fica por sua conta, embora, é claro, não se separe totalmente do ego. No estágio mais avançado, existe uma comunicação constante entre os dois através do canal. Portanto, o ego pode, quando quiser, afastar-se e interiorizar-se bastante, deixando para trás uma pobre representação do homem verdadeiro. Assim, a relação entre o eu superior e o eu inferior varia muito, de acordo com as diferentes pessoas em seus vários estágios de desenvolvimento.

O ego pode aprender coisas em seu próprio plano, ajudar outros egos ou trabalhar de muitas maneiras, às vezes necessitando de força extra. E nessas condições ele pode, por algum tempo, deixar de prestar atenção à personalidade, assim como um homem bom, atarefado e sem tempo, esquece ocasionalmente de seu cavalo ou cachorro. Algumas vezes, quando isso acontece, a personalidade chama sua atenção cometendo alguma idiotice que resulte em grave sofrimento. Vocês já devem ter notado que depois de terminado algum trabalho que exigiu a cooperação do ego, como, por exemplo, dar palestra a um grande auditório, este retira sua energia e deixa a personalidade com energia suficiente apenas para sentir-se desanimada e deprimida. Durante algum tempo, ele reconheceu que aquele trabalho era importante e, por isso, lançou um pouco mais de si, contudo depois abandonou a pobre personalidade, deixando-a um tanto deprimida.

Naturalmente, a depressão com freqüência tem outras causas, como a presença de uma entidade astral melancólica ou de certos seres não humanos. A felicidade também nem sempre se deve à influência do ego, pois o homem não pensa muito sobre seus próprios sentimentos no momento em que está para receber um influxo de poder. A alegria pode ser criada pela proximidade de espíritos da natureza harmoniosos ou de muitas outras maneiras. O canal entre o ego e a personalidade não está sempre aberto. Às vezes, parece estar quase obstruído, uma situação bastante possível devido à estreiteza que apresenta na maior parte dos casos. Mas, em alguma ocasião especial, como uma conversão, a força volta a passar. Para a maioria das pessoas, existe em certa medida um fluxo constante. A meditação, conscientemente feita, abre o canal e o mantém aberto. Lembrem-se sempre, contudo, de que é melhor tentar alcançar o ego em seu nível do que trazê-lo até a personalidade.

Todo ego possui um certo conhecimento próprio. Ele recebe um vislumbre de seu passado e de seu futuro entre as vidas; no caso do homem não-desenvolvido, esse vislumbre acorda o ego por um momento, após o que ele adormece novamente. Durante a vida física, o ego comum exerce alguma vigilância e é capaz de algum esforço, mas ainda está adormecido. Em um homem desenvolvido, o ego está plenamente desperto. Com o tempo, descobre que pode fazer muitas coisas e começa a ter uma vida definida em seu próprio plano; porém, em muitas casos, tudo não passa de sombras. O propósito do ego é tornar-se plenamente ativo em todos os planos, inclusive no físico.

Suponhamos que uma pessoa tenha um ego cujo método principal de manifestação seja o afeto. É essa qualidade que ele quer que a personalidade demonstre e, se essa pessoa tentar desenvolver fortes afetos e se dedicar a eles, o ego prontamente enviará mais de si para a personalidade, porque encontrará nela exatamente o que deseja. Estejam atentos para proporcionar ao ego o que ele deseja e, rapidamente, ele aproveitará a oportunidade. Os egos podem ajudar outros egos em seu próprio plano, quando estiverem suficientemente desenvolvidos para isso. Os egos das pessoas comuns têm vida ou consciência quase vegetativa e parecem perceber apenas vagamente a existência dos outros egos. A personalidade não saberá o que o ego faz, a menos que esteja unificada com ele. O ego pode conhecer o Mestre, a personalidade não. O estudo das coisas interiores e a vivência da vida despertam o ego. A devoção pura e altruísta pertence aos planos superiores e diz respeito a ele.

Não acredito que as experiências da personalidade possam ser transmitidas ao ego, mas a essência delas sim. Ele pouco se importa com detalhes, quer apenas a essência. Todos os pensamentos que rotulamos de maus são impossíveis para o ego. Para alcançar definição e exatidão, ele tem que descer ao corpo físico. Ele assimila as experiências da personalidade o tempo todo, contudo devota-se a elas especialmente na vida celeste. Quando começamos a estudar teosofia e a viver a vida de acordo com ela, chamamos a atenção do ego porque enviamos vibrações às quais ele pode responder. O homem comum tem pouco em sua vida que atraia o ego.

Afeição e devoção altamente altruístas pertencem ao subplano astral mais elevado e se refletem na matéria correspondente do plano mental; por isso alcançam o causal, não o mental inferior. Desse modo, somente pensamentos altruístas afetam o ego. Todos os pensamentos inferiores afetam os átomos permanentes, mas não o ego; e, no lugar deles, encontramos vazios no corpo causal, não cores desagradáveis. O egoísmo inferior mostra-se nele como ausência de afeição ou simpatia, e, quando a qualidade boa se desenvolve, o vazio é preenchido. No corpo causal podemos ver se um homem tem possibilidade de falhar em alguma qualidade. Tentem desenvolver as qualidades que o ego quer, e ele virá ajudá-los.

Como diz *Luz no Caminho*, observem o ego e deixem que ele lute por meio de vocês, mas não esqueçam que vocês são o ego. Portanto, identifiquem-se com ele e façam o inferior dar espaço para vocês, que são o superior. Não se sintam desencorajados se caírem muitas vezes, pois um fracasso sempre traz um pouco de sucesso à medida que aprendemos com ele e nos tornamos mais sábios para enfrentar o próximo problema. No estágio atual, não podemos ter sempre sucesso, porém certamente o alcançaremos por fim. Nunca se esqueçam de que não se espera que tenhamos sempre sucesso, mas apenas que façamos o melhor possível.

As Contrapartes

Ao descer à encarnação, o ego atrai à sua volta uma massa de matéria astral que inicialmente toma a forma ovóide, a expressão mais fiel da verdadeira forma do corpo causal, mas ainda não é um corpo astral definido. O próximo passo em direção à encarnação física é a formação de um pequeno corpo físico no meio daquela matéria astral. Esse corpo exerce uma violenta atração sobre ela, fazendo com que a maior parte dessa matéria astral — a qual estava razoavelmente distribuída pelo ovóide — concentre-se dentro de seus limites.

Enquanto o corpo físico cresce, a matéria astral acompanha todas as suas alterações. Noventa e nove por cento da matéria do corpo astral comprimem-se dentro dos limites do corpo físico e apenas o remanescente um por cento preenche o restante da forma ovóide. Nas ilustrações de *O Homem Visível e Invisível**, nós o esboçamos no contorno do corpo físico apenas a lápis, bem de leve, porque minha intenção naquele livro era enfatizar as cores do ovóide e como elas ilustravam o desenvolvimento do homem pela transferência de vibrações do corpo inferior para o superior; mas, na verdade, aquela contraparte astral do corpo físico é bastante densa e definida, claramente distinguível do ovóide circundante.

Notem, portanto, que a matéria astral assume a forma exata da matéria física unicamente devido à atração que esta última exerce sobre ela. Precisamos entender, além disso, que apesar de falarmos que o subplano mais inferior do astral corresponde à matéria física sólida, ele apresenta textura bem diferente, pois toda matéria astral tem com a matéria física que lhe corresponde o mesmo tipo de relação que existe entre líquido e sólido. Por essa razão, as partículas do corpo astral, seja de suas partes mais sutis ou das mais grosseiras, estão constantemente em movimento, assim como as partículas da água corrente. Como conseqüência é inteiramente impossível que o corpo astral tenha órgãos especializados tal qual o corpo físico.

---

* Livro de C.W. Leadbeater editado pela Ed. Pensamento. (N. ed. bras.)

Os cones e bastonetes que formam a retina do olho físico têm, sem dúvida alguma, uma contraparte exata de matéria astral, mas as partículas que, num momento, ocupam aquela posição no corpo astral, podem, um segundo ou dois depois, estar movendo-se pela mão ou pelo pé. Não se pode, portanto, ver no plano astral com a contraparte astral dos olhos físicos, nem ouvir com a contraparte astral dos ouvidos, e talvez não seja correto usarmos os termos "ver" e "ouvir" para os métodos astrais de percepção, pois esses termos, normalmente, referem-se a órgãos especializados. Na verdade, qualquer partícula do corpo astral pode receber e transmitir vibrações de partículas do seu próprio tipo, somente do seu tipo. Dessa forma, quando obtemos um vislumbre de consciência astral, surpreendemo-nos por poder ver todos os lados simultaneamente, ao invés de apenas pela frente, como no plano físico. A correspondência exata do corpo astral com o físico não passa, portanto, de uma questão de forma externa, e não há qualquer semelhança funcional entre seus diversos órgãos.

A atração contínua durante a vida cria uma espécie de hábito ou tendência acumulada na matéria astral que a faz manter a mesma forma quando se afasta temporariamente do corpo físico à noite ou permanentemente após a morte, de modo que os contornos do corpo físico abandonado na morte permanecem quase inalterados durante a longa vida astral. Quase — porque não devemos esquecer que o pensamento exerce uma poderosa influência sobre a matéria astral e pode moldá-la prontamente. Uma pessoa que, após a morte, habitua-se a pensar que é mais jovem do que era quando morreu, gradualmente começa a apresentar uma aparência algo mais renovada.

Alguém pergunta: "Se um braço humano, galho de árvore ou perna de cadeira for cortado, a contraparte astral também será removida? Podemos fraturar um objeto físico quebrando sua contraparte astral? Quer dizer, se eu quebrar a contraparte astral de uma cadeira com a mão de meu corpo astral, a cadeira física também se quebrará?"

Os três casos citados não são muito análogos. Tanto a árvore quanto o homem têm vida dentro de si, o que faz do corpo astral em cada caso um todo coerente. Este é fortemente atraído pelas partículas do corpo físico e, por isso, adapta-se à sua forma, mas se parte do corpo físico for removida a coerência da matéria astral viva é mais forte do que a atração da parte física amputada. Conseqüentemente, a contraparte astral do braço ou galho amputado não segue o fragmento cortado. Como se habituou a manter aquela forma em particular, ela continuará por algum tempo retendo seu contorno original, mas logo se recolherá para dentro dos limites da forma lesada.

Tratando-se de um corpo inanimado, como uma cadeira ou vaso, não existe o mesmo tipo de vida individual para manter a coesão. Por isso, ao ser quebrada, a contraparte astral também se divide, contudo não é possível quebrar uma contraparte astral e dessa forma afetar o objeto físico. Em outra palavras, o ato de fratura tem de começar no plano físico.

Podemos mover, é claro, um objeto puramente astral com uma mão astral se quisermos, mas não a contraparte astral de um objeto físico. Para isso teríamos que materializar uma mão e mover o objeto físico, o que faria a contraparte astral acompanhá-lo. A contraparte astral está em determinado lugar porque o objeto físico está lá, assim como o perfume de uma rosa preenche uma sala porque a rosa está nela. Sugerir que, ao movermos a contraparte astral, moveríamos também o objeto físico é o mesmo que dizer que, carregando o perfume, poderíamos mover a rosa física de onde ele emanou.

O corpo astral troca suas partículas, como faz o físico; porém, felizmente, o cansativo e grosseiro processo de cozinhar, comer e digerir alimentos não é necessário no plano astral. As partículas que saem são substituídas por outras da atmosfera ambiente. As ânsias puramente físicas de fome e sede não existem lá, mas o desejo do glutão de satisfazer seu paladar e o desejo do beberrão pela satisfação que sente absorvendo álcool são astrais, e, por isso, persistirão e causarão grandes sofrimentos na ausência do corpo físico, o único que permitiria sua satisfação.

Até onde sabemos no momento, o corpo astral não parece cansar. O homem comum não trabalha durante muito tempo seguido no plano astral enquanto ainda possui corpo físico, porque suas noites de trabalho astral alternam-se com dias de trabalho físico. Contudo sei do caso de um homem que, por ter direito a reencarnar rapidamente, teve de esperar no plano astral vinte e cinco anos pelas condições especiais de que precisava. Passou o tempo todo trabalhando pelo bem dos outros sem qualquer interrupção, a não ser a freqüência ocasional a reuniões de discípulos de nossos Mestres, e ele assegurou-me que nunca teve a menor sensação de fadiga e que, na verdade, tinha esquecido o que significava estar cansado.

Todos sabemos que a emoção excessiva ou duradoura rapidamente nos cansa na vida comum, e, como a emoção é uma expressão astral, alguém poderá supor que o corpo astral pode fatigar-se. Acredito, contudo, que na verdade é o organismo físico que está sujeito à fadiga, pois através dele têm de passar todos os nossos aspectos que se manifestam nesse plano. A fadiga mental também é um caso parecido. Não existe tal coisa como a fadiga da *mente;* essa condição refere-se à fadiga do cérebro físico através do qual a mente tem de se expressar.

Um observador que não tenha a capacidade de elevar sua visão acima do nível astral verá naturalmente apenas matéria astral ao olhar a aura de seus amigos. Verá que essa matéria astral circunda o corpo físico e também interpenetra-o, e que, dentro dos limites do corpo, ela é muito mais densa do que na aura externa. Isso ocorre porque grande parte da matéria astral densa foi atraída para formar a contraparte das células do corpo físico.

Durante o sono, quando o corpo astral afasta-se do físico, sua forma e disposição persistem, de modo que à visão clarividente aparece a mesma forma semelhante ao corpo físico circundada por uma aura. Essa forma compõe-se agora somente de matéria astral, mas a grande diferença de densidade entre ela e a névoa que a envolve ainda é suficiente para torná-la claramente distinguível, mesmo que não seja mais que uma forma de névoa mais densa.

Existe muita diferença entre um homem desenvolvido e outro não-desenvolvido. No caso deste último, as feições e a aparência da forma interna são reconhecíveis, apesar de borradas e confusas, mas o ovo circundante nem merece esse nome, pois não passa de uma névoa sem forma, sem regularidade nem estabilidade no contorno.

Quando se observa o homem mais desenvolvido, a mudança é notável, tanto na aura quanto na forma interior. Esta última é muito mais nítida e delineada, uma reprodução mais exata da aparência física humana, e, no lugar da névoa flutuante, encontramos um ovóide bem definido, que mantém sua forma até mesmo em meio às diversas correntes que rodopiam à sua volta no plano astral. Apesar da disposição do corpo astral mudar bastante após a morte, a forma dentro do ovo continua sendo tão reconhecível quanto antes. Essas mudanças naturais tendem, em geral, a tornar a forma um pouco mais sutil e espiritual na aparência, à medida que o tempo passa.

As Cores do Corpo Astral

Qualquer cor comparativamente permanente no corpo astral significa uma vibração persistente que com o tempo afetará o corpo mental e também o causal. As qualidades superiores desenvolvidas durante a vida nos planos inferiores gradualmente afetam o corpo causal permanente, tornando-se qualidades da própria alma. As cores podem misturar-se em qualquer grau, por exemplo: afeição (rosa) com devoção religiosa (azul) resulta em um belo violeta. Somente os *bons* pensamentos e sentimentos podem afetar o corpo causal, onde passam a fazer parte permanente do homem. Outros tipos de pensamentos e sentimentos só afetam os veículos inferiores e são comparativamente temporários. O tamanho de uma forma-pensamento mostra a força da emoção.

O Corpo Causal

Nenhuma quantidade de corpos físicos poderia conter plenamente o corpo causal, assim como nenhuma combinação de linhas em um mesmo plano poderia formar um cubo.

O ego lança-se em seus vários corpos com a intenção de (1) fazer com que o corpo causal aprenda a responder a mais vibrações e (2) aumentar o tamanho do corpo causal. A maioria das pessoas dificilmente tem alguma consciência no corpo causal. As cordas musicais, digamos, desses egos não podem ser tocadas diretamente, mas podem ser alcançadas a partir de baixo, indiretamente.

O corpo causal compõe-se de matéria dos três subplanos mais elevados do plano mental. Atualmente muitas pessoas só podem trabalhar com a matéria do terceiro subplano mental, a parte mais inferior de seus corpos causais e, mesmo assim, normalmente, apenas a matéria mais inferior *dessa parte* encontra-se ativa. Quando entramos na Senda, o segundo subplano ativa-se. O adepto utiliza o corpo causal inteiro enquanto sua consciência está no plano físico. Uma maneira imperfeita de se verificar o estágio em que alguém está é observar o corpo causal, que também mostra como ele chegou lá. Os homens desenvolvem-se desigualmente. Somos todos não-desenvolvidos em algum aspecto. Um animal apresenta um corpo causal mínimo no momento de sua individualização. A partir de então ele precisa ser desenvolvido em tamanho e cor.

O Elemental do Desejo

A maior parte da matéria do corpo astral é vitalizada pela essência elemental*, a qual se separa por algum tempo da massa geral da matéria astral e torna-se uma expressão do homem naquele plano. Trata-se de uma essência viva, mas não inteligente. Possui um tipo de instinto, chamado pelo Sr. Sinnett de "o despertar da inteligência" que a guia para conseguir o que quer. De modo cego e irracional, busca seus objetivos instintivamente, demonstrando grande criatividade ao realizar seus desejos e favorecer sua evolução.

Evolução, para ela, significa descer à matéria; seu objetivo é tornar-se uma mônada mineral. Portanto seu objetivo na vida é aproximar-se o máximo que puder do plano físico e entrar em contato com o maior número possível de vibrações do tipo mais grosseiro que encontrar. Ela nada sabe sobre *nós*; não pode co-

* Essência elemental: a vida de matéria mental ou astral que se encontra em um estado mais primitivo de manifestação do que os minerais. Desce à matéria para animar minerais, depois vegetais e animais. (N. ed. norte-americana)

nhecer ou imaginar nada sobre nós, mas percebe que está separada da massa geral, e que é bom estar separada. Não é um demônio, e não devemos aceitar a idéia de que deve ser odiada.

Assim como nós, a essência elemental também faz parte da Vida Divina, mas seus interesses são diametralmente opostos aos nossos. *Ela* quer evoluir para baixo; *nós* queremos evoluir para cima. Ela deseja preservar sua vida separada e percebe que só pode fazê-lo ligando-se a nós. Ela é consciente de alguma coisa, que é nossa mente inferior, e entende que, se englobar essa mente e persuadir-nos de que seus interesses de essência elemental e os nossos são os mesmos, obterá de nós, em número cada vez maior, as sensações que deseja. Depois que ela envolve a mente o suficiente para cumprir seu propósito, não conseguimos mais afastá-la; em conseqüência disso, em nossa vida após a morte, perdemos um pouco da matéria da mente inferior.

Vemos aqui, portanto, o elemental do desejo buscando seus objetivos, sem saber que, ao envolver nossa mente inferior, está-nos prejudicando. Quanto mais conseguir envolvê-la, melhor para ele, pois mais longa será sua vida astral, que perdura até mesmo depois de passarmos ao mundo celeste. Na terminologia teosófica, ele é chamado de sombra. *Nosso* dever é não permitir que sejamos enganados; *ele* nada sabe de nossa evolução e não é responsável por ela, simplesmente tenta desviar-nos para seus propósitos. Se soubesse de nossa existência, pareceríamos a ele seres malignos e tentadores, tentando impedir a evolução que para ele é a correta. Se impedirmos com firmeza que nosso corpo astral vibre na freqüência peculiar da matéria mais grosseira, esta gradualmente será eliminada do corpo, que se tornará mais sutil, e o elemental do desejo passará a ser de um tipo menos ativo. Tenhamos bem claro que esse elemental não é nós. Nunca somos *nós* que desejamos essas coisas inferiores, mas essa criatura.

Não basta que *lutemos* contra ele. Devemos libertar-nos dizendo: "Não sou eu, eu não quero essa coisa inferior". Somos responsáveis por seus gostos e desejos pois, em nossa última vida, nós o fizemos como é hoje. Não quero dizer que esse agrupamento particular de matéria astral e essência elemental existia anteriormente, não é isso; ele foi aglutinado ao nascermos desta vez. Mas é uma reprodução exata da matéria de nosso corpo astral ao final de nossa última vida astral. Contudo, não é nós e devemos lembrar-nos disso a vida toda, até mesmo durante a vida após a morte, porque então terá um poder ainda maior para tentar enganar-nos.

Não pensem que estão bloqueando a evolução dele por não permitirem que os influenciem. De forma alguma. Estaremos fazendo o melhor para o elemental se controlarmos as paixões inferiores e firmarmos uma posição definida. Assim não desenvolveremos suas partes mais inferiores, é verdade, mas podemos eliminar o inferior e desenvolver o superior. Um animal pode suprir os tipos inferiores de vibrações bem melhor do que nós, enquanto que somente o homem pode desenvolver o tipo superior da essência.

Após a morte do corpo físico, o homem comum, que nunca soube nada a respeito disso, encontra-se ao despertar do outro lado em uma situação bastante inesperada, e normalmente se perturba por esse motivo. Por fim, aceita essas condições para ele incompreensíveis, pensando que são necessárias e inevitáveis. Algumas o são, sem dúvida alguma, mas outras não; e, com conhecimento, estas últimas seriam transcendidas.

O elemental tem medo porque sabe que a morte do corpo físico significa um fim próximo para sua vida separada. Ele sabe que a morte astral do homem seguir-se-á mais ou menos rapidamente, quando, então, ele perderá suas sensações vívidas e intensas. Conseqüentemente ele adota o melhor plano que pode para preservar o corpo astral. Evidentemente ele conhece o bastante de física astral para saber que a matéria mais densa pode manter-se por mais tempo e suporta melhor o atrito. Assim ele dispõe a matéria em camadas, ficando a mais grosseira por fora. De seu ponto de vista, ele está certo. A reformulação que o elemental do desejo provoca após a morte é feita na superfície da contraparte do corpo físico, e não na superfície do ovo que o envolve. Assim, com essa reformulação, o elemental encerra a pessoa, por assim dizer, em uma caixa de matéria astral que permite a ela ver e ouvir apenas coisas do plano mais inferior e grosseiro*. Se nos opusermos a essa reformulação, ele tentará fazer-nos acreditar que, se não nos agarrarmos firmemente à matéria inferior, flutuaremos até nos perdermos em uma nebulosidade vaga. O elemental tenta provocar em nós um sentimento de terror se tentarmos desfazer o arranjo dele, na tentativa de deter-nos.

Se, por outro lado, opusermo-nos a ele com nossa vontade, a situação muda. As partículas do corpo astral continuam misturadas como eram durante a vida, deixando-nos livres para experimentar todos os subplanos.

A luta final contra ele ocorre na conclusão da vida astral, pois, nesse momento, o ego tenta recuperar para si tudo o que desceu à encarnação no começo da vida que se encerra; o capital, por assim dizer, que investiu mais os juros das experiências passadas e as qualidades desenvolvidas durante a vida. No entanto, quando tenta fazê-lo, encontra uma oposição determinada por parte do elemental do desejo, que ele mesmo criou e alimentou.

---

* Veja "Localização dos Estados" no Capítulo Seis. (N. ed. norte-americana)

Dificilmente poderíamos atribuir-lhe inteligência, mas ele tem um forte instinto de autopreservação que o faz resistir com todas as forças diante da extinção que o ameaça. Tratando-se de mortais comuns, ele obtém algum sucesso, pois boa parte das faculdades mentais foram governadas pelos desejos inferiores durante a vida e aviltadas a seu serviço ou, em outras palavras, a mente inferior foi tão seriamente envolvida pelo desejo que é impossível para ela libertar-se completamente. Ao final da luta, portanto, uma parte da matéria mental e até mesmo da causal é retida no corpo astral depois de o ego haver-se separado totalmente dele. Se durante a vida tivermos vencido os desejos inferiores e libertado a mente inferior totalmente deles, praticamente não há luta; e o ego recupera todo o capital e os juros. Infelizmente, também, existe o outro extremo, quando o ego não é capaz de recuperar nada.

Assim, o nosso dever, durante a vida e após a morte, é controlar o elemental do desejo e não permitir que *ele* nos controle. Compreendam que somos deuses em formação. Todo poder e força do universo está do nosso lado. O resultado final está assegurado. Cerrem fileiras do lado da Lei e tudo se simplificará.

O controle absoluto das paixões é altamente desejável, mas poucos o conseguem. Enquanto estiverem funcionando no plano astral, vocês têm que manter a calma, porque verão muitas coisas amedrontadoras e, se os sentimentos não estiverem totalmente sob controle, vocês podem facilmente fazer alguma coisa da qual se arrependerão depois. Aqui embaixo as pessoas com freqüência cometem brutalidades sem se importarem. Um professor insensível, por exemplo, maltrata uma criança sem perceber sua maldade, mas, no plano astral, o horror de uma ação destas aparece de imediato e até mesmo os horrores do *karma* criado freqüentemente podem ser vistos. No plano astral, vemos os efeitos até mesmo de uma palavra rude. Paixões violentas e fortes com freqüência atraem tipos baixos de seres que entram nas formas-pensamento e desfrutam das vibrações. Essas formas-pensamento animadas podem durar anos e até mesmo produzir fenômenos *poltergeist*.

Almas Perdidas

É um alívio indescritível libertarmo-nos, pelo bom senso do ensinamento teosófico, do terrível pesadelo que é a doutrina da condenação eterna, sustentada pelos seguidores mais ignorantes do Cristianismo, os quais não compreendem o sentido verdadeiro de certas frases atribuídas nos evangelhos ao seu Fundador. Alguns de nossos estudantes, entusiasmados com a gloriosa descoberta de que todos devem alcançar por fim a perfeição, vêem seu contentamento um tanto diminuído por horríveis insinuações de que, afinal, existem condições nas quais uma alma pode ser perdida, e começam a duvidar se o reino da lei divina é universal, ou se há algum método pelo qual o homem pode escapar do domínio do *Logos* e destruir a si mesmo. Podem sentir-se reconfortados: a vontade do *Logos* é infinitamente mais forte do que qualquer vontade humana, e nem mesmo a mais forte e perversa astúcia pode prevalecer contra Ele.

Ele permite que o homem faça uso de seu livre arbítrio, é verdade, mas somente dentro de certos limites bem definidos. Se usarmos bem nossa vontade, esses limites ampliam-se rapidamente, e adquirimos cada vez mais poder sobre nosso próprio destino; mas, se a usarmos para o mal, as limitações aumentam. Assim, enquanto o poder para o bem é praticamente ilimitado, porque traz em si a potencialidade do crescimento infinito, o poder para o mal é rigidamente limitado. E isso não se deve a qualquer desigualdade na aplicação da Lei, mas, sim, porque, em um caso, nossa vontade está de acordo com a do *Logos* — nadamos segundo a onda evolutiva — e, no outro, lutamos contra ela.

O termo "almas perdidas" não é muito adequado, pois certamente será incompreendido, insinuando muito mais do que realmente significa. A palavra "alma" é normalmente usada com uma grande falta de precisão. No geral, as pessoas supõem que ela se refere àquela parte mais sutil e permanente do homem, e, assim, para o homem da rua, "perder a alma" quer dizer perder a si mesmo e estar perdido para sempre. Isso é precisamente o que nunca pode acontecer; portanto essa expressão é enganosa, e será útil para os estudantes se esclarecermos os fatos. Parece que existem três classes de "almas perdidas", e vamos considerá-las uma por uma.

1) **Aqueles que se afastarão dessa evolução na metade da quinta ronda.** Esse afastamento é exatamente a condenação por uma era (*não* eterna) de que fala o Cristo como um perigo bastante real para alguns de Seus ouvintes não esclarecidos, uma condenação que significa apenas a decisão de que ainda são incapazes de aproveitar o progresso superior, não implicando culpa exceto no caso daqueles que negligenciaram suas oportunidades. A teosofia ensina-nos que os homens são irmãos, mas não que sejam iguais. Existem diferenças imensas entre nós. Entramos na evolução humana em épocas diversas, e, por isso, algumas almas são mais velhas do que outras, ocupando níveis diferentes na escada do desenvolvimento. As almas antigas naturalmente aprendem muito mais rapidamente do que as mais jovens, e, com isso, a distância entre elas aumenta constantemente. Chega um momento em que as condições necessárias para o desenvolvimento de um tipo são totalmente inadequadas para o de outro.

Podemos fazer uma analogia bastante útil se pensarmos nos alunos de uma escola. O professor tem um ano para preparar seus alunos para o exame final. Ele divide seu trabalho de acordo com cada mês, começa com o mais fácil e gradualmente inclui assuntos mais difíceis. Os alunos, contudo, apresentam idades e capacidades diferentes. Alguns aprendem rapidamente e passam à frente da média, e outros ficam para trás. Novos alunos estão constantemente entrando na turma, e alguns dificilmente se encontram no mesmo nível dela. Transcorrida metade do ano, o professor encerra as admissões e recusa-se a receber novos alunos.

Essa situação ocorreu para nós na metade da quarta ronda, quando a porta de passagem do reino animal para o humano fechou-se, exceto para alguns poucos casos excepcionais que pertencem, por assim dizer, ao futuro. Assim como alguns homens estão alcançando o adeptado, não por serem remanescentes atrasados da cadeia anterior, mas, sim, por estarem mais avançados do que o restante da humanidade, da mesma maneira alguns animais encontram-se no estágio da individualização, que a maioria deve alcançar no final da sétima ronda. No planeta seguinte, arranjos serão feitos para que essas exceções tenham a oportunidade de ocupar corpos humanos primitivos.

Um pouco mais tarde, o professor pode prever com clareza que alguns de seus alunos certamente passarão no exame, que a chance de alguns outros é duvidosa e que outros ainda falharão com certeza. Para estes últimos, é bastante razoável que ele diga:

> *Alcançamos agora um estágio em que o ensino nesta classe torna-se inútil para vocês. Vocês não poderão alcançar o padrão necessário a tempo para o exame. Os ensinamentos mais avançados, que devem ser dados aos outros, são inadequados para vocês, e, como não poderão compreendê-lo, estarão gastando seu tempo e atrapalhando o restante da classe. Portanto será melhor que vocês sejam transferidos imediatamente para a classe anterior a essa, onde poderão aperfeiçoar-se nas lições preliminares, as quais ainda não aprenderam totalmente, e que voltem para esse nível com a classe do próximo ano, quando, então, certamente, passarão no exame, com méritos.*

Na metade da quinta ronda é exatamente isso que será feito. Aqueles que não puderem alcançar o objetivo prescrito no tempo que resta serão levados de volta para uma classe inferior e, se as portas dessa classe ainda não estiverem abertas, esperarão em paz e felicidade até o momento certo. Estes podem ser descritos como perdidos *para nós*. Afastados dessa pequena onda particular de evolução à qual pertencemos, não são mais "colegas da nossa turma", como dizemos no colégio. Contudo serão, com certeza, "colegas da próxima turma", e até mesmo líderes, por causa do trabalho e da experiência que já tiveram.

A maioria dessas pessoas falha porque são muito jovens para a classe, mas são também muito velhas para ocuparem os primeiros lugares da classe anterior. Tiveram a vantagem de passar pela primeira metade do ano e por isso o enfrentarão da próxima vez mais facilmente e poderão ajudar seus colegas mais atrasados que não tiveram suas vantagens. O fracasso não significa culpa alguma para aqueles que são jovens demais para o trabalho.

Mas há um outro grupo de alunos que pode alcançar o sucesso caso se esforce com determinação, mas falhará se faltar esse esforço. Nesse grupo está o aluno que se atrasa não porque é jovem demais, porém porque é muito preguiçoso com o trabalho. Seu destino é o mesmo dos outros, mas, enquanto aqueles não têm culpa porque fizeram o melhor que podiam, este é culpado porque não fez o melhor que podia e carregará por isso um *karma* do qual os outros estão livres. As advertências do Cristo foram dirigidas para homens dessa classe, homens que tiveram a oportunidade e a capacidade de alcançar o sucesso, mas não estavam se esforçando como deviam.

É a estes que a Sra. Blavatsky refere-se ao falar vigorosamente dos "parasitas inúteis que se recusam a trabalhar em conjunto com a natureza e perecem aos milhões durante o ciclo de vida *manvantárico*"*. (*A Doutrina Secreta*, Vol. III). Entretanto, notem que essa "morte" diz respeito apenas a esse "ciclo de vida *manvantárico*", significando só um atraso para eles e não a extinção total. O atraso é a pior coisa que pode acontecer às pessoas no curso da evolução. Um atraso desses é, sem dúvida alguma, muito sério; contudo, por pior que seja, é o melhor que pode ser feito nas circunstâncias. Qualquer que seja o motivo do fracasso — juventude demais, preguiça ou perversidade — essas pessoas mostram claramente que necessitam de mais treinamento, e esse treinamento elas têm que receber. Obviamente isso é o melhor para elas, mesmo que signifique muitas vidas, muitas das quais podem ser sombrias e sofredoras. Ainda assim precisam passar por elas até o fim, porque é a única maneira de alcançarem o nível que as raças mais avançadas já atingiram através de uma evolução também bastante longa.

---

* *Manvantárico:* do sânscrito, *manvantara*, que significa literalmente "período entre dois *Manus*". Constitui uma Ronda ou Ciclo de existência correspondente a um *Manu* e durante o qual existe uma determinada humanidade. Glossário Teosófico, Ed. Ground. (N. ed. bras.)

Foi com a intenção de salvar o maior número possível de pessoas desse sofrimento adicional que Cristo disse a Seus discípulos: "Vão pelo mundo e preguem o evangelho a todas as criaturas; aquele que acreditar e for batizado será salvo, mas o que não acreditar será condenado". O batismo e os rituais correspondentes das outras religiões significam a dedicação da vida a serviço da Fraternidade, e aquele que puder apreender a verdade e, conseqüentemente, voltar sua face para a direção correta, certamente, estará entre os "salvos" ou "seguros" que escaparão da condenação na quinta ronda; enquanto os que não se preocuparem em perceber e seguir a verdade com certeza cairão sob aquela condenação. Mas lembrem-se sempre de que a "condenação" significa apenas o afastamento dessa "era" ou cadeia de mundos; um recuo até a próxima onda de vida. "Almas perdidas" se quiserem, mas perdidas para nós, talvez, e não para o *Logos*; por isso seria melhor dizer apenas que foram temporariamente afastadas. Obviamente não devemos supor que a "crença" que as salvará é o conhecimento da teosofia. A religião a que pertencem não tem qualquer importância, contanto que estejam buscando a vida espiritual, enfileirados ao lado do bem e contra o mal, trabalhando altruisticamente e seguindo para frente e para o alto.

2) **Os casos em que a personalidade foi tão enfatizada que o ego se encontra praticamente separado dela**. Estes apresentam duas variedades: os que vivem apenas em suas paixões e os que vivem apenas em suas mentes, e, como ambos são bastante comuns, vale a pena tentarmos entender exatamente o que acontece a eles.

Falamos com freqüência que o ego desce até a matéria dos planos inferiores. Muitos estudantes não entendem que não se trata de retórica, mas de algo bastante definido e material. O ego habita um corpo causal, e, quando assume também um corpo mental e um astral, a operação envolve a mistura real de uma parte de matéria de seu corpo causal com matéria inferior astral e mental. Podemos considerar essa "descida" como um investimento feito pelo ego. Como em todo investimento, Ele espera recuperar mais do que investiu; no entanto, há um risco de desapontamento, que é a possibilidade de perder uma parte do que investiu ou, sob circunstâncias excepcionais, sofrer uma perda total que o deixa sem capital disponível, mas não falido.

Vamos refletir sobre essa analogia. O ego tem em seu corpo causal matéria de três níveis: primeiro, segundo e terceiro subplanos do mental. Contudo, para a grande maioria da humanidade, somente o tipo mais baixo desses três encontra-se ativo, e apenas parcialmente. Por isso só um pouco desse tipo mais inferior de matéria causal pode descer a níveis inferiores e apenas uma pequena fração dessa parte pode misturar-se com matéria astral e mental.

O controle do ego sobre essa fração que desce aos planos inferiores é muito fraco e imperfeito, porque Ele ainda está meio adormecido. Mas, à medida que seu corpo físico cresce, seu corpo astral e o mental também se desenvolvem e mandam vibrações vigorosas que atingem e despertam a matéria causal envolvida neles. Essa pequeníssima fração dá a esses veículos vida, vigor e uma sensação de individualidade, e esses por sua vez reagem fortemente sobre ela, despertando-a para uma percepção aguda da vida. Essa percepção aguçada da vida é exatamente o que ela precisa. É o objetivo de sua descida. É o desejo por essa percepção aguçada que é chamado de *trishna* (a sede pela vida manifestada, o desejo de estar profundamente vivo), a força que leva o ego novamente à reencarnação.

Como essa pequena fração passou pelas experiências e está bem mais desperta do que o restante do ego, pode freqüentemente se intensificar tanto que chega a pensar que é o todo, esquecendo, no momento, sua relação com seu "Pai que está no céu". Ela pode identificar-se temporariamente com a matéria através da qual deveria estar trabalhando e resistir à influência daquela outra parte que também desceu, mas não se envolveu com os veículos, servindo de ligação com a massa maior do ego em seu próprio plano.

Para compreender melhor, precisamos recordar que aquela porção do ego que está desperta no terceiro subplano do mental — não esqueçam o quanto essa fração é pequena — divide-se em três partes: **A** — a que permanece em seu próprio plano; **B** — a que desce, mas permanece independente da matéria inferior; e **C** — aquela que se envolve totalmente com a matéria inferior e dela recebe vibrações. As três formam uma escala descendente, pois assim como **A** é uma parte muito pequena do ego, **B** é uma pequena parte de **A** e **C**, por sua vez, uma pequena parte de **B**. A segunda serve de ligação entre a primeira e a terceira, e podemos dizer que **A** é o corpo, **B**, o braço estendido e **C**, a mão ou talvez as pontas dos dedos que estão enterradas na matéria.

Temos aqui um arranjo delicadamente equilibrado que pode ser afetado de diversas maneiras. A intenção é que a mão **C** agarre firmemente e dirija a matéria com a qual está envolvida, sendo dominada o tempo todo pelo corpo **A** através do braço **B**. Sob circunstâncias favoráveis, força adicional e até mesmo matéria adicional podem ser enviadas de **A** através de **B** para **C**, para que o controle se torne mais perfeito. **C** pode crescer em tamanho e poder e, quanto mais o conseguir, melhor, desde que a comunicação através de **B** esteja livre e desimpedida e **A** mantenha o controle. O próprio envolvimento da matéria causal que constitui **C** desperta-a para uma atividade vívida e uma acuidade capaz de responder a delicadas tonalidades vibratórias que não poderia obter de outra forma, e a transmissão desse despertar através de **B** para **A** é que constitui o desenvolvimento do ego.

Infelizmente, os acontecimentos nem sempre seguem o plano ideal mostrado acima. Quando o controle exercido por **A** é débil, **C** pode tornar-se tão envolvido na matéria inferior que termina identificando-se com ela, esquecendo no momento sua elevada condição e pensando que é o ego inteiro. Se estiver identificada com matéria do plano mental inferior, teremos, no plano físico, uma pessoa totalmente materialista. Pode ser talvez agudamente intelectual, mas não espiritual. Pode demonstrar intolerância com a espiritualidade e ser incapaz de compreendê-la ou apreciá-la. Provavelmente se julgará uma pessoa de senso prático, verdadeira e racional. Mas, na realidade, é dura como pedra, e por causa dessa dureza sua vida é um fracasso e não faz nenhum progresso.

Se a matéria em que se envolveu tão fatalmente for a astral, teremos — no plano físico — alguém que pensa somente na sua própria satisfação, totalmente desumana quando busca algum objeto que fortemente deseja, uma pessoa totalmente sem princípios e brutalmente egoísta. Uma pessoa dessas vive em suas paixões assim como o homem envolvido na matéria mental vive em sua mente. Casos assim foram descritos em nossa literatura como "almas perdidas", ainda que não irreparavelmente perdidas. A Sra. Blavatsky escreveu:

"Uma pessoa que perdeu sua Alma Superior por causa de seus vícios tem esperança enquanto estiver no corpo. Ainda pode redimir-se e transformar sua natureza material. Um sentimento intenso de arrependimento ou um apelo sério ao ego que partiu, ou, melhor ainda, um esforço concentrado para corrigir seus modos, podem trazer o ego Superior de volta. O fio de ligação ainda não se rompeu de todo. (*A Doutrina Secreta*, Vol. III).

Nesses casos, **C** rebelou-se contra **B** e o pressionou de volta para **A**; o braço definhou e quase se paralisou, seu poder e substância foram recolhidos para dentro do corpo; a mão passou a cuidar de si própria, fazendo movimentos espasmódicos e convulsivos fora do controle do cérebro. Uma separação completa corresponde a uma amputação do pulso, mas isso muito raramente acontece durante a existência física, apesar de às vezes restar apenas a comunicação necessária para manter a personalidade viva.

Como disse a Sra. Blavatsky, um caso desses não está inteiramente perdido, pois, até no último momento, vida nova pode ser vertida através desse braço paralisado, se for feito um esforço suficientemente forte que permita ao ego recuperar uma parte de **C** como já recuperou a maior parte de **B**. Porém essa vida foi desperdiçada, posto que, embora o homem escape de uma perda mais grave, nada foi ganho e muito tempo foi esbanjado. Pode parecer incrível que, em casos tais como descrevi, a pessoa consiga evitar uma perda grave, mas, felizmente para as nossas possibilidades de progresso, as leis sob as quais vivemos tornam bastante difícil uma perda realmente grave. A razão pode ser melhor esclarecida pelas seguintes considerações.

Todas as atividades que chamamos de más, quer se trate de pensamentos egoístas no plano mental ou emoções egoístas no plano astral, não passam de vibrações da matéria mais grosseira daqueles planos, de seus níveis mais inferiores. Por outro lado, todo pensamento ou emoção boa e altruísta coloca em vibração os tipos superiores de matéria, e como essa matéria move-se com mais facilidade, uma certa quantidade de força gasta em pensamentos ou sentimentos bons produz, talvez, cem vezes mais resultado do que a mesma força enviada para a matéria mais grosseira. Se não fosse assim, o homem comum não poderia progredir de forma alguma.

Provavelmente não cometeremos injustiça com o homem não-desenvolvido do mundo se afirmarmos que noventa por cento de seus pensamentos e emoções são egocêntricos, se não realmente egoístas, e que, se dez por cento forem espirituais e altruístas, ele deve estar-se elevando um pouco acima de média. Se essas condições produzissem resultados correspondentes, a grande maioria da humanidade daria nove passos atrás para cada passo dado adiante e retrocederia tão rápido que, em poucas encarnações, estaríamos de volta ao reino animal de onde viemos. Felizmente para nós, o efeito de dez por cento de força dirigida para bons propósitos supera os noventa por cento devotados a propósitos egoístas, e assim, no geral, o homem avança apreciavelmente de vida para vida. Se uma pessoa tiver apenas um por cento de bem, fará um pequeno progresso; e aquele que está estacionado, que não avança nem retrocede, tem que ter levado uma vida claramente má; enquanto que para retroceder de verdade na evolução uma pessoa tem de ser um vilão decididamente fora do comum.

Graças a essa lei benéfica, o mundo progride lenta mas firmemente, mesmo que à nossa volta vejamos muita coisa indesejável, e pessoas como as que descrevi não caem tanto assim. Perderam mais tempo e oportunidade do que uma posição real na evolução, porém perda de tempo e de oportunidade significa sempre sofrimento adicional.

Para entender sua perda e seu fracasso, vamos voltar por um momento à analogia do investimento. O ego espera recuperar com juros o que aplicou na matéria inferior — o bloco que chamamos de **C** — e tem a expectativa de vê-lo melhorado em qualidade e quantidade. A qualidade melhorou porque está muito mais desperto, capaz de responder imediatamente a uma gama de vibrações bem mais ampla do que antes, uma capacidade que, quando for reabsorvida, **C** necessariamente comunicará a **A**, sendo que a energia que criava uma onda poderosa em **C** cria apenas uma ondulação quando distribuída pela substância de **A**.

Notem que os veículos contêm matéria grosseira e sutil de seus respectivos planos e podem responder e expressar maus pensamentos e emoções, mas, apesar da excitação dessas vibrações perturbar a matéria causal envolvida, **C**, é impossível que **C** reproduza essas vibrações ou as comunique para **A** ou **B**. A matéria dos níveis mentais superiores não pode vibrar na freqüência do plano mais inferior, assim como a corda de um violino afinado de acordo com certo diapasão não pode criar uma nota mais baixa do que aquele diapasão.

C deve aumentar tanto em quantidade como em qualidade, porque o corpo causal, como todos os outros veículos, muda constantemente sua matéria; e, quando uma parte sua exercita-se, aumenta de tamanho e fica mais forte exatamente como um músculo físico ao ser utilizado. Cada vida terrestre é uma oportunidade cuidadosamente calculada para desenvolver as quantidades e as qualidades que o ego mais precisa, e a perda dessa oportunidade significa enfrentar a demora e os problemas de outra encarnação similar, com seus sofrimentos provavelmente agravados pelo mau *karma* adicional criado.

Temos de descontar, do incremento que o ego tem o direito de esperar em cada encarnação, uma certa perda que, nos primeiros estágios, dificilmente é evitável. Para ser eficaz, o envolvimento com a matéria inferior tem de ser bem íntimo e, assim, não há possibilidade de serem recuperadas sempre todas as partículas, especialmente as da ligação com o veículo astral. Quando chega o momento dessa separação, resta quase sempre uma sombra onde o ego continua parcialmente envolvido e não uma simples concha de matéria astral em desintegração, e essa diferença significa que alguma matéria causal perdeu-se. A não ser no caso de uma vida excepcionalmente má, contudo, a perda é muito menor do que o saldo do crescimento, e por isso, em geral, o investimento é proveitoso. Nos casos que descrevi, pessoas vivendo inteiramente em suas paixões ou mentes, não haveria ganho de qualidade ou quantidade. As vibrações seriam tais que não poderiam ser acumuladas no corpo causal, e, como o envolvimento foi tão forte, certamente haveria uma perda considerável no momento da separação.

Não podemos nos deixar enganar pela analogia do braço e da mão pensando que **B** e **C** são bens permanentes do ego. Durante a vida, eles podem ser considerados como separados, porém, ao final de cada vida, eles se recolhem para **A** e o resultado de suas experiências é distribuído, por assim dizer, por toda a substância. Quando chega o momento do ego enviar parte de si a uma nova encarnação, ele não utiliza outra vez o antigo **B** e **C**, pois esses foram absorvidos e se tornaram parte dele, assim como uma xícara de água esvaziada em um balde torna-se parte da água do balde e não pode ser separada novamente.

Qualquer tinta colorida contida na xícara mistura-se com toda a água do balde — em uma tonalidade mais fraca —, e essa tinta pode simbolizar as qualidades desenvolvidas pela experiência. Assim como seria impossível retirar novamente do balde o mesmo copo d'água, o ego também não pode recuperar novamente o mesmo **B** e **C**. O ego já estava acostumado a essa situação antes de se tornar um ego separado, pois é idêntica à condição da alma-grupo, exceto que esta envia muitos tentáculos simultaneamente, enquanto o ego apenas um de cada vez. Portanto a personalidade é diferente em cada nova encarnação, porém o ego por trás continua sendo o mesmo.

3) **Os casos em que a personalidade captura a parte do ego que foi enviada aos planos inferiores e de posse dela rompe de fato com o ego.** Felizmente esses casos são muito raros, mas já aconteceram e representam a mais grave catástrofe que pode acontecer ao ego. Desta vez **C**, ao invés de repelir **B** e o empurrar de volta para **A**, gradualmente absorve **B** e o separa de **A**. Isso só pode acontecer pela persistência determinada e deliberada pelo mal — magia negra, para resumir. Voltando à nossa analogia, isso equivale a uma amputação no ombro ou à perda de quase todo o capital disponível do ego. Felizmente ele não pode perder tudo, porque **B** e **C** juntos são apenas uma pequena parte de **A**, e, por trás de **A** existe a grande parte não-desenvolvida de ego no primeiro e no segundo subplanos mentais. Misericordiosamente, o homem, por mais incrivelmente idiota ou malvado que seja, não pode aniquilar-se completamente, pois não pode colocar em atividade aquela parte superior do corpo causal enquanto não tiver alcançado um nível em que esse mal é impensável.

Agora que o ponto central de nossa imersão na matéria já passou no esquema de evolução, toda a força do universo está pressionando para cima, em direção à unidade; e aquele que deseja cooperar inteligentemente com a natureza recebe como parte de sua recompensa uma percepção cada vez maior da realidade dessa unidade. Por outro lado, os homens podem colocar-se em oposição à natureza e, ao invés de trabalhar altruisticamente pelo bem de todos, podem degradar as faculdades que possuem para objetivos puramente egoístas, e para estes, como para os outros, é verdadeira aquela antiga afirmação: "Em verdade eu vos digo, eles têm sua recompensa". Passam a vida lutando pela separatividade e por um longo tempo alcançam-na, mas provavelmente o destino que os aguarda, experimentar a sensação da solidão absoluta no espaço, é o mais terrível que pode acontecer aos filhos dos homens.

Esse desenvolvimento extraordinário do egoísmo é característica dos magos negros, e só eles correm o risco daquele destino terrível. Apresentam muitas e repugnantes variedades, no entanto podem ser classificados em uma ou outra de duas grandes divisões. Ambas utilizam as artes ocultas que possuem para propósitos puramente egoístas, mas esses propósitos diferem.

O tipo mais comum e menos terrível tem por objetivo a gratificação do desejo sensual, e, em conseqüência de uma vida assim, a energia naturalmente se centraliza no corpo de desejo. Se a pessoa que segue essa orientação conseguir anular todo sentimento altruísta ou afetuoso, toda centelha de impulso superior, só restará um monstro de luxúria, implacável e sem remorsos, que após a morte não consegue, e nem deseja, elevar-se acima da subdivisão mais inferior do plano astral. Toda a sua mente está dedicada a agarrar o desejo, e, quando ocorre a luta final, o ego não consegue recuperar nada, sentindo-se seriamente enfraquecido em conseqüência disso.

Em virtude de sua negligência ao permitir que essa situação acontecesse, o ego separa-se por algum tempo da corrente da evolução, a poderosa onda de vida do *Logos*; assim, até que possa retornar à encarnação, permanece — segundo lhe parece — de fora daquela vida na condição de *Avichi*, em que não há qualquer onda. Ao retornar à encarnação, ele não voltará ao meio daqueles a quem conhecia, posto que não tem capital suficiente para animar uma mente e um corpo em seu nível anterior. Tem de se contentar em ocupar veículos menos desenvolvidos, pois retrocedeu na evolução e tem de subir novamente muitos degraus da escada. Diz-se que ele pode retroceder tanto que se torna incapaz de encontrar, nas condições atuais do mundo, um tipo de corpo humano baixo o suficiente para a manifestação de que ele agora necessita e, assim, não consegue participar mais desse esquema de evolução, tendo de esperar pelo começo de outro, em um estado de animação suspensa.

Enquanto isso, o que acontece com a personalidade amputada? Não é mais uma entidade permanente em desenvolvimento, mas continua cheia de uma vida vigorosa e totalmente maligna, sem remorso ou responsabilidade. Como o destino que a espera é a desintegração em meio às condições desagradáveis da chamada "oitava esfera", ela naturalmente tenta manter o mais que puder alguma forma de existência no plano físico. O vampirismo de algum tipo é a única maneira que tem para prolongar sua venenosa existência, e, quando isso deixa de funcionar, sabe-se que pode agarrar qualquer corpo disponível, expulsando seu legítimo dono. O corpo escolhido provavelmente seria o de uma criança, porque deve durar mais e porque um ego que ainda não tomou posse plenamente do corpo é expulso com mais facilidade. Apesar de seus frenéticos esforços, seu poder logo começa a falhar, e acredito que não há nenhum registro de um segundo roubo de corpo depois que o primeiro foi gasto. Essa criatura é um demônio dos mais terríveis, um monstro para o qual não existe um local permanente no esquema de evolução a que pertencemos.

Portanto sua tendência natural é afastar-se sem rumo dessa evolução e ser atraída pela força irresistível da lei para aquela fossa astral que, nos primeiros textos teosóficos, foi chamada de oitava esfera, porque tudo o que vai para ela se encontra fora do anel de sete mundos e não pode mais retornar para essa evolução. Lá, circundada pelas relíquias repugnantes de todas as maldades reunidas das idades passadas, queimando de desejo, mas sem qualquer possibilidade de satisfação, essa monstruosidade lentamente se desintegra. Finalmente, liberta sua matéria mental e causal, as quais não mais retornarão ao ego do qual foram arrancadas, mas se distribuirão pela matéria dos planos para gradualmente se recombinarem e servirem a melhores usos. É consolador saber que essas entidades são tão raras que praticamente não são conhecidas e só podem apoderar-se daqueles que trazem em sua natureza defeitos semelhantes.

No entanto existe outro tipo de mago negro, de aparência mais respeitável, mas, na verdade, bem mais perigoso porque é mais poderoso. Essa pessoa, ao invés de se entregar totalmente à sensualidade, tem objetivos mais refinados, porém não menos inescrupulosos e egoístas. Pretende conseguir um poder oculto mais elevado e mais amplo, somente para sua gratificação e progresso, para obedecer à sua ambição pessoal ou satisfazer sua própria vontade de vingança.

Com essa intenção, adota um rígido ascetismo quanto aos meros desejos carnais, eliminando as partículas grosseiras de seu corpo astral com tanta perseverança quanto um discípulo da Grande Fraternidade Branca. Entretanto, apesar de permitir que sua mente se envolva com um tipo de desejo menos material, o centro de sua energia continua inteiramente em sua personalidade, e, quando, no fim da vida astral, chega o momento da separação, o ego não recupera nenhuma parcela de seu investimento. Para ele, portanto, o resultado é igual ao primeiro caso, exceto que permanecerá muito mais tempo em contato com a personalidade e compartilhará até certo ponto de suas experiências, até onde for possível para um ego compartilhá-las.

O destino da personalidade, contudo, é muito diferente. O invólucro astral comparativamente tênue não é forte o bastante para mantê-lo nem mesmo por pouco tempo no plano astral e já perdeu contato com o mundo celeste que seria seu hábitat. Ele se esforçou a vida toda para eliminar os pensamentos que naturalmente dariam resultado naquele nível. Seu único objetivo era opor-se à evolução natural, separar-se do todo e lutar contra ele; e, no que diz respeito à personalidade, obteve sucesso. Está separado da vida e da luz do sistema solar. Tudo o que resta para ele é a sensação de isolamento absoluto, de estar só no universo.

Assim, vemos que, nesse caso mais raro, a personalidade perdida praticamente compartilha do destino do ego do qual está se separando. Mas, para o ego, essa experiência é apenas temporária, apesar de durar por algo que poderíamos chamar de muito tempo. O fim deste período para ele será a reencarnação e com ela uma nova oportunidade. Para a personalidade, no entanto, o fim é uma desintegração, o invariável fim daquilo que se separou de sua fonte; mas quem poderá dizer por quais estágios de horror a personalidade passará até extinguir-se? Lembrem-se, porém, de que nenhum desses estados é eterno, e nenhum deles pode ser alcançado a não ser por toda uma vida deliberada e persistentemente dedicada ao mal.

Ouvi a Sra. Besant mencionar uma outra possibilidade ainda mais remota, da qual nunca vi nem mesmo um caso. Assim como **C** pode absorver **B** e revoltar-se contra **A**, separando-se para continuar por conta própria, está dentro dos limites do possível que a doença mortal da separatividade e do egoísmo infecte também **A**. Este também poderia ser absorvido pelo monstruoso crescimento do mal e ser arrancado da parte não-desenvolvida do ego, de modo que o próprio corpo causal seria insensibilizado e conquistado, ao invés de apenas a personalidade.

Esse seria um quarto grupo e corresponderia não a uma amputação, mas à destruição total do corpo. Um ego desses não poderia reencarnar na raça humana; apesar de ser um ego, cairia nas profundezas da vida animal e precisaria pelo menos de todo o período de uma cadeia para recuperar a posição perdida. Mesmo que seja possível em teoria, essa situação é dificilmente imaginável. Notem que a parte não-desenvolvida do ego continuaria sendo um veículo para a mônada.

Aprendemos que milhões de egos atrasados, incapazes de suportar o esforço de uma evolução superior, serão afastados na metade da quinta ronda e retornarão à frente da onda seguinte; que aqueles que vivem egoisticamente, no intelecto ou nas paixões, fazem-no por sua própria conta e risco, arriscando-se a muitas perdas e sofrimentos; que aqueles que são suficientemente idiotas para intrometer-se com magia negra poderão atrair contra si mesmos horrores diante dos quais a própria imaginação recuaria assustada; mas que o termo "almas perdidas" é errôneo, pois somos todos centelhas do fogo divino e, por isso, não podemos nos perder ou extinguir-nos em nenhuma circunstância. A vontade do *Logos* é a evolução humana. Em nossa cegueira, podemos resistir a Ele por algum tempo. Mas, para Ele, o tempo não é nada. Se não pudermos ver hoje, Ele espera pacientemente até amanhã, e no final a Sua vontade sempre se cumpre.

O Foco da Consciência

A consciência humana só pode ser focalizada em um veículo de cada vez, mas podemos ser conscientes simultaneamente através dos outros veículos, de maneira mais vaga. Se colocarmos um dedo diante de nossa face, poderemos vê-lo com nitidez, enquanto a parede e os móveis ao fundo permanecem fora de foco. Num instante podemos mudar o foco para a parede e os móveis, continuando a ver o dedo, agora fora de foco.

Exatamente da mesma maneira, se a pessoa que desenvolveu consciência astral e mental focalizar-se no cérebro físico e na vida comum, verá perfeitamente os corpos físicos de seus amigos, enquanto ao mesmo tempo percebe de modo vago seus corpos astrais e mentais. A pessoa pode mudar o foco rapidamente e ver o astral com clareza. Nesse caso verá os corpos físicos e mentais sem muitos detalhes. O mesmo processo é válido para a visão mental e a dos planos superiores.

Alguém pergunta como uma entidade consciente no plano astral pode perceber um acidente físico ou ouvir um grito também físico. Não seria o grito físico que ela ouviria; sons físicos certamente afetam o plano astral, mas não creio que seria correto chamar esse efeito de som. Qualquer grito carregado de forte sentimento ou emoção produz um forte efeito no plano astral, transmitindo, lá, exatamente a mesma idéia do que aqui. No caso de um acidente, o ímpeto de emoção causado pela dor ou pelo pavor incendiar-se-ia como uma grande luz e atrairia a atenção de algum vidente que estivesse próximo. Um caso desses é relatado em *Auxiliares Invisíveis*, onde um garoto caiu de um penhasco e foi confortado e encorajado por Cyril até chegar ajuda física.

Centros de Força

Cada um de nossos veículos possui centros de força, chamados em sânscrito de *chakras*, palavra que significa roda ou disco girando. Trata-se de pontos de conexão por onde a força flui de um veículo para o outro. Podem ser facilmente vistos no duplo etérico, onde se apresentam como depressões semelhantes a pires ou vórtices na superfície. Correspondem a certos órgãos físicos, mas lembrem-se de que o centro de força etérico não está no interior do corpo, e, sim, na superfície do duplo etérico, que se projeta um quarto de polegada (6mm) além do contorno de matéria densa.

Os centros normalmente usados no desenvolvimento oculto são sete e estão situados nas seguintes partes do corpo: 1) base da espinha; 2) umbigo; 3) baço; 4) coração; 5) garganta; 6) entre as sobrancelhas e 7) alto da cabeça. Existem outros não utilizados pelos estudantes de magia branca. A Sra. Blavatsky menciona outros três, que ela chama de centros inferiores. Existem escolas que os utilizam, mas os perigos relacionados a eles são tão sérios que seu despertar pode ser considerado como o maior dos infortúnios.

Estes sete correspondem às sete cores e notas da escala musical, e nos livros indianos certas letras do alfabeto e formas de vitalidade são relacionadas a cada um deles. São poeticamente descritos como semelhantes a flores, cada um com um número diferente de pétalas.

Lembrem-se de que eles são vórtices de matéria etérica e estão em rápida rotação. Em cada uma dessas bocas abertas, precipita-se, em ângulo reto com o plano do disco ou pires giratório, uma força vinda do mundo astral, que chamaremos de força primária e é uma das forças do *Logos*. Essa força é sétupla em sua natureza, e todas as suas sete formas operam em todos os centros; mas em cada um predomina, sempre, uma das formas.

Esse influxo de força leva a vida divina para dentro do corpo físico, que sem ela não poderia existir. Estes centros através dos quais a força pode entrar são realmente necessários para a existência do veículo, funcionam em todos eles e podem apresentar diferentes graus de atividade. Suas partículas podem estar movendo-se comparativamente devagar, apenas para formar o vórtice necessário para a força e nada mais, ou podem estar pulsando com luz viva, de modo que uma quantidade de força muito maior passa através deles, abrindo para o ego diversas possibilidades e faculdades adicionais no plano em questão.

As forças que entram no centro fazem surgir, em ângulos retos com elas próprias — isto é, na superfície do duplo etérico —, forças secundárias em movimento circular ondulatório, tal qual uma barra magnética colocada em meio a uma bobina indutiva cria uma corrente elétrica que flui por ela em ângulo reto com o eixo ou direção do magneto. A força primária, ao entrar no vórtice, irradia dele em ângulos retos como se o centro do vórtice fosse o cubo de uma roda, e as radiações da força primária fossem seus raios. O número desses "raios" varia de acordo com o centro de força e determina o número de "pétalas" que cada um exibe.

Cada uma dessas forças secundárias que se move em torno da depressão do vórtice tem um comprimento de onda característico e luz de determinada cor, mas, ao invés de mover-se em linha reta, como a luz, apresenta ondulações relativamente largas e de diversos tamanhos.

O tamanho de cada onda é um múltiplo do comprimento de ondas menores, embora as proporções exatas ainda não tenham sido calculadas. O número de raios da roda determina as ondulações, e a força secundária entrelaça-se abaixo e acima das irradiações da força primária, como um vime que fosse trançado nos raios da roda de uma carroça. Os comprimentos de onda são infinitesimais e provavelmente milhares são abrangidos por cada ondulação. À medida que as forças se precipitam em torno dos vórtices, as ondulações de diversos tamanhos, entrecruzando-se, aparentam ser o que os livros hindus habilmente descrevem como pétalas de uma flor, parecendo-se ainda mais com certos pratos ou vasos raros de vidro ondulado iridescente que vi em Veneza. Todas as ondulações ou pétalas apresentam esse efeito iridescente e tremeluzente, como madrepérola, mas cada uma com sua cor predominante.

Nas pessoas comuns, cujos centros estão ativos apenas o suficiente para veicular a força mínima necessária para manter o corpo vivo, o brilho das cores é comparativamente embaçado; já naquelas cujos centros estão despertos e em plena atividade, estes mostram um brilho ofuscante, tendo aumentado seu diâmetro de cerca de duas polegadas (mais ou menos cinco centímetros) para o tamanho de um pires normal, fulgurando e cintilando como sóis em miniatura.

O primeiro centro, na base da espinha, tem uma força primária que se irradia em quatro raios; portanto, suas ondulações estão dispostas de tal forma que parecem dividi-lo em quadrantes, com concavidades entre eles. Aparenta assim estar marcado com o sinal da cruz; por essa razão, a cruz é usada para simbolizá-lo. Às vezes, uma cruz flamejante é usada para indicar a serpente de fogo que nele reside. Quando plenamente ativo, esse centro é de um vermelho alaranjado ígneo, correspondendo ao tipo de vitalidade enviada para ele do centro esplênico. Veremos que cada um dos centros apresenta uma correspondência parecida com a cor de sua vitalidade.

O segundo centro, no umbigo ou plexo solar, recebe uma força primária com dez irradiações e por isso vibra de forma a se dividir em dez ondulações ou pétalas. Está associado a sentimentos e emoções diversas. Sua cor predominante é uma mistura curiosa de diversos tons de vermelho, apresentando também bastante verde.

O terceiro centro, no baço, dedica-se à especialização, subdivisão e distribuição da vitalidade que nos vem do Sol. Essa vitalidade é emitida novamente dele em seis fluxos horizontais mais um, o sétimo, absorvido pelo cubo da roda. Portanto, esse centro apresenta seis pétalas ou ondulações e é especialmente radiante, brilhando como um Sol.

O quarto centro, no coração, também apresenta cor dourada brilhante. Cada quadrante divide-se em três partes, somando doze ondulações, porque sua força primária irradia-se por doze raios.

O quinto centro, na garganta, tem dezesseis raios e por isso dezesseis divisões aparentes. Apresenta muito azul, mas o efeito geral é prateado e fulgurante, sugerindo um pouco o luar sobre águas encrespadas.

O sexto, entre as sobrancelhas, parece estar dividido em duas metades, uma predominantemente rosa, embora com bastante amarelo em torno dela, e a outra azul púrpura, novamente de acordo com as cores da vitalidade que o anima. Talvez seja essa a razão que levou os livros indianos a mencionarem apenas duas pétalas para ele, apesar de que, se contarmos as ondulações com o mesmo critério como fizemos nos centros anteriores, descobriremos que cada metade subdivide-se em quarenta e oito ondulações, noventa e seis no total, porque sua força primária tem esse número de irradiações.

O sétimo, o centro no alto da cabeça, quando plenamente ativo, é talvez o mais resplandecente de todos, repleto de efeitos cromáticos indescritíveis e vibrando com incrível rapidez. Os livros indianos descrevem-no com mil pétalas, o que não está longe da verdade, porque a força primária irradia no círculo externo novecentos e sessenta raios. Além disso ele apresenta uma característica que nenhum dos outros centros possui — uma espécie de redemoinho secundário de um branco radiante e com uma cor dourada em seu centro, uma atividade menor que possui doze ondulações próprias.

Já ouvi alguém sugerir que cada pétala dos centros representa uma qualidade moral e que o desenvolvimento daquela qualidade faz o centro entrar em atividade. Ainda não encontrei nenhum fato que confirme essa idéia e nem sei como ela poderia ser verdadeira, porque a aparência é dada por certas forças bem definidas e facilmente reconhecíveis. As pétalas dos centros encontram-se ativas ou não, dependendo de estarem essas forças ou não em ação, e parece-me que seu desenvolvimento não depende mais da moralidade do que do desenvolvimento dos bíceps, por exemplo. Encontrei pessoas com alguns centros plenamente ativos e um desenvolvimento moral longe de ser excepcionalmente elevado, enquanto em outras pessoas de elevada espiritualidade e moralidade nobre os centros não se encontravam vitalizados; assim, parece-me que não existe qualquer relação entre os dois desenvolvimentos.

Além de manter o veículo físico vivo, esses centros de força possuem outra função que entra em ação somente quando despertam para a plena atividade. Cada um desses centros etéricos corresponde a um centro astral, que é um vórtice em quatro dimensões e, portanto, com uma forma que se estende em uma direção diferente, coincidindo apenas parcialmente com o etérico. O vórtice etérico está sempre na superfície do corpo etérico, mas o centro astral normalmente se encontra bem no interior do veículo.

A função dos centros etéricos, quando plenamente despertos, é trazer até a consciência física todas as qualidades presentes nos centros astrais correspondentes. Antes de prever os resultados da plena ativação dos centros etéricos, seria melhor considerarmos a atividade de cada centro astral; estes já se encontram plenamente ativos em todos os povos aculturados das últimas raças. Que efeito a aceleração desses centros astrais produziu no corpo astral?

O primeiro centro, na base da espinha, é a morada daquela misteriosa força chamada fogo da serpente, ou, segundo *A Voz do Silêncio*, a Mãe do Mundo. Falarei um pouco mais sobre essa força mais tarde. No momento, vejamos seus efeitos nos centros astrais. Essa força existe em todos os planos, e é sua atividade que desperta o restante dos centros. No início, o corpo astral era uma massa quase inerte com uma consciência muito vaga e incapaz de qualquer atividade, que nada sabia do mundo à sua volta. O primeiro acontecimento, então, foi o despertar daquela força astral no homem. Ao despertar, ela se moveu para o segundo centro, correspondente ao umbigo, e o colocou em atividade, surgindo a percepção, uma sensibilidade em relação a todas as influências, mas ainda sem aquela compreensão definida que é como a visão ou a audição.

Passou, então, para o terceiro, que corresponde fisicamente ao baço, e através dele vitalizou o corpo astral inteiro, permitindo ao homem viajar no plano astral, mas ainda com uma consciência vaga do que encontra em suas andanças.

O quarto centro, ao ser ativado, concede ao homem o poder de compreender e afinar-se, então, com as vibrações de outras entidades astrais, e ele instintivamente entende seus sentimentos.

O despertar do quinto, na garganta, dá o poder de ouvir no plano astral, isto é, causa o desenvolvimento daquele sentido que no mundo astral produz na nossa consciência o efeito que no plano físico chamamos audição.

O desenvolvimento do sexto, correspondendo ao centro entre as sobrancelhas, produz de modo semelhante a visão astral, o poder de perceber a forma e a natureza dos objetos astrais, e não mais apenas vagamente sua presença.

O despertar do sétimo, que corresponde ao alto da cabeça, completa a vida astral concedendo-lhe a perfeição de suas faculdades.

Parece que esse centro apresenta alguma diferença de acordo com o tipo da pessoa. Para muitos de nós, os vórtices astrais correspondentes ao sexto e ao sétimo centros convergem para a pituitária, e para essas pessoas essa glândula praticamente é o único elo direto entre o físico e os planos superiores. Em outros tipos de pessoas, contudo, enquanto o sexto centro continua ligado à pituitária, o sétimo inclina-se até seu vórtice coincidir com o órgão atrofiado chamado glândula pineal, que então se vitaliza e se transforma em uma linha de comunicação que passa diretamente pelo plano astral intermediário. Era para essas pessoas que a Sra. Blavatsky estava escrevendo quando enfatizou o despertar daquele órgão.

Assim, esses centros são como que órgãos dos sentidos para o corpo astral, mas, sem uma qualificação adequada, essa expressão seria decididamente errônea. Nunca esqueçam que, apesar de falarmos constantemente de visão ou audição astral — para facilitar a compreensão — essas expressões, na verdade, significam apenas a faculdade de responder àquelas vibrações que dão à consciência humana, quando funcionando no corpo astral, informação da mesma natureza que os olhos e ouvidos dão, quando a pessoa está em seu corpo físico.

Nas condições astrais, inteiramente diferentes, não são necessários órgãos especializados para se conseguir esse resultado. Em todas as partes do corpo astral existe matéria capaz dessas percepções, e, conseqüentemente, naquele veículo, o homem vê ao mesmo tempo os objetos atrás, acima e abaixo sem precisar virar a cabeça. Os centros, portanto, não podem ser descritos como órgãos no sentido comum da palavra, pois não é através deles que o homem vê ou ouve, como faz pelos olhos e ouvidos. Mas o poder de exercer esses sentidos astrais depende de sua vivificação, cada um dando ao corpo astral, ao se desenvolver, o poder de responder a um novo conjunto de vibrações.

Como todas as partículas do corpo astral estão constantemente fluindo e agitando-se como água fervendo, elas passam por todos os outros vórtices, cada um deles, por sua vez, evocando nelas o poder de receber determinado conjunto de vibrações, ativando-se, assim, os sentidos astrais por igual em todas as partes do corpo. No entanto, ter os sentidos astrais plenamente ativos não significa que o homem seja capaz de trazer para o corpo físico qualquer consciência de sua ação.

Enquanto esse despertar astral esteve acontecendo, o homem, em sua consciência física, nada sabia. A única maneira de o corpo denso compartilhar dessas vantagens é repetindo o processo do despertar com os centros etéricos. O processo é o mesmo ocorrido no plano astral, isto é, pelo despertar da serpente de fogo, envolta em matéria etérica no plano físico e adormecida no centro etérico correspondente na base da espinha.

Nesse caso, o despertar ocorre por um esforço longo e determinado para levar o primeiro centro à plena atividade, que é precisamente o despertar da serpente de fogo. Uma vez desperta, sua tremenda força vivifica os outros centros. Seu efeito nos centros etéricos é trazer à consciência física os poderes despertados pelo desenvolvimento dos centros astrais correspondentes.

Quando o segundo centro etérico, no umbigo, entra em atividade, o homem começa no corpo físico a ser consciente de todos os tipos de influências astrais, percebendo vagamente que algumas são amistosas e outras hostis, ou que alguns lugares são agradáveis e outros desagradáveis, sem saber por quê.

Ao ativar o terceiro centro, do baço, o homem torna-se capaz de lembrar suas viagens astrais, às vezes apenas parcialmente. A estimulação superficial ou acidental desse centro freqüentemente provoca a lembrança parcial de uma maravilhosa sensação de estar voando pelos ares.

A estimulação do quarto, do coração, torna o homem instintivamente consciente das alegrias e sofrimentos dos outros e, às vezes, faz com que ele reproduza em si mesmo, por empatia, suas dores e sofrimentos físicos.

O despertar do quinto, na garganta, permite-nos ouvir vozes, que, por vezes, fazem-nos sugestões variadas. Ouvimos também música ou outros sons menos agradáveis. Quando plenamente ativo, torna-nos clariaudientes em relação aos planos etérico e astral.

Quando é vivificado o sexto centro, entre as sobrancelhas, começamos a ver coisas, a ter vários tipos de visões em vigília, às vezes de lugares ou de pessoas. No início, quando começa a despertar, as visões resumem-se a cenários e nuvens de cor. O pleno despertar leva à clarividência.

O centro entre as sobrancelhas está relacionado ainda de outra maneira à visão. É através dele que o poder de ampliação de objetos físicos minúsculos é exercido. Um tubo etérico flexível muito pequeno projeta-se de seu centro, parecendo-se com uma cobra microscópica com um olho na ponta. Trata-se de um órgão especial usado nessa forma de clarividência, e o olho de sua ponta pode expandir-se ou contrair-se mudando o poder de ampliação de acordo com o tamanho do objeto examinado. É isso que os livros antigos queriam dizer quando mencionavam a capacidade de tornarmo-nos grandes ou pequenos à vontade. Para examinar um átomo, desenvolve-se um órgão de visão proporcional a ele em tamanho. Essa pequena cobra projetando-se do centro da testa no nível etérico foi simbolizada no ornamento da cabeça do Faraó do Egito. Como sacerdote maior de seu povo, acreditava-se que ele possuía esse poder oculto, entre outros.

O despertar do sétimo centro permite ao homem passar através dele para deixar conscientemente o corpo, bem como retornar sem a interrupção usual, de modo que sua consciência torna-se contínua dia e noite. Depois que o fogo passa por todos os centros de acordo com certa ordem — que varia segundo o tipo de pessoa —, a consciência torna-se contínua até a entrada no mundo celeste, ao fim da vida astral, sem qualquer alteração — seja pela separação temporária durante o sono ou pela divisão permanente na morte.

Antes que isso aconteça, contudo, podemos ter muitos vislumbres do mundo astral, pois vibrações especialmente fortes podem galvanizar um ou outro dos centros, levando-os a uma atividade temporária, sem o despertar da serpente de fogo. Pode também acontecer que o fogo desperte parcialmente, criando uma clarividência parcial e temporária, pois esse fogo existe em sete níveis ou graus de força, e pode ser que o esforço para despertá-lo ative apenas um nível. Assim, quando a pessoa imagina que seu esforço terminou, descobre que é insuficiente, devendo repeti-lo muitas vezes, mergulhando cada vez mais fundo até que o próprio centro de fogo entre em atividade e não só a superfície.

A Serpente de Fogo

Até onde sabemos, a serpente de fogo (*kundalini* em sânscrito) é a manifestação no plano físico de uma das grandes forças mundiais, um dos poderes do *Logos*. Vocês sabem que a eletricidade é manifestação de uma de Suas forças e que ela pode produzir energias como o calor, a luz e o movimento. A vitalidade é outra força, às vezes, chamada *prana*, mas não é permutável com qualquer das outras formas mencionadas acima. Podemos dizer que *prana* e eletricidade são, por assim dizer, as extremidades inferiores de duas de Suas correntes de força.

A serpente de fogo pode ser considerada a extremidade inferior de outra corrente de força do *Logos*, a manifestação no plano físico de mais um dos múltiplos aspectos de Seu poder. Tal como o *prana*, ela existe em todos os planos que conhecemos, mas é sua expressão na matéria etérica que nos interessa. Ela não se converte em *prana* ou eletricidade e parece não ser afetada por nenhuma das duas. Já vi um corpo humano agüentar um milhão, duzentos e cinqüenta mil volts de eletricidade, com enormes chamas saindo dos dedos da mão, sem qualquer desconforto para a pessoa. Ela só se queimaria se tocasse algum objeto externo, e essa enorme demonstração de poder não afetou em nada a serpente de fogo.

Em *A Voz do Silêncio* essa força é chamada de "o Poder ígneo" e "Mãe do Mundo". Há diversas razões para esses nomes estranhos como, por exemplo, a forma como ela caminha pelo corpo, parecendo-se com fogo líquido, e as espirais que descreve como os anéis de uma serpente. É chamada de Mãe do Mundo porque, através dela, nossos diversos veículos podem ser vivificados, de modo que os mundos superiores abram-se para nós, um após outro.

No corpo humano, como dissemos, ela se encontra na base da espinha, adormecida e desapercebida ao longo da vida das pessoas comuns. Na verdade, é bem melhor que permaneça assim até que o homem desenvolva-se moralmente, e sua vontade seja forte o bastante para controlá-la, e seus pensamentos suficientemente puros para enfrentar seu despertar sem perigo. Ninguém deve fazer experiências com ela sem instruções claras de um professor competente, pois os perigos são bastante reais e terrivelmente sérios. Alguns desses perigos são puramente físicos. Seu movimento descontrolado pode produzir dor física intensa, dilacerar tecidos e até acabar com a vida física. Mas esse é o menor dos perigos, porque ela pode também prejudicar permanentemente veículos superiores ao físico.

Uma conseqüência bastante comum do seu despertar prematuro é o fortalecimento das paixões mais indesejáveis, por descer, ao invés de subir pelo corpo. Ela as excita e intensifica seus efeitos até tornar absolutamente impossível para o homem resistir, pois ele se encontra tão desamparado quanto um nadador frente às mandíbulas de um tubarão. Homens assim se tornam sátiros, monstros de depravação, presos a uma força além do poder humano de resistência normal. Provavelmente, obterão certos poderes supranormais, mas estes os colocarão em contato com uma ordem inferior de evolução, com a qual a humanidade não deve manter contato, e gastarão mais de uma encarnação para escapar de sua terrível escravidão. Não estou de forma alguma exagerando esses horrores, como involuntariamente poderia fazer alguém que apenas ouviu falar dessas coisas. Eu próprio já fui procurado por pessoas que enfrentaram esse terrível destino e vi com meus olhos o que tinha lhes acontecido. Existe uma escola de magia negra que propositadamente usa esse poder dessa forma para vivificar aqueles centros de força inferiores que nunca são usados pelos seguidores da boa Lei.

Além desse, que é o maior dos perigos, seu despertar prematuro tem ainda outras possibilidades desagradáveis. Ela intensifica tudo o que a natureza humana contém, e alcança as qualidades más e inferiores mais facilmente do que as boas. No corpo mental, por exemplo, a ambição prontamente desperta e logo aumenta até um grau incrível, podendo intensificar também o intelecto e ao mesmo tempo produzir um orgulho anormal e satânico, inteiramente inconcebível para o homem comum. Quem pensa que está preparado para enfrentar as forças que podem surgir do interior de si mesmo não demonstra sabedoria — porque essa não é uma força comum, trata-se de algo irresistível. Com toda certeza, nenhuma pessoa desinformada jamais deveria tentar despertá-la, e, se isso acontecesse acidentalmente, deveria procurar de imediato a ajuda de alguém qualificado e competente.

Vocês devem ter notado que intencionalmente não expliquei o processo do despertar nem mencionei em que ordem os centros devem ser ativados, porque isso não deve ser tentado a não ser com a supervisão direta de um Mestre, que observará o discípulo durante os estágios do experimento.

Advirto seriamente todos os estudantes para que não tentem, de forma alguma, despertar essas tremendas forças, a não ser devidamente instruídos, pois tenho visto em muitos casos os efeitos terríveis da intromissão ignorante nesses assuntos sérios. Essa força é uma realidade tremenda, um dos fatos básicos na natureza e, enfaticamente, não é algo para se brincar ou tratar com leviandade. Experimentá-la sem a compreensão adequada é muito mais perigoso do que uma criança brincando com nitroglicerina. Como afirma com bastante propriedade o *Hathayogapradipika*: "Ela liberta os iogues e aprisiona os idiotas".

Os estudantes pensam com freqüência que especialmente para eles será aberta uma exceção às leis da natureza, que serão salvos, por alguma intervenção especial da providência, das conseqüências de sua insensatez. Com toda certeza nada disso ocorrerá, pois aquele que intencionalmente provoca uma explosão muito provavelmente se torna sua primeira vítima. Muitos desapontamentos e problemas seriam evitados se os estudantes compreendessem que em todos as questões vinculadas a ocultismo queremos dizer exata e literalmente o que afirmamos, sem exceção. Não existe favoritismo no campo de ação das grandes leis de universo.

As pessoas querem passar por todas as experiências possíveis; e todos estão convencidos de que estão preparados para receber os ensinamentos mais elevados para qualquer tipo de desenvolvimento de energias, mas ninguém quer trabalhar pacientemente para melhorar o caráter e devotar tempo e esforço para algum trabalho útil à Sociedade, esperando até que um Mestre anuncie que estão prontos para essas coisas. O antigo aforismo ainda é verdadeiro: "Procurem primeiro o reino de Deus e Sua justiça, e todas as outras coisas ser-lhes-ão dadas por acréscimo".

Em alguns casos, o fogo desperta espontaneamente fazendo-se sentir com um fraco brilho e, em raras ocasiões, pode até começar a se mover. Nesse caso causaria grandes dores, uma vez que as passagens não estão prontas, e ele tem de limpá-las queimando muito refugo etérico, um processo doloroso. Quando desperta, espontaneamente, ele normalmente tenta subir pelo interior da espinha e não pelo caminho espiral que o ocultista preparado o faz percorrer. O movimento de subida deve ser detido pela vontade, mas, se isso for impossível — e é mais provável que seja —, não há por que se preocupar. Provavelmente escapará pela cabeça para a atmosfera circundante, não provocando nenhum dano a não ser uma pequena fraqueza. Não há nada a temer além de uma temporária perda de consciência. Os perigos realmente terríveis não estão relacionados com sua subida, mas, sim, com a possibilidade de o fogo voltar-se para baixo e para dentro.

Com relação ao desenvolvimento oculto, sua função principal é a vitalização dos centros de força do corpo etérico, descrita anteriormente, transformando-os em portões de conexão entre os corpos físico e astral. Em *A Voz do Silêncio* está escrito que, quando a serpente de fogo vitaliza o centro entre as sobrancelhas, confere à pessoa o poder de ouvir a voz do Mestre, o que significa, nesse caso, a voz do ego ou eu superior. A razão dessa afirmativa é que, ao entrar em ação, o corpo pituitário forma um elo perfeito com o veículo astral, e todas as comunicações do interior podem ser recebidas através dele.

Todos os centros de força superior têm de despertar e tornar-se sensíveis a todas as influências vindas dos subplanos astrais. Esse desenvolvimento ocorrerá a todos no devido tempo, mas não na encarnação atual daquelas pessoas que, pela primeira vez, começam a estudar com seriedade esses assuntos. Alguns indianos conseguem porque seus corpos são hereditariamente mais adaptáveis, porém a maioria terá de esperar uma outra ronda. Em cada encarnação, a serpente de fogo tem de ser novamente dominada, pois os veículos são novos; mas, depois da primeira vez, tudo se torna mais fácil. Lembrem-se de que sua ação varia de pessoa para pessoa; alguns, por exemplo, poderiam ver o eu superior ao invés de ouvi-lo. Essa ligação com o superior tem muitos estágios: para a personalidade significa a influência do ego, para este é o poder da mônada e para a mônada, por sua vez, significa tornar-se uma expressão consciente do *Logos*. O relato de minha própria experiência poderá ser útil. Em meus primeiros tempos de moradia na Índia, vinte e cinco anos atrás, não fiz qualquer esforço para despertar o fogo. Na verdade, eu não sabia muita coisa e pensava que era preciso um corpo fisicamente adequado de nascença, o que eu não possuía. Mas um dia um dos Mestres sugeriu-me um tipo de meditação que evocaria essa força. Naturalmente coloquei a sugestão em prática imediatamente e com o tempo alcancei sucesso. Não tenho dúvidas, contudo, de que Ele observava as práticas e me teria detido caso se tornassem perigosas. Disseram-me que alguns ascetas indianos ensinam essas práticas a seus discípulos sob cuidadosa supervisão. Entretanto eu pessoalmente não conheço nenhum e nem teria confiança neles, a não ser se recomendados por alguém que eu saiba ter o verdadeiro conhecimento.

Freqüentemente me pedem conselhos sobre o despertar dessa força, e respondo que façam exatamente o que eu fiz. Recomendo que se entreguem ao trabalho teosófico e esperem até receber uma orientação definida de algum Mestre, que supervisionará seu desenvolvimento psíquico, e que continuem até lá seus exercícios de meditação comuns. Não devem preocupar-se com o desenvolvimento, se vai ocorrer nessa encarnação ou na próxima; devem considerar o assunto do ponto de vista do ego e não da personalidade, com absoluta certeza de que os Mestres estão sempre observando aqueles a quem podem ajudar e que é totalmente impossível que sejam esquecidos, pois receberão as orientações quando chegar o momento.

Nunca ouvi falar que houvesse limite de idade para o desenvolvimento e não vejo por que a idade faria alguma diferença, desde que a saúde seja perfeita. A saúde é uma necessidade, porque só um corpo forte pode suportar o esforço, muito mais severo do que pode imaginar quem nunca passou por ele.

Como eu disse, os centros astrais e etéricos correspondem-se intimamente, mas um véu formado por uma camada de átomos físicos comprimidos e permeados por uma forma especial de força vital interpõe-se entre eles e também os interpenetra de uma maneira difícil de descrever. A vida divina que normalmente desce do corpo astral para o físico está sintonizada para passar facilmente por essa barreira que impede a passagem de qualquer outra força. Essa teia é uma proteção natural que impede a abertura prematura de comunicação entre os planos, um desenvolvimento que só poderia resultar em prejuízos.

É essa barreira que em condições normais impede-nos de lembrar com clareza o que acontece durante o sono e causa a inconsciência momentânea na morte. Essa misericordiosa providência impede que o homem comum, que nada sabe dessas coisas e se encontra totalmente despreparado para enfrentá-las, possa ser colocado por alguma entidade astral sob a influência de forças mais fortes do que ele. Ele seria constantemente obsedado por qualquer ser do plano astral que desejasse se apoderar de seus veículos.

Assim é fácil entender que qualquer dano a essa teia é um sério desastre. Ela pode ser danificada de muitas maneiras, seja por acidentes ou práticas incorretas, e temos o dever de protegê-la da melhor maneira possível. Qualquer grande choque no corpo astral, como, por exemplo, um medo terrível e súbito, pode dilacerar esse delicado mecanismo e, como normalmente se diz, enlouquecer a pessoa. (É claro que o medo pode levar à insanidade de outras maneiras, mas essa é uma delas). Uma tremenda erupção de raiva também pode levar ao mesmo resultado, bem como qualquer outra emoção extremamente forte de caráter violento que produza uma espécie de explosão no corpo astral.

As práticas incorretas que podem danificar gradualmente essa teia protetora são de dois tipos: o uso de álcool ou drogas narcóticas e o esforço deliberado para abrir as portas que a natureza mantém fechadas.

Certas drogas e bebidas, especialmente o álcool e todos os narcóticos incluindo o cigarro, contêm matéria que se volatiliza ao se decompor, e um pouco dela passa do plano físico para o astral. (Até o chá e o café contêm essa matéria, mas em quantidades tão infinitesimais que normalmente, só depois de um abuso muito prolongado, é que o efeito manifesta-se).

Ao serem assimilados, esses constituintes precipitam-se através dos centros de força na direção oposta de seu fluxo normal. Com o tempo, dilaceram e finalmente destroem a delicada teia. Essa deterioração ou destruição pode ocorrer de duas maneiras: de acordo com o tipo de pessoa e a proporção dos constituintes em seus corpos etérico e astral. A primeira é a queima real da teia pelo fluxo de matéria volatilizada, deixando aberta a porta para todos os tipos de forças irregulares e más influências. Em segundo lugar, o fluxo desses constituintes voláteis de alguma forma endurece os átomos e enfraquece boa parte de suas pulsações, tornando-os incapazes de serem vitalizados pelo tipo especial de força que os une em forma de teia. O resultado é um tipo de ossificação da teia que deixa passar muito pouca força de um plano para o outro.

Podemos ver os efeitos desses dois tipos de deterioração no caso do alcoolismo. Aqueles afetados da primeira maneira sofrerão de *delirium tremens*, obsessão ou insanidade, mas são comparativamente raros. O segundo tipo de deterioração é muito mais comum, leva a uma espécie de amortecimento geral das qualidades da pessoa e resulta em brutalidade e materialismo grosseiros, com a perda de todos os sentimentos mais elevados e do poder de autocontrole. Uma pessoa assim não tem qualquer senso de responsabilidade. Pode amar sua família quando sóbrio, mas, quando embriagado, gasta o dinheiro do pão de seus filhos para satisfazer seus próprios desejos, tendo aparentemente perdido toda afeição e responsabilidade.

Esse segundo tipo de efeito é visto com freqüência entre os fumantes, os escravos do tabaco, que persistem constantemente na auto-satisfação comodista, mesmo sabendo que estão prejudicando os seus vizinhos. Reconhecemos a deterioração de imediato quando vemos que essa é a única prática que um cavalheiro manterá, mesmo sabendo que incomoda os outros. Nesse caso está claro que os sentimentos mais puros já foram seriamente abrandados.

Todas as impressões devem passar de um plano para o outro através do subplano mais elevado, como já disse; porém, esse processo de enfraquecimento infecta não só matéria do primeiro subplano mas também do segundo e até do terceiro, de modo que a única comunicação entre o astral e o etérico acontece quando alguma força dos subplanos inferiores — onde encontramos apenas influências desagradáveis e maléficas — torna-se forte o bastante para conseguir uma resposta através da violência de sua vibração.

Todavia, apesar de a natureza tomar precauções para guardar esses centros, não é intenção dela que eles permaneçam sempre rigidamente fechados. Há uma maneira adequada de agir para sua abertura. Talvez seja mais correto dizer que a intenção não é que as portas se abram mais do que já estão, mas que o homem se desenvolva de modo a poder conseguir muito mais por meio desse canal.

A consciência do homem comum ainda não pode utilizar matéria pura do primeiro subplano, seja no corpo físico ou no astral, e por isso normalmente não há para ele possibilidade de comunicação pela vontade consciente entre os dois planos. A maneira correta de se conseguir essa comunicação é purificar ambos os veículos até que a matéria mais sutil esteja plenamente vivificada, permitindo assim que a comunicação entre os dois passe por esse caminho. Nesse caso, a teia continua em posição e ativa ao máximo, mas não impede mais a comunicação. Ela continua cumprindo sua função de impedir um contato muito próximo entre os subplanos inferiores, que permitiria a passagem de todo tipo de influências indesejáveis.

É por essa razão que sempre aconselhamos esperar o despertar dos poderes psíquicos naturalmente, em função do desenvolvimento do caráter, pois, como vimos no estudo desses centros de força, eles certamente se abrirão. Essa é a evolução natural, o único caminho realmente seguro, posto que nele o estudante desfruta todos os benefícios e evita todos os perigos. Essa é a Senda que nossos Mestres trilharam no passado, portanto, é a Senda para nós hoje.

Obsessão e Insanidade

Precisamos distinguir com cuidado entre obsessão e insanidade. Essa última é uma quebra de conexão entre o ego e seus veículos — e a primeira, o afastamento do ego por alguma outra entidade. Só um ego fraco permite a obsessão, um ego que não tenha muito controle sobre seus veículos. Via de regra, crianças não são mais facilmente obsedadas do que os adultos, porque, apesar de a influência do ego sobre seus corpos ser menor na infância, também é verdade que o adulto geralmente apresenta qualidades que atraem entidades indesejáveis e facilitam a obsessão. No caso de uma criancinha, qualquer entidade que tente tomar o corpo teria, primeiro, de enfrentar o elemental ou entidade astral-etérica encarregada de sua construção, e não é provável que consiga desalojá-lo. Depois dos sete anos, com o afastamento do elemental, a obsessão poderia ocorrer se o ego fosse fraco, mas afortunadamente isso é raro.

A obsessão pode ser temporária ou permanente e acontece por várias razões. Com freqüência, alguma pessoa morta encontra-se ainda plena de desejo de entrar novamente em contato com o plano físico, geralmente para satisfazer os desejos mais inferiores e grosseiros, e, em desespero, apossa-se de qualquer veículo que puder roubar. Por outro lado, às vezes a obsessão é um ato de vingança calculado e definido, nem sempre sobre a pessoa obsedada. Conheço o caso de um homem que odiava outro e deliberadamente começou a trabalhar para controlar e obsedar a filha favorita de seu inimigo; sei também de outro exemplo ainda pior. Às vezes a entidade obsessora não é humana, mas apenas um espírito da natureza que deseja experimentar a vida humana. Em todo e qualquer caso, a vítima deve resistir com determinação à obsessão.

A insanidade é bem diferente. Vamos examiná-la do ponto de vista oculto. Toda célula do cérebro físico e cada partícula de matéria é interpenetrada por matéria astral correspondente, bem como pela matéria mental ainda mais sutil. O cérebro, obviamente, é uma massa em três dimensões; contudo, para o propósito de nosso exame, vamos supor que ele pudesse ser espalhado sobre uma superfície até ter a espessura de uma partícula apenas. Depois vamos fazer o mesmo com a matéria astral e mental correspondentes, supondo que a camada de matéria astral esteja um pouco acima da física e a mental um pouco mais acima.

Teremos assim três camadas de matéria com diferentes graus de densidade correspondendo-se entre si. Suponhamos agora que cada partícula física esteja ligada à partícula astral correspondente por um pequeno tubo, e esta, por sua vez, ligada da mesma maneira a uma partícula mental. A partícula mental, em um nível ainda mais elevado, liga-se à partícula correspondente no corpo causal. Enquanto esses tubos estiverem perfeitamente alinhados, o ego comunica-se facilmente com o cérebro, mas, se um dos conjuntos de tubos estiver fechado, dobrado ou fora de lugar, obviamente a comunicação interrompe-se total ou parcialmente.

Do ponto de vista oculto, portanto, a insanidade divide-se em quatro grandes tipos, cada uma com muitas subdivisões:

1) Os que estão mentalmente doentes devido apenas a um problema no cérebro físico denso, por seu tamanho insuficiente, talvez, ou por causa de um acidente com um forte traumatismo, por um crescimento anormal que o pressiona, ou devido a um amolecimento gradual de seus tecidos;
2) Aqueles que apresentam um defeito na parte etérica do cérebro, que elimina a correspondência entre as suas partículas e as partículas físicas densas, o que impede a transmissão adequada das vibrações vindas dos veículos superiores;
3) Aqueles que apresentam danos no corpo astral, em vez do etérico. Os tubos estão como que dobrados e fora de alinhamento com as partículas dos veículos tanto acima quanto abaixo; e
4) Os que apresentam desordens no próprio corpo mental, que, conseqüentemente, torna-se incapaz de transmitir as instruções ou desejos do ego.

É importante saber a qual desses tipos pertence uma pessoa desequilibrada. Aquelas do primeiro e do segundo tipos são bastante sensíveis quando fora do corpo, durante o sono e após a morte; assim, o ego só não consegue expressar-se durante a vigília. As pessoas do terceiro tipo não se recuperam até alcançarem o mundo celeste, e as do quarto tipo só depois de retornarem ao corpo causal, e para estas, portanto, a encarnação é um fracasso. Felizmente, mais de noventa por cento das pessoas mentalmente desequilibradas pertencem ao primeiro e segundo tipos.

Temos três perguntas sobre esse desagradável tema, a obsessão. A primeira é: "*Qual a melhor maneira de afastarmos um ser humano desencarnado que insiste em ocupar o corpo de outrem?*"

Eu simplesmente me recusaria a ser obsedado. O melhor método, e também o mais bondoso, é fazer com que o morto explique o que quer e por que está agindo com tanta persistência. Muito provavelmente se trata de uma alma ignorante que não compreende seu novo ambiente e luta desesperadamente para experimentar de novo o único tipo de vida que conhece. Nesse caso, se ele receber explicações, passará a um estado mental mais tranqüilo e será induzido a parar com seus esforços desvairados. Talvez a pobre criatura tenha algo pressionando sua mente — um dever não cumprido ou alguma maldade ainda não corrigida — e, se for o caso, as coisas poderão ser arranjadas para que ela se satisfaça e tenha paz.

Contudo, caso a criatura não ceda diante de argumentos racionais e recuse-se a abandonar suas intenções repreensíveis, precisaremos adotar uma firme, mas gentil, resistência. Todas as pessoas têm direito inalienável a usar o próprio veículo, e intromissões desse tipo não devem ser permitidas. Se o legítimo dono do corpo se afirmar com confiança e usar sua vontade, ninguém poderá obsedá-lo.

Quando essas coisas acontecem é quase certo que inicialmente a vítima permitiu a entrada da influência invasora, e o primeiro passo, então, é reverter aquele ato de submissão com a firme determinação de assumir o controle da situação novamente e reaver sua propriedade. Essa auto-afirmação é fundamental, pois, apesar da ajuda de amigos mais esclarecidos, estes nada podem fazer para substituir o desenvolvimento do poder da vontade por parte da vítima. O procedimento exato a ser adotado naturalmente varia de acordo com os detalhes do caso.

A segunda pergunta é a seguinte: "*Tenho sido importunado por entidades que constantemente me sugerem idéias más e usam linguajar grosseiro e violento. Estão sempre tentando fazer-me tomar bebidas fortes e consumir grandes quantidades de carne. Tenho rezado com seriedade, sem muito efeito, e já não sei mais como agir. O que devo fazer?*"

Realmente você tem sofrido bastante, mas, agora, decidiu-se a não sofrer mais. Arrume coragem e resista com firmeza. O poder dessas entidades vem apenas do medo que você tem delas. Sua própria vontade é mais forte do que a delas juntas, se você souber disso; e, ao se dirigir a elas com determinação e vigor, elas terão de ceder. Você tem direito inalienável ao uso de seus próprios veículos sem ser perturbado, e deve insistir em ser deixado em paz. Você não toleraria a intromissão de pessoas desagradáveis e imundas em sua casa no plano físico; por que, então, submeter-se-ia a elas só porque são astrais? Se um vagabundo indolente força sua entrada em uma casa, o proprietário não se ajoelha para rezar, mas põe o atrevido para fora, e é exatamente o que tem de ser feito com esses vagabundos astrais.

Você certamente pensará que, ao dar esse conselho, não faço idéia do poder terrível dos demônios que o afligem. Isso é exatamente o que eles querem que você pense, o que tentarão fazer você acreditar, porém não seja tolo de dar-lhes ouvidos. Conheço perfeitamente que tipos de vilões desprezíveis e valentões eles são. Podem atormentar uma pobre mulher por meses seguidos, mas fugirão covardemente aterrorizados no momento em que nos voltarmos para eles em legítima raiva! É claro que se agitarão e lutarão, pois você lhes deu liberdade por tanto tempo que agora não aceitarão a expulsão docilmente, mas encare-os com férrea determinação, coloque sua vontade contra eles como se fosse uma rocha e eles se afastarão. Diga-lhes: "Sou uma centelha do fogo divino e, pelo poder do

Deus que está dentro de mim, eu ordeno que partam!" Não pense nem por um instante na possibilidade de fracasso ou capitulação; Deus está dentro de você, e Ele não falha. Ao exigirem carne, demonstram que são entidades baixas e grosseiras; evite todo alimento carnívoro e o álcool, porque essas coisas servem a esses seres malignos e tornam a resistência mais difícil.

A terceira questão é: "*Se é possível ocorrer uma obsessão quando a pessoa perde temporariamente o controle do corpo em um acesso de raiva, não é possível, também, que a obsessão aconteça quando se está fora do corpo durante o sono?*"

As circunstâncias são inteiramente diferentes. O sono é uma condição natural, e, apesar de o ego deixar o corpo, ele se mantém em contato, de modo que, em circunstâncias normais, pode rapidamente retornar, caso seja feita alguma tentativa de ocupação. Em alguns casos individuais, o ego pode não retornar tão facilmente, e uma espécie de obsessão temporária é possível, causando sonambulismo; mas são casos anormais e comparativamente raros. Um forte acesso de raiva, por outro lado, não é natural; trata-se de uma infração às leis naturais sob as quais vivemos. Nesse caso é o astral que foge ao controle, o elemental do desejo revolta-se contra seu Mestre e escapa da influência que o ego exerce através do corpo mental, que é o que o mantinha seguro como parte de um mecanismo astral. Afastado o legítimo dono, o corpo astral encontra-se na condição de um barco abandonado, à mercê de qualquer um que agarre o timão, e sua recuperação pode tornar-se bastante difícil.

O Sono

Alguém me pergunta a causa real do sono, mas não tenho conhecimentos fisiológicos detalhados para responder a essa pergunta plenamente. Sempre pensei que o sono é necessário porque os corpos cansam-se uns dos outros. O veículo astral, que até onde sabemos é praticamente infatigável em seu próprio plano, pois pode trabalhar incessantemente por vinte anos sem sinais de cansaço, rapidamente se cansa do trabalho pesado que é mover as partículas do cérebro físico, necessitando de um período considerável de separação para recuperar forças e retornar à cansativa tarefa.

O corpo físico, por sua vez, também se desgasta porque, durante a vigília, consome energia sempre um pouco mais rápido do que pode armazenar. Pequenas mudanças químicas sempre ocorrem em toda ação muscular, sob a influência dos sentimentos e pensamentos. Um corpo saudável trabalha o tempo todo para equilibrar essas mudanças e restaurar a condição anterior, mas jamais consegue inteiramente. Assim, com todo pensamento e ação existe uma pequena perda, imperceptível, mas o efeito acumulativo deixa finalmente o corpo físico exausto e incapaz de trabalhar ou pensar qualquer coisa. Em alguns casos, uns poucos momentos de sono darão às forças restauradoras a oportunidade de restabelecer o equilíbrio o suficiente para permitir à máquina retomar a ação.

Os estudantes sempre perguntam qual a melhor hora para o sono. Inquestionavelmente a regra da natureza diz que o dia é para o trabalho e a noite para o descanso, e não é bom desrespeitar as leis da natureza. Um dos sérios males de nossa vida moderna, não natural, é que o meio-dia não é mais o centro do dia como deveria ser. Se o homem seguisse suas próprias inclinações e se orientasse de acordo com elas, voltaria, sem dúvida alguma, a um viver mais natural; mas, como estamos envolvidos pela assim chamada civilização, distorcida e artificial, não podemos seguir nossas predileções e temos de adaptar-nos ao costume geral.

Não existem regras para o período de sono necessário ao homem devido às diferenças na constituição de cada um, mas, quando possível, devemos dormir entre 20h e 5h. Alguns precisam desse tempo todo enquanto outros passam muito bem com um pouco menos. Detalhes assim cada um deve decidir por si, de acordo com as circunstâncias.

Diversas pessoas perguntaram se há alguma maneira de controlar seus sonhos. O sonhador normalmente não pode alterar o curso do sonho no momento em que o vive, porém pode controlar indiretamente grande parte da sua vida de sonhos. Se nossos pensamentos forem puros e elevados durante a vigília, nossos sonhos também serão puros. O último pensamento antes de dormir é especialmente importante, devendo ser o mais nobre e elevado possível, porque determina em grande parte a natureza dos sonhos que se seguirão. Um pensamento impuro atrai influências impuras e também todas as criaturas grosseiras e repugnantes que estiverem próximas. Estas, por sua vez, reagirão sobre nossa mente e nosso corpo astral, perturbando seu descanso ao despertar desejos terrenos. Se, por outro lado, passarmos pelos portais do sono com a mente fixa em coisas elevadas e sagradas, atrairemos elementais criados por esforços semelhantes de outras pessoas, descansaremos pacificamente com a mente aberta para impressões superiores e fechada para as inferiores, pois teremos colocado nossa mente na direção correta.

O sonho sobre fatos corriqueiros não interfere com o trabalho astral, porque todo ele ocorre no cérebro físico, enquanto o homem verdadeiro está longe, cuidando de outros assuntos. É claro que, se no corpo astral dedicarmo-nos a pensar nos eventos de nossa vida física, não poderemos fazer qualquer outro trabalho, mas isso é diferente do sonho do cérebro físico, e, ao despertar de manhã, pode ser difícil distinguir entre as duas recordações.

Não importa o que o cérebro físico faça, desde que se mantenha livre de pensamentos impuros; entretanto não devemos gastar nosso tempo com introspecção quando poderíamos estar trabalhando no plano astral.

Sonambulismo

Perguntam-me a causa do sonambulismo. Nunca tive a oportunidade de observar um caso de sonambulismo, e, por isso, não tenho conhecimentos de primeira mão; mas, através dos relatos que li, imagino que o fenômeno pode ter diversas causas. Em alguns casos, parece que o ego pode agir mais diretamente sobre o corpo físico na ausência dos veículos intermediários astral e mental, como por exemplo as pessoas que durante o sono escrevem poesias ou pintam quadros com uma qualidade bem além de seus poderes de vigília.

Em outros casos é óbvio que a fraca consciência inerente ao corpo físico entra em ação fora de controle do próprio homem, fazendo coisas sem sentido ou realizando, até certo ponto, a idéia predominante no momento em que o sono chegou. As histórias de servos que se levantam no meio da noite para acender o fogo, arrear cavalos etc., pertencem a esse tipo.

Pode ser também que alguma inteligência externa, encarnada ou não, tenha-se apoderado do corpo adormecido para seus próprios objetivos. Muito provavelmente uma pessoa assim é mediúnica, isto é, alguém cujos corpos sutis estão unidos mais frouxamente do que o normal, podendo separar-se com maior facilidade. Por estranho que seja, parece haver um tipo de sonambulismo causado por uma condição inteiramente oposta, onde os corpos encontram-se unidos bem mais rigidamente do que o normal, fazendo assim com que o homem leve consigo o corpo físico ao visitar um local vizinho em seu corpo astral, pois não se encontra inteiramente dissociado. O sonambulismo provavelmente também se relaciona com o complexo problema dos diversos níveis de consciência do homem, que, em circunstâncias normais, não se manifestam.

O Corpo Físico

A imortalidade física não é possível, porque aquilo que tem começo também tem que ter um fim. Nascimento, crescimento, envelhecimento e morte são as regras do universo físico. Nenhum ser com razoável bom senso desejaria reter o mesmo corpo continuamente; seria o mesmo que uma criança querer usar as mesmas roupas a vida toda. À medida que o homem se desenvolve, seus veículos sucessivos tornam-se mais puros e nobres, mais adaptados às necessidades de sua crescente capacidade. Seu crescimento seria interrompido caso ele mantivesse o mesmo corpo, assim como o crescimento de uma criança também se interromperia se ela usasse uma roupa dura como ferro e muito apertada.

Temos o dever de cuidar ao máximo de nossos corpos e melhorá-los no que pudermos. Nunca maltratem o corpo físico. Cuidem dele como se fosse um cavalo valioso, dando-lhe comida e descanso suficientes e mantendo-o escrupulosamente limpo. Ele só pode realizar certa quantidade de trabalho, por exemplo: um corpo bem forte poderia andar cem milhas sem descansar, mas não poderia andar mil. Na meditação, coloque-o em uma posição confortável e, então, esqueça-o. Não podemos esquecê-lo se estiver desconfortável, pois ele constantemente atrairá nossa atenção.

O que devemos comer? Bem, provavelmente o que comemos não tem grande importância desde que evitemos o álcool e a carne. Certos vegetais são mais grosseiros que outros e, por isso, se pudermos escolher, é melhor evitá-los. Entre estes eu colocaria cebolas, cogumelos, repolhos e couves. O arroz é um alimento puro, mas trigo, cevada e aveia nutrem melhor na mesma quantidade. Considero ovos indesejáveis, mas aceito-os sem hesitação se não houver nada mais para comer.

Não há dúvida de que o vegetarianismo é melhor em todos os pontos que a dieta carnívora. Ele nos proporciona melhores alimentos, diminui a predisposição a doenças, fortalece-nos e não estimula a natureza inferior. A dieta vegetariana facilita o desenvolvimento das qualidades superiores do homem. Sabemos que nossos Mestres fazem seus corpos físicos durarem muito mais do que o homem comum, porque vivem de acordo com regras higiênicas e são absolutamente livres de preocupações. Deveríamos tentar imitá-los ao máximo, mas tentar manter o mesmo corpo indefinidamente é uma atitude egoísta e tem caracterizado sempre aqueles que seguem o caminho do egoísmo.

Essas pessoas usam diversos recursos indesejáveis para prolongar a vida física — às vezes, pelo vampirismo, simplesmente exaurindo a vitalidade dos outros, e às vezes pela transferência completa para si mesmos de uma série de vidas de outros. Certamente não é preciso advertir os teosofistas contra esses procedimentos. É óbvio que uma pessoa que faz essas coisas não está se desenvolvendo. Mesmo obtendo sucesso, ela está como que remendando e alargando um velho casaco, que, apesar de todos os esforços, continua sendo um casaco velho.

Tabaco e Álcool

Os efeitos maléficos do tabagismo são óbvios nos corpos físico, astral e mental. O tabaco satura fisicamente o homem com partículas excessivamente impuras, causando emanações tão materiais que se tornam freqüentemente perceptíveis pelo olfato. Astralmente, além de introduzir impurezas, tende a amortecer muitas das vibrações e é por essa razão que se diz que "acalma os nervos". Mas, para o progresso oculto, nós certamente não queremos vibrações enfraquecidas, nem que o corpo astral sobrecarregue-se com partículas venenosas e poluídas. Precisamos ter a capacidade de responder instantaneamente a todas as vibrações possíveis e manter, ao mesmo tempo, perfeito controle, de modo que os desejos sejam como cavalos guiados pela mente inteligente, e nos levem onde queremos, ao invés de correrem desenfreadamente, colocando-nos em situações que nossa natureza superior sabe que nunca deveríamos deixar acontecer. Portanto, o tabaco realmente prejudica qualquer pessoa que realmente deseje desenvolver seus veículos.

Ele também exerce uma singular influência deteriorante sobre o homem no plano físico. Até onde sei é a única coisa que um homem faz deliberadamente, sabendo que prejudica os outros. A compulsão que esse hábito nocivo exerce sobre seus escravos parece ser tão grande que estes não conseguem resistir, esquecendo todos os seus instintos cavalheirescos em função deste egoísmo horrível e insano. O efeito sobre o corpo astral após a morte é muito ruim. O homem permanece enclausurado por bastante tempo como se estivesse em uma prisão, fora do alcance das vibrações superiores.

A maior objeção que os teosofistas mais comodistas sempre fazem diante dessas afirmações é que nossa própria fundadora, a Sra. Blavatsky, fumava. Sei disso, mas os fatos que mencionei não mudam o mínimo que seja, pois resultam de longas observações pessoais. A Sra. Blavatsky, em todos os aspectos, era tão *sui generis*, um caso tão marcadamente diferente, que não creio ser razoável presumir que podemos fazer com segurança o que ela fazia. Ouvi muitas vezes ela dizer: "Ninguém, exceto meu Mestre, compreende minha situação". Certa vez disse-me também que fumava incessantemente "para agüentar as vibrações desse velho corpo e impedir que se despedace". Os efeitos no plano físico durante a vida e no astral após a morte são precisamente aqueles que descrevi; e não parece valer a pena correr o risco por esse pequeno vício. Quanto ao álcool, não há dúvida de que seu uso sempre é ruim do ponto de vista dos corpos astral e mental, atraindo também entidades bastante indesejáveis. Muitas pessoas respeitadas apresentam hábitos bastante desagradáveis, como o uso do álcool, dieta carnívora ou tabagismo, mas o fato de serem boas pessoas não torna essas coisas boas e sensatas. Não é verdade, obviamente, que essas coisas sejam necessidades físicas; todavia o corpo humano pode ser acostumado ao uso de qualquer tipo de droga até o ponto que, estabelecido o hábito, fica na expectativa e sente sua falta. O mesmo hábito pode ser criado pelo ópio ou pela heroína, o que não faz delas boas coisas. Contudo, em geral, é inútil tentar argumentar com qualquer pessoa sobre seus hábitos pessoais; ela está determinada a mantê-los porque gosta deles e pouco se importa se são bons ou se lhe fazem bem ou não.

Alguém pergunta minha opinião sobre a restrição à venda de bebidas alcoólicas. Em todos os países civilizados, a venda de venenos é controlada, dependendo de uma prescrição médica. O veneno do álcool prejudica milhares de vezes mais do que todos os outros venenos juntos; por isso, a legislação governamental deveria restringir seu comércio.

Todos devem desenvolver o autocontrole por si mesmos, é verdade, mas não vejo como isso muda nossa atitude sobre a regulamentação de leis. Vocês certamente não sugeririam que, para ensinar o povo a não roubar, devêssemos colocar tentações em cada esquina e observar, sem interferir, se as pessoas desenvolveriam força mental suficiente para resistir a elas.

Mas isso é exatamente o que está sendo feito com relação ao consumo do álcool. Nós permitimos, encorajamos e damos autorização a algumas pessoas para que o coloquem em exibição em nossas ruas, com a intenção declarada de tentar induzir o maior número possível de pessoas a se degradar com o uso habitual desse veneno. Se a humanidade já houver se desenvolvido o bastante para demonstrar alguma consciência de responsabilidade em relação a seus irmãos mais fracos, parece-nos mais apropriado encorajar seu progresso, ao invés de nos unirmos contra eles. Se consideramos correto ajudar e cuidar dos doentes mentais, até mesmo controlando-os para seu próprio bem e do público, certamente também será correto que tratemos da mesma maneira as vítimas daquela terrível forma de insanidade conhecida como alcoolismo. No entanto, não podemos esquecer que a Sociedade Teosófica não participa de qualquer movimento político, embora seus membros, como indivíduos privados, estejam totalmente livres para tomar qualquer posição que acharem correta nas questões políticas.

Capítulo Seis

A VIDA APÓS A MORTE

O Teosofista Após a Morte

Ao abandonar permanentemente seu corpo físico e entrar no plano astral, o teosofista ou estudante da sabedoria divina deveria de imediato observar sua nova condição, a vida que o espera e como aproveitá-la bem, isto é, fazer um balanço geral. Faria bem em consultar algum amigo mais experiente e, na prática, é o que os membros já mortos quase sempre fazem. Lembrem-se de que quando um membro da Sociedade Teosófica entra no plano astral após a morte, não é a primeira vez que ele aparece por lá. Em geral ele já terá feito muito trabalho no astral durante o sono do corpo físico, e, assim, o terreno lhe é familiar. A vida astral abre tantas possibilidades ao morto que não se pode definir uma regra geral que sirva para todos, basta que tentemos ser úteis aos que estão à nossa volta que não erraremos. O recém-chegado encontrará muitas possibilidades de aprendizado e trabalho, dividindo seu tempo entre todas as atividades.

O mundo astral não se modifica só para satisfazer a conveniência dos estudantes da sabedoria divina, assim como o mundo físico também não, e, como qualquer pessoa, eles terão que enfrentar tudo o que encontrarem. Quando um bêbado vai caminhando por uma estrada, todas as pessoas que passarem por ali terão que encontrá-lo, sejam membros da Sociedade Teosófica ou não, e, nesse aspecto, o plano astral não difere do físico. Por serem mais instruídos sobre as regras que governam a vida no plano astral, os estudantes da sabedoria divina e membros da Sociedade Teosófica devem saber melhor do que os outros como lidar com os seres desagradáveis que poderão encontrar, mas a possibilidade de encontrar alguma criatura dessas é a mesma para eles como para qualquer outra pessoa. Provavelmente, já encontraram esses seres antes, ao trabalharem no plano astral durante a vida, e não há razão para sentirem mais medo agora do que antes. Na verdade, encontrá-los em seu próprio nível torna mais fácil entendê-los e ajudá-los. Praticamente não há diferença entre a condição da pessoa comum e a do sensitivo após a morte, exceto que este se sentirá mais à vontade em seu novo ambiente, porque está mais familiarizado com as coisas astrais. Ser sensitivo significa ser capaz de trazer para a consciência física um pouco mais da vida maior; é uma condição na qual existe uma desigualdade no corpo físico entre o sensitivo e a pessoa comum, mas, afastado o físico, a desigualdade desaparece.

A Relação do Morto com a Terra

O morto está consciente dos sentimentos da família que deixou. Se imaginarmos o que o corpo astral manifesta, veremos o quanto ele poderá sentir. Ele não segue necessariamente todos os detalhes da vida física, não sabe o que seus amigos estão comendo ou no que estão trabalhando, mas sabe se estão felizes ou tristes e percebe, de imediato, sentimentos de amor, ódio, ciúme ou inveja.

No corpo astral, existem contrapartes exatas dos olhos, ouvidos, nariz e boca, mas elas não são usadas para ver, ouvir, cheirar ou comer. A matéria do corpo astral movimenta-se continuamente por todo o corpo, por isso, é impossível que as partículas astrais especializem-se tal como certas terminações nervosas do corpo físico. Os sentidos do corpo astral não funcionam através de órgãos especiais, mas, sim, através de todas as partículas do corpo, de modo que, com a visão astral, o homem pode ver igualmente bem com qualquer parte do corpo, e pode ver simultaneamente em todas as direções ao seu redor, ao invés de apenas para a frente. Ele pode tocar a duplicata astral da mão de uma pessoa viva, porém, como as duas mãos passariam uma através da outra sem qualquer sensação de contato, não há por que fazê-lo. Contudo, ele pode materializar uma mão que, mesmo invisível, pode ser tocada fisicamente como, com freqüência, observamos nas sessões espíritas.

Existem três subdivisões do plano astral de onde é possível — mas não desejável — aos desencarnados verem e acompanharem os acontecimentos do plano físico. No subplano mais inferior, eles normalmente estão ocupados com outras coisas, pouco se importando com o que acontece no mundo físico, exceto, como explica nossa literatura, quando freqüentam lugares depravados. Na subdivisão seguinte, eles se encontram bem próximos ao plano físico e podem perceber muitas coisas, mas nunca a matéria física em si, sempre a sua contraparte. Ao ascenderem pelos próximos dois subplanos, o grau dessa percepção diminui rapidamente, e, acima deles, só conseguem contatar o plano físico com um esforço especial através de um *médium*, mas do subplano mais elevado até mesmo isso é extremamente difícil.

A capacidade que uma pessoa tem de ver e acompanhar os acontecimentos físicos a partir do plano astral é determinada por seu caráter e temperamento, bem como pelo estágio de desenvolvimento alcançado. A maioria das pessoas boas que viveram suas vidas até a morte natural atravessam todos esses estágios inferiores antes de despertarem para a consciência astral e, por isso, é pouco provável que tenham consciência de alguma coisa física. Todavia, uns poucos desses são atraídos de volta para esse mundo pela grande preocupação que sentem por alguém que ficou.

Pessoas menos desenvolvidas têm muita matéria desses subplanos inferiores e, por isso, podem acompanhar em grande parte os acontecimentos da Terra, em especial se seus pensamentos pertencerem a esse mundo, com pouca ou nenhuma aspiração espiritual ou intelecto elevado. Essa tendência ao inferior aumenta com o costume, e uma pessoa que era feliz, inconsciente das coisas inferiores a ela, pode infelizmente ter sua atenção atraída pelas manifestações egoístas de tristeza dos que ficaram. Ela então exerce sua vontade para se manter em contato com essa vida, à qual não pertence mais, e, por algum tempo, sua capacidade de ver coisas terrenas aumenta. Logo ela passa a sofrer mentalmente ao perceber que sua capacidade está desaparecendo. Esse sofrimento deve-se inteiramente à situação irregular que ela mesmo provocou em sua vida astral, porque ela é totalmente desconhecida na evolução normal após a morte.

Se alguém se queixar que dessa maneira o morto não vê o mundo físico tal qual ele é, temos de responder que nem eles nem nós nesse plano jamais percebemos o mundo físico como, na verdade ele é, pois vemos — pelo menos a grande maioria vê — apenas as porções sólida e líquida, cegos que somos às vastas porções gasosas e etéricas. Os mortos não vêem a matéria física de forma alguma, nem sequer toda a contraparte astral, mas só aquela parte pertencente ao subplano em que estão. Os únicos que conseguem uma percepção abrangente das coisas são os que desenvolvem a visão etérica e astral enquanto ainda estão vivos no corpo físico.

Outra dificuldade que os desencarnados encontram é a incapacidade de reconhecer a contraparte astral do corpo físico, mesmo quando a vêem. Eles em geral precisam de bastante experiência antes de identificarem com clareza os objetos, e qualquer tentativa que fazem de se relacionar com eles é quase sempre vaga e incerta, como vemos nas casas mal-assombradas, onde pedras caem, passos ecoam pelos corredores e objetos movem-se vagamente. A capacidade de identificar objetos deve-se, em grande parte, à experiência e ao conhecimento, e só é alcançada a perfeição se o morto tiver estudado esses assuntos antes da morte.

Alguém me escreveu perguntando se um morto pode desfrutar da contraparte astral de uma peça teatral e se ele encontra lugar com o teatro lotado de gente.

Por certo, um teatro lotado tem sua duplicata astral visível aos mortos. A peça, contudo, não lhes deve proporcionar nenhum prazer, pois não podem ver as roupas e as expressões dos atores como nós, e as emoções desses atores, por serem apenas simuladas, não impressionam o plano astral. Os corpos astrais constantemente se interpenetram sem qualquer dano. Se vocês pensarem, por um momento, verão que tem de ser assim. Ao sentarmo-nos perto de alguém no trem ou no ônibus, nossos corpos astrais necessariamente se interpenetram. Não há nenhuma dificuldade nisso, pois as partículas astrais estão muito mais separadas do que as físicas com relação ao seu tamanho. Ao mesmo tempo afetam-se umas às outras seriamente no que diz respeito às suas freqüências vibratórias, e, assim, a proximidade de alguém com pensamentos impuros, raivosos ou ciumentos é muitíssimo prejudicial. Um amigo morto pode, portanto, entrar facilmente em um teatro lotado, especialmente porque as pessoas sentam-se nas poltronas ou camarotes, enquanto a entidade astral muito provavelmente flutuará no ar.

O homem que comete suicídio está fugindo da escola antes da aula terminar e é culpado pela enorme arrogância de tomar nas próprias mãos uma decisão que pertence à Grande Lei. As conseqüências de uma rebelião dessas contra a natureza são sempre graves. Afetam a próxima vida e é provável que outras vidas seguintes também. As circunstâncias que envolvem o suicida imediatamente após sua morte são as mesmas da vítima de acidente, pois ambos chegam ao plano astral de forma abrupta. Mas há uma enorme diferença entre os dois, porque a vítima de acidente, por não estar esperando a morte, é atirada à inconsciência e normalmente passa pelo subplano mais inferior sem perceber nenhum de seus vários dissabores. O suicida, pelo contrário, agiu intencionalmente e, por isso, é dolorosamente consciente de muita coisa horrível e repugnante. Não pode ser salvo dessas visões e sentimentos que provocou para si mesmo, mas, com freqüência, pode ser ajudado a compreendê-las, inspirado, com paciência, perseverança, e esperança pelas boas ações de algum amigo gentil.

Apesar de reconhecermos que o suicídio é um erro, e muito sério, não devemos julgar nosso irmão que cometeu esse erro. Existe uma grande diferença entre os diversos casos, e nos é impossível saber as causas de cada um, mas todos são levados em consideração pela lei de justiça eterna.

Ao tentarmos avaliar as condições de vida de alguém no plano astral após a morte, temos de considerar dois fatores centrais: o tempo passado em cada subplano e a intensidade da consciência experimentada. A duração da estadia, em cada subplano, depende, como já dissemos, da quantidade de matéria pertencente àquele subplano que foi agregada durante a vida terrestre.

Entretanto, o grau de consciência que a pessoa experimentará não segue invariavelmente a mesma lei. Vamos considerar um exemplo extremo de variação possível para podermos compreender seu método. Suponhamos que um homem tenha trazido de sua última encarnação tendências que exijam, para sua manifestação, grande quantidade de matéria do subplano mais inferior e que, na vida atual, felizmente tenha aprendido bem cedo a possibilidade e a necessidade de controlar essas tendências. É improvável que seus esforços alcancem sucesso total, mas, se forem eficazes, a substituição das partículas grosseiras pelas finas ocorrerá, vagarosa, mas continuamente.

Trata-se de um processo gradual, e poderia muito bem ocorrer que a pessoa morresse com ele ainda pela metade. Assim, restaria em seu corpo astral matéria suficiente do subplano mais inferior para proporcionar-lhe uma estadia considerável lá. Como nessa encarnação sua consciência não teve o hábito de funcionar com esse tipo de matéria, e como não poderia criar esse hábito de repente, ele descansa nesse subplano até a desintegração dessa matéria, dormindo o tempo todo inconsciente de todas as suas muitas repugnâncias.

Vemos assim que estes dois fatores, o subplano para onde a pessoa é levada e o seu grau de consciência nele, não dependem da natureza de sua morte mas, sim, do tipo de vida que levou. Por isso, qualquer acidente, por mais súbito e terrível que seja, dificilmente tem efeito sobre eles. Contudo, há certo sentido naquela antiga oração familiar: "Livrai-nos, Senhor, da morte súbita", porque apesar da morte súbita não piorar necessariamente a posição da pessoa no plano astral, ela também em nada contribui para melhorá-la, enquanto que o lento desgaste da velhice ou a devastação de qualquer doença muito longa são quase que invariavelmente acompanhadas por um considerável enfraquecimento e certa desagregação das partículas astrais, de modo que, ao recobrar consciência no plano astral, a pessoa descobre que uma parte de sua ocupação principal já está cumprida.

A grande perturbação e o terror mental que às vezes acompanham a morte acidental são em si mesmos uma preparação muito desfavorável para a vida astral, e há casos, felizmente raros, em que essa agitação e terror persistem após a morte. O desejo popular de ter algum tempo para se preparar para a morte também não é mera superstição e tem certo fundamento. Naturalmente, para quem leva uma vida teosófica, não faz diferença se a transição do plano físico para o astral acontece lenta ou rapidamente, pois a pessoa está sempre se esforçando para progredir o máximo possível, e seu objetivo continua o mesmo em qualquer caso.

Resumindo: parece claro que a morte acidental não significa necessariamente uma estadia maior no nível mais inferior do plano astral, mas, em certo sentido, podemos dizer que ela a prolonga ligeiramente, pois priva a vítima da oportunidade de desagregar as partículas pertencentes àquele nível durante os sofrimentos de uma doença persistente. No caso de crianças muito jovens, é muito pouco provável que, em suas vidas breves e comparativamente inocentes, tenham desenvolvido muita afinidade pelas subdivisões inferiores da vida astral. Na prática, dificilmente elas são encontradas naqueles subplanos. Em todo caso, quer morram por acidente ou doença, sua vida astral é comparativamente pequena, e a vida celeste, apesar de bem mais duradoura, é proporcional à astral. A reencarnação segue-se tão logo as forças que colocaram em movimento durante suas curtas vidas terrenas esgotem-se, precisamente o que observamos com relação aos adultos.

Em condições normais, o destino dado ao cadáver físico não faz *necessariamente* qualquer diferença para a pessoa que vive no plano astral.

Sou obrigado a fazer estas duas reservas porque, no primeiro caso, fora da rotina e da normalidade, existem certos ritos mágicos horríveis que afetariam seriamente as condições da pessoa no outro plano; e, no segundo caso, apesar de o estado do cadáver físico não afetar *necessariamente* em alguma coisa o homem real, às vezes ele afeta, por ignorância ou insensatez. Deixem-me tentar explicar.

A duração da vida astral após o abandono do corpo físico depende principalmente de dois fatores: a natureza da vida física passada e a atitude mental após o que chamamos morte. Durante a vida terrestre, estamos sempre influenciando a agregação de matéria em nosso corpo astral. Nós o afetamos diretamente pelas paixões, emoções e desejos ao permitirmos que nos dominem e indiretamente pela ação de nossos pensamentos vindos de cima e todos os detalhes de nossa vida física (nossa moderação ou libertinagem, asseio ou desleixo, nossa comida e bebida) vindos de baixo. Se uma pessoa persistir na perversidade ao longo de qualquer uma destas linhas, ela, estupidamente, construirá para si um veículo astral grosseiro e rude, habituado a responder apenas às vibrações inferiores do plano, e, após a morte, encontrar-se-á presa àquele plano durante o longo e vagaroso processo de desintegração do corpo. Por outro lado, através de uma vida decente e cuidadosa, ela construirá para si um veículo composto principalmente de matéria mais sutil, que trará bem menos problemas e desconfortos após a morte, e sua evolução prosseguirá muito mais rápida e facilmente.

Em geral, isso é entendido pelas pessoas, mas o segundo grande fator, a atitude mental após a morte, parece ser esquecido com freqüência. O que a pessoa deve fazer é compreender sua posição nesse pequeno arco de sua evolução; que nesse estágio ela está retirando-se para seu interior em direção ao nível do verdadeiro ego, e que, conseqüentemente, tem o dever de desligar seus pensamentos o mais que puder das coisas físicas e fixar a atenção cada vez mais nos assuntos espirituais que a ocuparão durante sua vida no mundo celeste. Agindo assim, ela facilita a desintegração astral natural e evita o erro tristemente comum de se demorar sem necessidade nos níveis inferiores, onde deve residir apenas temporariamente.

Muitas pessoas, contudo, simplesmente não dirigem seus pensamentos para o alto e passam o tempo todo lutando com todas as forças para se manter em contato com o plano físico que deixaram, causando assim grandes problemas àqueles que tentam ajudá-los. Os assuntos terrestres foram os únicos interesses que tiveram enquanto viveram, e apegam-se a eles tenazmente e em desespero, mesmo após a morte. Naturalmente, com o passar do tempo, torna-se cada vez mais difícil para elas manterem contato com as coisas aqui embaixo; porém, ao invés de se alegrarem e estimularem esse processo de gradual refinamento e espiritualização, elas resistem vigorosamente o mais que podem. A poderosa força da evolução torna-se finalmente forte demais e arrasta-as em sua benéfica corrente, mas elas ainda resistem a cada passo do caminho, causando para si mesmas muito sofrimento e dor desnecessários, e atrasando seriamente seu progresso ascendente.

Essa oposição ignorante e desastrosa à vontade cósmica é bastante facilitada pela posse do cadáver físico, o qual agirá como uma espécie de sustentáculo neste plano. O cadáver naturalmente se encontra afinado com seu antigo ocupante, e este pode usá-lo como uma âncora para se manter em contato com o lodo, até que sua decomposição esteja bem avançada, se estiver suficientemente mal-orientado para querer fazer esse tipo de coisa. A cremação salva o homem de si mesmo neste aspecto, pois quando o corpo físico é desagregado, seu passado literalmente se queima junto, e a capacidade de retorno não-natural felizmente é bastante reduzida.

O embalsamamento ou enterro do cadáver não forçam o ego a prolongar sua estada no plano astral contra a sua vontade, mas ambos são tentações para que se atrase e facilitam imensamente o retorno se ele, infelizmente, desejar fazê-lo. Nenhum ego mais avançado se permite ser detido no plano astral, nem mesmo pela tolice que é o embalsamamento de seu cadáver. Quer o veículo físico seja queimado, decomponha-se lentamente da repugnante maneira usual, ou seja preservado indefinidamente como uma múmia egípcia, seu corpo astral seguirá seu próprio curso de rápida desintegração de modo inalterável.

Entre as muitas vantagens da cremação, a principal é que previne totalmente qualquer tentativa parcial e não-natural de uma reunião temporária dos princípios ou qualquer tentativa de se usar o cadáver para propósitos de magia inferior, sem falar nos muitos perigos evitados para os vivos.

As Condições Após a Morte

Os estudantes perguntam com freqüência se as pessoas comuns seriam mais beneficiadas passando por uma existência ativa ou subconsciente no plano astral. Isso depende da natureza da existência ativa e do estágio de desenvolvimento do ego em questão. Normalmente, as pessoas morrem com certa quantidade de desejo ainda não esgotada, e essa força tem de se gastar antes que possam mergulhar na inconsciência. Se a única atividade possível for a dos desejos inferiores, obviamente é melhor que essa inconsciência venha tão logo seja possível, pois dificilmente seria criado algum *karma* novo vantajoso.

Se, por outro lado, tratar-se de pessoas suficientemente desenvolvidas para serem de utilidade aos outros no plano astral, especialmente se já se habituaram a trabalhar nele durante o sono, não há razão para que não usem utilmente o tempo de sua estadia forçada. Contudo, não é aconselhável que coloquem em movimento forças novas, prolongando essa estada. Aqueles que trabalham sob a orientação dos discípulos dos Mestres de Sabedoria naturalmente se beneficiarão com seus conselhos, pois eles têm muita experiência e podem, por sua vez, consultar outros com conhecimento ainda mais amplo.

A vida astral pode ser controlada pela vontade, assim como a vida física, sempre dentro dos limites prescritos em cada caso pelo *karma* — isto é, por nossas ações anteriores. O homem comum tem pouca iniciativa ou poder de vontade e, em grande parte, é dominado pelas circunstâncias que criou para si mesmo tanto no plano astral como no físico; entretanto, o homem decidido pode tirar o melhor proveito de suas condições e viver sua própria vida apesar delas. Afinal, o que a vontade causou pode mudar gradualmente, se o tempo permitir.

As pessoas só se livram das más tendências, tanto no mundo astral quanto no físico, se trabalharem conscientemente com esse objetivo. Muitos desejos fortes e persistentes precisam de um corpo físico para sua satisfação, e, como este não está mais disponível, eles causam sofrimentos agudos e prolongados, mas, com o tempo, desgastam-se e tornam-se como que atrofiados, mortos por causa da impossibilidade de sua satisfação. Da mesma maneira, a matéria do corpo astral lentamente se desagrega e se desintegra à medida que a consciência se retira dele através dos esforços semiconscientes do ego, e assim o homem gradualmente se afasta de tudo que o impede de entrar no mundo celeste.

Todavia, o maior dos problemas é que o homem geralmente não reconhece a necessidade de eliminar o mal que o retém. É óbvio que, se compreendesse os fatos e colocasse sua mente em ação, apressaria grandemente os processos referidos acima. Se soubesse que deve eliminar os desejos terrenos e interiorizar-se o mais rápido possível, ele o faria com seriedade; mas, ao invés disso, com sua ignorância, ele normalmente se concentra nos desejos e assim aumenta sua vida, agarrando-se desesperadamente às partículas mais grosseiras da matéria astral o mais que puder, porque a sensação que elas lhe proporcionam se parece bastante com a vida física que ele tão apaixonadamente deseja. Vemos assim por que o esclarecimento dos mortos é um dos aspectos mais importantes do trabalho dos auxiliares invisíveis e também por que até mesmo o mero conhecimento intelectual das verdades teosóficas já tem um valor inestimável para qualquer pessoa.

Ao despertar no plano astral, o morto, de forma alguma, compreende que está morto e, mesmo quando o percebe, não entende de imediato as diferenças entre o mundo astral e o físico. No mundo físico, o homem é escravo de muitas necessidades imperiosas, tem de conseguir comida, roupas e abrigo, e para isso, precisa de dinheiro; na maioria dos casos, tem de trabalhar para ganhar dinheiro. Tudo isso é tão claro que, ao se ver livre dessa escravidão, o homem leva muito tempo para acreditar que está realmente livre e, em muitos casos, continua desnecessariamente a impor-se grilhões que, na realidade, já deixou para trás.

Assim, às vezes, vemos os mortos recentes tentando comer, sentando-se e preparando refeições totalmente imaginárias ou construindo casas para si mesmos. Cheguei a ver um homem na terra-de-verão construindo uma casa pedra por pedra, mesmo tendo de criar cada uma das pedras por um esforço de seu pensamento. Ele não percebia que poderia fazer a casa inteira de uma só vez, com o mesmo trabalho gasto para fazer cada pedra. Gradualmente ele percebia que as pedras não tinham peso, que suas condições, naquele momento, diferiam daquelas a que estava acostumado na Terra, e assim passava a investigar mais.

Na terra-de-verão as pessoas envolvem-se com cenários construídos por elas mesmas, e algumas evitam esse trabalho, aceitando cenários já prontos, construídos por outros. Os que se encontram no sexto subplano, na superfície da Terra, percebem as contrapartes astrais das montanhas físicas, árvores e lagos e, por isso, não precisam criar cenários, mas os que vivem nos subplanos mais elevados, flutuando a alguma distância acima da Terra, normalmente providenciam os cenários que desejam pelo método já descrito.

O exemplo mais comum é a construção dos fantásticos cenários descritos nas diversas escrituras; por isso, nessas regiões, constantemente, presenciamos tentativas desajeitadas e pouco imaginativas de se materializarem idéias tais como jóias crescendo em árvores, mares de vidro misturado com fogo, criaturas cheias de olhos e divindades com cem cabeças e braços. Dessa forma, em conseqüência da ignorância e do preconceito adquiridos na vida física, muitos se dedicam a um tremendo trabalho totalmente inútil, quando poderiam estar usando o tempo na ajuda a seus companheiros.

Para aquele que estudou teosofia, e por isso compreende esses planos superiores, uma das características mais agradáveis é a total liberdade e sossego que advém da ausência de todas as necessidades imperiosas que atormentam a vida física. O desencarnado é o único homem totalmente livre, livre para fazer o que quiser e passar o tempo como desejar, portanto, livre para devotar todas as suas energias à assistência aos outros.

Obsessão Animal

Como vocês sabem, um ego, ao descer à reencarnação, às vezes pode ser desviado de seu rumo e ficar retido indefinidamente nos níveis astrais por causa da atração da alma-grupo de algum tipo de animal com cujas características tenha afinidade demasiado forte. Sabemos que a mesma afinidade às vezes prende uma alma no plano astral após a morte em íntima associação a uma forma animal, e, em conseqüência de brutal crueldade, é possível também que ela seja *karmicamente* ligada a um animal, o que lhe traz horríveis sofrimentos. A Sra. Besant fez uma descrição de tudo isso em uma carta a um jornal indiano, reproduzida em *The Theosophic Gleaner*, Vol. XV, página 231:

> *O ego humano não reencarna em um animal, pois a reencarnação significa entrar em um veículo físico que passa a ser controlado pelo ego a que pertence.*
>
> *A ligação penal do ego humano com uma forma animal não é reencarnação, pois a alma animal, legítima dona do veículo, não foi afastada, e o ego humano não pode controlar o corpo ao qual está temporariamente ligado. O ego humano não se torna um animal, não perde suas características humanas, enquanto passa por essa punição. Ele não tem que se desenvolver novamente através dos estágios inferiores da humanidade e, ao se ver livre, assume de imediato o tipo de forma humana a que sua evolução prévia lhe dá o direito. (Vejam os casos de Jada Bharata, e o da esposa de Rishi, libertos pelo toque do pé de Rama — os quais mostram que a idéia popular de que o homem vira pedra ou animal é errônea).*

Os fatos são os seguintes: quando um ego, uma alma humana, cria uma forte ligação de apego a algum animal, por desejos viciosos ou outros motivos, o corpo astral dessa pessoa mostra as características correspondentes ao animal e, no mundo astral, onde os pensamentos e paixões são vistos como formas, pode assumir a forma do animal. Assim, após a morte, no "Pretaloka", a alma ver-se-ia envolta por uma vestimenta astral parecida com o animal cujas qualidades foram reforçadas durante a vida terrestre. Em casos extremos, nesse estágio ou quando a alma estiver retornando à reencarnação, e portanto novamente no plano astral, ela pode ser ligada por afinidade magnética ao corpo astral desse animal, acorrentando-se, através desse corpo astral, ao corpo físico animal. Presa dessa maneira, ela não pode seguir adiante para o nascimento humano, se estiver para reencarnar. Ela está verdadeiramente passando por uma escravidão penal, presa a um animal. Tem consciência no mundo astral, tem suas faculdades humanas, mas não pode controlar o corpo bruto ao qual está ligada nem se expressar no plano físico através dele. A organização animal não possui o mecanismo que o ego humano precisa para se expressar, ele serve de gaiola, não de veículo. Além disso, a alma animal não foi afastada, pois é o legítimo morador e controlador do corpo. Sri Shankaracharya menciona com clareza a diferença entre esse aprisionamento penal e tornar-se pedra, árvore ou animal. Esse aprisionamento não é reencarnação; chamá-lo com esse nome é inexato; por isso, sabendo dos fatos acima, sempre afirmarei que o ego humano não pode reencarnar como animal, não pode se tornar animal. Essa não é a única experiência que uma alma degradada pode ter no mundo invisível. Os Shastras hindus trazem outras referências, contudo os relatos são parciais e muito incompletos.*

Nos casos em que o ego possui um corpo astral fortemente animalizado, mas não degradado o bastante para sofrer um aprisionamento total, ele pode seguir normalmente para o renascimento humano, mas as características animais serão grandemente reproduzidas no corpo físico, como testemunham os monstros, às vezes, repulsivamente animais com cara de porco, cachorro etc. Os homens, ao cederem aos vícios mais bestiais, impõem a si mesmos penalidades mais terríveis do que podem imaginar,

---

* *Petraloka*: palavra sânscrita que significa uma das regiões do mundo astral: o *kamaloka*. Neste mundo, os *Pretas* (cascas ou invólucros de homens avaros e egoístas depois da morte) experimentam certas mudanças purificadoras antes de entrar na vida própria da alma humana. Glossário Teosófico, Ed. Ground. (N. ed. bras.)

pois as leis da natureza agem incessantemente, trazendo a todos a colheita das sementes que plantaram. O sofrimento imposto à entidade humana consciente, afastada dessa maneira, por algum tempo, do progresso e da auto-expressão, é muito grande e tem caráter corretivo, parecendo-se com o sofrimento daqueles egos ligados a corpos de forma humana que não possuem cérebros saudáveis: os lunáticos, deficientes mentais etc. A deficiência mental é, muitas vezes, conseqüência de outros vícios diferentes daqueles que levam à servidão animal explicada acima, mas os egos, nesses casos também estão aprisionados a uma forma que não lhes permite expressão.

Esses exemplos explicam — pelo menos em parte — a crença amplamente difundida de que o homem, sob certas circunstâncias, reencarna em corpo animal. Os livros orientais descrevem os três estágios de *uma* vida como vidas separadas. Dizem que, ao morrer no plano físico, o homem renasce imediatamente no plano astral, significando simplesmente que sua vida astral plena começa; e, da mesma maneira, o que descreveríamos como a passagem para a vida celeste, eles chamam de morte no plano astral e renascimento em um nível superior. Dessa forma, é fácil entender que um dos casos anormais citados acima pode ser descrito como "renascimento na forma animal", apesar de não ser esse o significado que damos ao termo na literatura teosófica.

Em investigações recentes, nossa atenção foi atraída para um tipo de situação que difere um pouco da que descrevemos acima, porque o elo com o animal foi feito intencionalmente pelo ser humano, para escapar de algo que ele considerava bem pior. Esse tipo de situação também era, sem dúvida, conhecido pelos antigos e forma uma das classes referidas na tradição das encarnações animais. Deixem-me tentar explicar.

Quando um homem morre, a parte etérica do seu corpo físico separa-se da parte mais densa, e, logo depois — geralmente dentro de algumas horas — o astral afasta-se do etérico, começando a vida do homem no plano astral. Normalmente o homem permanece inconsciente até libertar-se do etérico, e, assim, ao despertar para uma nova vida, ele se encontra no plano astral. No entanto, algumas pessoas agarram-se tão desesperadamente à existência material que seus veículos astrais não conseguem se separar totalmente do etérico e acordam ainda envolvidas pela matéria etérica.

O corpo etérico é apenas uma parte do físico e não é em si mesmo um veículo de consciência. Não é um corpo no qual o homem possa viver e funcionar. Assim, essas pobres pessoas estão em condições bastante desagradáveis, suspensas por assim dizer entre dois planos. Estão isoladas do mundo astral pela casca de matéria etérica que as envolve e, ao mesmo tempo, perderam os órgãos dos sentidos físicos, com os quais poderiam contatar o mundo da vida terrestre diária.

Em conseqüência disso, vagam sozinhas, taciturnas e aterrorizadas em meio a um espesso e melancólico nevoeiro, incapazes de contactar os habitantes de qualquer um dos dois planos, vislumbrando, às vezes, outras almas errantes e desafortunadas sem poderem se comunicar ou unir-se a elas nem deterem a perambulação sem propósito, enquanto são arrastadas e engolfadas pela noite escura. De vez em quando, o véu etérico abre-se o suficiente para permitir um vislumbre do astral inferior, mas isso raramente melhora a situação, pois elas, com freqüência e erroneamente, tomam essas visões como vislumbres do inferno. Outras vezes, algum objeto terrestre familiar pode ser entrevisto por um momento — normalmente por um contato passageiro com uma forte forma-pensamento, porém essas raras e atormentadoras aberturas do nevoeiro só tornam a alma mais agitada e desesperançada quando as trevas retornam novamente.

A pobre alma não compreende que se relaxasse seu frenético apego à matéria, ela iria de imediato — com alguns momentos de inconsciência — para a vida normal do plano astral. Contudo é justamente esse sentimento que ela não pode suportar: a sensação de perder mesmo a miserável semiconsciência que ainda mantém; e agarra-se aos horrores desse cinzento mundo enevoado para não mergulhar no que lhe parece ser um mar de nulidade e completa extinção. Em alguns casos, devido a ensinamentos maldosos e profanos ouvidos na Terra, ela tem medo de se deixar ir, porque teme cair no inferno. Em qualquer caso, o sofrimento, desespero e melancolia são extremos.

A alma pode sair de diversas maneiras dessa situação desagradável e auto-imposta. Há membros de nosso grupo de auxiliares invisíveis que se dedicam especialmente a procurar as almas que estejam nessa triste situação, tentando persuadi-las a se deixarem mergulhar para fora daquele estado e, também, outras pessoas bondosas entre os mortos que assumem esse trabalho como uma espécie de filantropia astral. Algumas vezes, esses esforços alcançam sucesso, mas, no geral, poucas vítimas têm coragem e fé suficientes para abandonar o que para elas é vida, por pobre que seja esse arremedo de vida. Com o tempo, essa casca etérica desgasta-se e o curso normal da natureza reafirma-se, apesar da oposição que fazem; outras vezes, em total desespero, elas apressam esse final, decidindo que a aniquilação é preferível a uma vida dessas e desse modo deixam-se ir com indiferença — encontrando pela frente uma surpresa estupendamente agradável.

Contudo, no início de sua luta, alguns desafortunados descobrem métodos não naturais de reavivar, em parte, seu contato com o plano físico, em vez de mergulharem no astral. Podem fazê-lo através de um médium, mas normalmente o "espírito-guia" do médium impede-os com rigor. Ele está certo, pois essas almas estão tão aterrorizadas e carentes que se tornam inescrupulosas, podendo obsedar ou enlouquecer o médium, lutando como um afogado luta pela vida, e tudo é absolutamente inútil, pois o resultado final seria o prolongamento de seus sofrimentos através do fortalecimento daquela parte material que todos eles deveriam abandonar.

Ocasionalmente conseguem algum médium inconsciente, geralmente alguma garota sensitiva de pouca idade, mas essa tentativa só dá certo se o ego da garota mantiver uma ligação fraca com os veículos, permitindo paixões ou pensamentos indesejáveis e cedendo diante deles. Se as relações do ego com os veículos são normais e saudáveis, eles não podem ser possuídos pelos frenéticos esforços das pobres almas que estamos descrevendo.

Um animal, todavia, não tem um ego. Tudo o que tem é um fragmento de alma-grupo que, para ele, está no lugar do ego. A influência desse fragmento sobre seus veículos não é, de forma alguma, a mesma de um ego, e assim pode acontecer que a "alma" do animal seja possuída muito mais facilmente do que a humana. Às vezes, como disse, a alma humana que vagueia pelo mundo cinzento é tão infeliz que descobre essa possibilidade e, em sua loucura, toma o corpo de um animal. Se não conseguir afastar a alma animal, tenta obter controle parcial, compartilhando a moradia com o legítimo dono. Nesse caso, ela entra novamente em contato com o plano físico através do animal, vê pelos olhos do animal — uma experiência bastante surpreendente — e sente qualquer dor infligida a ele e, na verdade, no que diz respeito à sua própria consciência, é o animal durante aquele tempo.

Um velho e respeitado membro de uma das Lojas da Sociedade Teosófica na Inglaterra relatou a visita que recebeu de um homem em busca de conselhos sob circunstâncias peculiares. O visitante dava a impressão de já ter passado por dias melhores. Tinha-se tornado tão miseravelmente pobre que foi obrigado a aceitar qualquer trabalho que lhe fosse oferecido e, assim, aconteceu que se tornou açougueiro em um enorme abatedouro. Ele afirmou que era totalmente incapaz de executar essa repugnante tarefa, porque, ao se preparar para matar as criaturas, era constantemente detido por gritos angustiados de cortar o coração e vozes que diziam: "Tenha piedade de nós! Não nos golpeie, somos seres humanos envolvidos com esses animais e sofremos sua dor". Assim, ao saber que a Sociedade Teosófica ocupava-se desses assuntos pouco comuns e misteriosos, ele a procurou em busca de conselhos. Não há dúvida de que esse homem era um pouco clariaudiente, ou talvez suficientemente sensitivo para captar os pensamentos daquelas pobres criaturas associadas aos animais, e esses pensamentos naturalmente se tornaram para ele gritos audíveis de piedade. Não é de se admirar que ele não conseguia continuar com aquela tarefa.

Esse caso pode bem servir para conscientizar os que comem carne, aqueles que chamam o assassinato de animais de esporte e, principalmente, os vivisseccionistas; quem mata ou tortura um animal pode estar causando terríveis sofrimentos a um ser humano.

Acredito que a possibilidade de uma pessoa materialista fazer uma asneira tão grande como a obsessão de um animal faz parte da lógica em que se baseia a crença de várias tribos de que certas criaturas nunca devem ser mortas "para que o espírito de um ancestral não seja inadvertidamente atingido". Aquele que se envolve dessa maneira com um animal não pode abandonar o corpo à vontade, mesmo que tenha aprendido o suficiente para desejar se retirar. Só pode afastar-se gradualmente e com esforços consideráveis, que podem durar talvez muitos dias. Normalmente só com a morte do animal é que ele se liberta, mas, mesmo assim, um emaranhado astral permanece para ser resolvido. Após a morte do animal, uma alma dessas às vezes se esforça para obsedar outro da mesma raça ou qualquer criatura que puder agarrar em seu desespero.

Observei que animais obsedados ou semi-obsedados por seres humanos, com freqüência, são evitados ou temidos pelo resto do bando; e realmente eles mesmos se encontram meio enlouquecidos de raiva e terror por causa da estranheza da situação e de seu abandono. Os animais que costumam ser obsedados parecem ser os menos desenvolvidos: gado, ovelhas e porcos. Criaturas mais inteligentes como cachorros, gatos e cavalos provavelmente não são facilmente possuídos, entretanto, certa vez, observei um caso particularmente horrível em que um padre católico tinha obsedado um gato. Tem também aquele conhecido caso do macaco de Pandharpur, que, curiosamente, demonstrava conhecer as cerimônias brâmanes. Na maioria dos casos, a alma obsessora tem de se contentar com o que conseguir, pois o esforço feito para dominar até mesmo bestas estúpidas normalmente sobrecarrega seus poderes ao máximo.

A obsessão de um animal parece ser o substituto moderno da vida horrível do vampiro. Na época da quarta raça-raiz, aqueles que tinham um apego enlouquecido à vida material às vezes conseguiam manter uma vida baixa e indiscutivelmente horrível em seus próprios corpos físicos, absorvendo sangue vivo dos outros. Na quinta raça, felizmente, isso parece não ser mais possível, mas pessoas deste tipo, ocasionalmente, caem na armadilha que é a possessão animal, sem dúvida algo ruim, mas ainda assim não tão repulsiva e nauseante quanto o vampirismo. Assim, o mundo está melhorando até mesmo em seus aspectos piores e mais inferiores!

Conheço casos isolados de dois outros tipos de ligação com um animal: um onde uma pessoa malvada morta tinha o hábito de ocupar temporariamente o corpo de determinado animal com propósitos malignos específicos e outro em que um mago oriental tinha ligado magneticamente sua infeliz vítima a uma forma animal após a morte, em vingança por um insulto à sua fé religiosa. Isso só pode ser feito se a vítima tiver alguma fraqueza que permite ao mago agarrá-la e se tiver feito intencionalmente algo que crie um laço *kármico* com o mago. Em condições normais, esses casos não seriam possíveis.

Todas as obsessões — de corpos humanos ou animais — são malignas e atrapalham a alma obsessora, pois fortalecem temporariamente seu apego material, atrasando seu progresso natural para a vida astral, além, é claro, de criar muitos laços *kármicos* indesejáveis. Essa vida cinzenta, como todas as outras possibilidades desagradáveis relacionadas à vida após a morte, resulta da ignorância das condições reais daquela vida. Quanto mais aprendemos sobre a vida e a morte, mais enfático torna-se o dever de divulgar o conhecimento teosófico, pois fica cada vez mais claro que nele existe vida, felicidade e progresso para todos.

Animais Individualizados

Ao morrer, o animal individualizado passa por uma vida astral feliz e longa, permanece nas vizinhanças de sua casa terrestre e em íntimo contato com seu protetor ou amigo especial, vendo a pessoa e desfrutando de sua companhia como sempre fez, com perfeita memória do passado, mas invisível para seu dono. Em seguida, ele passa por um período ainda mais feliz que tem sido chamado de "consciência sonolenta" e que perdura até a entrada na forma humana em algum mundo futuro. Durante esse tempo, ele se encontra em um estado análogo ao do ser humano no mundo celeste, porém em um nível um pouco inferior. Ele cria seu próprio ambiente, mesmo sendo pouco consciente dele, e, sem dúvida, este ambiente inclui a presença de seu amigo terrestre em seu aspecto mais simpático. Para qualquer entidade, quer esteja entrando na evolução humana ou se preparando para deixá-la, o mundo celeste significa a felicidade mais elevada que pode sentir neste nível.

Localização dos Estados

A idéia de localização é aplicável aos subplanos do astral — mas só até um certo ponto. Matéria de todos os estágios envolve-se aqui na superfície da Terra, e o homem vivo, ao utilizar seu corpo astral durante o sono do corpo físico, entra em contato com todos simultaneamente, recebendo impressões de todos. Quer dizer, ao usar meu corpo astral durante o sono, se eu observar o corpo astral de outro homem vivo, vejo-o por inteiro, incluindo, é claro, matéria de todos os subplanos. No entanto, no caso do morto comum, a matéria do seu corpo astral passa por uma reorganização, provocada pelo chamado elemental do desejo*, e geralmente se pode dizer que apenas um tipo de matéria astral é capaz de receber impressões.

O que normalmente chamamos "visão" no plano astral não é em verdade visão, pois essa palavra implica o uso de um órgão especializado para receber certas vibrações. A percepção astral é organizada em um esquema totalmente diferente. Freqüentemente se diz que o homem pode "ver" com qualquer parte de seu corpo astral, isto é, que toda partícula desse corpo é capaz de receber impressões externas e transmiti-las para a consciência interior. Contudo as partículas não são capazes de receber todas as impressões possíveis.

Por exemplo, eu percebo a matéria astral mais inferior somente através da matéria da mesma subdivisão existente em meu corpo astral e recebo suas vibrações por meio das partículas dessa matéria que no momento estiverem na superfície do corpo. Como durante a vida as partículas do corpo astral estão constantemente se movimentando como um líquido em ebulição, todas as subdivisões de matéria estão presentes na superfície, e, por isso, sou capaz de ver todos os estágios ao mesmo tempo. O homem comum após a morte tem, por motivos práticos, apenas um tipo de matéria por fora, por causa da disposição em cascas ou carapaças concêntricas, e assim sua percepção do mundo astral é bastante imperfeita.

Enclausurado em uma casca de matéria do tipo mais inferior, ao observar o corpo astral de uma pessoa viva, ele verá apenas a parte constituída pelo tipo mais inferior de matéria, mas, como não possui meios de compreender a limitação de suas faculdades, ele inevitavelmente pensa que está observando por inteiro o corpo astral da outra pessoa e, portanto, que essa outra pessoa não possui outras características além daquelas inteiramente desagradáveis que só se expressam através daquele tipo de matéria.

Ele vive em meio a todo tipo de influências elevadas e bonitas formas-pensamento, mas é quase totalmente inconsciente disto, porque as partículas de seu corpo astral que poderiam responder a essas vibrações estão cuidadosamente fechadas onde não podem ser alcançadas. Essa matéria astral mais inferior corresponde à matéria física sólida e forma a contraparte astral de todos os objetos

* Ver o subtítulo "O Elemental do Desejo", no Capítulo Cinco. (N. ed. bras.)

físicos sólidos. Ela é a sétima classe de matéria astral se contarmos de cima para baixo. As contrapartes astrais do chão, paredes e móveis de um quarto são todas do tipo mais inferior de matéria astral. Por isso as pessoas que recém morreram normalmente vêem essas réplicas vividamente, quase inconscientes do vasto mar de formas-pensamento que as cercam, porque a maioria dessas últimas é constituída de tipos mais sutis de matéria astral.

Com o tempo, à medida que a consciência se interioriza, essa casca grosseira de matéria atrofia-se e começa a desintegrar, dando lugar a um tipo de matéria superior que formará a superfície pela qual as impressões serão recebidas. Como esse processo é gradual, o morto percebe que as contrapartes dos objetos físicos começam a se esvanecer e as formas-pensamento tornam-se cada vez mais vívidas. Assim, sem necessariamente se mover no espaço, ele passa a viver em um mundo diferente. Se no decorrer desse processo ele encontrasse seu amigo de vez em quando, perceberia o que para ele seria uma grande melhora de caráter, não que o amigo tivesse mudado, mas sim que ele se tornou capaz de apreciar as vibrações mais elevadas daquele caráter, perdendo o poder de receber as inferiores. O temperamento do amigo continua o mesmo, mas o morto, tendo observado suas piores características no começo, lentamente revisará suas impressões até ter dentro de sua consciência apenas o lado melhor e mais elevado.

Isso então é que significa passar de um subplano para outro: o desvanecimento de uma parte da maravilhosa complexidade que é o mundo astral e a revelação de outra. Além do mais, trata-se apenas de uma repetição em pequena escala do que nos acontece ao passarmos de um plano para outro. O mundo astral e o mundo mental estão à nossa volta aqui e agora, mas enquanto nossa consciência estiver focalizada no cérebro físico temos apenas uma vaga consciência deles. Com a morte, a consciência transfere-se para o corpo astral. De imediato perdemos de vista o físico e passamos a perceber a parte astral de nosso mundo. Mais tarde perdemos o corpo astral, passamos a viver no corpo mental e tornamo-nos conscientes — apesar de apenas parcialmente — da parte mental de nosso mundo, perdendo de vista temporariamente tanto o astral quanto o físico. Assim como o homem vivo no plano astral pode desafiar o elemental do desejo, insistindo em manter as partículas de seu corpo astral em movimento constante, como faz durante sua vida física, ele pode também ainda em vida treinar-se para comandar as consciências física, astral e mental praticamente ao mesmo tempo, mas isso implica um grau de desenvolvimento considerável.

Um teosofista que compreende as condições do plano astral em primeiro lugar não permitirá que o elemental do desejo reorganize seu corpo astral, ou, se isso já tiver acontecido durante a inconsciência momentânea que ocorre logo após a morte, aqueles de nós que tentam ajudar as pessoas imediatamente quebram a reorganização elemental e restauram as condições exatas que o corpo tinha durante a vida, com todos os tipos de matéria misturados naturalmente; assim o homem morto pode perceber o plano astral inteiro, e não apenas uma única subdivisão dele. Dessa maneira, sua vida astral é perfeita desde o início, e ele pode ser muito mais útil do que se estivesse confinado a uma só subdivisão.

As Condições da Vida Celeste

A principal dificuldade que temos para compreender as condições do mundo celeste deve-se ao nosso inveterado hábito de pensar que o homem é a personalidade. Os laços de afeto que unem dois amigos são elos entre almas e não corpos; hoje são amigos porque em outros corpos diferentes conheceram-se e amaram-se, talvez durante milhares de anos. Esse fato leva seus corpos físicos a aproximarem-se, mas a compreensão e o entendimento mútuo dependem de suas capacidades físicas, e, além do mais, o eu real de cada um se encontra sob três pesados véus: os corpos mental, astral e físico.

Quando um deles morre, passa para o plano astral e lá encontra seu amigo vivo cara a cara durante o sono deste. Pode agora perceber um pouco mais de seu amigo porque, durante aquelas horas de sono, o véu mais pesado foi afastado. O morto ainda se relaciona apenas com a personalidade de seu amigo; por isso, se durante a vigília este passasse por um grande sofrimento, a situação inevitavelmente se refletiria em sua vida astral e seria percebida pelo desencarnado. Nossas vidas de vigília e sono são na verdade uma só, mas é durante o sono que reconhecemos esse fato e temos uma memória contínua de ambas. Assim, o corpo astral do amigo vivo (com o qual o homem morto se relaciona) é o corpo astral da personalidade e portanto está plenamente consciente do que acontece a ela.

No mundo celeste tudo muda. O homem morto funciona agora em seu corpo mental, o mesmo que usou em sua vida terrestre, mas ele não encontra lá o corpo mental que seu amigo está usando em vida. Pelo contrário, o morto constrói pelo pensamento um outro corpo mental para seu amigo e o ego de seu amigo o anima a partir de seu corpo causal, no seu próprio nível. Trata-se de uma oportunidade adicional de atividade no plano mental para o amigo, inteiramente separada da personalidade física.

O homem só pode animar um corpo físico de cada vez, mas é possível para ele vitalizar qualquer número de formas-pensamento simultaneamente, todas construídas por outras pessoas para ele no plano mental durante suas vidas celestes. Penso que a má-interpretação desse fato é que levou alguns a pensarem que uma pessoa pode encarnar em diversos corpos físicos ao mesmo tempo.

Qualquer sofrimento ou perturbação na personalidade que influencie também o corpo mental não afeta em nada a forma-pensamento que o ego usa como corpo mental adicional. Nessa manifestação adicional, qualquer sofrimento ou perturbação seria considerado do ponto de vista do corpo causal, isto é, não seria de forma alguma sofrimento, mas, sim, uma lição ou resgate de algum *karma*. Neste caso, a situação é vista como ela realmente é, do ponto de vista do ego, por isso não é afetada pela ilusão. A ilusão está em nossa visão pessoal inferior, porque vemos sofrimento e perturbação onde, de fato, existem apenas degraus de nosso caminho ascendente.

Os dois amigos podem conhecer-se muito melhor naquele nível, porque cada um tem agora apenas um véu sobre sua individualidade, o do corpo mental, mas ainda é um véu. Se o morto tivesse conhecido em vida apenas um aspecto de seu amigo, seria apenas por meio desse aspecto que este poderia expressar-se no mundo celeste; uma expressão bem mais satisfatória do que antes, mas ao mesmo tempo bastante limitadora. De qualquer modo, é uma expressão mais completa do que tudo o que o homem morto haja podido ver nos planos inferiores. A existência do sofrimento não foi, de modo algum, esquecida, pois ele se lembra claramente de sua vida passada, mas agora compreende muitas coisas que não eram claras no plano físico, e o prazer do presente é para ele tão grande que o sofrimento parece-lhe um sonho.

Alguém pergunta como nós, que ainda vivemos na Terra, podemos conversar com nossos amigos no céu; entretanto se "nós" quer dizer a personalidade, então a resposta é que esta não conversa com pessoas no céu. O verdadeiro eu o faz, como já foi dito, mas, sob o véu dessa personalidade, nada sabemos sobre isso.

Suponhamos que uma senhora católica, boa mãe, tenha morrido e passado ao mundo celeste, e que sua filha, muito amada por ela, entre em contato com a teosofia. A mãe continua imaginando sua filha católica ortodoxa, e isso não será uma ilusão? Sim, e esse é um exemplo das limitações possíveis a que já me referi anteriormente. Se a mãe pode ver apenas os pensamentos de sua filha que se expressam por idéias ortodoxas, naturalmente alguns pontos da nova visão alcançada pela filha seriam quase incompreensíveis para ela. Com o aprendizado da personalidade, o ego da filha beneficia-se e tende a ampliar e aperfeiçoar as idéias da mãe, porém sempre de acordo com as linhas de pensamento com as quais ela já se acostumou. Não há nenhuma sensação de divergência de opinião, e nenhum tema religioso precisa ser evitado.

Compreendam que estou falando aqui de pessoas comuns; no caso de alguém mais avançado, que já é completamente consciente no corpo causal, o indivíduo entraria conscientemente na forma-pensamento criada para ele por um amigo no mundo celeste como se fosse um corpo mental adicional e trabalharia através dele propositadamente. Assim, se essa pessoa adquirisse maiores conhecimentos, poderia passá-los intencionalmente para o amigo. O Mestre trabalha desta maneira em relação a discípulos que se encontram na vida celeste, alterando bastante o caráter de cada um deles.

A vida celeste de uma pessoa depende da quantidade de força espiritual que há nela. Entre duas pessoas do mesmo tipo, a mais espiritual permanece mais tempo, contudo não se esqueçam de que a força pode ser consumida rápida ou lentamente, de acordo com as necessidades evolutivas de cada um. Os que se devotaram a servir aos Grandes Seres, e através deles à Humanidade, provavelmente passarão por experiências um pouco diferentes do comum. É evidente que nossos Mestres formaram, muitos milênios atrás, um grupo especial de servidores e auxiliares, entre os que se ofereceram para esse trabalho, e utilizam esse grupo de homens como um regimento de pioneiros a ser enviado onde for necessário.

Em um grupo com centenas de pessoas obviamente devem existir muitas divergências. Alguns certamente gerarão mais força espiritual que outros, e seu *karma* irá levá-los para diferentes ambientes. Mas a realidade maior — a de estarem devotados ao serviço — compensa todas essas considerações, e eles são reunidos para que possam ser utilizados como um todo.

Estejam certos de que não há nenhuma injustiça, que nenhum deles, por qualquer razão que seja, escapa do *karma* que legitimamente lhe é devido. Na verdade, aqueles que se oferecem ao serviço com freqüência sofrem bastante, às vezes porque precisam resgatar rapidamente o *karma* passado, para que possam realizar o trabalho superior sem obstáculos, e, em outros casos, porque seu trabalho pode não permitir que resgatem vida por vida o *karma* devido e assim um acúmulo considerável descarrega-se sobre eles, de uma só vez, em alguma catástrofe gigantesca.

Para a grande massa da humanidade não há interferência externa especial, e a vida celeste de cada um se desenvolve de acordo com sua marcha normal. Naturalmente essa diferença de duração envolve também uma diferença de intensidade, mostrada pelo maior ou menor brilho na luz do corpo mental. A pessoa mais desenvolvida, especialmente se tiver à sua frente o ideal de serviço, normalmente gera *karma* durante sua vida celeste, podendo assim modificá-la enquanto ela está ocorrendo.

A Sra. Blavatsky afirma em *A Chave para a Teosofia** que é impossível para o materialista ter qualquer vida celeste, pois, durante a vida terrestre, ele não acreditava nela; mas é provável que ela tenha empregado a palavra materialista em um sentido mais restrito, pois no mesmo livro ela também afirma que o materialista não tem vida após a morte, e aqueles que trabalham à noite no astral sabem que podem encontrar materialistas, os quais certamente não estão inconscientes.

Por exemplo: um proeminente materialista foi encontrado há pouco tempo por um de nossos membros, seu conhecido, na subdivisão mais elevada do mundo astral, onde estava rodeado de seus livros e continuava seus estudos quase como teria feito na Terra. Ao ser questionado, prontamente admitiu que as teorias que mantivera na Terra foram refutadas pela lógica irresistível dos fatos, mas suas tendências agnósticas ainda eram fortes o bastante para fazê-lo relutar em aceitar a existência de um estado espiritual ainda mais elevado, o mundo celeste, como seu amigo afirmava. Muitos aspectos do caráter desse homem certamente só poderiam se manifestar no mundo celeste, e, como sua total descrença em alguma vida após a morte não havia impedido sua experiência astral, parece não haver razão para supor que impediria dessa vez a ação das forças superiores sobre ele no plano mental.

A todo momento descobrimos que a natureza não leva em consideração nossa ignorância de suas leis. Se alguém colocar a mão no fogo pensando que este não queima, rapidamente se convence de seu erro. Da mesma maneira a descrença em uma experiência futura não afeta os fatos da natureza, e, em alguns casos pelo menos, a pessoa simplesmente descobre após a morte que estava enganada. O materialismo mencionado pela Sra. Blavatsky certamente era algo muito mais grosseiro e agressivo do que o agnosticismo comum, e uma pessoa com essas idéias dificilmente teria qualidades que necessitassem de uma vida celeste para desenvolverem-se; mas nenhum caso desses foi observado por mim até o momento.

O Karma na Vida Celeste

Nos primeiros tempos do nosso estudo de teosofia, fomos levados a pensar que todos os mundos além do físico eram exclusivamente teatros de resultados e não de causas. Pensávamos que o homem passava a maior parte de sua vida física gerando *karma* e durante a existência astral e mental resgatava esse *karma*. A sugestão de que mesmo no plano astral ele poderia criar mais *karma* era considerada quase herética.

---

* Obra publicada pela Editora Teosófica. (N. ed. bras.)

Os anos passaram, e alguns de nós se tornaram capazes de estudar as condições astrais diretamente, ficando logo óbvio que essa idéia estava errada, pois era claramente possível para nós, ao trabalharmos naquele plano, realizar ações de vários tipos que produziam resultados de amplo alcance. Logo percebemos que não só a pessoa ainda ligada ao corpo físico podia produzir esses resultados, mas que eles também estavam ao alcance dos desencarnados. Descobrimos que qualquer pessoa desenvolvida é tão ativa durante sua vida astral após a morte quanto era durante a vida física; que pode ajudar ou prejudicar seu próprio progresso ou o dos outros, depois da morte tanto quanto antes; e, conseqüentemente, o tempo todo gera *karma* da maior importância.

Essa visão modificada das condições após a morte gradualmente passou a fazer parte da nossa literatura e pode ser considerada hoje universalmente aceita por todos os teosofistas. Durante muitos anos, depois de corrigidos nossos erros sobre essa importante questão, ainda pensávamos que, pelo menos no mundo celeste, o homem nada podia fazer a não ser desfrutar das condições que engendrou para si nos estágios prévios de sua existência. De modo geral, isso é verdadeiro para o homem comum, mas mesmo durante esse deleite o habitante do mundo celeste afeta os outros e por isso produz resultados.

Aquele que elevou sua consciência ao nível do corpo causal unificou o eu superior com o eu inferior — na terminologia antiga —, e para ele naturalmente não se aplicam as afirmações feitas para a média da humanidade. Essa pessoa tem à disposição a consciência do ego durante toda a vida física, a qual não é afetada pela morte do corpo físico, nem pela segunda e terceira mortes, quando deixa para trás respectivamente os corpos astral e mental. Para ela, a série de encarnações não passa de uma longa vida e o que chamamos de encarnação é apenas um dia daquela vida. Por toda a evolução humana, sua consciência é plenamente ativa, obviamente criando *karma* tanto em um período quanto no outro. Apesar de sua condição, em um dado momento, ser resultado de causas colocadas em movimento no passado, não há um instante sequer em que não esteja modificando sua situação pelo poder do pensamento e da vontade.

Atualmente são raros os que alcançaram esse nível, porém existem outros que possuem uma capacidade similar em menor grau. Todo ser humano, depois de passar pela vida nos planos astral e mental inferior, passa por um relâmpago momentâneo de consciência egóica, no qual percebe sua última vida por inteiro, e forma a impressão de sucesso ou fracasso quanto ao trabalho que nela pretendia realizar. Além disso, alcança também uma previsão da vida que o aguarda, da lição que ela deve ensinar-lhe ou do progresso específico que pretende realizar. O ego só começa a compreender muito vagarosamente o valor desses vislumbres, mas depois que os compreende passa a aproveitá-los.

Assim, através de graus imperceptíveis, ele alcança um estágio de sua evolução em que esse vislumbre não é mais momentâneo, quando ele se torna capaz de considerar a questão com mais profundidade, devotando algum tempo ao planejamento da vida futura. Sua consciência gradualmente aumenta, e ele chega a desfrutar de uma vida apreciável nos níveis superiores do plano mental toda vez que os atinge. Ao alcançar esse estágio, logo percebe que se encontra em meio a um vasto número de outros egos e que pode fazer alguma coisa, ali, além de planejar seu próprio futuro. Ele pode viver conscientemente entre seus iguais, influenciando-os e sendo influenciado por eles de diversas maneiras. Aqui, portanto, existe uma possibilidade de se criar *karma* em uma escala totalmente fora de seu alcance nos planos inferiores, por quanto nesses níveis mentais elevados a força do pensamento é fora de proporção se comparada com a do nosso pensamento limitado durante a vida física.

O que estou falando é bem diferente da consciência que surge da unificação entre o eu superior e o eu inferior. Naquele estágio a consciência passa a residir no ego o tempo todo, e dali se expressa através de qualquer veículo que estiver utilizando. Todavia, para quem ainda não alcançou essa união, a consciência do ego em seu próprio plano entra em atividade somente depois de se desembaraçar dos veículos inferiores e perdura até o momento da descida à encarnação, pois, tão logo ocupe um corpo inferior, sua consciência passa a se manifestar somente através daquele corpo.

Antes daquela consciência perfeita do ego, existem estágios de desenvolvimento que é necessário registrar. O cidadão médio normalmente não tem uma consciência definida e confiável fora do plano físico. Seu corpo astral pode estar bem desenvolvido e em condições de ser usado como veículo; no entanto, provavelmente, ele não tem o hábito de usá-lo, e por isso suas experiências do mundo astral são vagas e incertas. Às vezes, ele se lembra de algo, mas, no geral, o sono do corpo físico é para ele um vazio.

O próximo estágio é a formação do hábito de usar o corpo astral, acompanhado com o passar do tempo por alguma recordação das experiências. Por fim, descortina-se a consciência astral, normalmente em conseqüência de esforços definidos de meditação. Com isso, a consciência torna-se contínua noite e dia e perdura até o fim da vida astral, eliminando-se também a suspensão temporária da consciência com a morte do corpo físico.

O estágio seguinte, geralmente bastante longo, é o desenvolvimento da consciência do corpo mental, que confere à personalidade uma consciência permanente desde o nascimento físico até o fim da vida no mundo celeste, contudo ainda é uma consciência limitada à personalidade, e outro passo tem que ser dado antes da unificação completa com o ego.

É claro que em quaisquer desses estágios as pessoas estão criando *karma* dentro do alcance de sua consciência, mas o que ocorre com o homem comum, que ainda não dispõe nem mesmo da consciência astral? Se estiver desenvolvendo alguma atividade no plano astral durante o sono, tem de estar produzindo resultados. Se mesmo inconscientemente sentir amor e afeição por alguém, ele vai até essa pessoa durante o sono com vagos pensamentos de boa vontade e inevitavelmente a afeta de alguma maneira, e esse efeito tem de ser benéfico. Assim não há como evitar a reação sobre ele mesmo, que também será benéfica. O mesmo acontece, infelizmente, se o sentimento for de rejeição ou de ódio definido, com resultados dolorosos para ele.

Quando após a morte o homem comum passa a viver no plano astral, sua consciência torna-se bem mais definida do que era durante o sono do corpo físico, e consegue pensar e agir com mais determinação com relação às outras pessoas, e assim aumentam bastante as suas oportunidades de criar *karma* bom ou ruim. Entretanto, com o fim da vida astral, ele passa para o mundo celeste, onde não consegue mais desenvolver atividades. Durante a vida, ele desenvolveu sua mente apenas em determinadas direções, e agora se encontra enclausurado no corpo mental como se este fosse uma torre, afastado do mundo à sua volta, do qual só percebe o que vê pelas janelas abertas pelo seu desenvolvimento mental.

Através daquelas janelas as poderosas forças do plano afetam-no, ele responde a elas e leva uma vida de felicidade, que, contudo, limita-se àquelas "janelas" em particular. Apesar de não desfrutar plenamente das possibilidades do mundo mental, ele não tem a menor consciência de qualquer restrição às suas atividades ou sentimentos. Pelo contrário, está preenchido com o máximo de felicidade de que é capaz e não lhe parece existir bem-aventurança maior que a que ele está experimentando. É verdade que se fechou dentro de certos limites; mas não é consciente desses limites, e dentro deles tem tudo o que deseja ou pensa. Ele se rodeou com imagens de seus amigos e, através delas, estabelece com eles um contato bem mais próximo do que jamais teve em qualquer outro plano.

Vejamos então quais as suas possibilidades de criar *karma* nessa vida curiosamente limitada; mas limitada, lembrem-se, apenas do ponto de vista do mundo mental, pois ao longo de seu desenvolvimento mental suas possibilidades são bem maiores do que na vida física. Nessas condições, o homem não pode iniciar uma nova afeição ou devoção, mas ao longo das direções que já criou a afeição e a devoção serão muito mais poderosas do que jamais foram enquanto esteve sob as pesadas limitações do corpo físico.

Uma pessoa comum, como a que descrevemos, produz inconscientemente três resultados diferentes durante sua vida celeste. Vejamos, por exemplo, a emoção do afeto. Ela sente forte afeição por certos amigos e é provável que, mesmo após sua morte, esses amigos ainda pensem nela com uma agradável recordação, e assim sua memória afeta as personalidades deles. Contudo, o efeito que mencionei acima é bem diferente, pois, ao criar uma imagem de cada amigo, a pessoa atrai uma forte resposta do ego daquele amigo. O afeto que dedica àquele ego — manifestando-se através da forma-pensamento feita para ele — é uma força poderosa para o bem que influi consideravelmente na evolução daquele ego. Evoca nele certa afeição que, de outra forma, não despertaria, e a contínua intensificação dessa admirável qualidade através dos séculos da vida celestial eleva bastante o amigo na escala da evolução. Não há dúvida de que uma ação dessas em favor de outro ego gera *karma*, mesmo que feita inconscientemente.

Ocasionalmente, a ação dessa força sobre o ego de um amigo vivo pode manifestar-se na personalidade. A ação é sobre o ego através da forma-pensamento especial, mas a personalidade do amigo é manifestação do mesmo ego e, se este for consideravelmente modificado, é possível que essa modificação mostre-se na manifestação física. Alguém poderia perguntar por que o pensamento do homem no mundo celeste não afeta o amigo precisamente como o faz o pensamento de um homem vivo, por que as vibrações de seu corpo mental não atingem diretamente o corpo mental de seu amigo e por que não cria uma forma-pensamento que viaja pelo espaço até seu amigo da maneira normal. Se ele estivesse movendo-se livre e conscientemente no plano mental, é isto precisamente o que aconteceria, mas não ocorre em razão de sua condição peculiar no mundo celeste.

No mundo celeste ele se isolou totalmente do resto do mundo, tanto em relação ao plano mental como em relação a níveis inferiores, e vive dentro da casca de seus próprios pensamentos.

Se seus pensamentos pudessem alcançar-nos normalmente, os nossos também poderiam alcançá-lo da mesma maneira, entretanto sabemos que isso não acontece. A forma-pensamento que ele criou de seu amigo está dentro da casca e, dessa forma, pode agir sobre ela; como o ego do amigo animou aquela forma-pensamento, a força o alcança, e a partir daquele ego pode, como dissemos, manifestar-se pelo menos em parte na personalidade aqui embaixo. Com relação ao plano mental, a casca ou carapaça se parece com a casca de um ovo no plano físico. A única maneira de colocar algo dentro da casca de um ovo sem quebrá-lo seria por meio da quarta dimensão ou através de uma força cujas vibrações fossem suficientemente finas para penetrar entre as partículas da casca sem perturbá-las. A mesma coisa acontece com a casca mental. Ela não pode ser penetrada por qualquer vibração de matéria do seu próprio nível, mas as vibrações mais sutis pertencentes ao ego podem passar sem a menor perturbação. Assim, a casca pode ser atravessada livremente a partir de cima, mas não de baixo.

A forma-pensamento criada pelo morto pode ser considerada como uma espécie de corpo mental artificial complementar oferecido ao amigo objeto da afeição. A personalidade aqui embaixo nada sabe sobre isso, mas o ego percebe-a e mergulha nela com prazer e avidez, compreendendo conseqüentemente que ela lhe oferece uma oportunidade adicional de manifestação, e, portanto, de evolução. Assim, aquele que se fez amar e tem muitos amigos sinceros, irá desenvolver-se bem mais rapidamente do que o homem comum. Obviamente é seu *karma*, por ter desenvolvido dentro de si mesmo as qualidades que fizeram dele uma pessoa amada.

Além do resultado direto da ação sobre indivíduos, existem também dois aspectos gerais que não podem ser ignorados. Ao enviar uma grande onda de afeição e evocar em resposta outras ondas de seus amigos, o homem claramente melhora a atmosfera mental na vizinhança. Para o mundo e para a humanidade que nele se desenvolve, é bom que sua atmosfera mental seja carregada com esses sentimentos, pois eles afetam todos os habitantes, devas, homens, animais e plantas, influenciando para o bem cada uma dessas diferentes formas de vida.

O segundo — e mais importante — resultado que afeta o mundo em geral será prontamente compreendido por aqueles que estudaram o livro *Formas de Pensamento*, onde há uma tentativa de se mostrar o fluxo que desce do *Logos* em resposta a um pensamento de devoção altruísta. Já comentamos diversas vezes que essa resposta afeta não só o indivíduo que originou o pensamento, como também ajuda a preencher o reservatório de força espiritual colocado pelos *Nirmanakayas** à disposição dos Mestres de Sabedoria e seus discípulos para ser usado em benefício da humanidade. O que vale para a devoção vale também para o afeto altruísta, e se todo o fluxo dessa afeição ou devoção durante a vida física comparativamente limitada produz resultados tão magníficos, é fácil de se perceber que um fluxo bem mais forte, sustentado talvez durante mil anos, representa

* *Nirmanakaya* — Ser altamente evoluído que decidiu permanecer em contato com a Terra gerando correntes de força espiritual para auxiliar sua evolução. (N. ed. norte-americana)

para aquele reservatório uma considerável contribuição, e reverterá para o mundo um benefício que não temos condições de avaliar no plano físico.

Fica claro, assim, que o poder para o bem aumenta à medida que a consciência da pessoa também aumenta nesses mundos elevados, e que mesmo a pessoa comum, que não apresenta um desenvolvimento especial de consciência, é capaz de gerar uma enorme quantidade de boas ações em sua estada nos planos superiores. Durante sua longa permanência no mundo celeste, ela pode beneficiar seus irmãos, e assim gerar uma grande quantidade de bom *karma* para si mesma, mas para isso tem de ser uma pessoa de amor altruísta ou devoção altruísta. O poder é colocado em suas mãos por essa qualidade de altruísmo ou auto-esquecimento, e essa, portanto, é a virtude que todo ser humano tem de cultivar agora em plena consciência, para que, após a morte, possa usá-la vantajosamente naqueles longos períodos cujas condições não pode agora compreender.

Capítulo Sete

O TRABALHO ASTRAL

Auxiliares Invisíveis

Às vezes recebemos cartas de pessoas pedindo admissão ao grupo de auxiliares invisíveis e perguntando como devem preparar-se. Os que desejam fazer parte desse trabalho deveriam conhecer bem o livro que leva esse título e cuidar especialmente de desenvolver as qualificações prescritas. Tenho pouco a acrescentar ao que nele está escrito, além de aconselhar todos os que desejam trabalhar no plano astral a aprenderem o máximo que puderem sobre as condições de vida naquele plano.

Na vida astral, somos as mesmas pessoas de agora, só que com algumas limitações a menos. Nossas atividades e interesses permanecem quase os mesmos do físico: o estudante continua estudioso, o indolente continua preguiçoso e uma pessoa prestativa também presta assistência lá. Algumas pessoas continuam fazendo fofocas no plano astral com tanto veneno quanto antes, gerando continuamente mau *karma*. Muitos mortos freqüentam, por bastante tempo, os lugares com os quais estavam acostumados em vida, suas antigas casas e a contraparte astral do templo que costumavam freqüentar. Outros fazem peregrinações, sem gastos nem dificuldades, a todos os grandes santuários que durante a vida desejaram em vão visitar.

Geralmente as pessoas comuns pouco trabalham no plano astral. Na verdade, não sabem que podem trabalhar, e, mesmo que saibam, é provável que não vejam razão alguma para isso. Podemos passar horas bastante agradáveis no mundo astral apenas vagando e experimentando diversas emoções aprazíveis. Para muitas pessoas, isso parece ser a única coisa a fazer. Elas precisam de algum forte motivo para sair dessa atitude e dar-se ao trabalho de auxiliar os outros. Temos de admitir que, para o homem comum, esse motivo não existe, mas quando começamos a estudar teosofia e, desta maneira, a compreender o curso da evolução e o propósito das coisas, surge dentro de nós um sério desejo de ajudar essa evolução, de realizar aquele propósito e colocar nossos irmãos também no caminho da compreensão, para que seus problemas sejam aliviados e o caminho de seu progresso facilitado.

Ao despertar e compreender esse dever, como devemos agir?

Todos nós temos a capacidade de realizar esse trabalho, em maior ou menor grau, porém não estamos habituados a ele. Todas as pessoas de cultura e desenvolvimento normais possuem corpos astrais prontos para o trabalho, assim como pessoas razoavelmente saudáveis possuem músculos e a força necessária para a natação, mas, se ainda não aprenderam a usá-los corretamente, necessitam de instruções antes que possam entrar com segurança na água. O corpo astral acostumou-se durante milhares de anos a responder apenas às impressões recebidas através do veículo físico, e por isso não percebemos que ele pode funcionar em seu próprio plano, por sua conta, e que a vontade pode agir diretamente sobre ele. As pessoas continuam "adormecidas" astralmente porque estão habituadas a esperar que as vibrações físicas familiares despertem sua atividade astral.

Podemos começar a ajudar de muitas maneiras. Suponhamos, por exemplo, que um parente ou amigo tenha morrido. Tudo o que precisamos fazer para alcançá-lo e ajudá-lo durante o sono é pensar nele antes de dormir com a decisão de prestar-lhe o auxílio que necessitar. Não precisamos de qualquer ajuda para encontrá-lo ou comunicarmo-nos com ele. Temos de entender que, tão logo deixamos o corpo físico à noite, encontramo-nos lado a lado com o amigo que partiu, exatamente como se ele estivesse conosco no plano físico. É importante lembrar que precisamos controlar todo o sofrimento que sentimos pelo assim chamado morto, porque esse sentimento reagiria sobre ele.

Se entrarmos em desespero pelo morto, ele será afetado fortemente pelo sentimento de desamparo, pois as emoções manifestam-se no corpo astral e conseqüentemente aqueles que vivem em seus veículos astrais são influenciados muito mais rápida e profundamente do que aqueles que têm um corpo físico para amortecer suas percepções. Os mortos podem ver-nos, mas o que vêem é nosso corpo astral, e por isso percebem nossas emoções, no entanto não necessariamente os detalhes de nossa condição física. Eles sabem se estamos felizes ou tristes, mas não sabem qual livro estamos lendo, por exemplo. Para eles, nossa emoção é clara, mas não o pensamento que a causa. Os mortos levam consigo suas afeições e ódios, reconhecem seus antigos amigos e também iniciam novas amizades entre aqueles que encontram pela primeira vez no plano astral.

Além do sofrimento, precisamos evitar também as excitações de todos os tipos. O auxiliar invisível deve, acima de tudo, permanecer em perfeita calma. Conheci uma senhora valorosa, com muita vontade de ajudar, mas tão ansiosa por fazê-lo que ficava muito excitada. A excitação faz o corpo astral aumentar muito de tamanho, vibrar violentamente e relampejar com cores ígneas, e assim o morto recente, ainda não acostumado com o ambiente astral e conseqüentemente tímido e nervoso, ficava aterrorizado ao ver uma enorme esfera flamejante vindo rapidamente em sua direção com uma intenção precisa, mas que ele desconhecia. Naturalmente ele pensava que estava diante do demônio teológico *in propria persona* e fugia dele até o fim do mundo — ainda mais aterrorizado ao perceber que ele o seguia persistentemente.

Até mesmo um principiante pode ser de utilidade no caso de um amigo ou vizinho que esteja à beira da morte. Se puder se aproximar dele, e sua doença permitir que conversem, uma pequena explanação racional sobre as condições da morte e os estados *post-mortem* aliviarão bastante sua mente e seus sofrimentos. De fato, o mero encontro com alguém que fala tranqüila e confiantemente sobre a vida além da morte serve com freqüência de grande consolo para aquele que está se aproximando dela.

Entretanto, se por qualquer razão o contato físico for impossível, muito pode ser feito durante o sono a partir do plano astral. Uma pessoa destreinada, que deseja prestar esse tipo de auxílio, deve seguir as regras expostas em nossos livros: deve, antes de dormir, concentrar-se na intenção de ajudar a pessoa em questão, pensando nos argumentos que apresentará e, até mesmo, nas próprias palavras que usará, pois quanto mais precisa e definida a decisão tomada antes de dormir, mais eficaz e fielmente o corpo astral a cumprirá durante o sono.

Nos dois casos, a explicação a ser dada ao doente é necessariamente a mesma. O objetivo principal do auxiliar é acalmar e encorajar o sofredor, induzindo-o a compreender que a morte é um processo perfeitamente natural, normalmente fácil e de forma alguma um salto terrível em um abismo desconhecido. Ele deve gradualmente explicar a natureza do mundo astral, a melhor maneira de organizar sua vida para aproveitá-la ao máximo, e como se preparar para o mundo celeste que está além. O auxiliar não deve esquecer que sua própria atitude e estado mental podem afetar muito mais o doente do que seus argumentos e conselhos e, por isso, deve ter muito cuidado para se manter calmo e confiante. Se o próprio auxiliar estiver sofrendo uma excitação nervosa, poderá causar mais mal do que bem, como a pobre senhora que mencionei.

A assistência deve continuar após a morte. Haverá um período de inconsciência que pode durar alguns momentos, minutos ou muitas horas e, às vezes, até mesmo dias ou semanas. Um discípulo treinado naturalmente perceberá a condição da consciência do "morto" e planejará sua assistência de acordo com ela;

o destreinado agirá bem se oferecer auxílio logo após a morte e se mantiver de prontidão nas noites seguintes, caso seus serviços sejam necessários. Muitas circunstâncias diversas afetam a duração desse período de inconsciência, por isso não podemos estabelecer qualquer regra geral.

Devemos dedicar as noites a confortar alguém necessitado, adaptando-nos ao máximo para atender suas necessidades, se soubermos a natureza do problema. Se o sofredor estiver fraco e exaurido, o auxiliar deve usar sua vontade para aumentar-lhe o vigor físico. Se, por outro lado, estiver excitado ou histérico, deve esforçar-se para envolvê-lo em uma aura especial de serenidade e bondade, envolvendo-o, por assim dizer, com uma forte forma-pensamento de paz e harmonia como se esta fosse um cobertor.

É difícil para o auxiliar acreditar que teve sucesso quando, ao despertar pela manhã, não se lembra de nada do que ocorreu. Na verdade, algum sucesso parcial é absolutamente garantido, e, ao continuar seu trabalho, o auxiliar começa a receber pequenos sinais encorajadores de que está alcançando resultados definidos, apesar de sua falta de memória.

Vários membros da Sociedade Teosófica que tentaram prestar esse tipo de auxílio ficaram muito tempo sem saber dos resultados. Até que um dia encontraram fisicamente a pessoa que estavam auxiliando e se sentiram bastante reconfortados com a melhora de seu estado de saúde. Às vezes essa pessoa amiga afirma que começou a melhorar certa noite, quando teve um sonho agradável e impressionante, e o auxiliar surpreende-se ao lembrar que, naquela mesma noite, fez um esforço especial para ajudar aquela pessoa. Da primeira vez ele provavelmente se convencerá de que foi mera coincidência, mas, diante de outras coincidências, ele começa a perceber que há algo mais. O principiante, portanto, deve fazer o melhor que puder e esperar pacientemente pelos resultados.

Uma experiência bastante simples serve para inspirar confiança nos principiantes. Ao visitar astralmente uma casa conhecida, digamos, a sala da casa de algum amigo, observem com cuidado a disposição da mobília e dos livros. Ou, então, se durante o sono encontrarem-se em — ou no linguajar normal, sonharem com — algum lugar conhecido, sem ter planejado previamente, devem observá-lo com cuidado. Pela manhã, ao se lembrarem do sonho, se aquele quarto estiver exatamente como o conhecem fisicamente, então não há nada que prove que tudo não foi um mero sonho ou memória; mas, se recordarem de alguma alteração na disposição das coisas ou algo novo e inesperado, vale a pena visitar fisicamente o local para verificar se a visão noturna estará correta.

Todos os que como nós estão efetivamente envolvidos com o trabalho acabam assumindo no astral diversos casos em que é necessário auxílio. Ocasionalmente, esse auxílio pode ser de natureza cirúrgica, quer dizer, realizado apenas uma vez e dispensado, mas, muito mais freqüentemente, precisamos repetir, dia após dia, a dose de fortalecimento e conforto para que esta penetre gradualmente no âmago daquela ferida e transmute-a em algo mais forte e nobre. Outras vezes, temos de passar conhecimento à pessoa, gota a gota, à medida que sua mente se abre e torna-se capaz de absorvê-lo. Assim, cada trabalhador encarrega-se de um certo número de casos crônicos, clientes ou pacientes — chamem-nos como quiserem — que ele visita toda noite — tal qual um médico que visita regularmente seus pacientes.

Com freqüência, aqueles que receberam ajuda, ficam plenos de gratidão para com o auxiliar e unem-se a ele para ajudá-lo a passar aos outros os benefícios que receberam. Dessa maneira, cada trabalhador torna-se o centro de um pequeno grupo, líder de uma equipe de auxiliares para os quais sempre distribui trabalho. Por exemplo, ao morrer, a maior parte das pessoas comporta-se como crianças com medo do escuro. Alguém pode raciocinar com elas e argumentar com paciência para convencê-las de que não há nada a temer; mas é mais prático e útil para a criança segurar uma mão do que ouvir uma série de argumentos.

O trabalhador astral, com muitos outros casos necessitando atenção imediata, possivelmente não poderá passar a noite inteira tentando confortar um paciente nervoso e inseguro; no entanto, pode designar um de seus seguidores que esteja menos ocupado e que possa se devotar a esse trabalho caridoso. Para confortar uma criança com medo do escuro, não precisamos de conhecimentos científicos extraordinários; a criança precisa apenas de uma mão amigável e de não se sentir só. O mundo astral está cheio desse tipo de trabalho, e qualquer um que desejar, homem, mulher ou criança, pode tornar-se um trabalhador. Para coordenar o trabalho e assumir encargos maiores, o auxiliar deve possuir conhecimentos bem mais amplos, é claro, mas um coração repleto de amor e de um desejo sincero de ajudar bastam para qualquer um se tornar um dos confortadores menores; e, mesmo humildes, esses esforços atraem bênçãos além da nossa imaginação.

Quando o trabalhador astral finalmente deixa de lado o corpo físico desta encarnação, ele se encontra rodeado de amigos plenos de gratidão que se alegram por ele poder agora passar o tempo todo com eles e não mais apenas uma terça parte dele. Para esse trabalhador, não há novidade ou estranheza na condição da vida após a morte. Para ele, a mudança significa apenas que ele poderá devotar todo o seu tempo para aquela parte de seu trabalho que, de longe, é a mais afetiva e alegre, aquela que toda noite ele assume com alegria e toda manhã encerra com pesar, a vida real, para a qual nossos dias de existência física não passam de interlúdios estúpidos e sem nitidez.

O trabalhador deve tentar entender mais um ou dois pontos sobre a vida astral. Um deles é o método de comunicação de idéias no plano astral, aquilo que podemos chamar de linguagem.

Não é fácil entender aqui embaixo a comunicação usada no plano astral, substituta da nossa linguagem. No sentido comum da palavra, o som não é possível lá e, na verdade, não é possível nem mesmo na parte etérica do plano físico. Acima do ar, nas regiões etéricas, não há mais possibilidade de se transmitir som, como normalmente o entendemos. Contudo o símbolo do som é usado para situações ainda mais elevadas, pois constantemente encontramos referências à palavra falada do *Logos*, que chama os mundos à manifestação.

Pela manhã, ao lembrarmos uma experiência da noite anterior, como por exemplo um encontro com um amigo ou uma palestra a que assistimos, parece-nos que ouvimos as vozes da maneira normal e comum e que nós respondemos também, de modo audível. Na realidade, não foi bem assim; nós expressamos instintivamente a experiência nos termos dos sentidos comuns somente quando a recordamos no cérebro físico. Por outro lado, não seria correto dizer que a linguagem do mundo astral seja a transferência de pensamento. O máximo que se poderia dizer é que é a transferência de um pensamento formulado de uma maneira determinada.

No mundo mental, ao elaborarmos um pensamento, este é instantaneamente transmitido para outra mente sem se expressar em palavras. Por isso, naquele plano, a linguagem não tem qualquer importância; mas os auxiliares que trabalham no mundo astral e ainda não conseguem utilizar o veículo mental dependem das condições oferecidas pelo próprio plano astral. Estão a meio caminho entre a transferência de pensamento do mundo mental e a palavra concreta do físico, todavia ainda precisam formular o pensamento em palavras. É como se mostrássemos essa formulação ao outro no diálogo, e este respondesse — quase simultaneamente — da mesma maneira, mostrando sua resposta formulada. Essa comunicação exige que os dois tenham uma linguagem comum. Por isso, quanto mais línguas o auxiliar astral conhecer, mais útil ele será.

Os discípulos dos Mestres, contudo, foram ensinados a construir um tipo especial de veículo temporário para superar essas dificuldades. Habitualmente eles deixam seus corpos astrais com o físico, viajam nos corpos mentais e materializam um corpo astral temporário, feito da matéria circundante, quando precisam dele para o trabalho astral. Aproveitam assim a vantagem de poder utilizar a transferência de pensamento do plano mental para compreender as outras pessoas, ainda que a capacidade de enviar um pensamento direto em resposta seja limitada pelo grau de desenvolvimento do corpo astral do outro.

Além desses discípulos bem treinados, existem poucas pessoas trabalhando conscientemente no corpo mental, visto que, para isso, são necessários anos de prática em meditação e esforços especiais. Sabemos que, no mundo celeste, o homem fecha-se dentro de uma carapaça ou casca formada por seus próprios pensamentos, e que esses pensamentos funcionam como que canais através do quais a vida do mundo mental pode afetá-lo. No entanto, não podemos dizer que dessa forma ele está funcionando no plano mental, pois, para isso, teria de mover-se livremente pelo plano e observar o que nele existe.

Felizmente, o elemental não reorganiza o corpo mental após a morte. Por isso, não precisamos enfrentar o mesmo tipo de problema criado pelo elemental do desejo no plano astral. Na verdade, a essência elemental do plano mental difere bastante daquela do plano astral. Ela é de uma cadeia anterior e por essa razão não tem a mesma força*. Difícil de ser dominada, é grandemente responsável por nossos pensamentos errantes, porque salta constantemente de uma coisa para outra; mas, pelo menos, não constrói carapaça ou casca de espécie alguma, ainda que certas partes do corpo mental possam endurecer, como expliquei quando tratei deste assunto.

Ao funcionar no veículo mental, deixamos o corpo astral em uma condição de animação suspensa, junto com o físico. Se necessário, podemos envolver facilmente aquele corpo astral entorpecido com uma casca ou fazê-lo vibrar de tal forma que fica impermeável a todas as más influências. Qualquer um pode, com o tempo e meditando sobre o *Logos* ou o Mestre, elevar-se para o astral e depois para o nível mental, mas ninguém poderá dizer quanto tempo isto levará, pois depende inteiramente do passado do estudante.

Qualquer pessoa pode começar a estudar e adquirir idéias totalmente novas após a morte. Conheci pessoas que aprenderam teosofia pela primeira vez no mundo astral. Também já ouvi falar do caso de uma senhora que aprendeu música lá, mas isso é raro. Provavelmente alguma pessoa morta deu-lhe lições de música,

---

* Cadeia — ciclo da evolução em que a onda da vida passa sete vezes em cada um dos sete globos e que dura o período de um *Manvantara*. (N. ed. norte-americana)

ou então pode ser que o instrutor fosse um músico vivo que estava no plano astral ao mesmo tempo que essa senhora. Durante a vida astral, as pessoas com freqüência acham que estão tocando instrumentos astrais, porém, na verdade, estão apenas criando vibrações com seus pensamentos, as quais produzem o efeito do som. Existe uma classe especial de devas que respondem à música e expressam-se através dela e, às vezes, desejam ensinar pessoas para quem a música é a única coisa importante na vida.

No mundo astral não existe nada parecido com o sono. No plano físico, o sono é necessário para acalmar os centros físicos, permitindo que se refaçam quimicamente, e para que o corpo astral possa trabalhar mais livremente através de um veículo melhor; mas, no plano astral, não existe fadiga, a não ser que queiramos dar este nome ao enfraquecimento gradual de todas as energias, ao se aproximar o fim da vida astral.

No plano astral também podemos esquecer, tal qual no físico. Não estou me referindo à perda de memória que ocorre na passagem entre dois planos, que é comum, mas à incapacidade de lembrar, no plano astral, os detalhes do que fizemos na noite passada ou no ano passado. Na verdade, talvez seja mais fácil esquecer no plano astral do que no físico, porque aquele mundo é muito mais populoso e ocupado.

O conhecimento que uma pessoa tem no mundo astral não passa necessariamente para a vida física. Por exemplo: muitos de nós conhecem muito bem a Sra. Blavatsky em seu novo corpo no plano astral, no entanto nenhum viu seu corpo físico. Ela utiliza muitas vezes sua forma antiga, mas, no geral, ocupa seu novo corpo astral.

Lembrando Experiências Astrais

A vida astral é contínua, sem interrupção, e é, de muitas maneiras, bem mais real do que a vida física, ou ao menos está muito mais próxima da realidade. A existência física não passa de uma série de interrupções da vida astral, durante as quais nossas atividades são grandemente limitadas e nossa consciência opera apenas parcialmente. Para a maioria da pessoas, a noite é um vazio. Pela manhã, não se lembram de nada do que fizeram. Mas não podemos concluir por isso que no plano astral sejamos igualmente incapazes de lembrar. Aquela consciência mais ampla inclui nossa consciência comum, e todas as noites lembramos vividamente não só o que fizemos nas noites anteriores mas também nos dias intermediários. Como o cérebro físico é embotado, ao retornar perdemos a memória de tudo o que aconteceu, exceto daquilo diretamente relacionado ao cérebro. A vida astral é muito mais vívida, e suas emoções são muito mais fortes do que aquelas que conhecemos. Aquilo que chamamos emoção não passa de um fragmento comparativamente pequeno que permanece depois que a maior parte foi gasta ao colocar em movimento as pesadas partículas físicas. Assim, não é difícil perceber o quanto a outra vida deve ser mais intensa e real.

Para trazer a memória da vida astral para o cérebro físico, temos de criar um elo especial, ou melhor, remover um obstáculo. Durante o lento curso da evolução, todos adquirirão uma memória perfeita e, assim, não existirá mais véu algum entre os dois planos. Além desse desenvolvimento total, às vezes sentimos que devemos lembrar alguma coisa no plano físico, e, nesse caso, esforçamo-nos para imprimi-la no cérebro, para ser lembrada de manhã. Alguns eventos também impressionam tão vividamente o corpo astral que ficam impressos no cérebro físico por meio de um tipo de repercussão.

Essa impressão, contudo, raramente é perfeita, podendo conter diversas imperfeições. Essa é uma das causas dos sonhos, e todos sabemos o quanto estes podem ser confusos, ridículos e incompletos. Uma distorção comum ocorre quando o auxiliar, por falta de prática, confunde-se com a pessoa a quem está ajudando.

Lembro-me do caso de um membro de nosso grupo designado para auxiliar a vítima de uma explosão. Ele foi avisado alguns minutos antes e teve tempo para tentar acalmar e tranqüilizar a mente daquela pessoa. Logo após a explosão, repetiu a mesma técnica, mas, ao relatar o caso na manhã seguinte, disse estar com a impressão exata de ter sido ele a vítima da explosão. Tinha-se identificado tão fortemente com seu paciente que sentiu o choque e a sensação de ser arremessado para o alto exatamente como a vítima sentiu, presumimos. Em outro caso, o mesmo trabalhador foi chamado para auxiliar um soldado que estava conduzindo uma carroça de explosivos que descia uma estrada montanhosa quando foi jogado para fora e morto pelas rodas. Aqui também nosso amigo identificou-se tanto com o soldado que, em sua memória, parecia-lhe ter sonhado que esteve dirigindo uma carroça, sendo atirado para fora e morto tal qual o verdadeiro condutor.

Em outros casos, a lembrança não é exatamente do que aconteceu, mas, sim, uma espécie de descrição simbólica, às vezes bastante elaborada e poética, que evidentemente tem origem na característica que leva o ego a formar imagens, sua faculdade de dramatização instantânea. Às vezes, a chave não acompanha o símbolo, e este permanece obscuro; desse modo, a menos que o auxiliar tenha um amigo mais experiente para explicar-lhe as coisas, terá apenas uma vaga idéia do que realmente aconteceu. Há muitos anos atrás tive um bom exemplo desse caso, mas, como não fiz qualquer registro dele, não tenho certeza de um ou dois detalhes e por isso sou obrigado a omitir parte da história, tornando-a menos interessante.

O auxiliar procurou-me certa manhã para relatar um sonho muito vívido, que lhe parecia ser muito mais do que um sonho. Lembrava-se de ter visto uma jovem afogando-se no mar. Acredito que ele teve a impressão de que ela tinha sido jogada intencionalmente ao mar, porém penso que não teve qualquer visão da pessoa que supostamente a empurrou. Ele próprio não poderia ajudá-la, pois estava no corpo astral e não sabia como materializar-se, mas seu agudo sentido de catástrofe iminente deu-lhe força para imprimir a idéia de perigo no namorado da jovem, que imediatamente veio para a cena, retirou-a da água e a entregou nos braços do seu pai. O auxiliar lembrava-se claramente dos rostos de todos os três e pode descrevê-los tão bem que, mais tarde, poderiam ser reconhecidos. Ele me pediu que analisasse a história para saber até onde sua nítida recordação era confiável.

Para minha surpresa, descobri que a história era toda simbólica e que os fatos ocorridos eram bem diferentes. A jovem não tinha mãe e vivia praticamente só com seu pai; parecia ser rica e bonita e tinha, sem dúvida alguma, muitos pretendentes. Nossa história envolvia apenas dois deles: um jovem da vizinhança bastante estimado mas tímido, que a adorava desde a infância, cresceu como seu amigo, no entanto, tinha com ela aquele tipo de envolvimento meio implícito, meio consciente, típico dos namoricos de meninos e meninas. O outro era claramente um aventureiro, atraente, ousado e cativador na aparência; mas, na verdade, um caça-dotes de caráter falso e não-confiável. Ela ficou deslumbrada com seu brilho superficial. Persuadiu-se de que sua atração era verdadeira afeição e que seus sentimentos por seu amigo de infância não eram nada.

Seu pai era muito mais perspicaz, e quando o aventureiro lhe foi apresentado, parece que o recebeu com frieza e gentilmente recusou-se a concordar com aquele casamento, pois nada sabia do rapaz. Esse foi um rude golpe para a jovem, e, em segredo, o aventureiro persuadiu-a de que ela era uma pessoa terrivelmente incompreendida e manipulada e que seu pai não passava de um tirano insuportável e ridiculamente antiquado; que a única coisa que ela tinha a fazer, como uma garota determinada, era mostrar que podia fazer o que queria, fugindo com ele (o aventureiro), após o que, é claro, o pai teria uma visão mais sensível da vida, e o futuro seria todo cor de rosa.

A garota tola acreditou nele, acabou consentindo e decidiram fugir aquela noite em que o auxiliar entrou na cena. Em um estilo verdadeiramente melodramático, o aventureiro estava esperando com uma carruagem atrás da esquina, e a garota em seu quarto preparava-se apressadamente para escapar e se juntar a ele.

Naturalmente, quando chegou o momento decisivo, sua mente perturbou-se, e ela teve dificuldade para dar o passo final. Essa indecisão mental, o desejo sincero por ajuda nesse momento de decisão é que atraiu a atenção do auxiliar que, casualmente, vagueava nas proximidades. Lendo seus pensamentos, ele de imediato compreendeu a situação e começou a influenciá-la contra o precipitado passo que tinha pela frente. Sua mente, contudo, estava em uma condição tal que ele não conseguia impressioná-la como queria e procurou em volta ansiosamente alguém mais suscetível às suas influências. Tentou o pai, mas este estava na biblioteca, absorvido em algum trabalho literário tão envolvente que era impossível atrair sua atenção.

Afortunadamente, o namorado quase esquecido pela jovem estava por perto passeando sob as estrelas e observando a janela do quarto da moça, como o fazem todos os amantes pelo mundo afora. O auxiliar lançou-se sobre ele, percebendo seus sentimentos, e, para sua alegria, encontrou-o mais receptivo. Seu profundo amor tornou-se ansioso e era fácil influenciá-lo para que caminhasse um pouco mais para ver a carruagem e o aventureiro esperando no recanto. Sua afeição clareou a razão, e ele imediatamente compreendeu a situação, enchendo-se de horror e espanto. Para fazer justiça, nesse momento não era nele que ele pensava e nem que estava para perder a moça, mas, sim, que ela estava para arruinar toda a sua vida. Bastante excitado, esqueceu as boas maneiras e atirou-se para dentro da casa — conhecia o lugar desde criança — subiu as escadas, e encontrou a jovem na porta do quarto.

Nem ele nem ela conseguem lembrar agora as palavras que ele disse a ela, mas ansiosamente ele lhe suplicou que pensasse antes de dar esse passo terrível, que compreendesse o abismo no qual ia se lançar, que refletisse bem antes de entrar no caminho da destruição e, por fim, antes de fazer qualquer coisa, que consultasse abertamente seu pai, a quem ela estava retribuindo tão mal por seu incessante cuidado com ela.

A surpresa desse súbito encontro e o fervor de suas palavras despertaram-na como que de um transe, e ela pouco resistiu quando ele a levou para o pai na biblioteca. Podemos imaginar o susto do pai ao saber de tudo. Ele nem suspeitava das atitudes de sua filha, e esta, agora que o encanto tinha desaparecido, não podia imaginar como havia podido pensar em fazer tal coisa. Ambos, pai e filha, transbordavam de gratidão pelo leal apaixonado, e, antes que este os deixasse naquela noite, ela reafirmou o antigo envolvimento e prometeu tornar-se sua esposa dentro de pouco tempo.

Isso era o que tinha realmente acontecido, e o simbolismo escolhido pelo ego do auxiliar de forma alguma era inadequado, por mais divergente que fosse dos fatos verdadeiros.

Algumas vezes a memória verdadeira dos fatos não é recuperada, mas apenas o efeito de algo visto ou acontecido. Alguém pode acordar de manhã com um forte sentimento de exaltação e sucesso, sem ter a menor idéia do que aconteceu. Geralmente esse sentimento significa algum trabalho bem feito, mas os detalhes não chegam a ser recuperados. Outras vezes ele traz consigo para o plano físico uma sensação de reverência, de grande santidade, que usualmente significa que esteve na presença de alguém muito superior ou que obteve uma evidência direta do poder maior. Por outro lado, podemos acordar também com um medo terrível, causado pelo alarme do corpo físico diante de alguma sensação desconhecida ou, então, pelo encontro com algo horrível no mundo astral. Pode ser também que esse medo tenha sido causado pela empatia com alguma entidade astral em estado de terror, pois é bastante comum que, no plano astral, sejamos fortemente influenciados, através da empatia, pela condição de outras pessoas.

Poucas pessoas, quando estão no corpo astral, dão importância à questão de se o cérebro físico vai lembrar-se ou não, e nove em dez não gostam de retornar ao corpo. Todavia, se quiserem criar o hábito de lembrar, recomendo o que segue:

Para criar uma ligação lembrem-se, em primeiro lugar, quando estiverem fora do corpo, de que desejam fazê-lo. Em segundo lugar, decidam retornar ao corpo vagarosamente e não de súbito, com um sacolejo, como normalmente acontece. É esse sacolejo que impede a memória. Pare e diga, pouco antes de acordar: "Lá está meu corpo; estou quase entrando nele. Assim que estiver nele, eu o farei sentar e escrever tudo o que lembrar". Então entre no corpo calmamente, sente-se e escreva *de uma vez* tudo que puder lembrar. Se esperar alguns minutos perderá tudo. Cada fato que trouxer servirá de elo para outras memórias. As anotações poderão parecer um pouco incoerentes mais tarde, mas não se preocupem; vocês estão tentando relatar em palavras físicas as experiências do outro plano. Dessa maneira, gradualmente, recobrarão a memória, um processo longo e que requer paciência.

Quando estiverem fora do corpo, tentem lembrar que estão no mundo astral e que seria agradável para a consciência física reter alguma memória. Sejam sistemáticos. Cada fato que conseguirem recordar torna mais fácil o processo e aproxima o momento em que a recordação será automática e habitual. No estágio atual, existe um breve período de inconsciência entre o sono e a vigília que funciona como um véu. Sua causa é a densa trama do subplano mais elevado por onde as vibrações têm de passar.

Quando voltamos ao corpo físico, vindos do mundo astral, experimentamos uma sensação de grande perda de amplitude, como se fôssemos envolvidos por um capote pesado e grosso. A alegria da vida no plano astral é tão grande que a vida física, em comparação, não parece ser vida nenhuma. Muitos daqueles que funcionam no mundo astral durante o sono do corpo físico consideram o retorno diário ao mundo físico como semelhante às viagens diárias ao escritório. Eles não o rejeitam positivamente, mas só retornam porque são obrigados a fazê-lo.

Diante da vida do mundo mental, a vida astral parece ser um estado de aprisionamento e assim por diante, até o mundo búdico, que, em essência, é a própria bem-aventurança. Depois de ter alcançado uma vez esse nível, ainda que o homem no plano físico continue limitado e incapaz de expressar a bem-aventurança, ele a experimenta o tempo todo e sabe que aqueles que hoje não a percebem, no futuro irão conhecê-la. Se pudéssemos sentir a realidade dos planos superiores — mesmo que apenas por um momento —, nossa vida jamais seria a mesma.

Os prazeres astrais são muito mais intensos do que os do mundo físico, e existe o perigo de que desviem as pessoas do caminho de progresso. Enquanto estivermos confinados ao corpo físico, não podemos compreender a grande atratividade desses prazeres. No entanto, para aqueles que já experimentaram algo superior, nem mesmo os prazeres da vida astral representam um sério perigo. Após a morte, devemos tentar passar o mais rápido possível pelos níveis astrais, o que ocorrerá de acordo com a utilidade que tivermos neles, e não cedermos a seus refinados prazeres mais do que aos físicos. Temos não só de superar o desejo físico por meio do conhecimento da vida astral ou celestial como também ir mais além do que isso, não só pelo propósito da alegria da vida espiritual, mas, sim, para substituir o efêmero pelo eterno.

As Dimensões Superiores

Existem sete dimensões e elas estão presentes em todos os lugares o tempo todo, quer a consciência do indivíduo esteja funcionando através do corpo físico, astral ou veículo nirvânico. Nesse último caso, o indivíduo tem o poder de ver e compreender tudo; nas outras situações suas capacidades são limitadas. Assim, não existem objetos ou seres tridimensionais ou em quatro dimensões. Se o espaço tem sete dimensões, todos os objetos têm de existir dentro daquele espaço, e as diferenças devem-se apenas a nosso poder de percepção.

Fisicamente percebemos apenas três dimensões e, conseqüentemente, vemos os objetos e seres parcialmente. Aquele que tiver a capacidade de perceber quatro dimensões ainda vê os objetos parcialmente, mas percebe uma parte maior deles. Nós nos encontramos em meio a um vasto universo de matéria em vários graus de refinamento que existe em um espaço — vamos supor — de sete dimensões. Entretanto nossa consciência é capaz de apreciar apenas três daquelas dimensões e somente matéria de certos graus de refinamento. Para nós é como se a matéria dos graus superiores não existisse, assim como as dimensões além das três que conhecemos.

Nossa falta de percepção não afeta de forma alguma os objetos em si. Por exemplo: ao apanharmos uma pedra vemos apenas suas partículas físicas, mas isso não altera o fato de que aquela pedra contém, ao mesmo tempo, partículas de matéria astral, mental e de outros planos superiores. Da mesma maneira, aquela pedra deve teoricamente possuir alguma presença, por menor que seja, em todas as sete dimensões, apesar de a consciência humana poder apreciar apenas três daquelas dimensões.

Ao examinar o objeto, usamos um órgão físico — o olho —, capaz de apreciar apenas certas freqüências de ondulações irradiadas por certos tipos de matéria. Para desenvolver o que chamamos de consciência astral, precisamos utilizar um órgão capaz de responder apenas às vibrações irradiadas por outra parte, mais sutil, daquela pedra. Se, ao desenvolvermos a consciência astral, perdermos a física, isto é, deixarmos o corpo físico, perceberemos apenas o astral e não mais o físico. Mas, é claro, o objeto em si não é afetado de forma alguma, e sua parte física não deixou de existir pelo fato de termos deixado de percebê-lo no momento. Se desenvolvêssemos a consciência astral de forma a usá-la simultaneamente com a física, poderíamos então perceber as partes física e astral do objeto ao mesmo tempo, porém, provavelmente, não com a mesma nitidez nem mesmo exatamente no momento.

Desse modo, como todas as formas superiores de matéria existem em todos os objetos — ainda que as pessoas não treinadas não possam vê-las — assim também todas as dimensões do espaço devem abranger todos os objetos, mesmo que as dimensões que podemos perceber dependam da condição de nossa consciência. Durante a vida física, normalmente percebemos apenas três, mas, com um treinamento especial, cuidadoso, o cérebro pode ser educado para apreender algumas das formas mais simples em quatro dimensões. A consciência astral tem o poder de perceber quatro dimensões, mas isso não quer dizer que, ao abrir sua consciência astral, o homem imediatamente perceba a extensão de todos os objetos em quatro dimensões; pelo contrário, é quase sempre certo que o homem comum não as percebe ao entrar no plano astral. Ele as percebe apenas como uma espécie de mancha, uma diferença incompreensível nas coisas que ele já conhecia, e a maioria das pessoas passa por suas vidas astrais sem perceber mais do que isso, com relação às outras qualidades da matéria que as circunda.

Deveríamos dizer, então, que a posse da visão astral não nos leva a apreciar a quarta dimensão imediatamente, mas nos dá o poder de desenvolver aquela faculdade por meio de uma prática longa, cuidadosa e paciente se soubermos alguma coisa sobre essa matéria e decidirmos dedicar-nos a esse trabalho. As entidades pertencentes ao plano astral e presumivelmente ignorantes de qualquer outro — como por exemplo os espíritos da natureza — possuem naturalmente a capacidade de ver os aspectos de quarta dimensão em todas as coisas. Contudo não devemos imaginar que sua visão é perfeita, pois percebem apenas a matéria astral e não a física, assim como nós, dentro de nossas limitações, percebemos apenas o físico e não o astral.

Até onde sei, ninguém jamais ensinou que as entidades do plano astral têm consciência de nossa presença no plano físico. Definitivamente elas *não* são conscientes da matéria física. São conscientes da contraparte astral dessa matéria física, o que para todos os propósitos práticos é quase a mesma coisa, mas não exatamente.

Não acredito que as dimensões superiores manifestem-se como qualidades da matéria para nossa consciência física, mas é possível que algumas delas o façam em certos casos especiais. Por exemplo: a densidade de um gás poderia ser uma medida de sua extensão na quarta dimensão.

Para passar através de uma parede, um objeto físico não precisa passar à quarta dimensão. Basta que ele — ou a parede, em uma porção correspondente a ele — seja desintegrado, isto é, reduzido a um estado etérico, para que suas partículas passem livremente pelas partículas da parede. Este é um método inteiramente tridimensional. Outra alternativa, totalmente diferente, não recorre à desintegração do objeto nem de parte da parede, mas transporta o objeto através de uma outra direção, onde não exista parede. Mas esta direção é desconhecida por nossa consciência física.

Podemos encher de água uma tigela porosa de cerâmica transformando a água em vapor e infiltrando-a pelos lados e por baixo da tigela, o que equivale ao processo de desintegração e reintegração, já que a água — levada a um estado superior para poder passar pelos poros da tigela — retorna em seguida à sua condição natural. Mas também é possível encher a tigela simplesmente tirando sua tampa e despejando a água de cima, e neste caso a água não precisou mudar de estado porque foi colocada na tigela a partir de uma direção onde não havia cerâmica como obstáculo. Temos, assim, dois métodos diferentes para chegar ao mesmo resultado — e eles não se excluem mutuamente.

Capítulo Oito

O CORPO MENTAL E O PODER DO PENSAMENTO

O Corpo Mental

Após ler o livro *O Homem Visível e Invisível** alguns estudantes notam que a lista de qualidades ali mencionada parece estar incompleta, sem incluir outras qualidades igualmente comuns como coragem, dignidade, alegria, sinceridade, lealdade etc. A razão para a não inclusão dessas qualidades é que, diferentemente das outras, estas não possuem cores características prontamente distinguíveis, mas isso não quer dizer que à visão clarividente sua presença ou ausência não seja notada. Essas qualidades são indicadas por diferenças estruturais no corpo mental ou por mudanças na superfície e, de modo geral, podemos dizer que são representadas mais pela forma do que pela cor.

As ilustrações do corpo mental contidas no livro mencionado mostram as cores de algumas das principais características juntamente com informações sobre sua disposição geral no veículo. De modo geral, as cores que indicam boas qualidades são encontradas na metade superior e aquelas que expressam qualidades desagradáveis concentram-se na metade inferior. Pertencem à parte superior: o violeta da aspiração elevada, o azul da devoção, o rosa da afeição, o amarelo que indica o intelecto e até mesmo o laranja do orgulho ou ambição; enquanto que os pensamentos estimulados pela raiva, egoísmo ou ciúmes gravitam para o fundo do ovóide. As ilustrações dadas indicam qual seria a aparência do corpo mental se ele pudesse estar realmente em repouso, mas, sempre que o homem pensa com intenção e energia, ocorrem consideráveis variações daquelas situações típicas.

Podemos considerar o núcleo mental como o núcleo ou coração do corpo mental*, cuja aparência depende, em grande parte, da atividade daquele núcleo. As diversas atividades mentais naturalmente se agrupam em certas classes ou divi-

---

* *O Homem Visível e Invisível*, livro de C.W. Leadbeater editado no Brasil pela Ed. Pensamento, contém ilustrações coloridas dos corpos astrais e mentais de diversas pessoas. Nele, o autor explica a correspondência entre as cores nos corpos sutis e as qualidades do caráter. (N. ed. bras.)

** Núcleo Mental — Molécula ou unidade do quarto subplano mental que permanece com o homem, formando uma base estável durante toda a sua encarnação. (N. ed. norte-americana)

sões, as quais se expressam em partes diferentes do núcleo mental. Os núcleos mentais não são iguais e diferem bastante segundo o tipo e o desenvolvimento de seus donos. Se o núcleo mental estivesse em repouso, a força que dele irradia criaria vários canais no corpo mental, tal qual o funil de luz criado por uma lanterna mágica — ou projetor de filmes — no ar entre esta e a tela.

Nesse caso, a superfície do corpo mental pode ser comparada à tela, pois é somente na superfície que o efeito torna-se visível para quem olha de fora; assim, se o núcleo mental estivesse em repouso, veríamos, na superfície do corpo mental, quadros coloridos, representando os diversos pensamentos comuns à pessoa, provavelmente com espaços escuros entre eles. Entretanto o núcleo mental gira rapidamente em torno de seu eixo, e o efeito disto no corpo mental é a formação de uma série de faixas de ondas, nem sempre bem definidas ou da mesma largura, mas prontamente distinguíveis e ocupando as mesmas posições relativas.

Onde existe o pensamento de aspiração espiritual é formado um pequeno mas bonito círculo violeta no topo do ovóide. À medida que o aspirante aproxima-se dos portais do Caminho, esse círculo aumenta de tamanho e brilho e, no iniciado, torna-se um esplêndido capuz brilhante de uma cor mais agradável do que qualquer coisa que se possa imaginar. Abaixo dele encontra-se o anel azul do pensamento devocional, normalmente pequeno, com exceção daqueles poucos casos em que o sentimento religioso é realmente profundo e genuíno. Em seguida, podemos encontrar a área, bem mais ampla, do pensamento de afeição, variando em qualquer tom, desde vermelho forte até rosa, de acordo com o tipo de afeição que indica. Próxima à zona do afeto, e freqüentemente relacionada bem de perto com ela, temos a área laranja que expressa orgulho e ambição e, em íntima relação com esta, temos a área amarela do intelecto, comumente dividida em duas partes para indicar o pensamento filosófico e o científico. O lugar desse amarelo varia muito de acordo com as pessoas, preenchendo, às vezes, toda a parte superior do ovo e elevando-se acima da devoção e do afeto, e, nesse caso, existe geralmente um orgulho excessivo.

Abaixo do grupo que acabamos de descrever e ocupando a parte média do ovóide, encontramos a larga faixa devotada às formas concretas, a parte do corpo mental de onde emanam todas as formas-pensamento comuns. Aqui a cor principal é o verde, matizado de marrom ou amarelo de acordo com a disposição da pessoa.

Não há parte que se modifique tanto quanto essa. Algumas pessoas têm seus corpos mentais entulhados com grande número de imagens concretas, enquanto outras têm apenas algumas. Essas formas podem ser claras e bem definidas, ou vagas e nebulosas; podem estar classificadas e etiquetadas na mais perfeita ordem, ou na maior confusão, sem qualquer organização.

Na parte inferior do ovóide estão os anéis ou faixas que expressam os pensamentos indesejáveis. Uma espécie de turva concentração de egoísmo da cor do barro preenche com freqüência o terço inferior ou até mesmo metade do corpo mental, e, por cima deste setor, às vezes encontramos uma faixa de ondas indicando ódio, astúcia ou medo. Naturalmente, à medida que o homem se desenvolve, essa parte inferior desaparece e a superior expande-se até ocupar o corpo inteiro, como mostram as ilustrações em *O Homem Visível e Invisível.*

O brilho das cores indica a intensidade do sentimento que estimula o pensamento. Por exemplo: o sentimento devocional mostra-se em três estágios: respeito, reverência e adoração; quanto ao afeto, temos: boa vontade, amizade e amor. Quanto mais forte o pensamento, *maior* é a vibração; quanto mais espiritual e altruísta o pensamento, mais *elevada* a vibração. A primeira condição produz brilho e a segunda, delicadeza de cor.

Dentro desses diferentes anéis ou zonas normalmente encontramos sulcos mais ou menos demarcados e, pelo seu exame, podemos avaliar muitas das qualidades humanas. Por exemplo: uma vontade forte confere ao corpo mental linhas e níveis muito mais definidos. Todos os sulcos e radiações mostram-se firmes e claramente distinguíveis, mas, em uma pessoa fraca e vacilante, essa firmeza está ausente; as linhas que separam as qualidades mostram-se indeterminadas, e os sulcos e radiações fracos, pequenos e ondulantes. A coragem mostra-se por linhas firmes e bem demarcadas, especialmente na faixa relacionada ao orgulho. A dignidade também se expressa na mesma parte do corpo mental, mas através de uma tranqüilidade e segurança bem diferentes das linhas da coragem.

Sinceridade e precisão são indicadas pela regularidade nos sulcos da parte do corpo mental devotada às formas concretas e pela clareza e correção das imagens que ali surgem. A lealdade mostra-se por uma intensificação tanto da afeição quanto da devoção e pela formação constante, naquela parte do ovóide, de imagens da pessoa em relação a quem se sente lealdade. Em muitos casos de lealdade, afeição e devoção, uma imagem forte e permanente do objeto desses sentimentos permanece flutuando na aura do pensador, de modo que, ao dirigir o pensamento para o amigo, a força emanada fortalece aquela imagem existente ao invés de formar uma nova, como normalmente aconteceria.

A alegria mostra-se por uma claridade e um brilho geral tanto no corpo mental quanto no astral, e também por uma ondulação peculiar da superfície do corpo. O bom humor é indicado por essas mesmas características, mas com a energia borbulhando, e uma serenidade firme e agradável de se ver. A surpresa, por outro lado, revela-se por uma aguda contração que reduz o diâmetro do corpo mental, acompanhada por aumento do brilho nas faixas da afeição, caso a surpresa seja agradável, e por uma mudança de cores, fazendo surgir bastante cinza e marrom na parte inferior do ovóide, caso seja desagradável. Essa contração normalmente abrange também o corpo astral e o físico, causando sensações desagradáveis que afetam o plexo solar (resultando em enfraquecimento e doença) ou o centro do coração, provocando palpitação e até a morte. Assim, uma surpresa súbita pode ocasionalmente matar alguém de coração fraco. O respeito é o mesmo que a admiração, com a diferença de que se faz acompanhar por uma profunda mudança na parte devocional do corpo mental, que normalmente se dilata sob essa influência e passa a ter seus sulcos ou estrias bem mais marcados.

No momento em que pensamos com firmeza, a parte do corpo mental que corresponde ao pensamento normalmente incha e brilha com mais intensidade, perturbando a simetria do ovóide. Em muitas pessoas, essa deformação é permanente, o que indica que a emissão daquele tipo de pensamento está aumentando sempre. Por exemplo: ao nos concentrarmos em algum estudo científico, voltando nossos pensamentos naquela direção, criaremos aquela protuberância que descrevi, mas, se mantivermos constante nosso interesse, a protuberância gradualmente se dissolverá dentro dos limites gerais do ovóide, e a faixa de sua cor terá se tornado mais ampla do que era.

Se o interesse do homem em assuntos científicos ganhar força constantemente, aquela protuberância permanece mesmo depois da ampliação da faixa de cor. Em conseqüência disso, a porção inferior do ovóide do homem não desenvolvido tende a ser sempre maior do que a superior, o que deixa os corpos mental e astral com aparência de um ovo com a ponta mais fina para cima. No homem mais desenvolvido, as qualidades que se expressam na parte superior encontram-se mais reforçadas, e, com isso, temos um ovo com a ponta para baixo. Mas a tendência sempre é pela simetria, e o ovóide recupera-se gradualmente; por isso essas aparências são apenas temporárias.

Tem sido mencionado, com freqüência, que a matéria do corpo astral e do mental movimenta-se sem parar. Ao ser perturbada por alguma emoção repentina, por exemplo, toda a matéria do corpo astral é arrastada como se fosse um violento furacão, misturando todas as cores naquele momento. Logo a gravidade ou peso específico dos diversos tipos de matéria que refletem ou emitem as cores recupera a disposição inicial em todas as faixas. No entanto, a matéria não está de forma alguma em repouso. As partículas circulam o tempo todo, quase sempre em sua própria zona, pois não é freqüente invadirem outras faixas. Esse movimento dentro de sua própria faixa é inteiramente saudável, pois aquele em quem não há essa circulação é um crustáceo mental, incapaz de crescer até romper sua casca ou carapaça. A atividade da matéria em qualquer dessas zonas aumenta na proporção direta da força do pensamento que a estimula.

Se permitíssemos que nosso pensamento sobre um determinado assunto se estagnasse, esta estagnação seria fielmente reproduzida na matéria relacionada àquele tema. O preconceito estabelecido impede o pensamento sobre aquele assunto específico. Um pequeno redemoinho forma-se e faz a matéria mental girar até coagular e tornar-se uma espécie de verruga. Até que essa verruga se gaste ou seja removida, não poderemos utilizar aquela parte do corpo mental; seremos incapazes de pensar racionalmente sobre aquele assunto. Essa massa endurecida e nociva impede o livre movimento para dentro ou para fora, isto é, por um lado, impede-nos de ver com clareza e de receber novas impressões confiáveis sobre o assunto em questão e, por outro, não nos deixa enviar pensamentos claros a respeito.

Infelizmente estes pontos doentes do corpo mental são contagiosos; a incapacidade de ver com clareza aumenta e se espalha. A estagnação de uma parte do corpo mental afeta outras partes. Um preconceito faz surgir outros, pois o fluxo saudável da matéria mental foi contido e criou-se o hábito da não-verdade. O preconceito religioso é o mais comum e mais sério de todos, impedindo completamente qualquer pensamento racional sobre o assunto. Infelizmente um grande número de pessoas possui aquela parte de corpo mental que deveria ocupar-se dos assuntos religiosos inativa, ossificada e coberta de verrugas, de modo que, a não ser diante de uma mudança muito radical, não conseguem ter nem mesmo uma concepção rudimentar do que a religião realmente é.

Em *O Homem Visível e Invisível* encontramos quadros do corpo astral de homens do tipo devocional e científico. Duas variantes desses casos que encontramos com freqüência são a pessoa intuitiva e a realista. Geralmente esta última apresenta bastante amarelo em seu corpo mental, com as diversas faixas de cor regulares e em ordem. Essa pessoa tem menos emoção e imaginação do que a intuitiva, e por isso, também, menos poder e entusiasmo, mas, por outro lado, é bem menos suscetível a erros, e seu trabalho geralmente é cuidadoso e bem feito. No veículo do homem intuitivo encontramos muito azul, mas as cores, em geral, estão vagas e o corpo todo mal-ajustado. Este sofre muito mais do que o outro, que é mais estável; porém, às vezes, esse sofrimento dá a ele condições de progredir com rapidez. O entusiasmo, a paixão, a regularidade e a calma têm todos o seu lugar no homem perfeito, é claro; é apenas uma questão de qual qualidade desenvolveu-se primeiro.

As cores que indicam o pensamento místico e as faculdades psíquicas não possuem equivalentes no plano físico. Ao começar a desenvolver-se no caminho do ocultismo, o homem deve purificar rapidamente seu corpo mental, preparando-se para o trabalho, pois precisará de todas as suas partes, e elas deverão estar nas melhores condições possíveis para permitir algum progresso verdadeiro. É estritamente necessário que ele crie formas-pensamento claras e fortes, e se puder visualizá-las com clareza será mais fácil. Não devemos confundir estas duas situações; mesmo não tendo uma capacidade de visualização bem desenvolvida, alguém pode conseguir formas-pensamento mais fortes e mais definidas do que outro. A formação de um pensamento é um ato direto da vontade, atuando por meio do corpo mental; a visualização é simplesmente o poder de ver clarividentemente a forma-pensamento criada. Ao pensar com firmeza em algum objeto, formamos uma imagem dele no corpo mental, e esta permanece, quer a visualizemos ou não.

No plano físico, todo trabalho mental tem de ser realizado através do cérebro. Por isso, além de desenvolver o corpo mental, precisamos também colocar o cérebro físico em ordem, para que o corpo mental possa utilizá-lo prontamente. Certas partes do cérebro relacionam-se com determinadas qualidades e com nossa capacidade de pensar em determinadas direções; tudo tem de estar em ordem e em correta sintonia com as zonas do corpo mental.

Outro ponto, o mais importante de todos, é a ativação do elo entre o ego e seu corpo mental, pois o ego é a força por trás de todas essas qualidades e poderes, e é ele quem as usa. Para podermos pensar em alguma coisa, primeiro temos de lembrar-nos dela; para lembrar, temos de prestar atenção, e a atenção é a descida do ego em seus veículos para observar através deles. Muitas pessoas possuem um corpo mental refinado e um bom cérebro, mas pouco se utilizam deles porque prestam pouca atenção à vida, isto é, porque o ego coloca pouco de si nestes planos inferiores, e, assim, os veículos são deixados de rédeas soltas, à mercê de sua própria vontade. Conforme escrevi em outro momento, a cura para esse estado de coisas pode ser resumida deste modo: proporcionem ao ego as condições que ele deseja, e em seguida ele se manifestará mais plenamente para aproveitá-las. Se ele deseja desenvolver a afeição, dêem-lhe oportunidades cultivando a afeição ao máximo nestes planos inferiores, e o ego imediatamente responderá. Se deseja em primeiro lugar desenvolver sabedoria, esforcem-se pelo estudo para se tornarem mais sábios no plano físico, e, uma vez mais, o ego apreciará seus esforços e alegrar-se-á em cooperar. Descubram o que ele deseja e satisfaçam-no. Assim não encontrarão mais motivos para queixar-se de sua relação com ele.

Um Poder Negligenciado

Aqueles que não têm estudado o assunto de modo especial nunca compreendem que o pensamento traz em si um poder tremendo. Para eles, a força da água e do vapor sob pressão são reais, porque podem vê-los em ação, enquanto que a força do pensamento não passa de uma coisa vaga e intangível. Mas aqueles que estudaram o tema em profundidade sabem muito bem que uma é tão real quanto a outra.

Isso é verdade em dois sentidos — direta e indiretamente. Com um pouco de reflexão, todos reconhecem a ação indireta do pensamento, pois é óbvio que o homem precisa pensar antes de fazer qualquer coisa. O pensamento é o poder motor da ação, assim como a água move o moinho. Todavia, de modo geral, as pessoas não sabem que o pensamento também age diretamente na matéria; e que, mesmo não se transformando em ação, o pensamento por si só já produz um efeito.

Nossos leitores sabem que existem muitos tipos de matéria sutil além daquela visível fisicamente e que a força do pensamento age diretamente em algumas delas, colocando-as em movimento. O pensamento revela-se como uma vibração no corpo mental que se comunica com a matéria externa e produz um efeito. Portanto, o pensamento em si é uma força real e definida, e o interessante é que todos nós possuímos esse poder.

Um número comparativamente pequeno de pessoas ricas possui nas mãos o controle sobre a energia elétrica que, para ser usada, precisa ser comprada. Mas estamos falando de uma energia que pertence a todos, pobres e ricos, jovens e velhos, e tudo o que temos a fazer é aprender a usá-la. Na verdade, já a estamos usando em maior ou menor grau, mas, como não a compreendemos, fazemos inconscientemente com mais freqüência o mal do que o bem, tanto para nós mesmos quanto para os outros.

No livro *Formas de Pensamento,* explicamos que o pensamento produz dois efeitos externos principais: uma vibração irradiante e uma forma flutuante. Vejamos como ambos afetam o pensador e as outras pessoas.

Em primeiro lugar, vamos lembrar da força do hábito. Se acostumarmos nossos corpos mentais com certo tipo de vibrações, eles aprenderão a reproduzi-las com facilidade e prontidão. Se pensarmos um certo tipo de pensamento hoje, amanhã será mais fácil repetir o mesmo pensamento. Se alguém começa a pensar mal dos outros, logo se torna fácil pensar pior, e torna-se mais difícil pensar no bem deles. Cria-se assim um ridículo preconceito que cega totalmente a pessoa, impedindo-a de ver os pontos bons de seus semelhantes, e aumentando enormemente o mal nos outros.

Em seguida seus pensamentos começam a incitar as emoções, e como só vê o mal nos outros começa a odiá-los. As vibrações da matéria mental excitam as da matéria astral densa assim como o vento perturba a superfície do mar. Todos sabemos que ao pensar em nossos erros facilmente nos irritamos e freqüentemente ignoramos a conclusão inevitável de que, pensando racionalmente e com calma, prevenimos ou dissolvemos a raiva.

A forma-pensamento gerada também reage sobre o pensador. Se o pensamento destina-se a alguém, a forma dispara como um míssil na sua direção, mas se o pensamento, como acontece com tanta freqüência, diz respeito principalmente ao próprio pensador, esta permanece flutuando nas proximidades, pronta a reagir sobre ele e duplicar-se, isto é, pronta a estimular na sua mente o mesmo pensamento mais uma vez. Para o pensador parecerá que o pensamento surgiu em sua mente vindo de fora, mas a experiência é, na verdade, apenas resultado mecânico de seus próprios pensamentos prévios.

Vejamos agora como esse fragmento de conhecimento pode ser usado. Obviamente todo pensamento ou emoção produz um efeito de longa duração, pois fortalece ou enfraquece uma tendência e, além disso, reage constantemente sobre o pensador. Portanto, fica claro que temos de ter todo cuidado com os pensamentos ou emoções que permitimos surgir dentro de nós mesmos. Não podemos nos desculpar como tantos fazem, dizendo que sentimentos indesejáveis são naturais em certas condições. Temos de usar o direito de controlar nossa mente e nossas emoções. Se podemos habituar-nos a pensar mal, é possível também nos acostumarmos a pensar bem. Podemos habituar-nos a procurar as qualidades desejáveis nas pessoas que conhecemos, e não as indesejáveis, e nós nos surpreenderemos ao descobrir como as boas qualidades são numerosas e importantes. Assim começaremos a gostar delas e a não evitá-las, e teremos, pelo menos, a possibilidade de fazer avaliações mais justas.

Podemos dedicar-nos ao exercício útil de admitir apenas pensamentos bons e agradáveis e, se persistirmos, logo começaremos a perceber resultados. Nossas mentes trabalharão mais facilmente pelos canais da admiração e simpatia ao invés da suspeita e do menosprezo, e, quando nossos cérebros estiverem desocupados, os pensamentos que se apresentarem serão bons e não maus, em uma reação natural das formas graciosas que criamos para nos circundar. "O homem é aquilo que pensa em seu coração", e obviamente o uso sistemático do poder do pensamento torna a vida muito mais fácil e agradável.

Vejamos agora como nosso pensamento afeta os outros. A ondulação irradiante, como muitas outras vibrações na natureza, tende a se duplicar. Por que um determinado objeto se aquece diante do fogo? Porque a radiação das vibrações vindas da matéria incandescente leva as moléculas do objeto a oscilarem mais rapidamente. Da mesma maneira, se enviarmos com persistência ondulações de pensamentos agradáveis sobre outrem, com o tempo uma vibração similar ao pensamento de simpatia surgirá naquela pessoa. Formas-pensamento dirigidas para ela flutuarão à sua volta e agirão quando surgir uma oportunidade. Assim como um mau pensamento pode ser um demônio tentador tanto para o pensador quanto para outrem, assim também um bom pensamento pode tornar-se um anjo guardião que encoraja a virtude e evita o vício.

Infelizmente é comum nos dias de hoje aquela atitude de estar sempre procurando falhas nos outros, e as pessoas que agem assim não compreendem o mal que causam. Se observarmos suas conseqüências, veremos que o hábito da bisbilhotice maliciosa é simples perversidade. Não importa se o escândalo tem fundamento ou não; em qualquer dos casos ele só pode gerar o mal. Nesta situação encontramos pessoas concentradas em algum suposto vício de alguém, atraindo a atenção de muitas outras que, de outra forma, não se teriam dado conta dessa idéia.

Suponhamos que acusem sua vítima de ser invejosa. De imediato centenas de pessoas começam a despejar no infeliz sofredor torrentes de pensamento sugerindo a idéia da inveja. Não é claro que, se o pobre homem tiver tendência a esse desagradável vício, esta seria grandemente intensificada pela avalanche que o atinge? E se, como normalmente acontece, não houver qualquer razão para esse malicioso rumor, aqueles que o espalham estão fazendo de tudo para criar em sua vítima o próprio vício de cuja existência imaginária eles tão selvagemente se regozijam.

Devemos pensar sempre nas coisas boas de nossos amigos, não só porque isso é muito mais saudável para nós, mas também porque assim elas se fortalecem. Quando formos obrigados a reconhecer alguma qualidade má de um amigo, devemos ter o cuidado de *não* pensar *nela*, mas, sim, na virtude oposta que queremos ajudá-lo a desenvolver. Caso ele seja avarento ou pouco afetivo, não devemos fazer comentários ou fixar nosso pensamento nesse defeito, porque, se o fizermos, as vibrações por nós criadas tornarão as coisas piores. Em vez disso, pensemos intensamente na qualidade que ele precisa desenvolver, inundando-o com ondulações de generosidade e amor, pois assim estaremos realmente ajudando nosso irmão.

Se o poder de pensamento for usado de acordo com essas orientações, vocês se tornarão verdadeiros centros de bênçãos nos lugares onde vocês moram. Mas lembrem que essa força é limitada; por isso, se quiserem ter o bastante dela para serem úteis, não a desperdicem.

O homem comum não passa de um centro de vibrações agitadas. Encontra-se constantemente preocupado, incomodado com alguma coisa, em depressão profunda ou, então, excitado sem razão, ao esforçar-se para conseguir alguma coisa. Por uma razão ou outra, está sempre desnecessariamente agitado, muitas vezes por causa de coisas insignificantes. Isso quer dizer que está o tempo todo gastando força, dissipando inutilmente algo pelo qual é diretamente responsável e que poderia torná-lo mais feliz e saudável.

Outra situação que o leva a dissipar muita energia são as discussões desnecessárias. Está sempre tentando fazer alguém concordar com suas opiniões. Esquece-se de que toda questão tem sempre muitos lados, quer se trate de política, religião ou algum interesse de curto prazo, e que os outros têm direito ao seu próprio ponto de vista, o qual de qualquer modo não importa, pois os fatos permanecem os mesmos independentemente do que cada um pense. A maior parte dos assuntos não vale a pena discutir, e, normalmente, aqueles que falam mais alto e com mais confiança são precisamente os que menos sabem.

Quem deseja usar o poder do pensamento de maneira útil, seja para si mesmo ou para os outros, deve economizar suas energias, ser calmo, comedido e refletir cuidadosamente antes de falar ou agir. Que não fiquem dúvidas de que essa força é muito poderosa. Qualquer um que se entregue ao trabalho pode aprender a usá-la, e, com seu uso, cada um de nós pode progredir bastante fazendo um grande bem para o mundo à nossa volta.

Vocês devem compreender bem esse poder do pensamento e o dever de reprimir pensamentos maus, egoístas ou agressivos. Os pensamentos produzem seus efeitos, quer desejemos ou não. Um homem sábio produz intencionalmente os resultados da sua ação mental. Cada vez que controlamos nossos pensamentos, o controle fica mais fácil. Enviar pensamentos aos outros é algo tão real quanto dar dinheiro; e é uma forma de caridade que até o mais pobre dos homens pode fazer. É errado irradiar depressão. Ela impede os pensamentos elevados, causa muito sofrimento às pessoas sensíveis e é responsável pela maior parte do medo noturno das crianças.

Ao permitir que pensamentos miseráveis e maldosos sejam descarregados sobre uma criança, como muitos fazem, estamos envolvendo-a em penumbra, e isso não está certo. Esqueçam-se da depressão e, em vez de ceder a ela, enviem pensamentos de força para os doentes.

Nossos pensamentos não são — como vocês poderiam supor — assunto apenas da nossa própria conta, pois suas vibrações afetam os outros. Pensamentos maldosos têm alcance muito maior do que as palavras, mas não podem afetar quem estiver totalmente livre da qualidade que eles veiculam; por exemplo, o pensamento do desejo de beber não pode penetrar no corpo de um homem totalmente abstêmio. Ele atinge seu corpo astral, porém, como não pode penetrar, retorna ao emissor.

A vontade pode ser treinada para agir diretamente sobre a matéria física. Para vocês talvez o exemplo mais comum seja aquele do quadro usado muitas e muitas vezes nas práticas de meditação, no qual podem ser observadas com freqüência alterações de expressão; as partículas físicas são, sem dúvida alguma, afetadas por um pensamento forte e constante. A Sra. Blavatsky costumava recomendar algumas práticas a seus discípulos, dizendo-lhes para pendurarem uma agulha em um fio de seda e aprender a movê-la pela força da vontade. Um escultor também usa o poder do pensamento, mas de maneira diferente. Diante de um bloco de mármore, ele cria uma forte forma-pensamento da estátua que deseja esculpir. A seguir coloca sua forma-pensamento dentro do bloco e começa a remover o mármore que sobra por fora da forma-pensamento, deixando apenas a parte interpenetrada por ela.

Habituem-se a dedicar algum tempo todos os dias a formular bons pensamentos e enviá-los a outras pessoas. É uma prática fundamental para vocês, e fará muito bem para as pessoas que os receberem também, sem dúvida alguma.

Intuição e Impulso

Alguém me pergunta como distinguir o impulso da intuição. Compreendo perfeitamente o dilema. No começo é difícil para o estudante fazer essa distinção, mas não se preocupem porque essa dificuldade é apenas temporária. Com a prática vocês alcançarão um estágio em que terão certeza absoluta da intuição, pois a diferença entre esta e um impulso tornar-se-á tão clara que será impossível errar.

Mas como ambos surgem no cérebro vindos do interior e, a princípio, parecem ser exatamente iguais, precisamos ter muito cuidado pois é difícil chegar a uma decisão. Talvez uma ou duas considerações possam nos ajudar. Já ouvi a Sra. Besant dizer que, sempre que as circunstâncias permitirem, é bom esperar um pouco para decidir, porque um impulso normalmente enfraquece, enquanto a intuição não é afetada pela passagem do tempo. Um impulso quase sempre é acompanhado por excitação, sempre há algo de pessoal nele; de modo que, se não for obedecido de imediato, se algo o impedir, surge um sentimento de rancor, de ressentimento — enquanto que a verdadeira intuição está rodeada de uma sensação de poder e serenidade. O impulso surge do corpo astral. A intuição é um fragmento de conhecimento vindo do ego que se imprime na personalidade.

Às vezes a impressão súbita não vem realmente do interior, mas de fora. É uma sugestão ou mensagem de alguém em um plano mais elevado, mais comumente algum falecido que está de passagem ou talvez um parente morto. Essas mensagens devem ser tratadas como se viessem do plano físico, sendo aceitas se aprovadas por nossa razão e ignoradas se não o forem, pois as pessoas não se tornam necessariamente mais sábias apenas por haverem morrido. Aqui, como em todas as outras situações, devemos pautar nossas ações por um forte e decidido bom senso e não nos atirarmos loucamente atrás de sonhos e imaginações.

Nesse ponto, devo aconselhá-los a seguir a razão quando estiverem certos das bases que a sustentam. Com o tempo e a experiência aprenderão se as suas intuições podem ser sempre confiáveis. O mero impulso nasce no corpo astral, enquanto a verdadeira intuição vem diretamente do plano mental superior e, às vezes, do búdico. É claro que a intuição búdica, se vocês puderem ter certeza dela, deve ser seguida sem a menor hesitação. Mas nesse estágio de transição pelo qual estão passando vocês devem assumir um certo risco, seja o de perder às vezes um vislumbre de verdade superior por se apegarem demais à razão, ou o de se enganarem ocasionalmente qualificando um impulso como intuição. Pessoalmente tenho tanta aversão a essa última possibilidade que várias vezes segui a razão contra a intuição e somente depois de repetidamente descobrir que certo tipo de intuição estava sempre correta é que me permiti confiar plenamente nela. Vocês também, sem dúvida alguma, passarão por esses estágios sucessivos — mas não se preocupem com isso.

Centros de Pensamento

Nos níveis superiores do plano mental, nossos pensamentos são muito fortes, porque temos o plano quase que somente para nós, e não precisamos competir com muitos pensamentos diferentes. Todas as pessoas que pensam sobre a mesma coisa tendem a entrar em contato umas com as outras. Qualquer pensamento forte pode ser atraído até vocês de qualquer lugar do mundo, e vocês podem ser influenciados pelo pensador que o emitiu. Um forte pensamento age quase o tempo todo, principalmente se referir-se a assuntos pouco explorados, pois nesses casos suas vibrações serão mais claras e livres. Alguma idéia ou visão repentina que ocorre a vocês pode ser simplesmente a forma-pensamento de alguém intensamente interessado no assunto em questão. Essa pessoa pode estar a qualquer distância, ainda que a proximidade física torne mais fácil essa transferência.

Existe um tipo de psicometria para a forma-pensamento. Massas de pensamento sobre determinado assunto são coisas bastante reais, que ocupam um lugar no espaço. Pensamentos sobre o mesmo assunto e do mesmo caráter tendem a se agregar. Muitos assuntos possuem um centro de pensamentos próprio, um espaço definido na atmosfera, e os pensamentos tendem a gravitar para seu centro, o qual absorve qualquer quantidade de idéias, coerentes e incoerentes, certas e erradas. Nesse centro definido, vocês encontrarão todos os pensamentos relacionados a um mesmo tema, atraídos para esse foco, e poderão então "psicometrizar" as diversas formas-pensamento, segui-las até seus pensadores e obter outras informações.

Fica fácil perceber que se tivermos dificuldades com alguma coisa poderemos atrair o pensamento de outra pessoa, estudante do mesmo assunto, e até mesmo a própria pessoa, caso esta se encontre no plano astral, consciente ou inconsciente. Muitas pessoas, mortas ou durante o sono, tentam ajudar os outros de acordo com suas próprias crenças e, ao perceberem alguém às voltas com alguma idéia, prontamente tentam sugerir o que acham que o outro deveria pensar. Isso não significa, é claro, que as idéias delas sejam necessariamente corretas. Um pouco de reflexão mostra-nos que isso é perfeitamente natural. Vocês ajudam as pessoas no plano físico simplesmente por serem de boa índole, e o mesmo ocorre após a morte. Sem o corpo físico, sentimos as mesmas simpatias e, quer nossas idéias sejam certas ou erradas, nós as damos aos outros, tentando ajudar. Às vezes uma idéia pode surgir em forma simbólica. A serpente e o elefante, por exemplo, significam com freqüência a sabedoria. Existem muitos conjuntos de símbolos. Cada ego tem seu próprio sistema, mas algumas formas parecem ser generalizadas nos sonhos. Dizem que sonhar com água quer dizer problemas, mas não vejo qualquer relação nisso. De qualquer modo, mesmo não havendo uma relação real, um ego — ou outra entidade que deseje se comunicar — pode usar esse símbolo se souber que a personalidade vai entendê-lo. A água não está necessariamente relacionada com problemas, mas um ego que não consegue transmitir uma mensagem clara para sua personalidade, sabendo que esta sustenta essa crença peculiar sobre a água, poderia muito bem imprimir um sonho assim no cérebro quando quisesse avisá-la de algum infortúnio iminente. Normalmente a causa de um pensamento que cruza a mente é a sugestão. O poder do pensamento e a variedade de formas-pensamento são tremendamente grandes, mas mesmo assim são pouco compreendidos ou considerados.

A origem de uma determinada idéia que surge na mente pode estar entre meia dúzia de causas possíveis. Não conheço qualquer método acessível ao estudante comum capaz de lhe mostrar a fonte exata de alguma idéia específica. Para isso precisamos desenvolver a visão astral e a mental para ver a forma-pensamento e rastreá-la, pois ela se encontra ligada a seu criador por meio de vibrações.

Diante de casos particulares, sem o conhecimento do que realmente ocorreu, qualquer sugestão é mera especulação. É totalmente possível que nossas próprias formas-pensamento nos afetem. Podemos criar formas-pensamento que flutuarão à nossa volta e persistirão até o fim de suas energias, reagindo sobre nós como se fossem sugestões novas vindas de fora. Em um lugar como Adyar, o recém-chegado encontra uma massa de formas-pensamento flutuando à vontade e é provável que ele aceite algumas delas já prontas em vez de criar outras para si mesmo. Devemos ter cautela ao aceitar formas-pensamento prontas. Já vi uma pessoa de opiniões corretas e cuidadosas ser convertida por formas-pensamento errôneas. Contudo, às vezes, é vantajoso entrar em contato com uma forma-pensamento no início de algum estudo.

Existe um vasto número de formas-pensamento de natureza comparativamente permanente no plano astral, resultado do trabalho acumulado de muitas gerações. Muitas dessas forma-pensamento referem-se à suposta história religiosa, e a visão de algumas delas por pessoas sensitivas é a responsável pelos muitos relatos genuínos dados por videntes destreinados, como por exemplo Anne Catherine Emmerich. Ela teve visões perfeitamente detalhadas dos eventos da paixão de Jesus, exatamente como os Evangelhos contam, incluindo muitos que sabemos nunca terem ocorrido na realidade. Não duvido das afirmações dessa vidente. Ela não estava sob influência de alucinações, mas apenas interpretou erroneamente a natureza do que via.

A leitura correta e clara dos registros no *akasha** requer treinamento especial; não se trata de fé ou virtude, mas, sim, de um tipo especial de conhecimento. Não há nada que mostre que a Santa em questão possuísse essa forma particular de conhecimento. Pelo contrário, é provável que ela nunca tenha ouvido falar desses registros. Portanto, ela quase certamente era incapaz de ler com clareza um registro no *akasha,* e, se por acaso visse algum, certamente não conseguiria distingui-lo de qualquer outro tipo de visão.

Com toda certeza, o que ela viu foi um conjunto de formas-pensamento coletivas, conforme descrevemos. Todos os pesquisadores sabem que as sucessivas gerações constantemente pensam e imaginam vividamente qualquer evento histórico importante. Para os ingleses, uma cena poderia ser a assinatura da Carta Magna pelo Rei John e, para os americanos, a assinatura da Declaração de Independência.

Ora, essas imagens vívidas são coisas reais e podem ser vistas com clareza por qualquer um psiquicamente mais desenvolvido. São formas definidas que existem no plano mental e, diante de uma forte emoção a elas relacionada, materializam-se na matéria astral. Elas se fortalecem continuamente com novos pensamentos.

Naturalmente as pessoas imaginam as cenas diferentemente, cada uma de um jeito, e o resultado final assemelha-se a uma combinação fotográfica; mas a forma original imaginada influencia fortemente o pensamento de todos os sensitivos sobre o tema e tende a fazê-los imaginar do modo como os outros fizeram antes.

O resultado desse pensamento — diga-se de passagem, um pensamento com freqüência bastante ignorante — é muito mais fácil de se ver do que um registro verdadeiro, pois, conforme dissemos, esse último requer treinamento e para o primeiro nada mais precisamos que um vislumbre do plano mental, tal como os que freqüentemente experimentam os puros e de bom coração durante o êxtase. Na verdade, em muitos casos, a experiência ocorre até mais facilmente, pois as formas-pensamento existem também nos níveis astrais.

---

* Registros no *akasha* — memória divina; um tipo de representação fotográfica viva, em um plano superior, de tudo que já aconteceu e, de certo modo, do que vai ocorrer. Esses registros são apenas um aspecto do *akasha*, definido também como o Espaço Universal em que está presente a ideação eterna do Universo. (N. ed. bras.)

Outro ponto a ser considerado é que a criação de uma forma-pensamento não requer que as cenas imaginadas tenham existido de verdade. Poucas cenas reais da história foram tão fortemente delineadas pela imaginação popular inglesa quanto algumas das cenas de peças de Shakespeare, de *Pilgrim's Progress* de Bunyan ou dos contos de fadas, como Cinderela e a Lâmpada de Aladim. Ao vislumbrar algumas dessas formas-pensamento, um clarividente poderia facilmente supor ter encontrado a base real da história; mas, como sabe que essas lendas não passam de ficção, é bem provável que pense ter sonhado.

Desde o momento em que a religião cristã materializou os gloriosos conceitos que originalmente lhe foram confiados e tentou representá-los como eventos de uma vida humana, as almas devotas de todos os países cristãos têm tentado, como práticas devocionais, representar esses supostos eventos tão vividamente quanto possível. Conseqüentemente temos à disposição formas-pensamento nítidas e excepcionalmente fortes, que dificilmente deixariam de atrair a atenção dos sensitivos cujas mentes estejam inclinadas nesse sentido. Não há dúvida de que *foram vistas* por Anne Catherine Emmerich e por muitos outros. Quando esses clarividentes começarem a trabalhar com as realidades da vida durante seu aprendizado, como aqueles que tiveram o privilégio inestimável de serem orientados pelos Mestres de Sabedoria, aprenderão a distinguir entre o resultado do pensamento devoto, mas ignorante, e o registro imperecível que é a verdadeira memória da natureza; e então descobrirão que essas cenas, às quais prestaram tanta atenção, não passavam de símbolos de verdades mais amplas e elevadas, muito maiores do que jamais sonharam, mesmo nos mais ousados vôos proporcionados a eles por sua esplendorosa pureza e piedade.

O Pensamento e a Essência Elemental

Ao ser moldada pelo pensamento, a essência elemental adquire certa cor, que expressa a natureza do pensamento ou sentimento. É claro que isso significa apenas que a essência que compõe a forma-pensamento foi compelida no momento a vibrar em certa freqüência pelo pensamento que a anima. A essência elemental evolui aprendendo a responder a todas as freqüências possíveis de ondulação. Assim, o pensamento ajuda a essência elemental ao mantê-la vibrando em certa freqüência por algum tempo, de modo que esta se habitua àquela oscilação específica e, na próxima vez em que encontrar vibrações similares, responderá muito mais prontamente do que antes.

Depois os átomos daquela essência, que haviam voltado para a massa geral, serão capturados novamente por outro pensamento e terão de oscilar em freqüência totalmente diferente, desenvolvendo-se assim um pouco mais ao adquirirem a capacidade de responder a um segundo tipo de ondulação. Assim, lenta e gradualmente, os pensamentos, não só humanos mas também dos espíritos da natureza, devas e mesmo dos animais que conseguirem pensar, estão desenvolvendo a essência elemental que os circunda; vagarosamente, ensinando alguns átomos aqui, outros acolá, a responderem a essa ou àquela freqüência oscilatória, até o estágio em que todas as partículas da essência estarão prontas a responder imediatamente a qualquer freqüência possível, o ápice de sua evolução.

É por essa razão que o ocultista evita, quando possível, a destruição de um elemental artificial*, ainda que este seja de caráter maligno, preferindo defender a si mesmo e aos outros com uma casca ou carapaça protetora. Assim como podemos matar uma cobra venenosa para evitar que machuque alguém, também podemos dissipar instantaneamente um elemental artificial pela força do poder da vontade, mas nenhuma dessas atitudes é recomendável a um ocultista, a não ser em condições bastante excepcionais.

Para a essência não faz qualquer diferença se o pensamento que a anima é benéfico ou não, tudo o que ela precisa para se desenvolver é ser usada por algum tipo de pensamento. A qualidade da essência atraída é que mostra a diferença entre os pensamentos. Matéria mais densa e grosseira veicula desejos e pensamentos maléficos, enquanto o pensamento de caráter elevado requer para recobrir-se uma matéria correspondentemente mais sutil e que possa vibrar mais rápido. Existe muita gente não-desenvolvida constantemente emitindo pensamentos inferiores e grosseiros, e a própria ignorância e atraso dessas pessoas são usados pela grande Lei como forças evolutivas para colaborar em certo estágio no trabalho a ser feito. Por termos aprendido um pouco mais do que eles, cabe a nós lutar sempre para emitir aqueles pensamentos elevados e sagrados que causam a evolução e o surgimento de um tipo mais sutil de matéria elemental, trabalhando numa área onde os esforços ainda são muito poucos.

* Um elemental artificial é uma forma-pensamento de matéria astral ou mental que possui vida própria temporária. (N. ed. norte-americana).

Capítulo Nove

AS FACULDADES PSÍQUICAS

Os Poderes Psíquicos

Tanto como a posse de grande força física, a posse de poderes psíquicos não implica necessariamente um caráter moral elevado. É bem verdade que aquele que entra na Senda da Santidade, em certo momento, percebe o desenvolvimento desses poderes, mas pode-se também conseguir muitos poderes sem a santidade. Qualquer um que se dê ao trabalho pode desenvolver poderes; a clarividência pode ser aprendida do mesmo modo como se aprende a tocar piano; basta aceitarmos o árduo trabalho necessário. Para a grande maioria das pessoas, é muito melhor e mais seguro que trabalhem pelo desenvolvimento do caráter e se preparem para a Senda, deixando que os poderes se desenvolvam no seu devido tempo, como certamente o farão. Algumas pessoas apressadas dedicam-se a forçar os poderes mais cedo. Se estiverem absolutamente seguras de que os desejam apenas para ajudar aos outros e que são sábios o bastante para usá-los corretamente, pode ser que nenhum mal aconteça; mas não é tão fácil ter certeza nessas questões, e o menor desvio da retidão significará o desastre.

Se um homem decide tentar obter os poderes, encontra dois caminhos abertos diante dele. É claro que existem muito mais do que dois métodos, mas quero dizer que todos se encaixam em uma ou outra das duas classificações possíveis: podem ser temporários ou permanentes. O método temporário consiste em enfraquecer os sentidos físicos, quer seja ativamente pelo uso de drogas, auto-hipnotismo ou induzindo vertigens, ou passivamente pelo hipnotismo, de modo que isso permita aos sentidos astrais virem à tona. O método permanente consiste em produzir o desenvolvimento do ego, a fim de que este possa controlar os veículos inferiores e usá-los como quiser.

É — de certo modo — semelhante a tentar domar um cavalo rebelde. Quem não conhece equitação pode dopar o cavalo com certas drogas e conseguir montá-lo, mas esse método não o capacita a controlar outros cavalos. Assim, ao entorpecer seu corpo físico, o homem pode usar em parte seus sentidos astrais, contudo não conseguirá controlar outro corpo físico no próximo nascimento. Aquele que se dedicar ao enorme trabalho de aprender a montar poderá, depois, controlar qualquer cavalo; e aquele que desenvolver seu ego o bastante para controlar um conjunto de veículos será capaz de dominar quaisquer outros em vidas futuras. Essa é a verdadeira evolução, e a primeira situação, o método temporário, não tem nada a ver com ela. Isso não quer dizer que todos os que estão na Senda tenham de possuir poderes psíquicos; estes não são necessários até um determinado estágio.

Na falta dos verdadeiros poderes psíquicos, existem outros métodos pelos quais os homens tentam obter os mesmos resultados. Um deles, por exemplo, é a repetição de invocações. Encantamentos e cerimônias podem, às vezes, dar resultados, dependendo de como são realizados. Conheci um homem que conseguia responder a perguntas de uma maneira curiosa: entrava em transe repetindo encantamentos e fazia invocações que atraíam também espíritos da natureza, os quais colocavam em sua mente a informação necessária.

Lord Tennyson repetia seu próprio nome vezes sem conta e levava sua consciência cada vez mais fundo para dentro de si, elevando-se até tocar o ego, quando, então, toda a sua vida parecia-lhe ser uma brincadeira infantil e a morte, nada mais que a entrada em uma vida maior.

As repetições podem levar ao transe, mas não se trata de treinamento do ego. Seus efeitos perduram, quando muito, apenas por uma vida, enquanto que os poderes resultantes do verdadeiro desenvolvimento espiritual reaparecem nos corpos seguintes. Aquele que entra em transe pela repetição de palavras ou encantamentos poderá retornar como médium ou sensitivo em sua próxima vida, porém não se esqueçam de que a mediunidade não é um poder, e, sim, uma condição.

Essas repetições podem facilmente levar à grosseira mediunidade física — quer dizer, aquela dedicada à materialização e a todos os tipos de fenômenos sensacionalistas —, a qual é com freqüência danosa à saúde. Não sei se o transe comunicativo comum prejudica tanto o corpo, mas, considerando-se que normalmente as comunicações não passam de débeis trivialidades, pode bem ser que enfraqueçam a mente.

Vejamos as qualificações exigidas para um médium físico. Quando uma entidade no plano astral, seja um morto ou um espírito da natureza, deseja produzir alguns resultados na matéria física densa, como, por exemplo, tocar piano, provocar pancadas ou segurar um lápis para escrever, ela precisa de um corpo etérico através do qual possa trabalhar. A matéria astral não pode agir diretamente nas formas inferiores da matéria física; ela precisa da matéria etérica como intermediária para transmitir as vibrações de um plano para o outro, assim como não se consegue acender uma lareira apenas com papel e carvão; precisamos da madeira como elemento intermediário, caso contrário o papel queimaria sem afetar o carvão.

O médium físico tem pouca coesão entre o etérico e as partes densas do veículo físico e, assim, uma entidade astral pode facilmente remover boa parte de seu corpo etérico e utilizá-lo em seus propósitos. Depois ela o devolve, é claro; na verdade, a parte removida tende a voltar para o médium o tempo todo, como podemos ver na ação da forma materializada, mas a remoção freqüente de parte desse corpo só pode causar graves perturbações e colocar em perigo sua saúde.

O duplo etérico é o veículo da vitalidade, o princípio vital que circula perpetuamente por nossos corpos, e, quando qualquer parte sua é removida, aquela circulação vital interrompe-se. Cria-se assim uma grande drenagem de vitalidade que, continuamente, coloca o médium em estado de colapso após a sessão. Com o tempo, muitos se entregam à bebida, no início estimulante, para satisfazer e repor aquela perda súbita de força.

Submeter constantemente a saúde a uma drenagem como essa não é bom em nenhuma circunstância, nem mesmo no caso daqueles "espíritos" mais cuidadosos e inteligentes, que tentam fortalecer seus médiuns após a sessão, procurando compensar a perda e evitar um colapso total por muito mais tempo do que normalmente seria possível.

Nos casos de materialização, a matéria física densa, principalmente na forma de gases e líquidos, é freqüentemente retirada do corpo do médium, o qual diminui por um tempo de tamanho e peso. Naturalmente, essa é outra causa de sérias perturbações para as funções corporais.

Dos médiuns com quem eu costumava participar de sessões trinta anos atrás*, um está cego, outro morreu alcoólatra e um terceiro, encontrando-se ameaçado de apoplexia e paralisia, escapou vivo ao abandonar totalmente as sessões.

Outra forma de materialização ocorre com a solidificação temporária do corpo astral. O "espírito" materializador comum retira matéria do médium porque esta já se encontra especializada e assume de modo mais fácil a forma humana, podendo ser condensada e moldada com mais presteza do que o éter livre. Nenhum membro de escolas de magia branca interferiria com o duplo etérico de qualquer pessoa para produzir materializações e nem perturbaria o seu próprio, caso desejasse tornar-se visível à distância. Ele simplesmente condensaria a matéria etérica necessária do ambiente por dentro e em torno de seu corpo astral o suficiente para materializá-lo, mantendo-o nessa forma, enquanto precisasse, com um esforço de sua vontade.

Quando uma parte do duplo etérico é removida do físico, como no caso da materialização comum, uma corrente de ligação torna-se visível a qualquer um capaz de ver matéria etérica; já a ligação com o corpo astral é inteiramente dife-

* Por volta de 1880. (N. ed. bras.)

rente, pois nenhuma corda ou corrente de matéria astral une as duas formas. É muito difícil expressar, em termos do nosso plano, a natureza exata da extrema proximidade de simpatia existente entre elas. Talvez a melhor idéia seja a de dois instrumentos afinados no mesmo diapasão, de modo que qualquer nota tocada em um evoca instantaneamente um som correspondente no outro.

O poder da vontade pode ser usado para curar doenças sem qualquer perigo, enquanto não envolver dinheiro ou outra transação. Existem muitos métodos e o mais simples é a emanação de vitalidade. A natureza curará a maioria das doenças se o doente puder ser fortalecido e apoiado enquanto ela age, principalmente em se tratando de doenças nervosas, infelizmente tão comuns hoje em dia. O repouso, muito recomendado no caso das doenças nervosas, é a melhor sugestão que se pode fazer; mas a recuperação pode ser bastante acelerada se o paciente receber também emanações de vitalidade. Qualquer um que possua vitalidade em excesso pode dirigi-la pela sua vontade para outras pessoas, e, se isso não for feito, ela simplesmente irradia em todas as direções fluindo principalmente pelas mãos. Para alguém enfraquecido, cujo baço não estiver funcionando bem, a emanação de vitalidade especializada ajuda na manutenção do corpo até que este volte a produzi-la novamente.

Muitas doenças menores podem ser curadas somente se acelerando a circulação da vitalidade. A dor de cabeça, por exemplo, normalmente é causada por uma pequena congestão do sangue ou fluido vital, e um clarividente pode ver a obstrução e enviar uma forte corrente através da cabeça para afastar a matéria congestionada. O mesmo resultado pode ser alcançado por um não clarividente, mas, como este não sabe com exatidão para onde deve dirigir sua força, geralmente desperdiça bastante energia.

Algumas pessoas conseguem curar impondo suas próprias condições magnéticas sobre os outros. Esse processo baseia-se na teoria (totalmente correta) de que todas as doenças são desarmonias de algum tipo, e no fato de que, se a harmonia perfeita puder ser restaurada, a doença desaparecerá. Nesse caso, aquele que deseja efetuar uma cura eleva suas próprias vibrações o máximo que puder, preenche-se com pensamentos de amor, saúde e harmonia, e, então, envolve o paciente nessa aura, pretendendo assim que suas poderosas vibrações superem as dele e gradualmente o coloquem na mesma condição saudável e harmoniosa. Esse método é eficaz, mas não esqueçam que implica a imposição de toda a personalidade do magnetizador sobre o paciente, o que nem sempre é desejável para os envolvidos.

Devemos ter cuidado para não nos prender ou deixar-nos envolver no plano astral, seja por nossos vícios ou nossas virtudes, como facilmente poderá acontecer se não formos cautelosos. Por exemplo, podemos afetar os outros pelo pensamento e conseguir deles tudo o que quisermos. É um poder tentador, ao qual o homem comum não resistiria. Poderíamos também facilmente *forçar* aqueles que amamos a abandonarem caminhos errados e seguirem uma vida correta se quiséssemos, contudo não devemos fazê-lo, podemos apenas argumentar e persuadir. Temos aqui outra tentação. Usando a força, vocês impediriam seus amigos de fazer coisas erradas, mas, com freqüência, o efeito enfraquecedor da compulsão na mente de seus amigos causaria mal maior do que a má ação da qual foram salvos. O alcoolismo pode ser curado pela mesmerização; no entanto, é muito melhor persuadir o alcoólatra a conquistar sua fraqueza por si mesmo, pois, em alguma vida, ele vai ter que tomar essa atitude. Em alguns casos diz-se que, como o alcoólatra já se entregou há tanto tempo a esse terrível hábito, sua força de vontade está totalmente subjugada, e ele não tem mais condições de se conter, justificando-se assim o mesmerismo como a única maneira de lhe dar uma oportunidade de se reafirmar como ser humano e recuperar um pouco de vontade sobre seus veículos. Pode ser que sim, e compreendo bem a vontade de ajudar por todos os meios lícitos uma alma que chegou a tão hediondo precipício; entretanto, aconselho o máximo cuidado no uso do mesmerismo e na escolha do mesmerizador.

Podemos usar as faculdades do corpo astral sem afastar-nos do veículo físico. Trata-se de um estágio definido de desenvolvimento, caracterizado pela posse de poderes astrais durante a vigília. Contudo é mais comum que o corpo astral deixe o físico para agir ou observar à distância.

A expressão indiana "andarilho do céu" refere-se apenas àquele capaz de viajar em seu corpo astral, mas algumas vezes significa também levitação, quando o corpo físico eleva-se e flutua no ar. Alguns ascetas indianos conseguem fazê-lo, bem como alguns dos maiores santos cristãos, que se elevaram do chão em profunda meditação. Esse feito envolve, todavia, um grande gasto de força. Quando um discípulo é encarregado de algum trabalho especial pela humanidade, os adeptos podem dar-lhe alguma força extra para esse propósito; ele tem total liberdade para usá-la como quiser, mas não deve esbanjá-la inutilmente. Assim, aqueles que podem produzir à vontade esses efeitos estranhos não o fazem por diversão, mas apenas durante algum trabalho real. Um discípulo bem poderia usar essa força para transportar seu corpo físico pelo ar até um local distante; mas como seria um gasto extraordinário de força, ele só o faria se recebesse ordens definidas nesse sentido.

Por outro lado, em certos casos esses poderes foram usados, por exemplo, para salvar alguém de um sofrimento não merecido. Certa vez um jovem foi acusado de forjar um importante documento. Até certo ponto ele era tecnicamente culpado, mas totalmente inocente de qualquer má intenção. Ele tinha, sem reflexão, copiado a assinatura de certa pessoa em uma folha em branco que caiu nas mãos de um desafeto seu. Este escreveu certas instruções acima da assinatura e cortou o papel de modo a parecer uma carta contendo ordens. O acusado teve de admitir que a assinatura tinha sido feita por ele, contudo seu relato das circunstâncias não foi convincente; por isso, parecia-lhe impossível escapar das terríveis conseqüências. Aconteceu que um de nossos Mestres foi chamado como testemunha para opinar sobre a caligrafia do prisioneiro. O papel foi entregue a ele com a seguinte pergunta:

"Reconhece essa caligrafia como sendo do prisioneiro?"
O Mestre apenas a observou e devolveu dizendo:
"Esta é a folha que pretendiam me dar?"

Naquele mesmo instante o papel tinha-se tornado totalmente branco! O conselho de julgadores pensou que, de alguma maneira incompreensível, o papel tinha-se perdido, o julgamento foi cancelado e o jovem salvo.

A Clarividência

A clarividência pode-se tornar uma bênção para seu privilegiado e afortunado possuidor se for usada com sensibilidade e propriedade, mas pode também se transformar em obstáculo e maldição se for mal utilizada. Os maiores perigos nascem do orgulho, da ignorância e da impureza; porém, se estes forem evitados, como facilmente podem ser, somente o bem resulta.

O orgulho é o primeiro grande perigo. A posse dessa faculdade, que, apesar de pertencer a toda a espécie humana, ainda se manifesta apenas ocasionalmente, faz, com freqüência, com que o clarividente ignorante sinta-se elevado acima de seus irmãos; escolhido pelo Altíssimo para alguma missão de importância mundial; dono de um discernimento que nunca erra; escolhido sob orientação angélica para ser o fundador de uma nova revelação e assim por diante. Lembrem-se de que do outro lado do véu existe um número incontável de entidades brincalhonas e travessas sempre prontas, e até mesmo ansiosas, para sustentar todas essas ilusões, desempenhando o *papel* de qualquer espírito-guia ou arcanjo que lhe for sugerido. Infelizmente é muito fácil convencer uma pessoa comum de que no fundo ela é, na realidade, muito boa, merecedora de ser o veículo de uma revelação especial, ainda que seus amigos, por cegueira ou preconceito, não tenham percebido essas qualidades.

Outro perigo — talvez o maior, porque causa todos os outros — é a ignorância. Se o clarividente soubesse um pouco mais e compreendesse as condições dos planos onde sua visão penetra, não pensaria ser o único merecedor de tal favorecimento nem sentiria aquela certeza autocomplacente de ser infalível, para quem é impossível errar. Mas como tantos outros, ele se encontra na maior ignorância, nada sabendo sobre suas capacidades, as condições dos planos ou qualquer outra coisa, e por isso está sujeito a cometer todo tipo de erros e tornar-se presa fácil das astuciosas e enganadoras entidades do plano astral. Ele não tem nenhum critério para julgar o que vê, ou o que pensa que vê, nenhum teste para aplicar em suas visões ou comunicações. Por falta de um sentido de proporção relativa ou de adequação das coisas, acaba tomando conceitos triviais por fragmentos da sabedoria divina e chavões dos mais comuns por mensagens angélicas. Mais uma vez, por não possuir conhecimentos sobre temas científicos, distorce com freqüência tudo o que suas faculdades lhe permitem perceber e, conseqüentemente, acaba promulgando os mais grosseiros absurdos.

O terceiro perigo é o da impureza. Aquele que é puro em pensamento e intenção, livre da nódoa do egoísmo, está protegido da influência das entidades indesejáveis de outros planos. Ele nada tem que elas possam agarrar; não é um médium adequado para elas. Além disso, todas as boas influências naturalmente o envolvem e se apressam em utilizá-lo como canal, levantando mais uma barreira contra tudo o que for baixo e vil. O homem de intenções impuras, pelo contrário, inevitavelmente, atrai todas as forças ruins que existem no mundo invisível que nos envolve e responde a elas; já as forças do bem mal conseguem impressioná-lo.

Entretanto o clarividente que reconhecer esses perigos e se esforçar para evitá-los, que se entregar ao estudo da história e do mecanismo da clarividência, cujo coração for humilde, e cujos motivos forem puros, esse com certeza aprenderá muito com os poderes que possuir, os quais utilizará largamente em seu trabalho.

Depois de cuidar, em primeiro lugar, do treinamento do caráter, o principiante passa a observar e anotar com cuidado as visões que tiver, tentando pacientemente isolar em cada uma o núcleo de verdade dos vários acréscimos e exageros que, com certeza, no começo, misturam-se confusamente. Usando todas as maneiras possíveis, ele deve testar, verificar e se esforçar para determinar quais são confiáveis e de que maneira estas diferem de outras menos confiáveis. Em breve descobrirá ordem no caos e aprenderá a distinguir entre o que merece confiança e o que, no momento, é incompreensível — e por isso deve ser deixado de lado.

Com o tempo descobrirá que recebe impressões sobre as pessoas com quem entra em contato, seja diretamente pela visão ou através de sensações. Uma vez mais a anotação cuidadosa dessas impressões tão logo ocorram, e sua verificação imparcial na primeira oportunidade, mostra até onde podem ser confiáveis. Ao descobrir que são corretas e confiáveis, terá feito um grande progresso, pois esse poder permite-lhe ser muito mais útil a seus companheiros do que se tivesse de confiar apenas nos olhos comuns.

Por exemplo: se sua visão incluir a aura humana, poderá basear-se nela para relacionar-se melhor com as pessoas, de maneira a despertar suas qualidades latentes, reforçar fraquezas e refrear características indesejáveis. Esse poder pode também permitir que observe alguns dos processos da natureza, o trabalho das evoluções não-humanas que nos cercam e obtenha assim um conhecimento valioso sobre todas as coisas secretas. Se tiver contato com algum clarividente conhecido e de confiança que tenha passado por um treinamento regular, tanto melhor, pois suas visões poderão ser facilmente examinadas e testadas.

Resumindo, recomenda-se ao clarividente ainda não treinado extrema paciência e vigilância. Com confiança e fazendo bom uso do talento que lhe foi confiado, atrairá a atenção daqueles que estão sempre em busca de instrumentos que possam ser utilizados na grande obra da evolução e, quando o momento chegar, receberá o treinamento que tanto deseja, capacitando-se assim, definitivamente, para se tornar um dos que ajudam o mundo.

Crianças clarividentes deveriam receber treinamento especial desde a infância. O sistema educacional moderno tende a suprimir todas as faculdades psíquicas, e muitos jovens são submetidos a um excessivo esforço em seus estudos. Em Roma e na Grécia, as crianças psiquicamente sensíveis eram prontamente isoladas como virgens vestais* ou postulantes ao sacerdócio, recebendo treinamento especial. Hoje em dia existe uma tendência natural, independentemente da educação, de reprimir essas faculdades. A melhor maneira de preservá-las é colocar os garotos em algum tipo de mosteiro onde os monges conheçam a vida superior e tentem vivê-la, pois a vida familiar não é apropriada a esse desenvolvimento. Quando aparece a clarividência deve ser sempre encorajada, pois o trabalho da Sociedade precisa de muitos investigadores, e aqueles que começam cedo se adaptam mais facilmente.

Os que são psiquicamente sensíveis de nascença, de regra, usam bastante o duplo etérico. Aqueles que possuem a chamada "visão etérica", isto é, aquela visão capaz de observar a matéria física de uma subdivisão extremamente sutil, mas não a matéria astral, se observarem com atenção qualquer parte exposta do corpo humano tal como a face ou a mão, verão miríades de pequenas formas parecidas com pratos, estrelas e pirâmides duplas. Essas formas não pertencem nem ao plano do pensamento, nem ao astral, mas, sim, à parte etérica do físico. Trata-se apenas de emanações físicas corporais extremamente pequenas, matéria gasta formada principalmente por sais finamente divididos, sempre expelidos. As características dessas minúsculas partículas variam por muitas causas. Está claro que a perda de saúde altera-as totalmente, qualquer onda de emoção afeta-as em maior ou menor grau e até mesmo um pensamento definido as influencia.

---

* Sacerdotizas de Vesta, deusa do fogo dos romanos. (N. ed. bras.)

O Professor Gotes afirmou que: (a) as emanações materiais do corpo vivo diferem de acordo com os estados mentais e as condições de saúde física; (b) essas emanações podem ser testadas por meio de reações químicas com alguns sais de selênio; (c) essas reações são caracterizadas por várias cores ou matizes segundo a natureza das impressões mentais e (d) quarenta diferentes resultados emocionais, como ele as chama, já foram obtidos.

Às vezes conseguimos ver partículas animadas e tremeluzentes agitando-se rapidamente no ar. Isso demonstra a posse de uma forte visão etérica, mas não da mental. Infelizmente é bastante comum que, diante do primeiro vislumbre de matéria astral ou até mesmo etérica, as pessoas pensem que estão no nível mental, se não no nirvânico, e que possuem a chave de todos os mistérios do sistema solar. Tudo isso virá na hora certa, e esses grandiosos panoramas irão revelar-se. Apressaremos a vinda dessa desejável meta, assumindo com firmeza e segurança cada passo dado, tentando tirar o melhor proveito daquilo que já temos, antes de desejar mais. Aqueles que começam sua experiência já com a visão nirvânica são poucos e raros; para a grande maioria, o progresso deve ser lento e constante. Para nós, o lema mais seguro é: *Festina lente**.

Não aconselho ninguém a experimentar o sono hipnótico com intenção de passar por experiências clarividentes. Poucos compreendem os efeitos criados quando deixamos que outro domine nossa vontade. A vontade da vítima enfraquece-se e se submete com mais facilidade aos outros. De acordo com o esquema da vida, ninguém é *forçado* a fazer nada; aprendemos sempre com o resultado de nossas ações, e é melhor deixar que os poderes clarividentes surjam naturalmente do que tentar forçá-los de alguma maneira.

Aquele que vê alguma coisa pertencente a planos superiores não está necessariamente se tornando clarividente. Por exemplo: com a clarividência podemos, sem dúvida alguma, ver uma aparição, mas, por outro lado, existem várias maneiras pelas quais alguém pode ver — ou supor que vê — algo que para ele seria uma aparição.

A aparição de um morto pode ser: (a) imaginação; (b) uma forma-pensamento criada por outra pessoa; (c) ou pela pessoa vista; (d) uma personificação; (e) o duplo etérico da pessoa ou (f) a pessoa verdadeira presente ali. Nesse último caso pode ter acontecido uma entre três coisas, supondo-se que a aparição esteja no corpo astral, morta ou dormindo, e que aquele que vê esteja no corpo físico e acordado: (a) o morto materializou-se e, naquele momento, é um objeto físico que pode ser visto por qualquer um através da visão física normal; (b) o morto está no corpo astral e pode ser visto somente por aqueles que possuam visão astral.

---

* *Festina lente* — apressa-te devagar. (N. ed. bras.)

Provavelmente conseguiu abrir temporariamente essa visão na pessoa para quem deseja se mostrar e, por isso, é bem provável que esteja visível apenas para essa pessoa e não para outras que possam estar presentes; ou (c) o morto hipnotizou o vivo fazendo-o imaginar que vê uma figura que, na verdade, não lhe é visível, mesmo estando ele realmente presente.

Se a aparição for um duplo etérico, não vagueará muito longe do corpo denso ao qual pertence ou pertencia. Uma aparição novata, recém-chegada ao plano astral, mostra com freqüência traços de seus hábitos terrestres. Não compreendendo que pode atravessar facilmente as paredes, entrará e sairá pela porta ou janela. Já vi até mesmo uma pessoa passar espremendo-se por uma fenda em uma porta trancada; poderia também ter tentado o buraco da fechadura! Ela anda como estava acostumada, isto é, como *pensa* que está andando. Por essa mesma razão uma aparição caminha sobre a terra quando bem poderia flutuar pelo ar.

É um erro pensar que uma aparição necessariamente significa algo ou que foi enviada especialmente para aquele que a viu. Se, por um momento, tornarmo-nos sensitivos, veremos o que estiver em volta. Suponhamos que eu esteja em um quarto com uma cortina na janela escondendo a rua lá fora. Se o vento levantá-la por um instante, terei um vislumbre da rua e do que estiver passando por ela. Vamos imaginar que vejo uma garotinha de capote vermelho, levando uma cesta. Ela provavelmente estava indo para algum lugar, talvez a pedido de sua mãe, e não seria tolice minha pensar que foi *enviada* àquela rua especialmente para que eu a visse e, então, começar a preocupar-me sobre o que poderia simbolizar o capote vermelho e o cesto? Um vislumbre de clarividência é como o levantar acidental de uma cortina, e, geralmente, a visão não tem qualquer relação especial com o vidente. Por acaso, a cortina pode ser afastada intencionalmente por um amigo para mostrar algo interessante, mas não podemos apressar-nos a concluir que sempre é assim.

Alguns dos verdadeiros poderes psíquicos, alcançados através de um lento e cuidadoso autodesenvolvimento, são bastante interessantes; por exemplo: quem funciona livremente no corpo mental pode usar diversos métodos para conhecer um livro sem passar pelo processo comum de leitura. O método mais simples é ler a mente de alguém que estudou o livro desejado, ressalvando-se apenas que não obteremos o sentido real da obra, mas apenas o conceito do estudante sobre ela, o que não é a mesma coisa. Podemos também examinar a aura do livro; e, para aqueles que não possuem conhecimentos práticos sobre o lado oculto das coisas, essa frase requer algumas explicações.

Nesse aspecto, um manuscrito antigo difere um pouco de um livro moderno. Caso o manuscrito não seja a obra original do próprio autor, então foi copiado, palavra por palavra, por alguém de certa compreensão e educação, que conhecia o assunto e que tinha suas próprias opiniões. Lembrem-se de que o processo de cópia — feito usualmente com um buril — é quase tão lento e concentrado quanto o de uma gravura, de modo que o escritor imprime fortemente seu pensamento no manuscrito. Qualquer manuscrito, portanto, ainda que novo, sempre tem alguma aura-pensamento em volta, expressando seu sentido geral, ou melhor, a idéia de alguém sobre seu significado e uma avaliação de seu valor. Toda vez que for lido, algo mais é acrescentado a essa aura-pensamento, mas, se for estudado com cuidado, a contribuição naturalmente é maior e mais valiosa.

O mesmo acontece com um volume impresso.

Depois de passar por muitas mãos, o livro apresenta uma aura normalmente mais equilibrada do que um novo, porque esta foi arrematada e arredondada pelas diversas opiniões divergentes dos leitores. Conseqüentemente, sua psicometria proporciona uma compreensão plena de seu conteúdo além de um considerável leque de opiniões *não* expressas no mesmo, acrescentadas pelos leitores.

Por outro lado, um livro pertencente a uma biblioteca pública é tão desagradável psiquicamente quanto sua aparência física, pois se encontra carregado de magnetismos, muitos até mesmo repugnantes. Seria bom que o sensitivo evitasse esses livros, contudo, se precisar usá-los, deve tocá-los o menos possível, apoiando-os em uma mesa ao invés de segurar com as mãos.

Outro ponto a ser lembrado é que volumes escritos sobre temas especiais são lidos quase que somente por um tipo particular de pessoas, que também influem na aura do volume. Assim, um livro dedicado à defesa de pontos de vista religiosos sectários só é lido por aqueles que simpatizam com sua estreiteza de visão e logo desenvolve uma aura decididamente desagradável; da mesma maneira, um livro de natureza indecente ou lasciva torna-se repugnante ao extremo. Livros antigos de fórmulas mágicas são, por essa razão, vizinhos incômodos. Até mesmo o idioma no qual o livro foi impresso afeta indiretamente sua aura por limitar grandemente seus leitores a pessoas de certa nacionalidade e com isso absorver gradualmente as características mais proeminentes dessa nacionalidade.

O livro impresso não tem um copiador; por essa razão começa sua carreira trazendo apenas fragmentos isolados dos pensamentos do encadernador e do livreiro. Hoje em dia parece que poucos leitores estudam uma obra tão profundamente quanto os antigos faziam, e, por isso, as formas-pensamento relacionadas a um livro moderno dificilmente são tão precisas e claras quanto aquelas que envolvem os manuscritos do passado.

O terceiro método de "leitura" requer alguns poderes superiores para ver o que está implícito no livro ou manuscrito conjuntamente e alcançar a mente de seu autor. Se o livro estiver em idioma estrangeiro, seu tema for desconhecido e não houver nenhuma aura para dar alguma sugestão, só resta seguir sua história para ver de onde foi reproduzida e traçar sua rota até se chegar ao autor. Se o assunto for conhecido, um método menos tedioso consiste em "psicometrizar" o tema, entrar na corrente geral de pensamento a ele relacionada, descobrir o escritor desejado e ver o que ele pensa. Em certo sentido, pode-se dizer que todas as idéias relacionadas a um tema dado são locais, pois se concentram em torno de certo ponto no espaço, de modo que, ao visitar mentalmente aquele ponto, entra-se em contato com todas as correntes convergentes de pensamento sobre o tema, mesmo estando ligadas por milhões de linhas com todos os tipos de temas diferentes.

Outro poder interessante é o da ampliação. Existem dois métodos de ampliação que podem ser usados juntamente com a clarividência. Um consiste simplesmente na intensificação da luz comum. Quando vemos as coisas com nossa visão comum, sofremos o impacto de algo sobre a retina, em seus cones e bastonetes físicos*. Os efeitos produzidos, ou vibrações, são transmitidos, de maneira ainda pouco compreendida, pelo nervo ótico até a massa cinzenta do cérebro. Antes que o verdadeiro homem interior se conscientize do que está sendo visto, as impressões feitas sobre a matéria cerebral física têm de passar para a matéria etérica, desta para a astral e depois para a mental, como se fossem estações telegráficas.

Um método de ampliação consiste em fazer uma ligação nesse fio telegráfico em alguma estação intermediária, receber a impressão sobre a matéria etérica da retina ao invés de nos cones e bastonetes físicos, e transmiti-la diretamente para a parte etérica do cérebro. Por um esforço da vontade, a atenção pode ser focalizada em apenas algumas poucas partículas etéricas, ou até mesmo em uma única, para se conseguir uma proporcionalidade de tamanho entre o órgão empregado e algum objeto minúsculo a ser observado.

O método mais comumente usado, mas que requer um desenvolvimento um pouco mais elevado, emprega a faculdade especial do centro localizado entre as sobrancelhas. A partir da parte central daquele *chakra*, projeta-se em um nível etérico algo que poderíamos chamar de pequeno telescópio, o qual usa como lente um único átomo. Desta forma, chegamos novamente a um órgão proporcional em tamanho aos minúsculos objetos a serem observados. O átomo usado pode ser físico, astral ou mental, necessitando cada um de uma preparação especial. Ele tem de ser explorado e vitalizado plenamente de modo a alcançar o desenvolvimento total que normalmente só alcançará na sétima ronda de nossa cadeia.

---

* Cones e bastonetes são as células sensíveis à luz, na retina. Os cerca de cinco milhões de cones da retina têm como função a visão colorida. Os cento e vinte e cinco milhões de bastonetes produzem a visão em preto-e-branco. (N. ed. bras.)

Esse poder pertence ao corpo causal, e portanto, se for um átomo pertencente a níveis inferiores, será preciso também preparar um sistema de contrapartes refletoras. O átomo pode ser afinado com qualquer subplano, ajustando-se a qualquer grau de ampliação necessário de acordo com o objeto examinado. Uma extensão do mesmo poder permite ao operador focalizar sua própria consciência na lente pela qual vê e projetá-la até pontos distantes. Esse mesmo poder, com um arranjo diferente, pode ser usado para diminuir, quando se deseja, uma visão geral de algo muito grande para ser abrangido pela visão comum.

O Acorde Místico

De vez em quando surgem perguntas sobre como um clarividente treinado pode localizar instantaneamente alguém a milhares de quilômetros de distância. Aparentemente, para muitas pessoas, trata-se de um mistério, por isso tentarei explicar o processo adotado mesmo sabendo que não é fácil. Palavras físicas não podem expressar com clareza fatos superfísicos, pois estas são até certo ponto sempre enganosas, ainda que pareçam ser bastante esclarecedoras.

As diversas qualidades e forças humanas manifestam-se como vibrações nos corpos do homem e soam em cada veículo como uma nota chave. Vejamos, por exemplo, o corpo astral. A partir das diferentes vibrações comuns ao corpo astral surge uma espécie de tom médio que pode ser chamado de nota chave para aquela pessoa no plano astral. Obviamente, para um grande número de pessoas comuns, a nota chave astral é praticamente igual, de modo que esta não é suficiente para distingui-los com certeza. Mas existe um tom médio similar para cada corpo mental, para o corpo causal e até mesmo para a parte etérica do corpo físico, e nunca se encontraram duas pessoas cujas notas chaves fossem idênticas em todos esses níveis e soassem exatamente no mesmo acorde quando tocadas simultaneamente.

Assim, cada pessoa possui um acorde único que permite distingui-la sempre do resto do mundo. Em meio a milhões de almas não desenvolvidas, é possível que, em alguns casos, o pouco desenvolvimento não permita aos acordes soarem com clareza suficiente para que suas diferenças sejam observadas, mas quanto aos tipos mais elevados e desenvolvidos não há a menor dificuldade e nenhum risco de confusão.

Quer estejamos dormindo ou acordados, vivos ou mortos, nosso acorde continua o mesmo, e, através dele, sempre podemos ser encontrados. E quando alguém está descansando no mundo celeste, poderiam perguntar, e, portanto, não tem mais corpo astral ou etérico para emitir os sons característicos? Enquanto o corpo causal permanecer, os átomos permanentes são conservados, cada um de um plano, e, assim, onde quer que vá, o homem leva seu acorde consigo no corpo causal, pois um único átomo é mais do que suficiente para emitir o som característico.

O vidente treinado, capaz de perceber o acorde, afina temporariamente seus veículos com essas notas e, por um esforço da vontade, emite seu som. Onde quer que a pessoa procurada esteja, dentro dos três mundos, ela responde instantaneamente ao chamado. Se estiver viva no corpo físico, é bem possível que perceba um leve choque nesse veículo inferior, sem nada saber de sua causa. Mas seu corpo causal ilumina-se instantaneamente, elevando-se como uma grande chama, e essa resposta é, de imediato, visível ao vidente. Desse modo, com apenas essa ação, a pessoa é encontrada, e uma linha magnética de comunicação estabelece-se. O vidente pode usar essa linha como um tipo de telescópio ou, se preferir, pode enviar sua consciência por ela na velocidade da luz e ver como se estivesse na outra ponta.

A combinação de sons que produz o acorde do homem é seu verdadeiro nome oculto, e é nesse sentido que se diz que, quando o verdadeiro nome de alguém é chamado, ele responde imediatamente, onde quer que esteja. É, provavelmente, uma vaga tradição desse conhecimento que forma a base daquela crença tão difundida entre as culturas primitivas que afirma que o nome verdadeiro de uma pessoa é parte dela e deve ser cuidadosamente escondido, pois, quem o conhece, adquire certo poder sobre a pessoa e pode usá-lo em trabalhos de magia.

Também se diz que o nome verdadeiro muda em cada iniciação, uma vez que cada cerimônia dessas é ao mesmo tempo o reconhecimento oficial e o coroamento de um progresso que elevou o postulante, por assim dizer, a uma chave superior, colocando uma tensão a mais nas cordas de seu instrumento e evocando nele música bem mais esplendorosa, de modo que, de agora em diante, seu acorde deve soar algo diferente. Esse nome não deve ser confundido com o nome oculto do *Augoeides*, porque esse outro acorde é produzido pelas vibrações dos átomos mental, búdico e *átmico*, os três princípios do ego, e a mônada por trás deles.

Para evitar confusão, temos de manter bem clara na mente a diferença entre estas duas manifestações do homem em níveis diferentes. A correspondência entre essas manifestações é tão próxima que podemos quase considerar o inferior como uma repetição do superior. O ego é tríplice; consiste de *atma, buddhi* e *manas,* cada um em seu próprio plano: *atma* no nirvânico, *buddhi* no búdico e *manas* no nível mais elevado do mental. Esse ego habita um corpo causal, um veículo feito com matéria pertencente ao plano mais inferior dos três. Em seguida, o ego aprofunda-se ainda mais na manifestação e assume três veículos inferiores: os corpos mental, astral e físico. Seu acorde nessa manifestação inferior é aquele que estivemos descrevendo, formado por sua própria nota e aquelas dos três veículos inferiores.

Assim como o ego é tríplice, a mônada também possui três constituintes, cada um situado em seu próprio plano, que, nesse caso, são o primeiro, o segundo e o terceiro de nosso sistema, sendo que o nirvânico é o mais inferior ao invés de ser o mais superior. No nível nirvânico, ela assume uma manifestação que chamamos de mônada no veículo *átmico*, o tríplice *atma* ou espírito tríplice, que para ela é o mesmo que o corpo causal para o ego. Assim como o ego assume três corpos inferiores (mental, astral e físico), sendo que o primeiro (o mental) permanece na parte inferior de seu próprio plano e o mais inferior (o físico), dois planos abaixo, a mônada também anima três manifestações inferiores — as quais chamamos comumente de *atma, buddhi* e *manas* —, sendo que a primeira permanece na parte inferior de seu plano e a mais inferior também dois planos abaixo. Vemos assim que, para a mônada, o corpo causal é o mesmo que o corpo físico para o ego. Se pensarmos que o ego é a alma do corpo físico, podemos considerar a mônada como a alma do ego por sua vez. Dessa maneira, o acorde do *Augoeides* — o ego glorificado em seu corpo causal — é formado pela nota da mônada somada com as notas de suas três manifestações: *atma, buddhi* e *manas.*

É preciso ficar bem claro que o acorde não pode ser considerado um som no sentido que damos rotineiramente a essa palavra. Sugeriram-me uma analogia muito boa em certos aspectos que é a combinação de linhas em um espectro. Cada um dos elementos cujo espectro é conhecido pode ser imediatamente reconhecido, não importando de qual estrela venha, nem qual a distância, enquanto as linhas forem brilhantes o bastante para serem vistas. Mas o acorde do qual estamos falando não é realmente ouvido ou visto; é percebido por um complexo processo que requer praticamente a atividade simultânea da consciência no corpo causal e em todos os veículos inferiores.

Até mesmo com relação à percepção astral comum, não é correto (apesar de praticamente inevitável) falar em "ouvir" e "ver". Esses termos denotam a idéia de órgãos dos sentidos recebendo impressões definidas. Ver implica a existência do olho e ouvir implica a posse de ouvidos. Entretanto nenhum desses órgãos pode ser encontrado no plano astral. Realmente o corpo astral é uma cópia exata do físico e, conseqüentemente, mostra olhos, ouvidos, nariz e boca, mãos e pés, tal como esse último, mas, quando funcionamos no corpo astral, não usamos as contrapartes astrais de nossos pés físicos para caminhar nem vemos ou ouvimos com as contrapartes de nossos olhos e ouvidos físicos.

Cada partícula do corpo astral é sensível a um conjunto determinado de vibrações pertencentes a seu próprio nível, e somente a estas. Se dividirmos as vibrações astrais em sete conjuntos, tal qual as sete oitavas na música, cada oitava corresponderia a um subplano, e somente a partícula do corpo astral pertencente à matéria daquele subplano responde às vibrações daquela oitava. Assim, "estar em certo subplano astral" significa ter desenvolvido a sensibilidade das partículas do corpo astral pertencentes somente àquele subplano, de modo que apenas a matéria e os habitantes daquele subplano tornam-se perceptíveis. Ter visão perfeita no plano astral implica o desenvolvimento pleno da sensibilidade de todas as partículas do corpo astral, o que torna visíveis todos os subplanos simultaneamente.

Mesmo tendo vitalizado as partículas de apenas um subplano, caso estas estejam plenamente desenvolvidas, a pessoa terá naquele plano um poder de percepção equivalente a todos os nossos sentidos físicos juntos. Ao perceber um objeto, ela receberia de uma só vez aquelas impressões que aqui embaixo passam pelos canais dos sentidos e simultaneamente veria, ouviria e sentiria o objeto. A percepção instantânea pertencente a planos superiores encontra-se ainda mais distante da ação parcial e grosseira dos sentidos físicos.

O acorde ajuda o clarividente a encontrar alguém porque suas vibrações impregnam todos os objetos que entram em contato com as pessoas, permeando-os com seu magnetismo. Uma mecha de cabelo, peça de roupa usada ou carta escrita, qualquer uma dessas coisas pode revelar o acorde de alguém para quem sabe percebê-lo. Ele também pode ser obtido de uma fotografia, o que é bastante curioso, pois a foto não precisa ter contato direto com a pessoa retratada. Mesmo clarividentes não treinados, sem conhecimento científico sobre o assunto, instintivamente reconhecem a necessidade de se colocarem *en rapport** com aqueles que procuram através desses objetos.

O vidente não precisa necessariamente segurar a carta em sua mão enquanto examina o caso e nem mesmo tê-la próxima a ele. Uma vez que ele tenha segurado a carta e sentido o acorde, ele pode-se lembrar e reproduzi-lo, do mesmo modo como alguém de boa memória se lembra de um rosto visto apenas uma vez. Esse elo é sempre necessário para encontrar-se alguém desconhecido. Recentemente cuidamos do caso de um homem que morreu em algum lugar do Congo; como a pessoa que nos escreveu não mandou nenhuma foto, precisamos primeiro encontrá-la (em algum lugar da Escandinávia, creio) e fazer contato indiretamente através dela.

Contudo existem outros métodos de encontrar-se pessoas à distância. Um dos mais efetivos exige um desenvolvimento superior ao que descrevemos. Aquele que for capaz de elevar sua consciência ao nível atômico do plano búdico encontra-se em absoluta união com todos os seus irmãos e, portanto, também com a pessoa que procura. Ele eleva sua consciência até essa unidade ao longo de sua

---

* *En rapport*: do francês, "em relação". (N. ed. bras.)

própria linha e tem apenas de descer seguindo a linha da pessoa desejada para encontrá-la. Existem muitas maneiras de se exercitar a clarividência, e cada estudante utiliza a que lhe for mais natural. Se ainda não tiver estudado plenamente o assunto, pode pensar que seu método é o único possível, mas um pouco mais de conhecimento logo o esclarecerá.

Como as Vidas Passadas são Vistas

Recentemente uma série de vidas passadas de interesse fascinante foi publicada em *As Vidas de Alcione*, fazendo surgir muitas perguntas sobre o método usado pelos investigadores nesse trabalho. Não é fácil explicar satisfatoriamente o tema para aqueles que não possuem o poder de ver as vidas passadas, mas uma tentativa de descrição do processo pode pelo menos ajudar os estudantes no caminho da compreensão.

Para começar, é difícil explicar o que são os registros no *akasha*. Como analogia podemos imaginar uma sala com um enorme espelho, ao fundo, que reflete tudo o que acontece no local. Além disso vamos supor que o espelho seja um tipo de filmadora perpétua, capaz de gravar tudo o que reflete e depois, sob certas circunstâncias, também de reproduzir; agora estamos mais próximos da compreensão dos registros. Mas precisamos acrescentar também características que nenhum espelho jamais possuiu, o poder de reproduzir todos os sons como um gravador e também de refletir e reproduzir pensamentos e sentimentos.

Além disso precisamos entender o que é um reflexo no espelho. Se duas pessoas se colocarem diante de um espelho de modo que cada uma veja o reflexo da outra e não o seu próprio, é óbvio que a mesma área do espelho está refletindo as duas imagens. Supondo que o vidro retém permanentemente toda imagem nele refletida — e talvez ele o faça —, fica claro também que a mesma parte do vidro registra simultaneamente as duas imagens. Se nos movermos para cima e para baixo e de um lado para o outro, logo nos convenceremos de que *cada partícula de vidro* tem de estar gravando simultaneamente todas as partes de todos os objetos presentes na sala, e que a imagem que vemos depende da posição de nossos olhos. Dessa forma, duas pessoas jamais poderão ver o mesmo reflexo no mesmo momento, assim como não poderão ver o mesmo arco-íris, pois dois olhos físicos não podem ocupar, simultaneamente, o mesmo ponto no espaço.

Essas suposições sobre as partículas do espelho são verdadeiras com relação às partículas de todas as substâncias. Cada pedra ao longo da estrada guarda um registro indelével de tudo que já passou por ela, mas esse registro, até onde sabemos, não pode se tornar visível aos nossos sentidos comuns, embora o sentido mais desenvolvido do psicometrólogo possa percebê-lo sem dificuldades.

Esses registros não estão gravados em algum tipo de matéria, mas estão relacionados a ela. Para percebê-los, não precisamos entrar em contato direto com qualquer objeto material, pois podem ser lidos de qualquer distância, uma vez que a conexão tenha sido feita.

Contudo também é verdade que cada átomo retém o registro de tudo — ou talvez apenas possua a capacidade de colocar o clarividente *en rapport* com tudo o que já ocorreu dentro de seu alcance. A psicometria é possível graças a essa característica. Uma limitação curiosa é que o psicometrólogo vê as cenas como se estivesse no ponto onde o objeto "psicometrizado" estava. Por exemplo: durante a psicometria de um seixo em um vale muito antigo, veremos o que se passou naquele vale durante muitos anos, mas nossa visão é limitada pelas colinas circundantes, como se tivéssemos passado todo aquele tempo no lugar daquela pedra e testemunhado todas aquelas coisas.

É verdade que com uma extensão desse poder o homem pode ver os pensamentos e sentimentos dos atores envolvidos em seu drama bem como seus corpos físicos, e, com outro enfoque, o homem pode transformar o vale onde se localizou em uma base para outras operações e, assim, ultrapassar as colinas em volta e ver além delas, bem como o que aconteceu desde que a pedra foi removida e até mesmo os acontecimentos anteriores à sua chegada nesse lugar. Mas quem puder fazer tudo isso logo será capaz de dispensar a pedra. Quando usamos os sentidos do corpo causal nas contrapartes das coisas físicas, vemos que todos os objetos projetam quadros do passado.

Como é possível, as pessoas perguntam, que uma partícula inanimada registre e reproduza impressões? A resposta é que a partícula *não* é inanimada; a vida que a anima faz parte da Vida Divina. Na verdade, podemos dizer também que o registro é a memória do próprio *Logos*, e que, de algum modo, cada partícula está em contato com aquela parte de sua memória que inclui os eventos ocorridos à sua volta ou dentro de seu alcance. É provável que o que chamamos de *nossa* memória nada mais seja que uma capacidade semelhante de entrar em contato, ainda que imperfeitamente, com aquela parte da memória do *Logos* relacionada aos eventos que vimos ou conhecemos.

Assim, poderíamos dizer que todas as pessoas levam consigo no plano físico duas memórias de tudo o que já viram: sua memória cerebral, freqüentemente imperfeita ou inexata, e a memória enclausurada em qualquer uma das partículas imutáveis de seus corpos ou das roupas que vestiram, sempre perfeitas e exatas, mas acessíveis apenas àqueles que aprenderam a percebê-la.

A memória cerebral pode ser inexata não só porque em si mesma é imperfeita, mas também porque a observação original pode ter sido falha. Além disso, pode ter sido colorida pelo preconceito; em grande parte vemos o que desejamos ver e nos lembramos de um evento somente do nosso ponto de vista, *como nos pareceu ser*, ainda que nossa percepção tenha sido parcial ou inexata. O registro está totalmente livre desses defeitos.

Obviamente um corpo físico não pode ter a memória nem o registro de uma encarnação passada, da qual não participou, e o mesmo vale para os corpos astral e mental, pois estes são novos em cada encarnação. Vemos assim que o nível mais baixo no qual podemos conseguir informação realmente confiável sobre vidas passadas é o corpo causal, pois abaixo dele não podemos obter nenhuma evidência de primeira mão. O ego, no corpo causal, esteve presente nas vidas anteriores, pelo menos pequena parte dele, e assim ele é uma testemunha enquanto que todos os veículos inferiores *não* foram testemunhas e, por isso, só registram o que receberam dele. Se lembrarmos o quanto a comunicação entre ego e personalidade no homem comum é imperfeita, perceberemos, de imediato, como esses testemunhos de segunda, terceira ou quarta mão são pouco confiáveis. Podemos obter às vezes dos corpos astral e mental quadros isolados de eventos de vidas passadas, mas não um relato coerente e seqüencial, e esses quadros não passam de reflexos do corpo causal, provavelmente bastante embaçados e borrados.

Portanto, para ler vidas passadas eficientemente, precisamos, em primeiro lugar, desenvolver as faculdades do corpo causal. Ao focalizarmos essas faculdades no corpo causal da pessoa a ser examinada, encontramos as mesmas duas possibilidades já descritas anteriormente. Podemos ver na memória do próprio ego tudo que aconteceu, ou então usar psicometria e experimentar por nós mesmos tudo que ele passou. O último método é mais seguro, pois até mesmo o ego, por ter visto essas coisas através de uma personalidade passada, pode ter registrado impressões imperfeitas ou preconceituosas.

É este, então, o mecanismo do método comumente usado na investigação de vidas passadas: usar as faculdades do corpo causal e com elas "psicometrizar" o corpo causal da pessoa investigada. Isso também pode ser feito em níveis inferiores pela psicometria dos átomos permanentes, mas como seria muito mais difícil do que desenvolver os sentidos do corpo causal, é provável que jamais se alcance êxito. Outro método, que, contudo, requer desenvolvimento muito mais elevado, consiste em usar as faculdades búdicas, com o que nos tornamos absolutamente unidos ao ego em investigação e percebemos suas experiências como se fossem nossas, vendo tudo a partir de dentro e não de fora. Esses dois métodos foram usados por aqueles que prepararam a série de vidas publicadas em *As Vidas de Alcione*, e os investigadores tiveram também a vantagem da cooperação voluntária do ego cujas encarnações foram descritas.

Se a pessoa investigada estiver presente fisicamente, tanto melhor; entretanto isso não é absolutamente necessário. Ela será útil se puder manter seus veículos perfeitamente calmos, mas se ficar agitada estragará tudo.

O ambiente não importa muito, porém o silêncio é essencial, pois o cérebro físico precisa estar calmo para receber impressões com clareza. Tudo que desce do corpo causal para o nível físico *tem* de passar pelos veículos mental e astral, e a perturbação de um deles afeta o reflexo das impressões, tornando-as imperfeitas, assim como a menor ondulação da superfície de um lago distorce a imagem de árvores ou casas na margem. É necessário também que todos os preconceitos sejam abolidos, pois caso contrário terão o efeito de um vidro colorido, matizando todas as coisas vistas através deles e passando uma falsa impressão.

Enquanto observamos vidas passadas, costumamos reter plena consciência física para podermos anotar tudo no mesmo momento. Achamos esse método mais seguro do que deixar o corpo físico durante as observações e confiar na memória. Contudo, em certo estágio, esta é a única opção: quando o estudante, apesar de poder utilizar o corpo causal, só pode fazê-lo durante o sono do veículo físico.

A identificação das diversas personalidades encontradas nesses vislumbres do passado às vezes apresenta algumas dificuldades, pois é natural que os egos mudem consideravelmente em vinte mil anos ou mais. Felizmente, com um pouco de prática, é possível revisar os registros na velocidade desejada, rápida ou lenta, de modo que, se houver alguma dúvida da identificação, podemos adiantar rapidamente a seqüência de vidas até os dias atuais.

Alguns investigadores percebem intuitivamente qual é a personalidade atual de um ego em uma vida remota, mas, apesar desse lampejo intuitivo ser freqüentemente correto, às vezes também pode estar errado e, por isso, o método mais trabalhoso é o único totalmente confiável.

Em alguns casos, mesmo após milhares de anos, os egos de pessoas comuns são imediatamente reconhecidos, mas isso não é particularmente vantajoso para elas, porque significa que, durante todo esse tempo, pouco progrediram. Tentar reconhecer há vinte mil anos alguém que conhecemos hoje em dia é o mesmo que encontrar um adulto que conhecemos como criança há muito tempo atrás. Em alguns casos o reconhecimento é possível, em outros, a mudança foi muito grande. Aqueles que se tornaram Mestres de Sabedoria podem ser instantaneamente reconhecidos, mesmo milhares de anos atrás, mas por uma razão bem diferente. Quando os veículos inferiores já estão harmonizados com o ego, eles se transformam numa imagem do *Augoeides* e, assim, pouco mudam de vida para vida. Da mesma maneira, quando o ego torna-se um reflexo perfeito da mônada, ele pouco muda e se desenvolve gradualmente, tornando-se assim prontamente reconhecível.

A maneira mais fácil de examinar uma vida passada é deixar que o registro passe no seu ritmo natural, mas isso significa um dia inteiro de trabalho para ver os eventos de cada dia e uma vida para cada encarnação. Como dissemos, a passagem dos eventos pode ser retardada ou acelerada, de modo que milhões de anos podem passar rapidamente e uma cena em especial pode ser congelada à vontade para um exame mais detalhado. Essa aceleração ou esse retardamento pode talvez ser comparado à rapidez ou lentidão do movimento de um panorama*; com um pouco de prática, podemos fazê-lo à vontade e, como no caso do panorama, o registro inteiro está presente o tempo todo.

A descrição que fiz da passagem rápida ou lenta do registro não se refere realmente a um movimento do registro, mas, sim, da consciência do vidente. Contudo a impressão é exatamente aquela que descrevi. Podemos dizer que esses registros estão uns sobre os outros, em camadas, com os mais recentes por cima e os mais antigos por baixo. Entretanto essa comparação é ilusória, porque sugere a idéia de espessura quando, na verdade, os registros não ocupam mais espaço do que um reflexo no espelho. Ao passar através deles, a consciência não se move pelo espaço, ela se reveste com uma ou outra das camadas do registro, como se fosse um casaco, e, assim, se vê em meio à ação da história.

A determinação de datas exatas é uma das tarefas mais cansativas nessas investigações. Na verdade, alguns investigadores recusam-se a fazê-lo, dizendo que não vale a pena, e que um número redondo basta para todos os propósitos práticos. Pode ser que sim, mas a determinação de detalhes acurados, mesmo que se tenha de contar tediosamente até números elevados, traz um sentimento de satisfação. De acordo com nosso método, estabelecemos certos pontos fixos e os usamos como base para cálculos posteriores.

Um destes pontos fixos é 9.564 a.C., data da submersão de Poseidon. Outra data é 75.025 a.C., o início dessa grande catástrofe.** Durante a investigação das vidas de Alcione, fixamos certos pontos até 22.662 a.C., e, como essas vidas foram passadas a partir da atual para trás e os intervalos contados um a um e não todos de uma vez, o esquema não se tornou tedioso demais, como certamente seria, caso envolvesse números grandes. Em certos casos, usamos também meios astronômicos e uma descrição desses diversos métodos pode ser encontrada em meu livro *Clarividência.*

---

* *Panorama*: grande quadro circular cujo espectador fica no centro e pode ver os objetos como se estivesse olhando, do alto de uma montanha, todo o horizonte ao seu redor. (N. ed. bras.)

** As enormes ilhas de Ruta e Daitya, remanescentes do continente de Atlântida, foram destruídas em 75.025 a.C. e Poseidon, o último resquício atlante, afundou em 9.564 a.C.. (N. ed. norte-americana)

No geral é mais fácil ler vidas de trás para diante do que partir da atual para o passado, pois estaremos trabalhando ao longo do fluxo do tempo e não contra ele. Assim, normalmente seguimos rápido até um ponto escolhido no passado e voltamos lentamente a partir dele. Precisamos lembrar que, à primeira vista, é quase impossível avaliar corretamente a importância relativa dos eventos menores de uma vida. Por isso, com freqüência, passamos por cima deles até percebermos quais ações ou ocorrências determinam as mudanças realmente importantes e, então, voltamos e as descrevemos com mais detalhes. Se o próprio investigador for uma das personalidades que participaram da vida em observação, terá, então, a interessante alternativa de retornar à antiga personalidade e sentir novamente o que sentiu naqueles tempos antigos. Nesse caso verá as coisas exatamente como as viu e seus conhecimentos limitam-se aos que possuía na ocasião.

Poucos leitores das histórias dessas vidas — que, com freqüência, não passam de rápidos esboços — percebem a quantidade de trabalho e as horas dedicadas à plena compreensão de algum detalhe insignificante para que o quadro final fosse tão próximo da verdade quanto possível. Nossos leitores podem pelo menos ter certeza de que, em nome da exatidão, suportamos todos os sofrimentos, uma tarefa nada fácil para quem lida com condições e modos de pensamento tão diferentes dos nossos que mais parecem de outro planeta.

Os idiomas encontrados raramente são compreendidos pelo investigador, mas, como os pensamentos por trás das palavras são acessíveis, esse fato pouco importa. Em diversas ocasiões, os investigadores copiaram inscrições públicas que não entendiam, as quais mais tarde foram traduzidas no plano físico por algum conhecedor daquela antiga linguagem.

A série de vidas que acaba de ser publicada* representa uma grande quantidade de trabalho; que esse trabalho frutifique em uma compreensão mais vívida das poderosas civilizações do passado e da lei do *karma* e da reencarnação. Como a primeira série de vidas publicadas terminava com a iniciação do herói na presente encarnação, seu estudo torna-se muito valioso para aqueles que aspiram a tornar-se discípulos de um Mestre de Sabedoria, pois seu próprio progresso acelera-se ao estudarem como um irmão alcançou o objetivo pelo qual lutam. Esse progresso tornou-se mais fácil para eles porque aquele irmão teve o trabalho de registrar para nós os ensinamentos que o levaram até seu objetivo no admirável livrinho *Aos Pés do Mestre.*

---

* A obra — *As Vidas de Alcione* — trata das vidas anteriores de Krishnamurti. Publicada no começo do século, não foi reeditada após o afastamento de Jiddu Krishnamurti da Sociedade Teosófica, em 1929. (N. ed. bras.)

Mais ou menos cento e cinqüenta personalidades proeminentes do drama apresentado aos leitores das *Vidas* são membros atuais da Sociedade Teosófica, e é muito interessante notar que aqueles que no passado ligaram-se por laços de sangue, apesar de atualmente terem nascido em países separados por milhares de quilômetros, foram reunidos pelo interesse comum no estudo teosófico e uniram-se mais fortemente pelo amor devotado aos Mestres do que por meio de qualquer relação terrestre.

Existem duas fontes possíveis de erro na investigação clarividente dos registros: primeiro, predisposições pessoais e, segundo, visão limitada e parcial. Existem diferentes temperamentos, os quais colorem as percepções de outros planos. O adepto tem percepção perfeita sobre a vida, mas, abaixo dele, com certeza, encontramos preconceitos. O homem do mundo exagera detalhes sem importância e omite todas as coisas importantes, porque está habituado a esse comportamento na vida do dia-a-dia, enquanto aquele que começa na Senda, devido a seu entusiasmo, pode, por algum tempo, perder contato com a vida ordinária da qual emergiu. Mesmo assim terá avançado bastante, pois aqueles que vêem o interior das coisas estão mais próximos da verdade do que quem percebe apenas o exterior.

As afirmações dos clarividentes podem e devem estar coloridas por opiniões já formadas, como podemos ver com clareza no caso de Swedenborg, que usou a terminologia cristã para descrever fatos do plano astral e inquestionavelmente viu muitas coisas através das fortes formas-pensamento que criou em anos passados. Ele começou com certos preconceitos definidos e fez com que suas visões se encaixassem neles. Vocês bem sabem como é possível aqui no plano físico ter preconceitos sobre alguém e distorcer suas palavras e ações mais inocentes para justificar aquele preconceito, encontrando nelas idéias que o desafortunado jamais pensou. A mesma coisa pode acontecer no plano astral se formos descuidados.

Os investigadores teosóficos estão sempre de guarda contra o perigo dos preconceitos pessoais e fazem verificações constantes para evitá-los. Para diminuir a chance de erros desse tipo, os Mestres normalmente selecionam pessoas de tipos bem diferentes para trabalharem juntas.

Em segundo lugar, vem o perigo da visão parcial, de tomar uma parte pelo todo. Por exemplo: fala-se muito da corrupção e magia negra existente nos últimos dias de Posseidonis, mas, naquela mesma época, existia também uma sociedade secreta pura e de elevados objetivos. Se tivéssemo-nos concentrado nessa sociedade, poderíamos facilmente ter pensado que Posseidonis era um país muito espiritual. Vemos assim que podemos generalizar uma visão limitada para uma região ou comunidade inteira. Generalizações devem ser verificadas e confirmadas.

Cada época ou país possui uma aura geral que, normalmente, impede grandes erros desse tipo. O clarividente que não tiver sido treinado para perceber essa aura continuará inconsciente dela e incorrerá em muitos erros. Na verdade, longas observações mostram que clarividentes não treinados, às vezes, são confiáveis e, às vezes, não, e aqueles que os procuram sempre correm algum risco de serem enganados.

À medida que desenvolvemos nossas faculdades e a consciência interna, a vida torna-se contínua. Uma vez alcançada a consciência egóica, podemos viajar de volta ao passado distante, onde reencontramos até mesmo nossa alma-grupo do estágio animal, e com ela observamos, através de olhos animais, os seres humanos daquele período e o mundo diferente que então existia. Mas não há palavras que descrevam essas cenas, pois a diferença de perspectiva está além de toda expressão.

Fora dessa consciência contínua, contudo, não existe memória detalhada, nem mesmo dos fatos mais importantes. Por exemplo: alguém que conhece a verdade da reencarnação em uma vida não leva necessariamente essa certeza para a próxima. Eu mesmo esqueci, bem como a Sra. Besant. Nessa vida eu nada sabia sobre reencarnação até o dia em que a conheci e imediatamente reconheci sua verdade. O conhecimento que tivemos no passado surge em nossa mente como certeza no momento em que o encontramos novamente.

Quando criança eu costumava sonhar com certa casa; mais tarde descobri que era a casa onde vivi em uma vida anterior. Ela era bem diferente daquelas que me eram familiares no plano físico, pois tinha sido construída em torno de um pátio central (com fonte, estátuas e folhagens) para o qual estavam voltados todos os quartos. Costumava sonhar com ela talvez três vezes por semana, conhecia todos os quartos e as pessoas que ali moravam, descrevia-a para minha mãe e fazia plantas e desenhos dela. Eu a chamava de casa dos meus sonhos. Conforme eu crescia, sonhava cada vez menos com ela, até que por fim sumiu de minha memória. Um dia, para ilustrar algum ensinamento, o Mestre mostrou-me uma cena da casa onde tinha vivido na minha última encarnação, e reconheci-a imediatamente.

Qualquer um pode reconhecer intelectualmente a necessidade da reencarnação, mas para uma prova concreta temos de conhecer o passado e o futuro no corpo causal. A única maneira de eliminar o grilhão da dúvida é pelo conhecimento e pela compreensão inteligente. A fé cega é uma barreira ao progresso, mas isso não significa que estejamos errados em aceitar inteligentemente as afirmações daqueles que sabem mais do que nós. Na Sociedade Teosófica não temos dogmas autoritários que devam ser aceitos. Temos apenas afirmações e resultados de investigações, oferecidos com a intenção de serem úteis para outras mentes como foram para os investigadores.

Prevendo o Futuro

Não é fácil explicar como o futuro pode ser previsto, mas não há dúvida alguma sobre este fato. Além dos quadros aparentemente acidentais e lampejos intuitivos, às vezes eficazes, no entanto fora de controle, existem duas maneiras de se prever o futuro com a clarividência superior. Uma é prontamente explicável e compreensível, a outra não pode ser explicada.

Mesmo se usarmos apenas nossos sentidos físicos, podemos perceber o bastante para prever certas coisas. Por exemplo: se alguém leva uma vida extravagante e corrupta, podemos predizer com segurança que, a não ser que mude de vida, logo perderá a saúde e a fortuna. O que não podemos dizer, usando apenas meios físicos, é se ele vai mudar ou não. Mas usando a visão do corpo causal podemos dizer se ele vai mudar, porque suas forças de reserva tornam-se visíveis para nós; poderemos ver o que o ego pensa de tudo isso e se ele é forte o bastante para interferir. Nenhuma previsão meramente física é correta, porque nesse plano inferior não podemos ver muitas das causas que influem na vida. Mas quando elevamos nossa consciência a planos superiores podemos ver essas causas e, assim, calculamos os efeitos com maior precisão.

Obviamente, se *todas* as causas pudessem ser vistas e avaliadas, seus resultados seriam imediatamente calculáveis. Talvez somente o *Logos* possa ver *todas* as causas em seu sistema, mas um adepto seguramente é capaz de perceber tudo que afeta um homem comum. Assim é provável que, com esse método, um adepto possa prever a vida de alguém com exatidão. O homem comum tem pouco poder de vontade. O *karma* coloca-o em certo ambiente, e ele se torna uma criatura dessas circunstâncias; aceita o destino marcado, porque não sabe que pode alterá-lo. Uma pessoa mais desenvolvida assume seu destino e molda-o, faz do seu futuro o que deseja, anulando o *karma* do passado ao colocar em movimento forças novas. Desse modo, seu futuro não é tão facilmente previsível, mas, mesmo nesse caso, um adepto, ao ver aquela vontade latente, poderia também calcular como seria usada.

Esse método de previsão de futuro é inteiramente compreensível, e certamente os eventos principais de uma vida podem ser profetizados por ele. No entanto, existe outra maneira, a qual não podemos explicar tão facilmente. A consciência pode ser elevada até um plano tão superior que a limitação a que chamamos de tempo desaparece, e passado, presente e futuro mostram-se à nossa frente como um livro aberto. Como reconciliar esse fato com nossa liberdade de ação não estou preparado para responder, mas posso testemunhar que assim é; para essa visão, o futuro simplesmente *está lá*, até os menores detalhes. Acredito que *temos* liberdade de escolha, porém dentro de certos limites, e um poder muito superior a nós pode bem saber quais as escolhas que *faremos*. Sob certas condições, sabemos o que nosso cachorro fará e isso não *afeta* em nada suas escolhas; assim um poder muito maior do que nós, como nós somos mais evoluídos que um cachorro, pode muito bem saber como usaremos esse fragmento do livre-arbítrio.

Pois se trata de apenas *um* fragmento; de acordo com Seu plano, o *Logos* confia a nós um pouco de liberdade para ver como a usamos. Se a usarmos bem e sabiamente, um pouco mais nos é dado e, enquanto continuarmos a usá-la em harmonia com Sua intenção maior de evolução, receberemos cada vez mais liberdade de escolha. Mas se formos estúpidos o bastante para usá-la egoisticamente e, com isso, provocar sofrimentos para nós mesmos e obstáculos a Seu plano, descobriremos que nossa liberdade de ação restringe-se e seremos forçados de volta ao curso. Uma criança deve ter liberdade para andar, mesmo sob o risco de cair, ou, então, nunca aprenderá; mas ninguém a deixaria em liberdade na beira de um precipício. Assim, temos liberdade bastante para nos machucarmos, caso a usemos erradamente, mas não o suficiente para nos destruirmos.

Passamos de vez em quando por certos momentos de decisão; contudo entre esses momentos temos pouca opção. Uma vez feita nossa escolha, temos de suportar suas conseqüências. Visto de cima, o destino humano parece-se com uma rede de linhas ferroviárias. Depois de escolhida a linha, uma locomotiva tem de seguir por ela e não pode virar à direita ou à esquerda até chegar ao próximo cruzamento. Então o maquinista poderá descer e abrir ou fechar à vontade as agulhas de entrada para outras linhas, mas, depois de escolher e entrar na nova linha, terá de aceitar as conseqüências de sua decisão; ele não tem poder para virar a locomotiva e terá de esperar que o próximo entroncamento surja à sua frente. Não devemos confundir livre-arbítrio com liberdade de ação.

A capacidade de prever o futuro por quaisquer desses dois métodos pressupõe um considerável desenvolvimento, mas representações isoladas de ambos os métodos podem, com freqüência, ser obtidas em níveis bem inferiores. Aparentemente, aquilo que é conhecido na Escócia como segunda visão é um exemplo desse tipo, pois mostra um evento futuro muitas vezes com grande riqueza de detalhes.

Lembro-me de ter lido sobre um caso em que um vidente disse a um cético que certa pessoa conhecida de ambos morreria dentro de certo tempo; além disso, deu uma descrição detalhada do funeral, mencionando os nomes dos carregadores da urna. O cético ridicularizou a previsão, mas, quando o momento chegou, a pessoa indicada morreu como havia sido previsto. O cético estava perplexo e principalmente contrariado; e resolveu que o restante da história *não* aconteceria, pois ele próprio iria interferir. Assim, conseguiu ser escolhido como um dos carregadores! Quando o momento chegou, e o féretro estava para sair, ele foi chamado por um momento e, ao retornar, descobriu que a procissão já havia se afastado e que os carregadores eram aqueles vistos na visão.

Eu mesmo já vi quadros semelhantes de cenas do futuro, cenas sem nenhum interesse para mim mesmo e de nenhuma utilidade, até onde pude ver, mas sempre se cumpriram exatamente como as vi todas as vezes que tive a oportunidade de verificá-las.

O *Logos* visualizou toda a vida de Seu sistema, não só como ela é agora, porém como foi em todos os momentos do passado e como será em todos os momentos do futuro. Seu pensamento traz à existência aquilo que Ele pensa. Diz-se que estas formas-pensamento estão no plano mental cósmico, dois conjuntos completos de sete planos acima do nosso conjunto de sete. Ele visualiza o que cada cadeia planetária deve fazer, cuida de pequenos detalhes e imagina o tipo de homem para cada raça-raiz e sub-raça desde o começo, passando pelos lemurianos, atlantes, arianos e as raças seguintes. Assim, podemos dizer que, naquele plano mental cósmico, o sistema inteiro foi chamado à existência simultaneamente por aquele pensamento, um ato de criação especial, e agora tem de estar ao mesmo tempo presente para Ele. Pode ser que Sua poderosa consciência, até certo ponto, reflita-se mesmo em níveis bem inferiores, e, de algum modo, às vezes, captamos débeis vislumbres desses reflexos.

Capítulo Dez

DEVAS E ESPÍRITOS DA NATUREZA

A Aura do Deva

Os devas formam um imenso reino de espíritos. Podemos considerá-los como grandes e gloriosos anjos, mas naturalmente são de muitos tipos diferentes e têm diversos graus de evolução. Nenhum tem corpo físico como o nosso. O tipo mais inferior é chamado *kamadeva* e possui corpo astral; acima deste, existe uma variedade de devas cujos corpos são feitos de matéria mental inferior e assim por diante. Nunca se tornarão humanos, porque a maioria deles já se encontra além desse estágio, porém alguns foram humanos no passado. Quando os homens chegam ao final da evolução humana e se tornam mais do que homens, diversos caminhos abrem-se, e um deles leva à união com essa bonita evolução dévica.

As auras de devas e homens têm aparências diferentes. Em primeiro lugar, os devas são mais fluídicos, podem expandir-se e contrair-se bastante. Segundo, possuem uma certa qualidade ígnea claramente distinguível de qualquer ser humano comum. O único tipo de ser humano capaz de ser confundido com eles seria aquele altamente desenvolvido, um *arhat*, por exemplo, que tem uma aura enorme e bem organizada*, mas quem já viu ambos não se deixaria confundir. A aura do homem comum pode expandir-se temporariamente até certo ponto. Ela tem um tamanho definido, que corresponde a uma parte do corpo causal, e, à medida que cresce o corpo causal, aquela parte torna-se maior e conseqüentemente a pessoa passa a ter uma aura também maior, mas essa expansão só ocorre gradualmente.

Os quadros de *O Homem Visível e Invisível* mostram que, no que diz respeito ao corpo causal, o homem comum está longe de um desenvolvimento pleno. Ao observar o corpo causal do homem desenvolvido, notamos que está repleto de cores. Assim, os primeiros estágios de desenvolvimento do corpo causal do homem comum consistem em seu preenchimento, e não em sua expansão. Ele precisa encher o ovóide com muitas cores, e só depois começa a expansão.

---

* *Arhat* é aquele que passou pela quarta grande iniciação, imediatamente anterior ao adeptado. (N. ed. norte-americana)

Uma torrente súbita de emoção mostra-se, no homem comum, como um lampejo na aura e, fora dela, na cor da qualidade que expressa: rosa para afeição, azul para devoção ou verde para simpatia; e também nas faixas pulsantes da mesma cor, bem como na intensificação de tudo que se relacionar com aquela emoção. Isso é tudo que acontece no caso do homem comum; um fluxo extremamente vívido de afeição, por exemplo, preenche a aura de rosa e envia formas-pensamento daquela cor na direção de seu objeto, contudo, normalmente, não aumenta muito o tamanho da aura, nem mesmo temporariamente.

O homem desenvolvido, todavia, já preencheu seu corpo com muitas cores. O efeito de um grande fluxo de afeição, devoção ou simpatia, além de cobrir o corpo de cores e causar uma grande torrente de formas-pensamento, provoca também uma considerável expansão temporária da aura, porque depois ela se contrai novamente até seu tamanho normal. Cada fluxo de emoção desses deixa a aura permanentemente um pouco maior do que antes. Quanto mais cresce, maior a capacidade do homem para sentir. O desenvolvimento intelectual também aumenta a aura, mas, nesse caso, o amarelo é a cor predominante.

Lembrem-se de que a devoção ou afeição totalmente altruísta não pertence ao astral, mas, sim, ao plano búdico, e é por isso que, quando uma onda desses sentimentos incide sobre uma pessoa, causa grande expansão temporária da aura, nunca porém até o enorme tamanho alcançado por um deva. As flutuações de aura de um deva são tão grandes que chegam a ser surpreendentes para aqueles não acostumados a elas. Um deles recentemente nos honrou com uma visita em Adyar para passar-nos informações sobre a fundação da sexta raça-raiz; sua aura normal tinha quase cento e cinqüenta metros de diâmetro, mas, ao concentrar-se no ensinamento que estava nos passando, o deva expandiu sua aura de modo que ela alcançou a beira do mar, situado a um quilômetro e meio de nós.

Nenhum ser humano poderia sentir emoção suficiente para provocar uma expansão dessas. Mesmo no caso de um Mestre, proporcionalmente, essa expansão temporária nunca seria tão grande. Não estou tentando inferiorizar o deva ao dizer que o Mestre é mais sereno e que sua aura é tão grande quanto a dele, somente sua expansão temporária é que é proporcionalmente menor. A textura da aura dévica é, por assim dizer, mais solta. Num ser humano, a mesma extensão da aura contém mais matéria, porque é mais condensada ou concentrada. O deva em questão não era mais avançado do que um *arhat*, cuja aura provavelmente se estenderia por um terço daquela distância. Um clarividente que não conhecesse nenhum dos dois poderia facilmente se sentir envolto por uma nuvem de glória, talvez sem notar diferença alguma entre um e outro.

Além do corpo causal, os corpos astral e mental também crescem e expandem-se. Esses três corpos possuem o mesmo tamanho, mas não se esqueçam de que estamos falando de partes, e mesmo de partes bem pequenas. Existia uma teoria segundo a qual o corpo causal do homem comum tinha o tamanho de uma ervilha e que, gradualmente, ele cresceria, mas isso não é verdade. O corpo causal não desenvolvido tem o mesmo tamanho de qualquer outro, até começar a expansão.

Como já disse, a aura de um deva tem características ígneas difíceis de descrever, porém prontamente reconhecíveis. As cores são mais fluídicas, parecendo-se mais com chamas do que com nuvens. Um homem se parece com uma nuvem de gás incandescente, excessivamente brilhante, mas delicada, enquanto o deva assemelha-se a uma massa de fogo.

A forma semelhante à humana dentro da aura do deva é muito menos definida do que no homem. O deva vive mais na circunferência, em toda a área de sua aura, ao contrário do homem. Noventa e nove por cento da matéria da aura humana estão concentrados na periferia do corpo físico, mas, nos devas, essa proporção é bem menor. Os devas normalmente se parecem com seres humanos gigantescos, e alguém lembrou que alguns deles parecem emplumados. Essa idéia tem alguma razão de ser, e sei exatamente o que essa pessoa estava tentando descrever, contudo não é fácil colocar em palavras. Os grandes devas verdes que vi na Irlanda são enormes, majestosos e muito impressionantes. Não se pode descrevê-los acuradamente com palavras, só podemos fazer descrições aproximadas. Os pintores em geral representam os anjos com asas e penas, mas acredito que as escrituras cristãs mencionam esses detalhes simbolicamente, pois, quando anjos verdadeiros aparecem, eles são às vezes confundidos com seres humanos — como por Abraão, por exemplo — e assim, obviamente, não poderiam ter asas.

Em muitos casos podemos distinguir um deva pela forma assumida no interior de seu ovóide. Quase sempre se trata de uma forma humana. Os espíritos da natureza assumem nossa forma quase invariavelmente, porém com alguma peculiaridade, sempre um pouco excêntrica. Eu quase diria o mesmo sobre os devas, mas seria injusto pensar que suas formas são distorcidas, porquanto possuem grande dignidade e majestade.

Os devas também criam formas-pensamento, mas as deles normalmente não são tão concretas quanto as nossas, enquanto não alcançarem um nível elevado. Eles possuem uma natureza generalizada, fazem constantemente planos grandiosos e possuem uma linguagem de cores, não tão definida quanto a nossa, mas, de certo modo, mais expressiva.

Quanto ao tamanho da aura, a de uma pessoa comum estende-se mais ou menos 45 cm para cada lado do corpo. Com os cotovelos junto ao corpo, braços e mãos estendidos, as pontas dos dedos estariam próximas à circunferência da aura. O estudante de sabedoria divina pode ter uma aura um pouco mais larga do que as pessoas indiferentes e sem interesse. Sentimentos intensos significam grandes auras.

A aura pode sofrer distorções, perdendo um pouco de sua forma. Como já expliquei, na maioria das pessoas, a ponta do ovo da aura aponta para cima, mas nós, que somos estudantes, temos tendência a crescer mais no alto, porque as características que estamos desenvolvendo expressam-se na matéria que naturalmente flutua na parte superior da aura, devido à sua gravidade específica. Uma aura de grande tamanho é pré-requisito para a iniciação, e as qualificações devem ser visíveis nela. Os livros dizem que a aura de um Buda tem cinco quilômetros de raio; em um estágio inferior ao d'Ele, eu mesmo já vi uma que se estendia por três quilômetros. A aura naturalmente aumenta de tamanho em cada iniciação.

Os devas não pertencem à nossa linha de desenvolvimento e não passam por iniciações como nós, pois estes dois reinos convergem em um ponto acima do adeptado. No entanto, há meios pelos quais o homem pode entrar na evolução dévica de diversas maneiras, em nosso próprio estágio ou até em outro mais inferior.

Perguntam-me se os devas estão ao nosso redor e dispostos a nos ensinar. Normalmente eles estão dispostos a explicar e exemplificar assuntos do ponto de vista deles para qualquer ser humano suficientemente desenvolvido para apreciá-lo. Muitas instruções são passadas desse modo, mas a maioria das pessoas ainda não está preparada para aproveitá-las. Não conhecemos nenhuma medida ou limite para o trabalho dos devas, e suas linhas de atividade são muito mais amplas do que podemos imaginar.

Normalmente, há muitos deles em Adyar. Como os Mestres vêm até aqui com freqüência, usufruímos de muitas vantagens. Para vê-los, basta um pouco de clarividência no momento certo. A presença desses Seres é estimulante. Alguns sentem esse estímulo de uma maneira e outros, de outra. Talvez o primeiro Zoroastro, uma antiga encarnação do Senhor Gautama, tenha sido confundido com um deva, porque o fogo era um dos sinais de seu desenvolvimento. Diz-se que, durante a sua meditação, chamas saltavam da aura do Senhor Buda, mas não esqueçam que uma forma-pensamento comum também tem a aparência de chama para alguém não acostumado com essas coisas. O resplendor do Cristo no momento da transfiguração também é similar.

Aqui em Adyar estamos envoltos por gloriosas influências, todavia seu efeito sobre nós varia de acordo com nossa receptividade a elas. Só recebemos aquilo para cuja recepção nos preparamos, e nada mais. Uma pessoa que só pensa em si mesma pode passar um ano banhando-se nesse magnetismo brilhante sem nada aproveitar; pode ser até que fique pior, pois essas vibrações tremendamente fortes tendem a intensificar suas qualidades, e, às vezes, as qualidades indesejáveis são fortalecidas junto com as desejáveis, ou então ela se desequilibra e se torna histérica. Uma estadia em Adyar, para quem for sábio o bastante para aproveitá-la, é uma oportunidade que poucos tiveram na história, mas depende só de nós aproveitá-la ou não.

O Espírito de uma Árvore

O espírito de uma grande árvore, como por exemplo a figueira-de-bengala* às vezes se exterioriza como uma gigantesca forma humana. Perto daqui, existe uma com mais ou menos três metros e meio de altura e, da última vez que a vi, tinha a aparência de mulher. Suas feições eram nítidas, mas a forma era nebulosa. Alguns espíritos da natureza rodeiam as árvores e não gostam nem um pouco de serem perturbados. Ouvi dizer que eles não ficam perto daquelas que vão ser derrubadas para extração de madeira, entretanto as observações que fiz não corroboram essa idéia, e acredito que essa idéia não passa de invenção daqueles que querem destruir árvores sem dor na consciência.

Apesar de assumir belas formas, o espírito de uma árvore não está individualizado e nem próximo da individualização. Contudo, encontra-se bem acima das formas inferiores de vida animal, possui preferências e rejeições que se mostram em sua aura, mas suas cores e contornos são mais vagos e embaçados do que os do animal. Na verdade, ao demonstrar afeição, os animais mostram cores notavelmente fortes, mais fortes até do que alguns seres humanos, porque se encontram muito concentradas e focalizadas.

A forte atração que algumas pessoas sentem por certas espécies de árvores ou animais depende freqüentemente do tipo de evolução vegetal e animal de que vieram.

---

* *Ficus benghalensis, banyan tree* em inglês; árvore cujos galhos enviam raízes adventícias ao solo, às vezes fazendo com que a árvore se espalhe por uma grande área, com numerosos pontos de apoio no chão. (N. ed. bras.)

Capítulo Onze

REENCARNAÇÃO

Três Leis que Regem a Vida Humana

O ego humano comum não tem, de forma alguma, condições de escolher um corpo para si. O lugar de seu nascimento normalmente é determinado por três fatores, ou talvez fosse melhor dizer pela ação combinada de três forças. Em primeiro lugar, age a lei da evolução, que força um ego a nascer sob condições que lhe dêem oportunidade de desenvolver as qualidades de que ele mais precisa. A ação dessa força é limitada pelo segundo fator: a lei do *karma*. Pode ser que o ego não mereça a melhor oportunidade e, assim, tenha que aceitar a segunda ou terceira melhor, ou, então, que não mereça nenhuma boa oportunidade e tenha de passar por uma vida tumultuada e de pouco progresso.

Um terceiro fator também entra em ação: a força dos laços pessoais de amor e ódio formados no passado. Essa força pode modificar a ação da primeira e da segunda e levar o ego a uma situação justificada apenas pelo forte amor pessoal, que pode ligá-lo a alguém mais evoluído.

Aquele que se esforçou em vida muito além da média e que já entrou no Caminho que leva ao adeptado pode escolher até certo ponto o país e a família na qual vai nascer, mas este será justamente o primeiro a deixar de lado seus desejos e entregar-se totalmente às mãos da grande lei eterna, confiante de que o que quer que ela lhe traga será muito melhor para ele do que qualquer escolha pessoal.

Os pais não podem escolher a alma que habitará o corpo do futuro filho, mas, se levarem uma vida capaz de oferecer boas oportunidades de progresso para um ego avançado, é bem provável que um ego destes venha a eles.

O Retorno ao Nascimento

Todo o nosso sistema solar é manifestação do *Logos*, e cada partícula nele faz parte de Seus veículos. Toda a matéria física do sistema forma Seu corpo físico; toda a matéria astral constitui Seu corpo astral; toda a matéria mental, Seu corpo mental e assim por diante. Acima e além desse sistema Ele tem uma existência maior, mas isso não afeta em nada a veracidade das afirmações que acabamos de fazer.

O *Logos Solar* contém dentro de Si sete *Logoi* planetários que são centros de força, canais através dos quais Sua força manifesta-se. Ao mesmo tempo, em certo sentido, podemos dizer que Ele é formado por esses *Logoi*. A mesma matéria que forma Seus veículos também compõe os deles, pois não existe partícula em nenhum lugar do sistema que não faça parte de um ou outro. Isso vale para todos os planos, mas vamos tomar o plano astral como exemplo, porque sua matéria é fluida o bastante para dar as respostas que queremos, está próxima do plano físico e relativamente dentro do alcance de nossa compreensão física.

Todas as partículas da matéria astral do sistema fazem parte do corpo astral do *Logos Solar* e também do corpo astral de um ou de outro dos sete *Logoi* planetários. Lembrem-se de que isso abrange a matéria de nossos corpos astrais também. Não possuímos nenhuma partícula exclusivamente nossa. Todo corpo astral possui partículas pertencentes a cada um dos sete *Logoi* planetários, mas as proporções variam infinitamente. Os corpos das mônadas que emanaram originalmente através de um mesmo *Logos* planetário continuarão, durante toda a evolução, a ter *mais* partículas daquele *Logos* do que de qualquer outro, e, dessa maneira, podemos distinguir as pessoas pertencentes a cada um desses sete grandes Poderes.

Os sete *Logoi* planetários passam periodicamente por certas mudanças psíquicas correspondentes talvez à inalação e à exalação ou ao batimento do coração no nosso plano físico.

Seja como for, parece que os *Logoi* têm entre si um número infinito de combinações e permutas. Como nossos corpos astrais são formados com a matéria dos corpos astrais deles, obviamente todas as mudanças e alterações astrais que ocorreram nos *Logoi* planetários afetam os corpos astrais de todas as pessoas, mais intensamente aquelas que possuírem maior quantidade de matéria relacionada àquele *Logos* em particular. Se lembrarmos que estamos mencionando o plano astral apenas como exemplo e que a mesma relação vale para todos os outros planos, perceberemos o quanto é importante levar em consideração os movimentos desses Espíritos Planetários.

A Sra. Blavatsky escreveu sobre uma certa ordem de Seres divinos, a quem chamava de *Lipikas* ou Senhores do *Karma*. Foi dito a mim que seus agentes na administração do *karma* são os quatro (na verdade sete) grandes regentes conhecidos como *Devarajas* ou Regentes da Terra*. Cada um deles é chefe de um vasto grupo de devas, espíritos da natureza e até mesmo de essências elementais.

---

* *Lipikas*, Senhores do *Karma*, *Maharajas* e *Devarajas* são todos termos sinônimos que designam os responsáveis pelos registros e pelo equilíbrio *kármico*. (N. ed. bras.)

Uma vez mais, vamos limitar-nos ao plano astral com o propósito de esclarecer, mas sem esquecer que as mesmas relações aplicam-se também a todos os planos. A matéria astral em conjunto está sob o controle de um desses Grandes Seres, porém o segundo subplano de *cada* plano, até certo ponto, também está sob a direção desse mesmo Grande Ser, porque a relação desse subplano com seu plano é a mesma existente entre o plano astral e o conjunto de planos. Portanto, cada subplano está sob duas influências: a do regente do plano inteiro e a subinfluência do regente do subplano.

Nossos corpos astrais são feitos com essa matéria, cujas partículas pertencem à roupagem de um ou de outro dos sete *Logoi* planetários, e, ao mesmo tempo, estão sob a influência predominante do *Devaraja* do plano astral e da influência subordinada de outro *Devaraja* que, indiretamente, governa seu subplano. Para uma compreensão melhor, vamos imaginar os subplanos do plano astral como divisões horizontais e os tipos de matéria pertencentes aos sete grandes *Logoi* planetários como divisões perpendiculares, em ângulo reto com as primeiras*. (Existem mais subdivisões, contudo não vamos considerá-las no momento para que a idéia principal fique bem clara). Temos assim quarenta e nove variedades de matéria de cada um dos *Logoi* planetários.

Mesmo sem levar em conta outras subdivisões, o número de combinações possíveis já é quase infinito e, assim, sejam quais forem suas características, o ego é capaz de encontrar uma expressão adequada para si.

Vamos considerar um ego que esteja prestes a reencarnar. Ele deve estar descansando na parte superior do plano mental, em seu corpo causal, e não possui qualquer veículo inferior a este. Desde a morte de seu último corpo físico, ele se interiorizou cada vez mais, primeiro no veículo astral, depois no mental e, com o fim da vida celeste, até este foi abandonado. Ele então descansa por algum tempo em seu próprio plano; um período que varia de acordo com seu estágio de desenvolvimento, de dois a três dias de inconsciência, no caso de uma pessoa comum não-desenvolvida, até longos anos de gloriosa vida consciente no caso daqueles excepcionalmente avançados. Nesse momento, ele começa uma vez mais a voltar sua atenção para baixo e para fora. Como, ao se interiorizar, ele retirou sua atenção dos planos físicos e astral respectivamente, os átomos permanentes passaram a um estado de dormência e cessaram a vigorosa vibração que é sua característica usual. O mesmo acontece com a

* Como já foi explicado antes, os planos e subplanos não são realmente divididos em níveis horizontais e verticais, mas se interpenetram. C.W. Leadbeater usa essas divisões apenas por razões didáticas. (N. ed. norte-americana)

unidade mental ao fim da vida celeste, e, por isso, durante o descanso no corpo causal, o ego guarda esses três apêndices dormentes dentro de si.

Ao voltar sua atenção uma vez mais ao plano mental, a unidade mental imediatamente retoma sua atividade e reúne à sua volta a matéria necessária para expressar essa atividade. A mesma coisa acontece quando sua atenção e sua vontade focalizam-se no átomo astral. Esse atrai matéria capaz de formar um corpo astral exatamente igual ao que existia no final da última vida astral. Precisa ficar bem claro que, ao descer à encarnação, o ego não encontra um corpo astral pronto, mas apenas a matéria com a qual deve construir seu corpo astral no curso da vida que se seguirá.

No caso das mônadas de tipos inferiores, que possuem corpos astrais muito fortes e reencarnam depois de um intervalo muito curto, a sombra ou carapaça abandonada na última vida astral, às vezes, ainda existe quando elas iniciam uma nova encarnação, e é provável que a carapaça seja atraída pela nova personalidade. Nesse caso, a carapaça traz os velhos hábitos e modos de pensamentos e, às vezes, até mesmo a memória daquela vida anterior.

A matéria astral a princípio encontra-se distribuída uniformemente pelo ovóide; somente quando a pequena forma física passa a existir no meio do ovóide é que as matérias astral e mental são atraídas para ela e começam a se moldar e crescer. Ao mesmo tempo em que esse arranjo se faz, a matéria astral e mental entra em atividade e a emoção e o pensamento surgem.

A aura do pequeno bebê é quase incolor. As cores começam a surgir quando as qualidades se desenvolvem. Este é o material que lhe foi dado para modelar seu veículo astral, a matéria selecionada pelos desejos e emoções de sua vida anterior; porém ele não é obrigado a usar todo esse material na construção do novo veículo. Se deixado por sua própria conta, a ação automática do átomo permanente tenderá a construir com os materiais disponíveis um corpo astral exatamente igual ao da vida anterior, mas não há razão para que todo esse material seja usado. Com educação e orientação adequadas, a criança pode ser encorajada a desenvolver ao máximo todos os germes de bem que trouxe da vida anterior, enquanto as tendências do mal vão desativando-se, gradualmente se atrofiam e são eliminadas. Em seu lugar, o ego desenvolverá as virtudes opostas e ficará livre, por todas as vidas futuras, das características más que aquelas tendências indicavam. Pais e professores podem ajudá-lo, não tanto pelo aprendizado de fatos concretos, mas muito mais pelo encorajamento, relacionamento racional e amável adequado com ele e, acima de tudo, pela quantidade de afeto.

Lembrem-se de que o corpo astral e o mental são expressões do homem em seu estágio atual de evolução (até onde a matéria desses respectivos planos pode expressá-lo); contudo o corpo físico é um veículo ou uma limitação imposta de fora, o principal instrumento do *karma*. A força evolutiva age na seleção dos materiais mas está limitada e obstruída pelo *karma* do passado. Os pais escolhidos são os mais apropriados para gerar o tipo de corpo adequado ao desenvolvimento do ego a eles confiado, porém cada pai e mãe, juntos, representam inúmeras possibilidades diferentes, múltiplas possibilidades. Cada um deles representa uma longa linhagem ancestral, e, freqüentemente, um determinado pai (ou mãe) é escolhido por causa de uma qualidade marcante presente em algum antepassado, mesmo que ele próprio não use esse poder que está latente em seu corpo físico, porque descende fisicamente daquele ancestral. A capacidade de expressar aquela qualidade pode permanecer inativa e sem efeito naquele pai ou naquela mãe da criança, assim como em muitas gerações anteriores, mas, quando entra na linhagem um ego que possua aquela qualidade, a faculdade que permite sua expressão desperta para a atividade. Temos assim o caso chamado de reversão a um tipo remoto.

Três forças principais influem na formação do corpo físico: primeiro, a influência do ego que irá assumir a nova forma; segundo, o trabalho do elemental construtor criado pelos Senhores do *Karma*; e, terceiro, o pensamento da mãe. Vamos imaginar a formação de um corpo etérico para um ego no processo de descida à encarnação. Trata-se de um ego de certo tipo e subtipo; essas características estão impressas em seu átomo físico permanente, o qual, por sua vez, determina a divisão perpendicular de matéria etérica que entrará na composição daquele corpo e sua proporção. Elas, contudo, não definem qual divisão horizontal será usada. Essa questão está nas mãos dos quatro *Devarajas* e será determinada de acordo com o *karma* passado da pessoa. Cada um desses *Devarajas* tem vastas hostes de assistentes sob seu comando, de modo que nenhum nascimento sobre a Terra é negligenciado. Os *Devarajas* criam uma forma-pensamento, que será o elemental construtor mencionado acima, e está destinada exclusivamente à construção do corpo físico mais adequado que se puder dispor para a pessoa em questão. A evolução dessa pessoa requer um corpo que contenha certas possibilidades, e, assim, ela pode nascer de um pai que possua essas qualidades e herdá-las diretamente dele, ou então nascer de pais cujos antepassados, de um lado ou de outro, possuíam-nas, de modo que os germes latentes capazes de responder às qualidades necessárias possam ser transmitidos.

Lembrem-se de que esse elemental, encarregado do desenvolvimento do corpo físico, é uma forma-pensamento conjunta dos quatro *Devarajas*, e sua primeira ocupação é construir o molde etérico para as partículas físicas do corpo do novo bebê. Para construir esse novo corpo etérico, ele pode usar quatro variedades de matéria etérica — comandadas respectivamente por seus quatro criadores — e o tipo de corpo etérico resultante dependerá da proporção entre esses quatro constituintes. O elemental não tem poder de escolha com relação às subdivisões perpendiculares, mas é totalmente livre quanto aos tipos horizontais de matéria.

Em nosso atual nível de desenvolvimento, é totalmente impossível para nós compreendermos uma consciência tão poderosa quanto à de um *Devaraja*, assim só podemos registrar, sem pretender explicar, que esse elemental não está totalmente separado das mentes que o projetaram. De maneira inexplicável para nós, ele ainda permanece até certo ponto dentro das consciências de seus criadores e, em raros casos, quando um ego desenvolvido — mesmo em tenra idade — começa a tomar posse ativa de seu corpo, parece que ele pode entrar em contato direto com eles e invocar sobre si, com o consentimento deles, mais *karma* do que originalmente lhe havia sido destinado.

Um ego desses, que contata os *Devarajas* enquanto o elemental ainda está trabalhando, pode também manter esse contato com as divindades *kármicas* durante sua vida e assim apelar para elas por outras modificações. Até onde podemos compreender, contudo, as únicas modificações possíveis vão na direção do aumento do *karma* a ser resgatado e não à sua diminuição. O despertar da consciência, que permite ao ego contatar os *Devarajas* e cooperar voluntariamente com eles dentro das relações específicas que os ligam, pode começar em qualquer tempo. Aquele ego que não estava em contato com os *Devarajas* durante o trabalho do elemental construtor ainda pode, através de estupendos esforços na direção do autodesenvolvimento e da prestatividade, atrair a atenção deles mais tarde na vida e evocar uma resposta definida.

O embrião do futuro corpo físico humano é formado por dois componentes, dois conjuntos de potencialidades. (O estudante deve tomar cuidado para não confundir esse embrião físico que vem dos pais com o átomo permanente físico que o ego traz consigo). Trata-se essencialmente de um óvulo, que traz dentro de si todas as possibilidades da linhagem maternal, e foi penetrado por um espermatozóide contendo todas as potencialidades dos ancestrais paternos.

Esses dois conjuntos de possibilidades são muito amplos, como podemos facilmente perceber se refletirmos sobre o número de ancestrais que cada um de nós teve, digamos, nos últimos mil anos. Contudo, mesmo sendo tão vastos, eles têm limitações. Por exemplo: vejamos o caso de um dos nossos jardineiros aqui em Adyar;

um homem da classe dos cules, um trabalhador sem instrução. Se voltarmos alguns milhares de anos atrás, os ancestrais desse homem poderão ser contados aos milhões, e todos terão sido cules. Eles devem incluir todos os tipos possíveis de cules, bons e maus, inteligentes e estúpidos, bondosos e cruéis; mas todos foram cules.

O elemental tem de fazer sua seleção dentro dessas possibilidades, e para isso deve considerar duas questões: qualidade e forma. Das duas, a primeira é infinitamente mais importante. A forma está relacionada principalmente com a matéria dos subplanos inferiores. No entanto, a qualidade da matéria etérica escolhida para a formação da parte superior do corpo físico determinará, em grande parte, as capacidades daquele corpo durante aquela encarnação; se será naturalmente inteligente ou estúpido, tranqüilo ou irritável, enérgico ou letárgico, sensível ou indiferente.

Assim, a primeira ocupação da forma-pensamento ou elemental criada pelos *Devarajas* é selecionar quais possibilidades serão destacadas na formação do novo corpo físico, especialmente na construção de seu cérebro. A mera forma externa é uma consideração menor, mas, mesmo assim, importante, e também faz parte do trabalho deste elemental. Se a pessoa merecer uma limitação ou deformidade em seu corpo físico ou uma fraqueza de algum órgão — coração, pulmões, estômago etc. — esse *karma* é ajustado através do elemental. Suas instruções — se podemos usar esse termo — são para construir um corpo de certo tipo e grau de vigor com determinadas características mais destacadas. Contudo ele não leva essas instruções na mente, porque não tem mente, elas são a própria vida dele, pois, uma vez realizadas, ele deixa de existir, e o trabalho para o qual foi criado está feito.

Os estudantes de embriologia bem sabem que, nos estágios iniciais, os embriões de um peixe, um cachorro e um homem são praticamente indistinguíveis. Todos crescem da mesma maneira, e a diferença entre eles é que um pára em determinado estágio de crescimento e os outros seguem adiante. A razão para esse fato óbvio não é clara para os materialistas.

A força compulsória não é qualidade inerente à matéria, mas a vida divina empurra-a para frente e anima-a moldando-a na forma mais adequada a si mesma naquele estágio particular de desenvolvimento. Logo que a entidade se individualiza e começa a acumular *karma* individual, entra em ação a forma-pensamento modeladora criada pelas divindades *kármicas*, a qual se apossa do embrião até mesmo antes do próprio ego.

A forma e a cor desse elemental variam em cada caso. A princípio, ele expressa fielmente a forma e o tamanho do corpo do bebê a ser construído, como esse corpo seria — no que se refere ao trabalho do elemental — no momento do nascimento. Os clarividentes, ao verem essa pequena figura parecida com uma boneca pairando em torno — e depois dentro — do corpo da mãe, às vezes confundem esse molde do futuro corpo físico com a alma do bebê. Quando o feto alcança o tamanho do molde, o elemental já realizou aquela parte de sua tarefa e abandona essa casca externa desdobrando a forma do próximo estágio: o tamanho, a forma e a condição que o corpo — no que se refere apenas ao trabalho do elemental — terá no momento em que o elemental deixá-lo. Todo crescimento posterior à saída do elemental fica sob o controle do próprio ego.

Em ambos os casos, o elemental usa a si mesmo como molde. Suas cores representam em grande parte as qualidades a serem despertadas no corpo em construção, e sua forma também é aquela destinada ao corpo. Ele existe somente em função de seu trabalho, e, quando a força que o anima se esgota, não resta poder algum para manter unidas as partículas, e ele simplesmente se desintegra.

O elemental encarrega-se do corpo desde o início, mas, um pouco antes do nascimento físico, o ego também entra em contato com sua futura morada, e, a partir desse momento, as duas forças trabalham lado a lado. Em alguns casos, as características que o elemental deve destacar no novo corpo são poucas, e conseqüentemente pode retirar-se logo, deixando o ego com pleno controle do corpo. Em outros casos, quando o desenvolvimento daquelas características esbarra em muitas limitações e por isso leva muito tempo, o elemental pode manter-se até o corpo completar sete anos de idade. O interesse que os egos demonstram por seus veículos físicos varia enormemente; enquanto alguns flutuam em torno ansiosamente desde o início e preocupam-se bastante com eles, outros quase não se importam.

Uma criança natimorta em geral não tem ego nenhum e, em conseqüência, nenhum elemental também. Existem vastas hostes de almas procurando reencarnar e muitas estão em um estágio tão primitivo de evolução que praticamente qualquer ambiente comum serve. Elas têm tantas lições a aprender que pouco importa qual será a primeira, e, por isso, praticamente qualquer conjunto de circunstâncias serve para ensiná-las alguma coisa. Todavia, às vezes também acontece que, em dado momento, uma oportunidade em particular não oferece vantagens a nenhum ego e, nesse caso, apesar de o corpo já estar formado até certo ponto pelo pensamento da mãe, como não há ego para ocupá-lo, não está vivo de verdade.

Para construir a forma, o elemental retira a matéria etérica que precisa daquela que encontra pronta dentro do corpo da mãe. Esta é uma razão pela qual a mãe deve tomar o máximo de cuidado enquanto o corpo da criança está sendo formado. Se ela fornecer apenas os melhores e mais puros materiais, o elemental será forçado a escolher entre eles. Outro fator que exerce uma poderosa influência é o pensamento da mãe durante esse período, porquanto ele também molda a forma que lentamente cresce dentro dela. Novamente vemos por que o pensamento da mãe deve ser especialmente puro e elevado; ela deve afastar-se totalmente de todas as influências grosseiras ou conflitantes, rodear-se somente de cores e formas bonitas, e sua vizinhança deve ser a mais harmoniosa possível.

Se o elemental não tiver instruções específicas com relação ao desenvolvimento das feições, tais como beleza ou feiúra incomuns, essa parte da modelagem do novo corpo provavelmente será influenciada pelo pensamento da mãe e pelas formas-pensamento que constantemente flutuam ao seu redor. Caso a mãe entregue-se com freqüência a pensamentos de amor pelo marido existe uma forte probabilidade de a criança parecer-se com o pai; se, pelo contrário, passar muito tempo diante do espelho e pensando em si mesma, é provável que a criança mostre considerável semelhança com ela. Também pode ser que, caso a mãe pense constantemente em uma terceira pessoa com afeição ou admiração, a criança tenha a aparência daquela pessoa, sempre supondo que o elemental não possua instruções definidas nesses aspectos. Ao crescerem, os corpos físicos das crianças são bastante influenciados por seus próprios pensamentos, e, como esses diferem dos da mãe, observamos freqüentemente mudanças consideráveis na aparência física, algumas crescendo mais bonitas e outras menos com o passar dos anos. "O homem é o que pensa", tanto no plano físico quanto nos outros planos, e, se o pensamento for sempre calmo e sereno, sua face certamente o refletirá.

Para um ego avançado, as etapas iniciais da infância são muito enfadonhas. Lembro-me de que o falecido Sr. T. Subba Rao queixava-se bastante da época em que tomou posse de seu novo corpo. Ele dizia que, por mais que tentasse, não conseguia fazer aquele corpo infantil dormir mais do que vinte horas por dia; o resto do tempo tinha de esperar por perto e observá-lo debatendo-se e lamentando-se, e agüentar as papinhas sem-gosto e nauseantes! Às vezes, uma pessoa realmente avançada resolve evitar tudo isso pedindo a alguém que lhe dê um corpo adulto, um sacrifício que qualquer discípulo seu aceitaria alegremente.

No entanto, esse método também tem desvantagens. Por mais tediosa que seja a infância, pelo menos dessa maneira construímos um corpo adequado e adaptado até às menores peculiaridades, nossa melhor expressão; enquanto que um corpo adulto já se encontra cheio de particularidades próprias e hábitos profundos, difíceis de mudar, parecendo-se com um traje mal-ajustado, e toma muito tempo para sincronizar suas vibrações com as nossas. Um ego ao reencarnar sempre tem de se adaptar a um novo conjunto de condições, e, ao nascer da maneira normal, essa adaptação pode ser feita gradualmente enquanto a criança cresce, mas, ao tomar um corpo adulto, a adaptação tem de ser imediata, o que freqüentemente é bastante difícil. Nesse caso, ele retém seus antigos corpos astral e mental, as contrapartes de seu veículo anterior que terão de se adaptar à nova forma. Se essa forma for de um bebê, a adaptação será gradual, mas, se for adulta, terá de ser imediata, o que implica uma tensão claramente desagradável.

Características Pessoais

De acordo com minhas observações, a aparência pessoal do homem comum muda bastante de vida para vida, entretanto também já vi casos de grande semelhança, bem como grandes contrastes. Como o corpo físico é até certo ponto expressão do ego, e este permanece sempre o mesmo, devem existir casos em que ele se expressa em formas similares, mas as características raciais, familiares e outras normalmente superam essa tendência. Quando um indivíduo é tão avançado que a personalidade e o ego estão unificados, a personalidade tende a expressar as características da forma glorificada do corpo causal, que é relativamente permanente.

No caso de um adepto, cujo *karma* já se esgotou, o corpo físico tem a maior semelhança possível com aquela forma glorificada. Os Mestres, portanto, continuam reconhecíveis em qualquer encarnação. Notei que um dos Mestres, que alcançou o adeptado recentemente, ainda não é como os outros e apresenta feições algo enrugadas. Tenho certeza de que ele estará mudado na próxima encarnação. Não espero ver muitas diferenças nos corpos de nossos Mestres, ainda que eles decidam escolher outros, os quais poderão até mesmo ser de outra raça. Já vi protótipos dos corpos da sétima Raça, que serão transcendentalmente bonitos.

A forma glorificada do corpo causal é uma aproximação ao arquétipo, e aproxima-se cada vez mais dele à medida que o homem se desenvolve. Parece que a forma humana serve de modelo para a evolução nesse sistema solar específico. Em outros sistemas, as formas podem ser totalmente diferentes, porém não temos informações sobre essa questão.

Recuperando Conhecimentos do Passado

Ainda não conhecemos as leis que governam o poder de imprimir os conhecimentos detalhados de uma vida no cérebro físico da vida seguinte. Pelo que sabemos hoje, normalmente os detalhes são esquecidos enquanto os princípios gerais mostram-se auto-evidentes à nova mente. Muitos de nós, quando lemos um livro teosófico pela primeira vez nessa encarnação, exclamamos: "Isso é exatamente o que pensei e jamais consegui colocar em palavras!" Em alguns casos, a memória não é muito forte, mas o ensinamento é de imediato reconhecido como verdadeiro.

A Sra. Besant, na encarnação de Hypatia, deve certamente ter conhecido muita filosofia que seu cérebro atual não expressou com clareza durante os períodos de livre pensadora ou ortodoxa desta encarnação.

Se dermos crédito à tradição exotérica, até o próprio Buda, que desceu dos planos superiores com a intenção definida de nascer para ajudar o mundo, esqueceu sua missão depois que entrou no novo corpo e só após vários anos de busca é que recuperou o pleno conhecimento. Se quisesse, poderia ter preservado a memória desde o início, contudo não o fez, e submeteu-se ao que parece ser o destino comum.

Seu caso pode ter outra explicação: o corpo nascido do Rei Suddhodana e da Rainha Maya não teria sido habitado pelo Senhor Buda nos primeiros anos. O processo pode ter sido o mesmo usado pelo Cristo; um dos discípulos do Buda talvez tenha cuidado do veículo até que, depois das longas austeridades praticadas durante seis anos em busca da verdade, este desmaiou e só então o Senhor Buda entrou nele. Caso seja verdade, então o Príncipe Siddartha não se lembrava de tudo o que o Senhor Buda sabia porque não era a mesma pessoa. Em todo caso, podemos ter certeza de que o ego, o homem verdadeiro, sempre sabe tudo o que aprendeu, mas nem sempre consegue gravar esses conhecimentos no novo cérebro sem a ajuda de uma sugestão externa.

Felizmente para os estudantes, parece haver uma regra invariável segundo a qual, uma vez que a verdade oculta seja aceita em uma vida, sempre voltamos a ter contato com ela na próxima, revivendo assim nossa memória adormecida. Pode-se dizer que a oportunidade de recuperar a verdade é fruto do *karma* de termos tentado viver de acordo com ela na encarnação anterior. É bem provável que, ao retornarmos ao plano físico, a maior parte do que hoje chamamos de crença teosófica tenha-se tornado conhecimento comum, o qual provavelmente fará parte de nossa educação normal. Nesse caso, aqueles que já a estudaram desta vez a aceitarão com entusiasmo e progredirão rapidamente, enquanto que, para outros, aqueles que ainda não tiveram contato com ela, significará o mesmo que a ciência de hoje para as mentes não-científicas. Em todo caso, que ninguém pense, nem por um momento, que os benefícios de nosso estudo e trabalho árduos possam perder-se algum dia.

Capítulo Doze

KARMA

A Lei do Equilíbrio

Ao considerar a vida humana, temos de levar em conta três forças principais, todas interagindo e limitando-se entre si: a constante pressão da evolução, a lei de causa e efeito, que chamamos de *karma*, e o livre-arbítrio. Até onde podemos ver, a ação da força evolutiva não leva em consideração o prazer ou a dor humana, mas apenas seu progresso, ou melhor, as oportunidades de progresso dadas ao homem. Pode-se dizer que ela é absolutamente indiferente à felicidade ou infelicidade humana e que nos leva às vezes para uma, às vezes para outra, de acordo com o que pode oferecer-nos a melhor oportunidade possível de desenvolver a virtude necessária naquele momento. O *karma* é resultado da ação do livre-arbítrio no passado. O homem acumula energias que proporcionam oportunidades para a vida evolutiva ou limitam sua ação. O uso atual desse livre-arbítrio é o terceiro fator.

Segundo a doutrina do *karma*, o progresso e o bem-estar resultam da ação correta, mas não deve haver dúvidas quanto ao que significam, exatamente, as palavras "progresso" e "bem-estar". No que nos diz respeito, o objetivo de todo o esquema é a evolução da humanidade, e, em conseqüência, aquele que se dedica a auxiliar a evolução dos outros, bem como a sua própria, está fazendo o melhor que se pode fazer. O homem que age dessa forma, aproveitando ao máximo suas capacidades e oportunidades em uma vida, por certo receberá na próxima poderes maiores e oportunidades mais amplas, provavelmente acompanhadas por riqueza e poderes mundanos, porque a simples posse desses bens normalmente provê a oportunidade necessária. Mas riqueza e poder mundanos não são necessariamente parte do *karma*. O importante é lembrarmos que o resultado da nossa capacidade de ser úteis é sempre a oportunidade de ajudar cada vez mais, e não devemos considerar as circunstâncias que acompanham ocasionalmente aquela oportunidade como recompensa pelo trabalho feito na última encarnação.

Instintivamente evitamos usar palavras como recompensa e punição, porque parecem implicar a existência, em algum lugar nos bastidores, de um ser irresponsável que distribui as duas coisas conforme sua vontade. Teremos uma idéia mais correta da ação do *karma* se o imaginarmos como a recuperação necessária do equilíbrio perturbado por nossa ação, e uma exemplificação da lei segundo a qual ação e reação são sempre iguais. Nossa compreensão será mais fácil se tentarmos ter uma visão mais ampla do *karma*, considerando-o mais do ponto de vista daqueles que administram sua lei do que do nosso.

Cedo ou tarde, a lei inevitável traz a cada um infalivelmente as conseqüências de suas ações, mas não há pressa a respeito disso. Sempre há tempo suficiente nas deliberações do eterno, e o objetivo maior é a evolução da humanidade. É por isso que quem se torna um instrumento útil e disposto a auxiliar a evolução sempre recebe como "recompensa" a oportunidade de auxiliar ainda mais; e assim, fazendo o bem aos outros, faz o melhor também para si mesmo. Se o pensamento do progresso pessoal fosse o *motivo* de nossa conduta, o egoísmo dessa idéia viciaria nossas ações e limitaria seus resultados. Mas se esquecermos totalmente de nós mesmos e devotarmos nossas energias para o único objetivo de colaborar na grande obra, o efeito em nosso futuro será, sem dúvida alguma, positivo.

De uma vez por todas, precisamos protestar contra a teoria de que o sofrimento é condição necessária ao progresso espiritual. A força física depende de exercícios, mas não precisam ser exercícios dolorosos; se alguém está disposto a fazer caminhadas todos os dias, não há necessidade de se torturar com excessos para desenvolver os músculos das pernas. Para progredir espiritualmente, precisamos desenvolver a virtude, o altruísmo e a presteza, isto é, precisamos aprender a viver em harmonia com a grande lei cósmica e, se o fizermos de boa vontade, não encontraremos sofrimentos a não ser aqueles advindos de nossa solidariedade com os outros.

Hoje em dia, a maioria das pessoas recusa-se a aceitar esse tipo de comportamento, e, ao se colocarem contra a grande lei, o sofrimento inevitavelmente se segue. Depois de muitas experiências, elas eventualmente se convencem de que o caminho do egoísmo e da perversidade é, também, o caminho da insensatez. Só *nesse* sentido o sofrimento conduz ao progresso — para essas pessoas em particular.

Ao optar voluntariamente por ofender a lei e com isso atrair o sofrimento sobre nós mesmos, não temos o direito de blasfemar contra a grande lei do universo, dizendo que *ela* dispôs as coisas tão injustamente que sem sofrimento não progredimos. Na verdade, se quisermos, poderemos progredir muito mais rapidamente sem sofrimento algum.

Contudo não podemos esquecer que, uma vez percebido o glorioso objetivo à nossa frente, nunca seremos perfeitamente felizes até alcançá-lo, e nossos fracassos serão uma fonte contínua de descontentamento. O descontentamento é uma forma modificada de sofrimento e dele ninguém pode pretender escapar até que a imperfeição tenha sido superada. "Ó Deus, Tu nos fizeste para Ti e nossos atormentados corações só encontrarão descanso em Ti".

A questão de se é reconfortante ou não saber que nossos sofrimentos são merecidos depende de inclinação pessoal e não altera em nada o fato de que, se não fossem merecidos, não nos alcançariam. Lamentavelmente muitas pessoas adotam a atitude antifilosófica — na verdade infantil — de pensar que qualquer idéia que não se adapte a seus preconceitos sectários particulares deve ser falsa. Pessoas ignorantes vivem dizendo: "O ensinamento teosófico sobre o *karma* não me conforta tanto quanto a idéia cristã do perdão dos pecados" ou "O mundo celeste teosófico não me parece tão real e bonito quanto o céu cristão, e por isso não acredito nele".

As pobres criaturas evidentemente pensam que suas preferências e rejeições são suficientemente poderosas para mudar as leis do universo, e que nada pode *existir* em qualquer lugar sem sua aprovação. Nós, contudo, estamos empenhados em estudar os fatos da existência que não se modificam porque fulano ou sicrano acreditariam neles se fossem diferentes do que são. Se fosse possível a alguém ser uma vítima inocente, não teríamos certeza da ação da grande lei de causa e efeito em qualquer lugar do universo, e isso seria para nós mais terrível do que ter de resgatar as conseqüências dos pecados cometidos em vidas passadas. Nunca será demais repetir que o *karma* não é vingança de alguma divindade raivosa, mas simplesmente um *efeito* que segue natural e inevitavelmente sua causa, obedecendo à ação da lei universal.

Todos terão de pagar as dívidas contraídas, e a cada um será feita a mais perfeita justiça, mas para isso nem sempre é necessário que uma vasta multidão de egos continue encontrando-se eternamente vida após vida. Quando influenciamos alguém profundamente, apressando ou retardando sua evolução, se fizermos qualquer coisa que resulte em uma marca ou efeito permanente no outro, então, certamente, teremos de nos encontrar mais uma vez para que o débito seja resgatado. É claro que isso pode ser feito de várias maneiras.

Talvez um assassino tenha que ser morto, por sua vez, em outra encarnação, mas ele pode resgatar seu *karma* bem mais satisfatoriamente aproveitando uma oportunidade na próxima encarnação de salvar a vida de sua antiga vítima ao custo de sua própria. Aparentemente o débito também pode ser pago sem que ele tenha que morrer por isso; entre as muitas vidas que examinamos, encontramos pelo menos um caso onde um assassino compensou totalmente sua falta devotando pacientemente toda uma vida posterior a serviço da pessoa que ele tinha assassinado.

Existe uma vasta quantidade de *karmas* menores que caem no que podemos chamar de fundo geral. Um colega que belisca outro na escola, com certeza, não terá de passar pela mesma situação daqui a mil anos em outras terras para ser beliscado por sua vez, mas, sem dúvida, mesmo algo tão insignificante será compensado, e a justiça será feita para ambas as partes. Enquanto vivemos, constantemente prestamos pequenos favores àqueles que encontramos e, de modo descuidado, muitas vezes de forma inconsciente, nós os ferimos em pensamento, palavra e intenção. Cada uma dessas atitudes traz sobre nós o resultado correspondente de bem ou mal, e nós também, ainda que não o soubéssemos, fomos agentes do *karma* nessas ações. O pequeno favor que prestamos resultará em nada caso a outra pessoa não mereça essa ajuda; o desprezo negligente passará desapercebido por sua vítima se nada houver em seu passado que justifique essa retribuição.

Não é fácil separar estes dois tipos de *karma*: aquele que requer um ajuste pessoal e o que vai para o fundo geral. Tudo o que influencia seriamente uma pessoa pertence à primeira categoria, enquanto os pequenos problemas diários pertencem à segunda, mas, no momento, não temos meios de saber com certeza quanta influência tem de ser exercida para que uma ação seja da primeira classe.

Uma parte do *karma*, a maior e mais importante, nunca poderá ser paga pessoalmente. Em todas as nossas vidas, passadas ou futuras, nenhum benefício pode ser maior do que aquele que os Mestres nos concederam ao permitir que conhecêssemos o ensinamento teosófico, mas como indivíduos não podemos dar absolutamente nada a eles em troca, pois se encontram além da necessidade de qualquer coisa que possamos fazer. Mas mesmo esse estupendo débito tem de ser compensado, e a única maneira que temos de retribuir é passando o conhecimento aos outros. Assim, temos aqui um tipo de *karma* que também vai para o fundo geral, mas não no mesmo sentido do outro.

Alguém me pergunta: "Se uma pessoa tem o *karma* de sofrer de escarlatina*, qual o mecanismo que a deixará doente?" Não creio que, nesse sentido, uma pessoa tenha o *karma* de sofrer de escarlatina. Podemos, sim, ter o *karma* de passar por certa quantidade de sofrimento físico em alguma encarnação, como resultado de ações de vidas passadas, e se o germe da escarlatina estiver por perto no momento adequado poderá contaminar-nos, e, dessa forma, resgataremos parte daquele débito de sofrimento. Mas os germes poderão ser outros, como o da cólera ou tuberculose, por exemplo, ou, então ao invés de doença, poderemos sofrer com uma

---

* Doença infecciosa aguda, caracterizada, entre outros sintomas, por febre. (N. ed. bras.)

perna quebrada, causada por um escorregão em uma casca de laranja ou atropelamento.

Estou ciente de que alguns livros descrevem com precisão o *karma* exato gerado por certas ações, como, por exemplo, se alguém for rude com seu pai nascerá coxo da perna direita na próxima encarnação e, se suas diferenças de opinião forem com a mãe, a perna afetada será a esquerda e assim por diante. Mas nas investigações que fizemos em muitas vidas para estudar a ação do *karma* não encontramos essa rigidez. Pelo contrário, fomos muito mais surpreendidos pela maravilhosa flexibilidade do *karma* do que por sua certeza infalível. Ninguém pode escapar um milímetro que seja do sofrimento que lhe está destinado, porém pode evitá-lo em determinada forma para em seguida descobri-lo inexoravelmente caindo sobre ele em uma forma diferente, vinda de um lado imprevisto.

Assim como podemos pagar uma dívida de 10 libras esterlinas com uma única nota, ou duas de 5, em ouro ou prata, ou até mesmo com uma sacola cheia de cobre, podemos também receber certa porção de *karma* em um único golpe terrível, em diversos golpes menores e sucessivos, ou até mesmo em uma longa série de aborrecimentos comparativamente insignificantes; mas, em todos os casos, o débito total terá de ser pago.

O mesmo pecado, cometido nas mesmas circunstâncias por duas pessoas exatamente iguais, resulta na mesma *quantidade* de sofrimento, mas o *tipo* de sofrimento pode variar quase infinitamente de acordo com as necessidades específicas do caso. Vejamos, por exemplo, uma das falhas mais comuns, o egoísmo, e seus resultados prováveis. Trata-se primariamente de uma condição ou atitude mental, por isso devemos procurar seus resultados imediatos no plano mental. O egoísmo é uma intensificação da personalidade inferior às custas da individualidade, e uma de suas conseqüências será, portanto, a ênfase daquela personalidade inferior, fazendo com que o egoísmo se reproduza de forma ainda mais intensa e por isso cada vez mais forte.

Nessas condições, em cada vida que passa, o superior perderia um pouco mais de si mesmo através de seu envolvimento com o inferior, e a persistência nessa falta seria fatal para o progresso, pois a pena mais severa da natureza é a negação de oportunidades de progresso, e sua maior recompensa, o oferecimento dessas mesmas oportunidades. Assim, temos aqui um vislumbre de como o egoísmo leva às piores conseqüências, endurecendo-nos até que nos tornemos insensíveis a todas as boas influências e impossibilitando nosso progresso até que tenhamos corrigido nossa falha.

Teremos também o *karma* no plano físico de todos os *atos* injustos e grosseiros que o egoísmo pode levar-nos a cometer, mas a pior penalidade que podemos sofrer seria insignificante e evanescente diante do efeito em nossa própria condição mental. É possível que uma das conseqüências seja nossa aproximação, por afinidade, de um convívio com os egoístas e assim, pelo sofrimento resultante desse vício nos outros, aprenderíamos o quanto ele é horrendo em nós mesmos. Mas os recursos da lei são infinitos, e estaremos enganados se imaginarmos que ela se limita à linha de ação que nossa ignorância pensa ser a escolhida.

Grande parte do sofrimento humano é o que o Sr. Sinnett chama de "*karma* de pagamento à vista", isto é, não é conseqüência de ações em vidas passadas e, na verdade, não é obrigatório de forma alguma. Apesar dos exemplos e conselhos dados às pessoas, suas ações são tão estúpidas e sua ignorância tão invencível e na aparência tão perversa que constantemente se envolvem em sofrimentos cujas causas são óbvias e prontamente evitáveis. Não creio ser exagero dizer que nove décimos do sofrimento do homem comum é totalmente desnecessário, pois não resulta do passado distante, mas é simplesmente fruto de ações erradas e atitudes tolas da vida atual.

Outro aspecto a ser considerado é que, em sua avaliação, o homem freqüentemente não consegue discernir entre efeitos bons e maus. O homem médio considera a morte como o maior de todos os males, tanto para si mesmo quanto para seus amigos, mas, em muitos casos, o *karma* concede-a como recompensa. Na verdade, dificilmente se trata de punição ou mal, porém simplesmente um evento, um movimento no jogo, inevitável em certos intervalos, mas disponível o tempo todo como solução temporária para uma posição difícil. Ela dificilmente tem a importância que normalmente atribuímos a ela.

Uma grande massa de energia acumulada de ambos os tipos, desejável e indesejável, está às nossas costas, e não consigo imaginar um "acaso" que não venha a expressar alguma parte de sua variedade infinita. Dessa forma, não é necessário ver diferenças entre um naufrágio e uma ruína financeira. Sempre há alguma coisa na massa *kármica* do homem comum que pode manifestar-se através de formas destrutivas. Nos raros casos onde nada resta para se expressar, a pessoa não pode ser atingida, e, então, dizem que foi miraculosamente salva.

Não há nada mais absurdo do que a idéia de que podemos fazer alguma coisa para impedir a ação do *karma*. Se uma criança nasce sob circunstâncias hostis e sofre maus tratos, não há dúvida de que essa situação está de acordo com seu *karma* prévio, mas, se uma bondosa intervenção livrá-la dos demônios humanos que a atormentam, essa ação também estará de acordo com seu *karma*, caso contrário os esforços bem-intencionados para salvá-la falhariam, como às vezes acontece. Nosso dever óbvio é fazer todo o bem que pudermos e prestar todo auxílio possível sem medo de interferir com o trabalho das grandes divindades *kármicas*, as quais são com certeza perfeitamente capazes de dirigir seus assuntos independentemente da nossa ação.

O *karma* parece impiedoso? Se esse adjetivo puder ser aplicado corretamente à ação das leis da natureza, teremos que admitir que sim, tanto como a lei da gravidade também é. Se uma criança escorrega à beira de um precipício, não importa o quanto seja triste e lamentável esse escorregão, normalmente ela cai até o fundo, assim como uma pessoa adulta também cairia; se alguém segura uma barra de ferro em brasa, é queimado, quer soubesse ou não que a barra estava quente, e não importa o objetivo que tinha em mente ao segurá-la. Mas não nos ocorre que o precipício ou a barra sejam impiedosos e cruéis ou então blasfemar contra a lei da gravidade ou da irradiação de calor. Esse mesmo pensamento não se aplica, no caso, ao *karma*?

O Método do Karma

É quase impossível descrever a aparência que a ação da lei do *karma* nos planos superiores assume diante da visão clarividente. É como se a ação do homem construísse células ou canais cheios de energia, através de cujas interações a lei da evolução pode alcançá-lo. Todos os tipos de forças rodeiam-nos, mas elas só podem influenciar-nos através das energias que nós próprios colocamos em movimento. Estamos constantemente renovando essas células ou canais de energia e, assim, modificando as possibilidades de sermos atingidos. Ao trabalhar com essas mudanças caleidoscópicas, o *karma* mostra sua maravilhosa e inacreditável adaptabilidade e versatilidade, onde tudo se encaixa com perfeição.

Há um outro aspecto do *karma* que pode ajudar-nos a compreender sua ação, porém pertence a um plano tão elevado que infelizmente é impossível descrevê-lo com clareza. Imaginem que vemos cada pessoa como se estivesse absolutamente sozinha no universo, sendo o centro de uma série incrivelmente vasta de esferas concêntricas. Cada pensamento, palavra ou ação envia uma torrente de força pelas superfícies das esferas. Essa força atinge a superfície de uma das esferas em ângulo reto e reflete-se de volta para o ponto de onde emanou.

O tipo da força determina a esfera que a reflete e também o tempo gasto no retorno. A força gerada por certas ações atinge uma esfera comparativamente próxima e é refletida de volta rapidamente, enquanto outras dirigem-se quase ao infinito e retornam somente após muitas vidas. Em qualquer dos casos, ela inevitavelmente retorna e só pode voltar para o centro de onde surgiu. Cada um faz suas próprias esferas, e a ação de suas forças não é afetada pelas do seu vizinho, pois se cruzam sem se interferirem, tal como os raios de luz de duas lâmpadas. O meio pelo qual se movem não produz atrito, de modo que a força que retorna é exatamente a mesma que foi gerada.

Existem três grandes tipos de *karma*, chamados pelos indianos de *sanchita*, *prarabdha* e *kriyamana*. O primeiro, *sanchita*, compreende a vasta massa de *karma*, bom ou mau, que ainda não foi resgatado; vamos chamá-lo de massa *kármica*. O segundo, *prarabdha*, é aquela parte do primeiro que foi selecionada para ser compensada nesta encarnação; vamos chamá-lo de destino para essa vida. O terceiro, *kriyamana*, é o *karma* novo que nossas ações atuais constantemente criam.

O *karma* que o astrólogo ou o quiromante tentam ler pertence ao segundo tipo, e seus cálculos freqüentemente são invalidados por intrusões das outras duas variedades. É certo que nada pode acontecer a alguém se não estiver presente na grande massa de *karma* que lhe pertence, mas, sem dúvida alguma, podem acontecer coisas que a princípio não estavam incluídas em seu destino para esta vida.

O *karma prarabdha* de um indivíduo, isto é, o *karma* escolhido pelas autoridades para ser compensado na vida atual, divide-se em duas partes. A parte que se expressa no corpo físico é transformada pelos *Devarajas* na forma-pensamento ou elemental construtor do corpo, do qual falamos em um capítulo anterior; a outra parte, que é muito maior e mostra o destino, a boa ou má sorte na vida, transforma-se em outra forma-pensamento, que não desce até o físico e permanece no plano mental pairando sobre o embrião. A partir desse nível, ela cria oportunidades ou aproveita as que surgem para descarregar-se por partes como um raio fulminante ou um suave toque. Às vezes alcança até o próprio plano físico, outras vezes estende-se somente até o plano astral ou então limita-se ao plano mental, agindo apenas "horizontalmente" como um clarão, ou como um toque.

Esse elemental continua descarregando-se até esvaziar-se totalmente e, então, como o outro que construiu o corpo, desvanece-se, ou mais corretamente se desintegra e seus pedaços retornam para a matéria do plano. O homem pode modificar sua ação com o *karma* novo, com as novas causas que cria a todo momento. O homem comum normalmente não tem vontade suficiente para criar novas causas e, assim, o elemental esvazia sua carga de acordo com seu programa original, aproveitando os períodos astrológicos convenientes e as circunstâncias, os quais facilitam e tornam mais efetivo seu trabalho; dessa forma, seu horóscopo poderá ser cumprido com grande exatidão. Mas se a pessoa for suficientemente desenvolvida e possuir uma vontade forte, a ação do elemental poderá ser bastante modificada, e a vida não mais seguirá os aspectos descritos no horóscopo. Às vezes as modificações são tantas que o elemental não consegue descarregar-se completamente antes da morte do corpo físico. Nesse caso, o *karma* restante é novamente absorvido na grande massa do *karma sanchita*, aquele que ainda não foi compensado; e, no começo da próxima vida física, forma-se outro elemental, mais ou menos parecido.

A grande massa de *karma* acumulado também pode ser vista pairando acima do ego. Normalmente não é uma visão agradável, pois, pela natureza das coisas, contém mais resultados ruins do que bons das ações passadas. No passado remoto, nos primeiros dias de nosso desenvolvimento, muitos homens fizeram coisas que não deviam e por isso acumularam para si mesmos, como conseqüências físicas, muito sofrimento neste plano inferior. Nos dias de hoje, todas as pessoas civilizadas elevaram-se pelo menos ao nível da boa intenção, e conseqüentemente existe muito menos *karma* ruim. Todos nós fazemos idiotices às vezes; todos cometemos erros; mas, no geral, as pessoas civilizadas comuns estão tentando fazer o bem e não o mal, gerando em termos gerais provavelmente mais *karma* bom do que ruim. Mas o *karma* bom não vai todo para aquela grande massa acumulada, e, por isso, temos a impressão de que nela o mal predomina sobre o bem.

O resultado da maioria dos bons pensamentos ou boas ações reverte-se no aperfeiçoamento da própria pessoa, fazendo um ou outro de seus veículos vibrar em resposta às forças superiores ou despertando qualidades, tais como coragem, determinação, afeto, devoção etc. Todos esses efeitos, então, mostram-se na própria pessoa e em seus veículos, não se incorporam ao *karma* acumulado. Contudo, se fizermos uma boa ação com a idéia definida de recompensa em nossa mente, o bom *karma* gerado ficará incorporado ao *karma* acumulado até o momento em que poderá materializar-se em atividade. O *karma* bom naturalmente prende o homem à terra tanto quanto o mau *karma*, e, conseqüentemente, aquele que deseja progredir aprende a agir absolutamente sem pensar no eu, ou no resultado de sua ação, porque assim os resultados *kármicos* comuns não poderão alcançá-lo.

Não estou querendo dizer que podemos evitar o benefício de uma boa ação, assim como não podemos escapar dos resultados de uma má ação. Mas, se pensarmos na recompensa, receberemos o benefício na forma daquela recompensa, enquanto que, se nos esquecermos totalmente e fizermos às coisas espontaneamente, porque é a coisa certa a ser feita, toda a força resultante será gasta na construção de nosso próprio caráter, nada restando que nos prenda aos planos inferiores. A verdade é que o homem consegue o que deseja. Como disse o próprio Cristo: "Verdadeiramente vos digo: eles tiveram sua recompensa". Aquele que pensa em bons resultados para si mesmo obtém o que deseja, enquanto aquele que não pensa em si, que só deseja tornar-se um canal para as forças do *Logos*, este se transforma em um canal melhor em conseqüência da ação que aquele pensamento estimulou.

As coisas tornam-se um pouco mais complexas porque muitas pessoas praticam boas ações em nome de outras, por isso partilham com elas os resultados. Muitos fazem boas ações em nome de Cristo ou, no caso de um teosofista, do Mestre, e, nesse caso, a justiça exige que, como foi o pensamento do Cristo ou do Mestre que produziu os resultados, um pouco dos efeitos deve ir para o Grande personagem em questão. Dessa forma, vastos suprimentos de magnetismo estão à disposição daqueles Grandes Seres a Quem muitos enviam pensamentos de afeição e devoção, em cujo nome são feitas muitas obras bondosas. Naturalmente é impossível que o resultado dessas ações prenda de alguma forma o Grande Ser. Elas simplesmente lhe proporcionam força espiritual adicional para Seu trabalho.

O Karma da Morte

Na maioria dos casos, os Senhores do *Karma* não determinam o momento exato da morte.

A programação de uma vida é muito mais elástica e adaptável do que supõe a maioria dos estudantes. A chave para sua compreensão está em não esquecer os três tipos de *karma*.

Vamos supor que uma determinada pessoa encontra-se em um navio prestes a naufragar ou no primeiro vagão de um trem próximo de uma colisão. A morte naquele momento pode estar ou não no destino daquela vida em particular. Se estiver, não há dúvida de que morrerá; se não estiver, será salva, desde que esse salvamento não interfira muito com as leis normais da natureza. Podemos dizer que ela *será* salva se a prorrogação de sua vida física servir para acelerar sua evolução. Pretende-se que cada vida ensine alguma lição, desenvolva uma qualidade. Se essa meta já tiver sido cumprida ou, por outro lado, se estiver claro que essa pessoa não conseguirá realizá-la por maior que seja sua vida, então não terá nada a ganhar continuando a viver e poderá livrar-se dela.

Se na vasta massa de *karma* acumulado existir algum débito que possa ser cancelado pelos sofrimentos físicos ou mentais envolvidos nessa morte, a oportunidade desse cancelamento pode muito bem ser aproveitada, mesmo que não tenha sido incluída no plano original para essa vida. Mas, caso contrário, se não houver nada que se adapte a essa morte ela simplesmente *não poderá* morrer dessa maneira e inevitavelmente será salva, ainda que aparentemente por milagre. Já ouvimos falar de casos onde uma enorme viga caiu a tempo de evitar que um homem fosse esmagado pelo peso excessivo dos destroços ou de alguém que conseguiu escapar de um naufrágio não se sabe como.

Não podemos esquecer que a terceira variedade de *karma*, aquela que criamos todos os dias, influencia nosso destino. Pode ser que alguém esteja fazendo no momento um trabalho tão bom que não possa ser dispensado, quer mereça ou não se libertar do plano físico nesse período particular. Temos a tendência de exagerar a importância da hora e da maneira como ocorre nossa morte. Se por um momento tentarmos imaginar as coisas do ponto de vista dos Grandes Seres encarregados de nossa evolução, obteremos uma avaliação muito mais correta desses valores relativos. Para eles, o progresso dos egos que estão a seu cargo é a única coisa que importa. Eles sabem as lições que devem ser aprendidas e as qualidades a serem desenvolvidas.

Eles devem considerar seu trabalho como um professor que avalia os estudos necessários para que seus alunos se qualifiquem para a universidade. O professor divide os estudos de acordo com o tempo disponível, levando em conta o ano escolar e até mesmo as lições de cada dia. Entretanto ele deixa considerável folga no planejamento diário, pois pode resolver gastar dois dias com algum assunto especialmente difícil ou então encerrar uma lição mais cedo se esta estiver bem compreendida pelos alunos.

Nossas vidas são exatamente como esses dias escolares, e a lição pode ser prorrogada ou encurtada conforme o professor julgue melhor. A morte é meramente a saída da escola ao fim do dia. Não precisamos preocupar-nos com ela, deveríamos aceitá-la agradecidamente toda vez que o *karma* permitir sua vinda. O importante é que a lição do dia seja aprendida. A divisão dessa lição, a duração dos estudos e exatamente quando começam ou terminam são detalhes que podemos muito bem deixar para os agentes da Grande Lei.

A partir desse ponto de vista, nenhuma morte pode ser considerada prematura, pois podemos ter certeza absoluta de que tudo que nos alcança vindo de fora é o melhor para nós. Nosso dever é fazer o melhor em cada vida, e devemos esforçar-nos para prolongá-la o mais possível. Se nós mesmos a encurtarmos por negligência ou por um modo de vida impróprio, seremos os responsáveis, e as conseqüências serão certamente prejudiciais; mas, se a interrupção for causada por algo fora de nosso controle, então podemos estar certos de que essa redução é para nosso próprio bem.

Todavia, o que alguns de nossos livros mencionam sobre a morte "prematura" está totalmente correto. Na velhice avançada, o desejo desaparece, e assim, uma parte do trabalho da vida astral está terminada antes que a pessoa deixe o plano físico. Uma doença de longa duração também leva ao mesmo resultado, e, nesses casos, a vida astral é comparativamente curta e sem sofrimentos maiores. Podemos dizer que esse é o curso normal da natureza e somente comparando com ele é que podemos chamar uma morte anterior de "prematura". A pessoa que morre jovem ainda possui desejos fortes; por isso deve esperar uma vida astral mais vigorosa e forte, uma condição pouco desejável. Mas se os poderes que nos guiam decidirem que uma morte "prematura" é melhor, podemos ter certeza de que estão levando em conta outras considerações que equilibram o prolongamento da vida astral.

É provável que, na maioria dos casos, a maneira e o momento exato da morte não sejam fixados antes nem no momento do nascimento. Os astrólogos dizem que, em muitos casos, não podem prever a morte. Eles mencionam que em certas épocas as influências maléficas são fortes e que a pessoa em questão *poderá* morrer, mas, se não morrer, sua vida continuará até outra ocasião em que os aspectos malignos novamente a ameaçarão e assim por diante. Da mesma maneira um quiromante mostrará diversas marcas ou interrupções sérias em nossa linha da vida, as quais poderão indicar morte ou doença grave. Pode ser que essas incertezas representem pontos em aberto para decisões posteriores, dependentes das modificações introduzidas pelas ações da pessoa durante a vida e pelo uso que fez de suas oportunidades. De qualquer forma, podemos ter certeza de que a decisão tomada será sábia e que, seja na morte ou na vida, todas as coisas contribuem para o nosso bem.

O Karma Como Educador

Ninguém pode receber o que não merece, e todas as coisas que nos atingem são conseqüências de causas que nós mesmos colocamos em movimento. Se somos responsáveis por alguma ação, somos também responsáveis por suas conseqüências, pois causa e efeito são como os dois lados de uma moeda: não podemos ter um sem o outro, e, na verdade, o efeito retorna a nós ainda como parte de nossa ação original, a qual podemos dizer que continua em movimento. Tudo que nos acontece foi causado por nós mesmos, tanto o bem quanto o mal, mas este também está sendo utilizado para nosso próprio bem. O pagamento do débito tem a finalidade de desenvolver o devedor, e, ao pagar, este deve mostrar paciência, coragem e resistência frente às circunstâncias adversas.

As pessoas constantemente resmungam contra as circunstâncias nas quais se encontram. Alguém pode dizer: "Não posso fazer nada na situação em que me encontro, com tantas coisas para cuidar, negócios e família numerosa. Se pelo menos eu tivesse a liberdade que fulano tem!"

Essa pessoa não compreende que esses obstáculos fazem parte de seu treinamento e que foram colocados dessa forma para ensiná-la como trabalhar com eles. Ela gostaria de ter a oportunidade de mostrar as capacidades que já desenvolveu, no entanto precisa desenvolver os poderes que ainda não tem, e isso significa sofrimento e trabalho duro, mas também progresso rápido. Não há punição nem recompensa, há apenas as conseqüências de nossas ações, as quais poderão ser agradáveis ou não. Ao perturbarmos o equilíbrio da natureza, esta inevitavelmente se recupera às nossas custas.

Às vezes um ego escolhe assumir ou não certo *karma* na vida atual, sem que a mente cerebral saiba disso, de modo que as circunstâncias adversas rejeitadas pela pessoa podem ter sido deliberadamente escolhidas por ela mesma para apressar sua evolução. Quando está se tornando um discípulo, e já se coloca portanto um pouco fora da evolução normal atual, a pessoa freqüentemente pode dominar e alterar bastante seu *karma*. Não pode escapar de seu destino, nem da menor parte dele, mas adquire novos conhecimentos e coloca em movimento novas forças que naturalmente modificam as antigas. O discípulo joga uma lei contra a outra, neutralizando assim forças cujos resultados poderiam atrapalhar seu progresso.

Diz-se que, ao procurar acelerar seu progresso, o discípulo atrai sofrimentos para si mesmo. Talvez essa não seja a melhor maneira de colocar essa idéia. Tudo o que ele faz é tomar sua evolução nas próprias mãos, esforçando-se para erradicar o mal e desenvolver o bem dentro de si o mais rápido que puder, para que possa se tornar um canal vivo e cada vez mais perfeito para o amor divino. Essa atitude certamente atrairá a atenção dos grandes Senhores do *Karma*, que, em resposta, darão a eles maiores oportunidades, as quais envolvem com freqüência um aumento considerável de sofrimento.

Se pensarmos com cuidado, perceberemos que isso é exatamente o que deve acontecer. Todos nós temos mais ou menos *karma* ruim, e isso constitui um obstáculo constante para o trabalho superior — até que seja neutralizado. Portanto um dos primeiros passos para um progresso mais sério consiste na neutralização de todo o mal existente em nós, e por isso a primeira resposta dos Grandes Seres aos nossos esforços é a oportunidade de pagar mais um pouco desse débito — desde que estejamos suficientemente fortes para suportá-lo — para que ele não atrapalhe mais nosso trabalho futuro. Como esse débito será pago é assunto que se encontra totalmente nas mãos Deles e não nas nossas. Podemos confiar que não provocarão sofrimentos adicionais aos outros, a não ser, é claro, que estes tenham algum débito *kármico* para ser descarregado dessa maneira. Em todo caso, as grandes divindades *kármicas* só podem agir com absoluta justiça com todas as pessoas envolvidas, seja diretamente ou exercendo uma influência à distância.

Tipos de Karma

O *karma* de um serviço prestado sempre é a oportunidade de servir mais. No estudo que fizemos sobre o *karma*, nas muitas vidas passadas que examinamos, essa é uma das regras mais proeminentes. Quando um homem vive uma vida especialmente boa, isso não quer dizer que na próxima será rico ou poderoso, mas, sim, que terá maiores oportunidades de trabalho. Com certeza o *Logos* quer que o Seu trabalho seja feito, e, se desejamos oportunidades de progresso, temos de mostrar que estamos dispostos a trabalhar.

O conhecimento traz responsabilidade além de oportunidade. Ceder ao que sabemos ser errado ou recuar um passo para ganhar força para um grande salto é perder nossa oportunidade. Muitas vidas podem passar antes de encontrarmos a mesma oportunidade novamente. Se não dermos atenção ao conhecimento ou visão que nos mostra uma falha nossa, certamente nasceremos na próxima vida sem aquele conhecimento ou visão. O conhecimento deve ser sempre usado. É um erro pensar que podemos postergar seu uso prático e, ainda assim, reter o conhecimento.

Certas ações resultam em conseqüências *kármicas* extremamente horríveis. Por exemplo, o *karma* da crueldade, de qualquer espécie, seja com pessoas ou animais, sempre é de caráter terrível; traz, com freqüência, doenças físicas crônicas acompanhadas de sofrimentos agudos ou, se a crueldade foi intencional e refinada, insanidade. Por exemplo, descobrimos que muitos participantes da turba ignorante que torturou Hypatia em Alexandria renasceram na Armênia e sofreram todos os tipos de crueldades nas mãos dos turcos. Aqueles que hoje morrem queimados com terríveis sofrimentos, aparentemente por acidente, podem ser os mesmos que queimaram outros na Idade Média ou que se divertiram com essas horríveis cenas de martírio.

Qualquer mal causado a uma pessoa altamente desenvolvida reage terrivelmente sobre o praticante. Devemos ter cuidado com nossa atitude diante do advento de um Grande Ser, pois, sendo tão avançado, Ele poderá não ser compreendido e, mostrando-se diferente do que esperamos, não será apreciado. Os Grandes Seres não retornam mais com tanta freqüência para o meio dos homens, porque o *karma* de serem mal-entendidos e maltratados é terrível, e os tolos certamente incorrerão nele. Eu próprio vi o caso de uma grande alma que nasceu onde era pouco compreendida e, quando jovem, caiu nas mãos de um professor cruel e incompetente que vergonhosamente abusou dele. Também pude observar o *karma* resultante dessa crueldade e estremeço só de pensar nele. Verdadeiramente pode ser dito desse miserável infeliz, nas palavras atribuídas ao Cristo, que antes que tivesse "ofendido um dos pequeninos teria sido melhor para ele que uma pedra lhe fosse amarrada ao pescoço e atirado às profundezas do mar".

O *karma* da ingratidão sempre é excepcionalmente pesado, tal como o anterior, principalmente quando for dirigida a um instrutor oculto. As pessoas pressionam o tempo todo desejando entrar em contato com os Mestres, desejando atrair a atenção Deles, e, às vezes, pensam que os discípulos daqueles Mestres tentam mantê-las afastadas ou no mínimo que não as ajudam em seus esforços. O único objetivo dos discípulos dos Mestres é ajudar os outros, e nada os satisfaz tanto como trazer mais um até Aqueles de quem tanto aprenderam. Mas quando percebem que o aspirante ainda não compreende os Grandes Seres, que sua atitude para com Eles é irreverente, presunçosa e capciosa, eles não assumem responsabilidades, pois sabem que um sério desastre certamente ocorrerá. Uma pessoa com esse temperamento com toda certeza criará mau *karma* em qualquer lugar, e seria tolice colocá-la em condições de multiplicar esse *karma* por cem.

O próprio fato de alguém possuir uma grande quantidade de mau *karma* torna impossível qualquer progresso oculto até que aquele seja eliminado. Ninguém pode tornar-se um adepto se tiver ainda mau *karma*, pois tem de estar livre de qualquer necessidade de renascimento. Aquele que pode funcionar livremente em seu veículo búdico, afastando-se, assim, do corpo inferior, nunca mais precisará voltar para este; naturalmente isso só pode ser realizado depois que todo o *karma* dos planos inferiores estiver esgotado. O Mestre envia todas as suas forças em curvas abertas, enquanto o pensamento inferior egoísta faz as forças emanadas seguirem curvas fechadas, de modo que, sejam boas ou más, essas forças terão de retornar à sua fonte, e o homem terá de voltar para recebê-las.

O homem só se liberta das conseqüências aprisionadoras de suas ações nos planos inferiores se for perfeitamente altruísta nesses planos. Quando, ao ajudar alguém, sentimo-nos perfeitamente unidos a ele, colhemos o resultado dessa ação apenas no plano mental e não em outro plano inferior. Não esqueçam que também estamos criando *karma* no plano astral, pois podemos criar *karma* toda vez que nossa consciência estiver se desenvolvendo, toda vez que agimos ou fazemos escolhas. Já vi casos em que ações realizadas no plano astral geraram frutos *kármicos* na vida física seguinte. Outro ponto a ser lembrado é que sempre existe um *karma* geral pertencente a uma nação ou organização, e cada indivíduo pertencente a essa organização ou nação é, até certo ponto, responsável pela ação do todo. Por exemplo: um padre tem certa responsabilidade por tudo que os sacerdotes fazem coletivamente, mesmo que ele não aprove pessoalmente suas ações.

O Karma Animal

Os estudantes sempre perguntam sobre a ação do *karma* com relação ao reino animal, perguntando: uma vez que dificilmente os animais têm muito *karma* acumulado, como explicar as extremas diferenças nas condições em que se encontram? Alguns são muito bem tratados enquanto outros são submetidos a todo tipo de brutalidade; alguns são protegidos e bem alimentados enquanto outros são abandonados passando fome e tendo de lutar pelo direito básico de viver.

Precisamos lembrar de duas coisas. Primeiro, um animal freqüentemente *gera* muito *karma*. Segundo, o animal bem tratado nem sempre tem toda a vantagem que parece ter, pois a associação com o homem nem sempre melhora o animal ou dirige seu desenvolvimento na direção correta. O cão perdigueiro aprende com o caçador a ser muito mais selvagem e bruto do que seria em qualquer outra forma de vida que lhe fosse destinada pela natureza, porquanto o animal selvagem mata apenas para satisfazer sua fome, e somente o homem cria na vida animal a maldade de matar pelo prazer de destruir. Por mais que sua inteligência possa ser desenvolvida, teria sido muito melhor para essa desafortunada criatura que nunca tivesse entrado em contato com a humanidade. Através dele sua alma-grupo agora *criou karma* — do pior tipo — pelo qual outros cães, expressões da mesma alma-grupo, terão de sofrer mais tarde para, gradualmente, extirparem aquela selvageria.

O mesmo acontece com o cãozinho de colo, tão mal acostumado por alguma senhora desinformada; aos poucos, ele perde suas virtudes caninas e torna-se a personificação do egoísmo e da comodidade. Nesses dois casos, o homem abusa de sua responsabilidade para com o reino animal e deliberadamente desenvolve os instintos inferiores das criaturas colocadas sob seus cuidados, criando mau *karma* para si e levando também a alma-grupo a gerar mau *karma*. Nosso dever para com os cães é estimular neles a devoção, o afeto, a inteligência e a prestatividade, reprimindo, gentil mas firmemente, toda manifestação do lado selvagem e cruel de sua natureza, o qual uma humanidade brutalizada durante séculos laboriosamente fomentou.

Às vezes algumas perguntas sugerem-me que as pessoas pensam que um cachorro ou um gato recebe certa encarnação como recompensa meritória. Ainda não estamos tratando de uma individualidade separada; por isso um animal específico não tem um passado onde um *karma* individual, no sentido comum da palavra, possa ter sido gerado — nada enfim para ser recompensado. Quando aquela parte da vida do *Logos* que se desenvolve através da linha de encarnação animal no nível, digamos, dos cachorros, alcança um nível razoavelmente elevado, os diferentes animais que formam sua manifestação aqui embaixo são colocados em contato com o homem para que sua evolução receba o estímulo que só essa proximidade pode proporcionar.

A parcela de essência elemental que anima esse grupo de cães tem o *karma* necessário para alcançar o nível onde essa associação torna-se possível, e cada cachorro pertencente a essa alma-grupo participa dos resultados. Assim, quando as pessoas perguntam o que um determinado cachorro fez para merecer uma vida cômoda, ou o contrário, elas estão-se deixando enganar pela ilusão da mera aparência externa, esquecendo-se de que não existem cães individuais, exceto durante a parte final da última encarnação, quando a nova alma separa-se definitivamente do bloco.

Alguns dos nossos amigos não compreendem que pode haver uma coisa tal como o começo de um novo *karma*. Quando **A** prejudica **B**, eles sempre caem na teoria de que anteriormente **B** deve ter prejudicado **A** e agora, simplesmente, colhe o que semeou. Pode ser assim em muitos casos, mas essa cadeia de causas tem de ter um começo em algum lugar, e bem pode ser que seja um ato espontâneo de injustiça por parte de **A**, pelo qual o *karma* certamente o retribuirá no futuro, enquanto o sofrimento de **B**, apesar de não merecido no que diz respeito a **A**, é o pagamento por algum ato, ou atos, cometido no passado relacionado a alguma outra pessoa.

Imaginemos dois egos recém-formados lado a lado, primitivos e sem qualquer *karma*. Se um deles matar o outro ou mesmo agir de qualquer forma sobre o outro, as conseqüências criadas seriam, estritamente falando, não merecidas. Não sei se essa situação pode em algum momento existir, pois penso que o animal individualizado traz um pouco de *karma* para seu primeiro nascimento humano.

Muitos animais possuem um sentido de certo e errado ou, pelo menos, o conhecimento de que algumas coisas podem ser feitas e outras não, e são capazes de se envergonhar quando fazem o que julgam ser errado. Em muitos casos possuem o poder de escolha; podem demonstrar — ou não — paciência e generosidade, e onde existe a capacidade de escolher tem de existir responsabilidade e conseqüentemente *karma*. O animal desnecessariamente agressivo torna-se um homem brutal e cruel; o animal gentil e paciente torna-se uma pessoa também gentil e bondosa, por mais primitiva que seja. Essa importante diferença é claramente conseqüência do *karma* gerado no reino animal. Esse *karma* foi herdado da alma-grupo, onde deve ter sido distribuído igualmente para todos, de modo que, quando uma parte dela separa-se, formando um indivíduo, leva consigo sua parcela daquele *karma*.

Alguém poderá dizer que essas explicações apenas empurram nossa dificuldade um pouco mais para trás, pois tem de haver um ponto inicial em algum lugar, e tecnicamente temos de considerar as conseqüências desse passo inicial como injustas.

Não necessariamente. Vamos supor que o primeiro passo seja uma luta entre dois animais. O desejo de matar ou ferir estaria igualmente presente em ambos; para o perdedor, o *karma* desse desejo seria descarregado de imediato pela morte, enquanto o vitorioso teria um débito que provavelmente se compensaria mais tarde pela violência de sua própria morte. No caso da humanidade, contudo, não precisamos nos entregar a essas especulações.

Se pensarmos nos maus-tratos infligidos por alguém a um animal, podemos ter certeza de que não se trata de conseqüência *kármica* daquele animal em particular, porque se este fosse um indivíduo capaz de acumular *karma* não teria reencarnado novamente em forma animal.

Contudo a alma-grupo da qual ele faz parte deve ter gerado *karma*, ou então essa situação não poderia ocorrer. Os animais freqüentemente causam entre si, de modo intencional, terríveis sofrimentos. Parece ser racionalmente correto que uma presa vitimada por um animal selvagem para servir de alimento, dentro do que pode ser chamado de curso natural e necessário de suas vidas, *não* sofre muito; mas as lutas intencionais e desnecessárias entre bois, veados, cães ou gatos, por exemplo, ocasionam grandes sofrimentos e mau *karma* para a alma-grupo que, no futuro, terá de ser compensado em alguma de suas manifestações.

Entretanto isso não diminui nem por um instante a culpa do humano que maltrata animais, nem serve de motivo para que estes lutem ou façam sofrer outras criaturas. É certo que um *karma* extremamente pesado aguarda o homem que abusa do poder de ajudar que lhe foi dado, e em muitas vidas futuras ele sofrerá as justas conseqüências de sua abominável brutalidade.

Com um pouco de esforço, podemos compreender prontamente os princípios que fundamentam as leis do *karma* e da reencarnação animal a partir do conhecimento disponível na literatura teosófica. Bem sei o quanto esse conhecimento é generalizado e insuficiente e compreendo que, em muitos casos, os detalhes do método *kármico* estão fora do nosso alcance visual, mas vocês encontrarão o bastante para se convencerem de que o que ensinamos quanto à justiça absoluta e inevitabilidade da grande lei é uma das verdades fundamentais da natureza. Imbuídos dessa certeza, poderão alcançar uma compreensão mais detalhada quando obtiverem aquelas faculdades superiores que lhe darão o poder de perceber a ação do sistema como um todo.

À medida que avançarmos, com toda certeza, a luz divina iluminará para nós muitos recantos obscuros, e, gradualmente, alcançaremos o conhecimento perfeito da verdade divina que nos protege e nos guia há muito tempo. Todos os que tiveram o privilégio de estudar esses temas sob a orientação e com a ajuda dos grandes Mestres de Sabedoria estão tão convencidos disso que, mesmo quando ainda não vêem com clareza total, estão prontos a confiar naquele grande Poder do qual, agora, apenas débeis vislumbres podem ser concedidos à visão humana.